ग़ज़ल...

दुष्यंत के बाद

(भाग-तीन)

ग़ज़ल...

दुष्यंत के बाद

(भाग-तीन)

संपादक

दीक्षित दनकौरी

वाणी प्रकाशन
4695, 21-ए, दरियागंज, नयी दिल्ली 110 002

शाखा
अशोक राजपथ, पटना 800 004

फ़ोन: +91 11 23273167 फ़ैक्स: +91 11 23275710
www.vaniprakashan.in
vaniprakashan@gmail.com

GHAZAL DUSHYANT KE BAAD (Part-III)
Edited by Dixit Dankauri

ISBN : 978-93-5072-674-7
Ghazals

संस्करण 2008
आवृत्ति संस्करण 2014

मूल्य : ₹ 500

शुभम् ऑफसेट, दिल्ली-110 032 में मुद्रित

वाणी प्रकाशन का लोगो मक़बूल फ़िदा हुसेन की कूची से

थोड़ी आँच बनी रहने दो, थोड़ा धुआँ निकलने दो
तुम देखोगी कई मुसाफ़िर, इसी बहाने आएंगे

(छायांकन : नवल जायसवाल)

दुष्यंत कुमार

(1 सितम्बर 1933—30 दिसम्बर 1975)

प्राक्कथन

अन्तरराष्ट्रीय प्रख्यात ग़ज़लकार दीक्षित दनकौरी की ग़ज़ल के प्रति लगन और उनके परिश्रम का ही नतीजा है कि 'ग़ज़ल...दुष्यंत के बाद' का यह तीसरा भाग आपके हाथों में है। दीक्षित दनकौरी को उनके इस पुनीत कार्य का सिला वर्तमान में तो मिले न मिले, आने वाली पीढ़ियां उनके इस योगदान के लिए अवश्य ही उनकी ऋणी रहेंगी। अपनी ऐन जवानी में जबकि लोग लोग अपने परिवार और भौतिक आवश्यकताओं की पूर्ति में ही मगन रहते हैं, उस मूल्यवान समय को इन्होंने ग़ज़ल के गेसू संवारने में लगाया...इसीलिए कमलेश्वर जैसे महान साहित्यकार ने इनकी प्रतिभा को पहचाना और अपना आशीर्वाद दिया।

आज जबकि दुर्भाग्य से कुछ स्वार्थी तत्व उर्दू को मज़हब से जोड़ते हैं, ऐसे में दीक्षित दनकौरी ने अपने कलाम और काम दोनों से सिद्ध कर दिया कि भाषा को धर्म के ख़ानों में नहीं बाँटा जा सकता। भाषा तो विचारों और भावों की अभिव्यक्ति का साधन मात्र है। आज दीक्षित जी उस मक़ाम पर हैं जहाँ यह तय कर पाना मुश्किल है कि उनके चाहने वालों में हिन्दी-भाषी ज़्यादा हैं या उर्दू-भाषी। यह सब कमाल उनकी व्यापक सोच, रौशन दिमाग़ और विश्व-दृष्टि के कारण है। कबीर जैसा रुतबा आज दीक्षित जी का है। जिस प्रकार कबीर पर उर्दू और हिन्दी वाले अपना-अपना दावा करते रहे, उसी तरह उर्दू वालों का एक बड़ा हल्क़ा दीक्षित दनकौरी के प्रशंसकों में शामिल है, और हिन्दी भाषी तो उन पर गर्व करते ही हैं।

हम उन सभी ग़ज़लकारों के शुक्रगुज़ार हैं जिन्होंने अपनी ग़ज़लें हमें मुहैया कराईं। उन सभी पत्र-पत्रिकाओं के भी हम आभारी हैं जिन्होंने प्रत्यक्ष या अप्रत्यक्ष रूप से हमारी मदद की। विशेषकर—स्वर्ण जयंती प्रतिबिम्ब, प्रेसमैन, कर्मनिष्ठा, अक्षरशिल्पी, नई ग़ज़ल, नारी अस्मिता, चांस, क़ाफ़िया, शिवम, आरज़ू, संकल्प रथ, गुफ्तगू, परिधि, नई गुदगुदी, सर्वशान्ति, समय सुरभि, विचारधारा, वर्तिका, शुभ्र तारिका, संयोग साहित्य, आकल्य, ललित लालिमा, अर्बाब-ए-क़लम, आसपास, उन्मुक्त, कल्पान्त, शब्दलोक, मसि कागद, फ़नकार, अनुभूति के फूल, उजाला, गोलकोण्डा दर्पण, साहित्य सागर (छ.ग.), गीतान्तर, प्रयास और अक्षरम् संगोष्ठी। हम आभारी है जनाब डॉ. कैलाश गुरु स्वामी के जिन्होंने ग़ज़ल विधा पर बहुत ही उपयोगी लेख हमें उपलब्ध कराया।

और वाणी प्रकाशन के सहयोग का धन्यवाद मात्र कहकर हम उऋण नहीं होना चाहेंगे।

मोईन अख़्तर अंसारी
निदेशक, मोमिन मीडिया, दिल्ली
मो.: 9811123033

ग़ज़ल

सौन्दर्य की उपमा सदैव चांद से दी जाती है और चांद से ही दी जाती रहेगी मगर ग़ज़ल हुस्न की इन्तिहा का नाम है जिसकी उपमा तो स्वर्ग सुन्दरी मेनका से भी नहीं दी जा सकती और न ही इसे किसी भाषा से जोड़ा जा सकता है क्योंकि ग़ज़ल तो बस ग़ज़ल होती है चाहे वह किसी ज़ुबान में कही जाए।

किसी भी ज़ुबान का अदब ज़िंदगी की हक़ीक़त का वह दर्पण है जो शायरी से क़तई ख़ाली नहीं है, यह तो इंसान के स्वभाव का विशेष गुण है, इसीलिए शे'र में हरेक शब्द को, पंक्ति को, डोर में पिरोया जा सकता है बशर्ते उपयोग में लाया जाने वाला शब्द पंक्ति का बोझ बख़ूबी उठा सके।

ग़ज़ल का छंद शास्त्र जिसे 'अरूज़' कहते हैं के महत्त्व और उसकी उत्पत्ति पर संक्षिप्त में प्रकाश डालना चाहता हूं। जैसा मैंने ऊपर कहा है कि काव्य-प्रेम मनुष्य जाति का सहज गुण है। किसी भी भाषा का साहित्य जीवन के यथार्थ का ख़ूबसूरत आईना है। प्रत्येक छंद का स्वरूप उसकी भाषा की सीमा और स्वभाव के अनुरूप होता है। भिन्न-भिन्न भाषाओं के बोलने वाले आपस में मिलते जुलते रहते हैं और उनमें भाषाई समानता और भिन्नता बनती रहती है।

हमारा संस्कृत का छंद शास्त्र सारे संसार में सर्व श्रेष्ठ है। ईसा से 550 वर्ष पूर्व भारत पर सर्व प्रथम ईरान के सम्राट कुरूप ने आक्रमण किया। परिणाम स्वरूप ईरान और भारत आपस में मिले, निकटता बढ़ती गई और फिर सम्राट कुरूप ने भारतीय सभ्यता और संस्कृत छंद शास्त्र का ज्ञान प्राप्त करने के लिए ईरान के विद्वानों को भारत भेजा। ईसा से 330 वर्ष पूर्व सिकन्दर ने भारत पर आक्रमण किया। सिकन्दर पर भारतीय सभ्यता, ललित कलाओं, ज्योतिष विद्या एवं भारतीय साहित्य, संस्कृति का विशेष प्रभाव पड़ा। इस तरह यूनानी दार्शनिकों और साहित्यकारों का भारत में समावेश हुआ और हमारा संस्कृत छंद शास्त्र यूनान और ईरान में प्रचलित हुआ।

शायरी के पिंगल (छंद) पर ख़ासतौर से हमारी युवा पीढ़ी का ध्यान इस ओर आकर्षित करना चाहता हूं। शायरी का अरूज़ (छंद) तेरह सौ वर्ष पूर्व अरबी भाषा के अल्लामा ख़लील बिन अहमद ने ईजाद किया। क्योंकि ईरान के राजा कुरूप व यूनान के सिकन्दर के दौर में हमारी संस्कृत भाषा और उसके छंद शास्त्र की खुश्बू वहां पहुंच चुकी थी।

ख़लील बिन अहमद इतना बड़ा ज्ञानी था कि उसे यूनानी अरजल (पिंगल) व संस्कृत छंद शास्त्र की गहरी पकड़ ही नहीं थी बल्कि वह दोनों छंद शास्त्रों पर हावी था। चुनांचे ख़लील बिन अहमद ने यूनानी और संस्कृत शास्त्र की मदद से शायरी का नया अरूज़ (छंद) ईजाद किया जो अरबी के साथ-साथ फ़ारसी में भी अपनाया जाने लगा। ख़लील बिन अहमद ने अरबी अरूज़ की ईजाद में यूनानी अरूज़ के साथ साथ संस्कृत के हरिगीतिका छंद, चौपाई, भुजंगप्रयात, गीतिका, दोहा, सुखदा, सिन्धु आदि छंदों का सहारा लिया। उदाहरण के लिए -

हरिगीतिका - इस छंद के प्रत्येक चरण में अट्ठाईस मात्रएं होती हैं और चौदह चौदह मात्राओं पर यति (विश्राम) का स्थान होता है। इसका बज़्न बहरे 'रमल' के वज़्न - फ़ायलातुन (2 1 2 2) - फ़ायलातुन (2 1 2 2) - फ़ायलातुन (2 1 2 2) - फ़ायलातुन (2 1 2 2) के समान होता है।

विधाता - इस छंद के प्रत्येक चरण में भी 28 मात्राएं होती हैं मगर इसमें 14 मात्रा पर यति होती है, जिसके पहला, आठवां, पन्द्रहवां और बाइसवां वर्ण लघु होता है। यह बहरे हज़ज के वज़्न - मुफ़ाईलुन (1 2 2 2) - मुफ़ाईलुन (1 2 2 2) - मुफ़ाईलुन (1 2 2 2) - मुफ़ाईलुन (1 2 2 2) के समान है।

महालक्ष्मी - यह मूलतः वर्णवृत छंद है। इसमें क्रमशः तीन चरण होते हैं प्रत्येक चरण में 15 मात्राएं होती हैं और जिसकी तीसरी, आठवीं मात्रा लघु होती है जो बहरे मुतदारिक मुसद्दस सालिम के वज़्न - फ़ायलुन (2 1 2) - फ़ायलुन (2 1 2) - फ़ायलुन (2 1 2) के समान होती है।

सुमेरू - इस छंद के प्रत्येक चरण में सम समप्रवाही 19 मात्राएं हाती हैं, जो बहरे हज़ज मुसद्दस महजूफ़ अल आख़िर के समान है - मुफ़ाईलुन (1 2 2 2) - मुफ़ाईलुन (1 2 2 2) - मुफ़ाईलुन (1 2 2 2)।

इस तरह से ख़लील बिन अहमद ने अरबी छंद (अरूज़) के आविष्कार में संस्कृत के छंद व यूनानी अरजल का सहारा लिया और शायरी के छंद शास्त्र (अरूज़) का बेशक़ीमती तोहफ़ा सारे संसार के ग़ज़ल प्रेमियों को दिया। ख़लील बिन अहमद ने 19 बहरों में से 15 बहरों की ईजाद सबसे पहले की, इसमें से छः बहरें ऐसी हैं जो एक ही रुक्न के उलट फेर से तैयार की जिसे मुफ़रद बहर कहते हैं–

1. रमल 2. हज़ज 3. मुतक़ारिब 4. रजज़ 5. कामिल 6. वाफ़र और बाक़ी नौ बहरें अलग अलग रुक्न की तक़रार से तैयार कीं, जिन्हें मुरक्क़ब बहरें कहा कहते हैं–

1. मुनसरह 2. मुज़ारेअ 3. सरीअ 4. ख़फ़ीफ़ 5. मुजतस 6. मुकतजब 7. तवील 8. मजीद 9. वाफ़र।

बाक़ी चार बहरों में से बहरे मुतदारिक जो मुफ़रद बहर है, की ईजाद अबुल हसन अख़फ़श की। बहरे जदीद की ईजाद बजहर चमहर ने की व बहरे क़रीब की ईजाद युसूफ़ निशापुरी ने की तथा बहरे मशाकिल की ईजाद जिस विद्वान ने की उसके नाम का अभी पता नहीं चल पाया है।

अल्लामा ख़लील बिन अहमद ने अरूज़ (छंद) की ईजाद (अविष्कार) में यूनानी अरजल (छंद) और संस्कृत छंद शास्त्र का एक साथ सहारा इसलिए लिया था कि पद के मुताबिक यूनानी तरीक़ा भी वही है जो संस्कृत का। यूनानी अशआर भी दो हिस्सों में विभाजित किए जाते हैं, जिसके प्रत्येक हिस्से को पद कहते हैं और यूनानी भी इन दो हिस्सों को रजल (पद) कहते हैं।

711 ई. में मुगलों के भारत पर आक्रमण प्रारम्भ हुए। मुहम्मद बिन कासिम, महमूद गजनवी के आक्रमणों के बाद 1175 ई. में मुहम्मद गौरी ने भारत पर आक्रमण करना प्रारम्भ किया। भारत के सम्राट पृथ्वीराज चौहान से हारने के बाद पुनः 1192 ई. में भारत पर आक्रमण किया और सम्राट पृथ्वीराज चौहान पर विजय प्राप्त कर गौरी ने अपने सेनापति कुतुबुद्दीन ऐबक को दिल्ली का सुलतान बना दिया। धीरे धीरे हिन्दू मुसलमान एक दूसरे के क़रीब आए और हिन्दी, अरबी, फ़ारसी मिली जुली भाषाएं बोली जाने लगीं। इस तरह भारत में शायरी की शुरुआत अरबी फ़ारसी जुबान में हुई। आगे चलकर अमीर ख़ुसरो ने फ़ारसी के साथ हिन्दी का भरपूर उपयोग किया और जन-जन तक मात्र फैलाया ही नहीं बल्कि ख़ुसरो के गीत सारे भारत वर्ष में ख़ुश्बू की तरह फैल गए जिनकी महक आज तक क़ायम है।

इसके बाद मुगल साम्राज्य की स्थापना बाबर ने की। बाबर के बाद हुमायूँ के शासन काल में मुगल सेना में हिन्दू ख़ासकर राजपूतों को शामिल किया गया। यहीं से उर्दू जुबान का उदय हुआ जिसे लश्करी ज़बान भी कहा जाता है। यह हिन्दी फ़ारसी के मेल मिलाप से बनी, जिसकी तमाम बुनियादी चीज़े ख़ालिस हिन्दी हैं यानी सारे फ़अआल जिन पर जुमले का दारोमदार है, वह हिन्दी है, हरूफ़-ए-जार यानी शब्दों का रक्षक हिन्दी है, रोजमर्राह की तश्बीह (उपमा) मुहावरे आदि हिन्दी है। यही नहीं अरबी, संस्कृत व अंग्रेज़ी व अन्य भाषाओं के शब्द भी उर्दू में शामिल

हैं। चुनाचे हमारी अदबी लश्करी भाषा जिसका जन्म हिन्दुस्तान में हुआ जो कई जुबानों की खुश्बुओं का ख़ूबसूरत गुलदस्ता है।

हुमायूँ के बाद बादशाह अकबर के दौर में उर्दू का प्रचलन ऐसा हुआ कि अकबर की सेना के साथ साथ भारत के अधिकांश राजा महाराओं की सेना में उर्दू ज़बान का चलन आम हो गया फिर जहांगीर के दौर तक आते आते यह आम आदमी के दिलों में केवल रच बस ही नहीं गई बल्कि हिन्दी की बेटी बनकर उसकी आगोश में खेलने लगी।

एक भ्रम युवा शोअरा और श्रोताओं के ज़हन से साफ़ कर देना चाहता हूं कि यह ज़बान मात्र मुसलमान भाईयों की ही धरोहर नहीं है बल्कि सारे हिन्दोस्तान में रहने वाले हर फ़िरके की भाषा है, इसमें सभी वर्ग के लोगों का गहरा योगदान है।

जहां से उर्दू शायरी का चराग़ रौशन हुआ उनमें सबसे पहला नाम मुंशी प्यारे लाल शौक़ी साहब का है, जो जहांगीर के दरबार में बहुत ही विद्वान बुजुर्ग थे। आपने ही हिन्दुस्तानी ग़ज़ल (उर्दू ग़ज़ल) का चराग़ रौशन किया। आपने अरबी अरूज़ की 19 बहरों का बरसों तक बहुत ही गहराई से अध्ययन किया और उसके बाद 19 बहरों में से 12 बहरें रजज़, हज़ज, रमल, क़ामिल, मुतक़ारिब, मुतदारिक (ये सभी बहरें मुफ़रद हैं) बहरे मुनसरह, मुज़ोरअ, सरीअ, ख़फ़ीफ़, मुजतस और मुक़्तजब (यह सभी बहरे मुरक्क़ब हैं) हैं। यह 12 बहरे आज भी हिन्दी उर्दू के लिए मख़सूस हैं। हांलाकि ग़ज़ल को उर्दू ग़ज़ल या हिन्दी ग़ज़ल कहना या ग़ज़ल को किसी ख़ास ज़ुबान से जोड़ना उचित नहीं है। ग़ज़ल तो बस ग़ज़ल ही होती है चाहे वह किसी भी भाषा में लिखी जाए। मुंशी प्यारे लाल शौक़ी साहब की ग़ज़ल की भाषा देखें–

जिन प्रेम रस चाखा नहीं अमृत पिया तो क्या हुआ
जिन इश्क़ में सर ना दिया वो जुग जिया तो क्या हुआ

मुशी प्यारे लाल शौक़ी के बाद शायरी के चराग़ की लौ को जिन्होंने रौशनी बख़्शी उनका नाम है पण्डित चन्द्रभान बिरहमन। आपका भी एक ख़ूबसूरत शे'र देखें -

बिरहमन वास्ते असनान को फिरता है बनवासी
न गंगा है, न जमना है, न नद्दी है, न नाला है

शे'र की पुख़्तगी ज़बान की रवानगी, शब्दों की बरजस्तगी के साथ साथ सम्पूर्ण सौन्दर्य और अभ्यास का पता साफ़ तौर से दिखाई देता है। इन दोनों बुजुर्ग साहेबान के दम से उर्दू शायरी का चराग़ रौशन हुआ। आप दोनों का नाम दुनिया-ए-अदब में हमेशा के लिए रोशन रहेगा।

इन दोनों बुज़ुर्ग साहेबान के क़रीब 136 वर्ष बाद इनके हम असर उस्ताद शाइर

वली औरंगाबादी साहब ने ग़ज़ल की स्थाई नींव रखी और ग़ज़ल के इल्म नवाज़ी की शान को बख़ूबी आगे बढ़ाया।

अफ़सोस तो यह है कि दौरे हाज़िर में ग़ज़ल के पिंगल (अरूज़) की तरफ़ शोअरा हज़रात की रुचि बहुत ही कम होती जा रही है। जिसकी वज़ह से उनके अशआर अधिकतर बहर से ख़ारिज़ हो जाते हैं, फिर शे'र में तग़ज़्ज़ुल पैदा करना तो बहुत दूर की बात है। क्योंकि जब तक शे'र, शे'र नहीं होता वह हुनर की श्रेणी में नहीं आता। इसलिए हर कामयाब शायर को क़ामयाबी हासिल करने के लिए इल्मे अरूज़ से वाक़िफ़ होना बहुत ज़रूरी है।

यह भी सच है कि आज़ादी के बाद उर्दू का चलन कम होने के बावजूद ग़ज़ल की लोकप्रियता में क़तई कमी नहीं आई बल्कि इसकी शोहरत का जादू हिन्दी के शोअरा के दिल के गोशे में अपना ख़ास मुक़ाम बनाकर सर पर चढ़कर बोल रहा है, क्योंकि उर्दू अदबी जुबान है जो हिन्दी के जिगर में रच बस गई है। यही नहीं इसने हर दिल में हिन्दी के साथ साथ अपना ख़ास मुक़ाम बना लिया है। क्योंकि उर्दू शोअरा भी हिन्दी को अपनी शायरी में बहुत शान के साथ भरपूर उपयोग करते हैं और हिन्दी शोअरा भी उर्दू शब्दों का उपयोग अपनी रचना में बेहिचक करते चले आ रहे हैं। इसीलिए आज हिन्दी उर्दू शोअरा की पहचान सिर्फ़ उनकी ग़ज़लों के सहारे ही होती है, क्योंकि शायरी में ग़ज़ल एक अद्वितीय स्थान को क़ायम रखने वाली विधा है और इसकी सर्वप्रियता (मक़बूलियत) से किसी को इंकार नहीं हैं। यही कारण है कि इसे शायरी की आबरू होने का शरफ़ (श्रेष्ठता) हासिल है। यूं ग़ज़ल को विभिन्न तहरीक़ात ने भी प्रभावित किया। अगरचे परम्परा और नएपन के दर्मियान बराबर कशमकश जारी रही है। हमेशा नए और पुरानेपन पर विरोध के सुर उठते रहे हैं मगर ग़ज़ल इन हालात में भी आसमान की बुलन्दियां छूती चली आ रही है।

यह भी सच है कि हमारी परम्परा की नींव हमारी सभ्यता और आचार व्यवहार की क़द्रों पर रखी गई है। जिस तरह ज़िंदगी हमेशा परिवर्तन को स्वीकारती है ठीक उसी तरह शे'र व अदब भी विश्वास की धुरी पर क़ायम है। हालात और समय के साथ हर इंसान के ज़हन में नए नज़रयात उभरते रहते हैं यदि वह ज़माने का साथ देते हैं तो उन्हें यक़ीनन मक़बूलियत मिलती ही है, यही ग़ज़ल की मक़बूलियत का राज़ है।

जिन्होंने बहतरीन शायरी करने के साथ साथ अदब की बेशबहा ख़िदमत की उनमें मुंशी प्यारे लाल शौक़ी, पंडित चन्द्रभान बिरहमन, अल्लामा वली दखनी, मीर तकी मीर, ग़ालिब, हरिश्चन्द अख़्तर, बज़ाहत हुसैन अन्दलीब शादानी, जिगर

मुरादाबादी, अमान दस्तगीर, अहमद नदीम कासमी, नौबहार साबिर , त्रिलोकचन्द महरूम , शिकब जलाली , गोपी चंद नारंग, शमीम जयपुरी, परवीन शाकिर, कैसर उल जाफ़री आदि जिन्होंने शायरी के चराग़ को रौशन रखने में अपने आप को न्योछावर कर दिया। यही सिलसिला बलबीर सिंह रंग, दुष्यंत कुमार, सुरेन्द्र चतुर्वेदी, मुनव्वर राना से होता हुआ दीक्षित दनकौरी तक आता है।

दौरे हाज़िर के युवा साहित्यकारों में यदि सबसे अधिक अदब की ख़िदमत कोई करता नज़र आ रहा है तो वह है दीक्षित दनकौरी, जिसने हिन्दोस्तान के उन शोअरा हज़रात को मंज़रे आम पर लाकर उनकी तख़लीकात से दनिश्वरों को रू-ब-रू कराया जो अच्छा लिखते हुए भी ख़ामुशी के जंगल में गुमनामी की ज़िंदगी बिता रहे थे। मेरे ख़याल में आज के अक्सर शुअरा हज़रात की नज़र इस जानिब कतई नज़र नहीं जाती, केवल उनका मतमए नज़र यानी असल मक़सद बराए अदब, बराए हयात या फिर अदब बराये मनोरंजन रह गया है। मगर उस शख़्स की क़द्र करनी चाहिए जो खुद शे'र कहता है और हमेशा अपने आप को मैदाने-शायरी में विद्यार्थी ही मानता है।

मैं अदब की बेशबहा ख़िदमत के लिए अज़ीज़ दीक्षित दनकौरी को हौसला अफ़ज़ाई और क़द्रदानी का मुस्तहक़ समझता हूं जो बिना किसी स्वार्थ के 'ग़ज़ल...दुष्यंत के बाद' का संपादन कर रहे हैं। हिन्दुस्तान की योग्य प्रतिभाओं को स्नेह और आदर भाव से दुनिया-ए-अदब में आशना कराने के लिए जो अंजाम दे रहे हैं, वह क़ाबिले तारीफ़ है।

मैं 'ग़ज़ल...दुष्यंत के बाद' भाग तीन के सफल संपादन के लिए बारगाहे समअदी से आपके हक़ में यही दुआ मांगता हूं कि संग्रह के मंज़रे आम पर लाने के साथ साथ दीक्षित दनकौरी को आसमान की बुलन्दियां अता फ़रमाए। आमीन सुम्मा आमीन।

—डॉ. कैलाश गुरु 'स्वामी'

3, लेबर कालोनी, सीहोर (म.प्र.) 4660001
मो.-9826529759

Munawwar Rana

10-सी, बोलाईदत्त स्ट्रीट
कोलकता-700073

दीक्षित दनकौरी ने देश-विदेश के साहित्य-प्रेमियों के दिलों में वो जगह बना ली है जो सौ बरस की उम्र पाने वाले साहित्यकारों को भी आसानी से नसीब नहीं होती। दीक्षित दनकौरी से मुलाक़ात के बाद भी यह अन्दाज़ा लगाना आसान नहीं होता कि इस आदमी में इतनी ज़्यादा सलाहियतें मौजूद हैं।

इतनी कम मुद्दत में हिन्दी साहित्य को मालामाल करना, उर्दू, हिन्दी को एक डोर में बाँधे रखना, शब्दावली के मोतियों को एक ही लड़ी में पिरो देना और फिर ज़िन्दगी के हंगामों से उलझते ही रहना किसी साधारण इन्सान के बस की बात नहीं है।

कई बीघों में सरकार की बनाई हुई अकादमियाँ भी इतना सच्चा, तारीख़ी और ईमानदारी से भरपूर काम नहीं कर सकतीं। काश! हर ऐकेडमी के पास एक दीक्षित दनकौरी होता तो हमारा साहित्य सचमुच मालामाल हो जाता। ख़ासतौर से ग़ज़ल की विधा पर उनका काम कई पी-एच.डी. की डिग्रियों का हक़दार है। इस हक़ीक़त से कोई इन्कार नहीं कर सकता कि दुनिया में कहीं भी अगर ग़ज़ल-विधा पर कोई शख़्स काम करना चाहेगा तो उसे दीक्षित दनकौरी की बनाई हुई ज़मीन से गुज़रना पड़ेगा। दीक्षित दनकौरी का यह हुनर तो अभी आम ही नहीं हो सका है कि उन्होंने कितनी आसानी से उर्दू और हिन्दी को ग़ज़ल के राज सिंहासन पर एक साथ बिठा दिया है।

राजे-महाराजों का ज़माना होता तो उन्हें बड़े से बड़े सम्मान और पदवी से नवाज़ा जाता। हिन्दी और उर्दू ऐकेडमियाँ चाहें तो उन्हें मुशतरका तौर पर किसी बड़े मनसब और ऐज़ाज़ से नवाज़ कर अपने आपको सुर्ख़रू कर सकती हैं। मेरे दिल में उनके लिए जितना सम्मान है वो काग़ज़ पर नहीं उतारा जा सकता क्योंकि ऐसे सीधे-सच्चे, खरे लोग साहित्य की नगरी में कम-कम पैदा होते हैं, फिर उनकी खुशनसीबी है कि उन्हें मोईन अख़्तर अंसारी जैसे दोस्तों का प्यार भी हासिल है।

—मुनव्वर राना

सम्पादकीय–

शे'र अच्छा बुरा नहीं होता
या तो होता है, या नहीं होता

अखिल ब्रह्माण्ड की हर शै का, चाहे वह जड़ है या चेतन, अपना एक विशिष्ट हक़ होता है। हर शै से उसके हक़ के अनुसार व्यवहार करना ही अदब कहलाता है। साहित्य को भी अदब कहा जाता है, यानी एक अदीब या साहित्यकार के व्यवहार और सृजन से जीवन के उच्चतम मानदण्डों की अपेक्षा की जाती है, इसीलिए समाज में उसको विशिष्ट मान दिया जाता है।

लेकिन कभी-कभी पदस्थिति के कारण मान घट या बढ़ भी जाया करता है। 'एक' को 'नौ' से पहले रख देने पर 'नौ' का मान एक से कम रह जाता है। कला और साहित्य के क्षेत्र में, विशेषकर ग़ज़ल की दुनिया में भी कमोबेश यही स्थिति है। मीर, ग़ालिब ज़ौक, दाग़, फिराक़ आदि तो ख़ैर इतिहास पुरुष रहे हैं लेकिन यदि ग़ज़ल के वर्तमान बड़े नामों का ज़िक्र हो तो प्रायः आठ-दस नामों का ही चर्चा होता है। जबकि अपने अध्ययन और अनुभव के आधार पर मेरा मानना है कि देश में इस समय उन आठ-दस चर्चित शायरों से 'बेहतर नहीं तो कमतर भी नहीं' की श्रेणी में रखे जा सकने वाले सैकड़ों शायर हैं जो पदस्थिति के कारण समुचित मान से वंचित हैं।

अरबी-फ़ारसी विधा ग़ज़ल उर्दू के माध्यम से हिन्दुस्तान में आई। ग़ज़ल की सदियों पुरानी रवायत, एक ओर जहाँ आशिक-माशूक, हुस्नो-शबाब, जामो-मीना जैसे विषयों की बहुलता, मुगलकालीन सांस्कृतिक चेतना के साथ-साथ तत्कालीन शासक वर्ग की सामन्ती प्रवृत्ति से परिचय कराती है, वहीं दूसरी ओर ग़ज़ल में किनाए (ओट) से बात कहने की परम्परा उस समय की पर्दा प्रथा की ओर भी इशारा करती है। उर्दू और उर्दू कल्चर ने ग़ज़ल को कमोबेश उसी परम्परागत रूप में अपनाया।

हिन्दुस्तान की आज़ादी की लड़ाई के दौरान और आज़ादी के बाद देश में राजनैतिक और सांस्कृतिक परिवर्तनों के कारण उर्दू-हिन्दी की दूरियाँ कम हुईं। फलस्वरूप दोनों भाषाओं के शब्दों का प्रचलन न केवल आम बोलचाल में, बल्कि दोनों भाषाओं के साहित्य में भी बढ़ने लगा।

उर्दू-कवियों द्वारा हिन्दी की 'पॉपुलर' विधा 'दोहा' में काव्य-सृजन किया जाने लगा एवं ग़ज़ल के अनेक गुणों यथा–चुटीलापन, तीव्र प्रभावोत्पादकता, प्रत्येक शे'र का भिन्न-भिन्न विषय हो सकना आदि के कारण हिन्दी कवियों

का ग़ज़ल के प्रति रुझान बढ़ने लगा। ग़ज़ल के छन्द-विधान (बहूर आदि) को लेकर तो कोई विशेष कठिनाई नहीं थी, क्योंकि भारतीय काव्यशास्त्र में लगभग सभी बहूरों (छन्दों) का विधान है।

लेकिन एक कठिनाई हिन्दी कवियों को ग़ज़ल के कथ्य को लेकर उत्पन्न हुई। वो ये कि ग़ज़ल के परम्परागत विषय—माशूक से गुफ़्तगू, साकी, जामो-मीना, मयख़ाना आदि, चूँकि हिन्दी परम्परा के अंग नहीं हैं, दूसरे, प्रेम (इश्क़), शृंगार, मिलन-विछोह आदि विषयों पर उत्कृष्ट काव्य-रचनाओं से हिन्दी साहित्य भरा पड़ा है।

इसलिए हिन्दी कवियों को इस नाजुक विधा ग़ज़ल के कथ्य को लेकर स्पष्ट दिशा नहीं मिल रही थी। और सम्भवतः, इसीलिए डॉ. रामदरश मिश्र का मानना है कि 'ग़ज़ल' हिन्दी की प्रकृति नहीं रही (ग़ज़ल...दुष्यन्त के बाद)।

उर्दू कवियों की ग़ज़लों में तो ग़ज़ल के परम्परागत विषय रच-बस गए, लेकिन हिन्दी कवियों की ग़ज़लें अपनी भाषागत एवं सांस्कृतिक पृष्ठभूमि के कारण रवायती विषयों को नहीं अपना पाईं। देश में सामाजिक, आर्थिक और राजनैतिक विषमताएँ मुँह बाए खड़ी थीं। अन्य विधाओं में प्रगतिशील विचारों वाली उत्कृष्ट रचनाएँ प्रभाव छोड़ रही थीं। इसी प्रगतिशीलता की रौ में बहकर हिन्दी कवियों ने अपनी ग़ज़लों के कथ्य का रुख़ सामाजिक विषमताओं, राजनीति में भ्रष्टाचार, प्रशासन में व्याप्त तानाशाही आदि जैसे आम आदमी के सरोकारों से जुड़े विषयों की ओर मोड़ा।

ज़ाहिर है, परम्परागत उर्दू शायरी को पसन्द करने वालों को ग़ज़ल में ये विषय रुचिकर नहीं लगे, फलस्वरूप सपाट-बयानी का आरोप लगाकर ऐसी ग़ज़लों को सिरे से नकार दिया।

लेकिन जनता-जनार्दन ने अपने दैनिक जीवन के सुख-दुःख से जुड़ी इस तरह की ग़ज़लों को सर-आँखों पर बैठा लिया। बलबीर सिंह 'रंग', चिरंजीत, रामवतार त्यागी, दुष्यंत कुमार सरीखे अनेक हिन्दी कवियों की ग़ज़लों के शे'र आम ज़बान पर आ गए। दुष्यंत कुमार के ग़ज़ल-संग्रह 'साये में धूप' ने तो कीर्तिमान स्थापित किए। हिन्दी में किसी भी एक विधा की रचनाओं के सर्वाधिक संस्करण सम्भवतः 'साये में धूप' के ही प्रकाशित हुए हैं...।

कभी-कभी यह प्रश्न उठाया जाता है कि आख़िर वर्तमान काव्य की, साहित्य की विषयवस्तु क्या हो। इसके उत्तर में किसी एक विषय की पैरवी नहीं की जा सकती। चूँकि, 'तुलसी या संसार में भाँति-भाँति के लोग'...इसलिए काव्य के भी भिन्न-भिन्न विषय होना स्वाभाविक हैं। लेकिन किसी भी काव्य रचना

के मूल में 'है प्रेम जगत में सार, और कुछ सार नहीं है' ...वाली भावना ही प्रत्यक्ष या अप्रत्यक्ष रूप से कार्य करती है।

रचनाकार के प्रेम का बिन्दु कुछ भी हो सकता है, यथा—ईश्वर, देश, धर्म, समाज, अखिल विश्व, प्रेमी/प्रेमिका, प्रकृति...। उसी प्रकार पाठकों/श्रोताओं/दर्शकों की रुचि भी भिन्न-भिन्न होती है। इस संसार में हर व्यक्ति काव्य-प्रेमी हो, यह भी ज़रूरी नहीं है।

घण्टों-घण्टों लाइन में लगकर, सैकड़ों रुपया खर्च करके टिकट खरीदकर आख़िर लोग सुबह से शाम तक कई-कई दिन तक क्रिकेट भी देखते ही हैं। फ़ैशन शो के नाम पर अपने अंगों को चार इंच की कत्तर से ढंके रेम्प पर निर्लज्जतापूर्वक चलती हुई अभागिन लड़कियों को देख कर लार टपकाने वाले काम पिपासुओं की भी कोई कमी नहीं है। धर्म गुरुओं की कथा-सभाओं में असंख्य नर-नारी विभोर होते ही हैं। अर्थात मुण्डे-मुण्डे रुचिर्भिन्ना।

काव्य की विधाओं यानी छान्दस और अछान्दस (डेड़ बाई चार) रचनाओं की पसन्द-नापसन्द भी प्रत्येक व्यक्ति की अपनी प्रकृति या मिज़ाज पर निर्भर होती है।

ग़ज़ल एक ख़ास मिज़ाज एवं सलीक़े से कही जाने वाली विधा का नाम है न कि छन्द या बह्र में किसी भी विषय को पिरो देना। अपनी बात स्पष्ट करने के लिए एक उदाहरण देना चाहूँगा—

बुन्देले हरबोलो के मुँह हमने सुनी कहानी थी
खूब लड़ी मर्दानी वह तो झाँसी वाली रानी थी

—सुभद्रा कुमारी चौहान

उपरोक्त अमर पंक्तियाँ जिस हिन्दी छन्द में हैं, उस छन्द का बखूबी उपयोग उर्दू शायरों ने भी किया है।

इश्क़ का मौसम ग़म की हवाएं उफ़ रे जवानी हाय ज़माने
दिल की तमन्ना लब पे दुआएं उफ़ रे जवानी हाय ज़माने-मीर तकी मीर

लेकिन सुभद्रा कुमारी चौहान की इन पक्तियों को मतला या शे'र में मतला या शे'र नहीं कहा जा सकता। क्यों?

क्योंकि यह कथ्य ग़ज़ल के मिज़ाज का नहीं है। साथ ही यह भी सही है कि ग़ज़ल केवल छन्द या बह्र में ही कही जा सकती है। लेकिन 'ये हमारे छन्द' और 'ये तुम्हारी बह्र' का विवाद क्यों उठाना चाहिए? उर्दू ग़ज़ल का अपना गौरवशाली इतिहास और परम्परा रही है। उसकी उपेक्षा करके हिन्दी-ग़ज़ल, पंज़ाबी ग़ज़ल, गुजराती-ग़ज़ल या किसी भी भाषा/बोली में ग़ज़ल कहने की

कल्पना करना बेमानी है। मैं तो कहता हूँ कि यदि हिन्दुस्तान के विकास का रास्ता गाँवों से होकर गुज़रता है तो हिन्दी ही क्यों किसी भी भाषा में कही जाने वाली ग़ज़ल के विकास का रास्ता उर्दू ग़ज़ल से होकर गुज़रता है। हम ग़ैर-उर्दू भाषी ग़ज़लकारों को उर्दू अदब की इज़्ज़त करनी चाहिए। हमें नम्रतापूर्वक इनसे कुछ सीखना है और कोशिश करनी है कि हम भी इन्हीं के जितने मयार की ग़ज़लें कह सकें। रही बात हल्के-फुल्के आलोचकों की तो उन्हें हम अस्वीकार करना सीखें। क्योंकि निरस्त तो हम कर नहीं सकते, अस्वीकार तो कर ही सकते हैं। कभी-कभी हमें काँटों भरा रास्ता भी पार करना होता है तो उस समय हम जूते पहनकर उस रास्ते को पार करते हैं। न तो उन काँटों को हम रिजेक्ट कर सकते हैं और न ही स्वीकार कर सकते हैं, तो जूते पहनकर उन काँटों को अस्वीकार तो कर ही सकते हैं।

'ग़ज़ल...दुष्यंत के बाद' के इस तीसरे भाग के प्रकाशन पर मेरी प्रसन्नता के कई कारण हैं। एक तो यही है कि यह तीसरा भाग भी प्रकाशित हो गया है। दूसरा यह कि हास्य-व्यंग्य के प्रथम पंक्ति के कवि, चिंतक अशोक 'चक्रधर' और विनीत चौहान सरीखे प्रख्यात ओज-कवि भी ग़ज़ल के मैदान में तबूअ आज़माई कर रहे हैं। वर्तमान दौर के हास्य-शिरोमणि सुरेन्द्र शर्मा जी का भी अप्रत्यक्ष सहयोग मिला है, उन्होंने स्व. महीपाल सहित अनेक ग़ज़लकारों की ग़ज़लें मुझे उपलब्ध कराईं। ये तो रही ग़ज़ल से इतर कुछ विधाओं के पुराधाओं की बात। सच तो यह है कि मेरी इच्छा है कि सभी विधाओं के कवि, लेखक भी ग़ज़ल के क्षेत्र में आएं।

अपने प्रेरणा स्रोत कमलेश्वर जी की पुण्य स्मृति को 'ग़ज़ल...दुष्यंत के बाद' का यह तीसरा भाग समर्पित करते हुए और यह वादा करते हुए कि यदि मेरी साँसों ने और आपकी दुआओं ने मेरा साथ नहीं छोड़ा तो इंशा अल्लाह चौथा भाग भी प्रकाशित होगा, अपना एक शे'र आप की नज़्र–

मेरी ग़ज़ल या नज़्म रुबाई, सब मिट्टी
तुझ तक ही जब पहुँच न पाई, सब मिट्टी

–दीक्षित दनकौरी

76, डी.डी.ए. .फ्लैट्स
मानसरोवर पार्क,
दिल्ली-110032 (भारत)
फ़ोन- 011-22586409
मो.- 9899172697

अनुक्रम

महीपाल
(24.11.1919—15.5.2005)

प्रकाशन : ग़ज़ल-संग्रह, 'फूल आपके लिए', 'दिल चुन ले', 'अपनी सौग़ात'। पत्र-पत्रिकाओं में रचनाएं प्रकाशित।

नदी किनारों ने अपना रोना रोया
रही जुदाई वही उम्र भर पुल ढोया

फ़सल हमेशा खेतों में उगती आई
बीज फूट का घर-घर में किसने बोया

सुबह ढली तो हो जाती है रात यहाँ
शाम आने का नाम न लेती हो गोया

राह सँवारी जिसकी गीतों-ग़ज़लों ने
वो क़िस्सों के झुरमुट में कैसे खोया

पानी की तो मदद तुम्हें लेनी होगी
ख़ून, ख़ून से कभी नहीं जाता धोया

उखड़ गया बरगद गुस्से में भन्नाकर
जब खजूर की छाँव तले मैं जा सोया

पैर लगे धँसने पथरीली राहों पर
तब दलदल चुपचाप मुक़द्दर को रोया

प्यार का दीप किसी राधा ने बाला होगा
दूर मीरा तक गया जिसका उजाला होगा

तूने कैसे ऐ मुसम्मात फटे आँचल में
दूध और दर्द का सैलाब सँभाला होगा

फट गया होगा हिमालय का कलेजा घुट के
तब किसी हूक ने गंगा को निकाला होगा

मेरे शंकर ने पिया ज़हर तो नीला-नीला
आसमाँ उसमें भिगो किसने उछाला होगा

चाँद का सौदा किया घर में अमावस कर ली
सोच मत, काँच के टुकड़ों से उजाला होगा

उलझनों को बढ़ाता रहा रात भर
बस कोई याद आता रहा रात भर

चीर कर परबतों-जंगलों का जिगर
स्वर किसी का बुलाता रहा रात भर

देह संघर्ष में तड़फड़ाती रही
मन पहेली बुझाता रहा रात भर

चैन आहिस्ता-आहिस्ता आठों पहर
आँसुओं में बहाता रहा रात भर

लिख अँधेरे गए भाग्य का फ़ैसला
जुगनुओं से पढ़ाता रहा रात भर

एक रूप का बाज़ार था वो क्या हुआ
कुदरत का कारोबार था वो क्या हुआ

फ़र्ज़-क़र्ज़-मर्ज़ जुड़े ज़िन्दगी के साथ
खुद चारागर बीमार था वो क्या हुआ

ये उदास-उदास अहल्या सी शिलाएँ
क़दमों का इन्तज़ार था वो क्या हुआ

सौत किसी की नहीं जलती रही शमा
यहाँ किसी का मज़ार था वो क्या हुआ

वक़्त है कि सब कुछ मिटाता चला गया
लेकिन जो अंधकार था वो क्या हुआ

बेबसी एक धुएँ सी लिपटती रही
हाल तन्हाई का उम्र लिखती रही

हर लहर रेत को, हर दिये को हवा
ज़िन्दगी को भी हर साँस छलती रही

गुफ़्तगू के लिए लोग आते रहे
रोज़ उनकी कहानी बदलती रही

कोई हँस-हँस के ग़म गुदगुदाता रहा
आग लगती रही, आग बुझती रही

ज़िन्दगी तेरे रिश्तों की हर एक कड़ी
क्यों सुलझने से ज़्यादा उलझती रही

मधुप शर्मा

जन्मतिथि : 14-12-1921, डडहेडी, पंजाब
शिक्षा : बी.ए.
प्रकाशन : एक ग़ज़ल संग्रह सहित डेढ़ दर्जन से अधिक पुस्तकें प्रकाशित/पत्र-पत्रिकाओं में रचनाए प्रकाशित।
सम्मान : महाराष्ट्र हिन्दी साहित्य अकादमी द्वारा 'जैनेन्द्रकुमार पुरस्कार' सहित अनेक संस्थाओं द्वारा सम्मानित/पुरस्कृत।
सम्प्रति : साहित्य लेखन में व्यस्त।
सम्पर्क : पुष्पा कालोनी मालाड (पूर्व), मुम्बई

छाई है गहरी उदासी शाम से
याद सहलाती रही दिल, शाम से

चाँद तारे मुंतज़िर हैं सब यहाँ
रुक गए हो तुम कहाँ, किस काम से

छटपटाता दर्द भी झट सो गया
थपथपाया जब तुम्हारे नाम से

कोई भी रहबर न सच्चा मिल सका
हम भटकते ही रहे नाकाम से

गुरूद्वारे, गिरजे, मंदिर, मस्जिदें
सब अखाड़े हैं तुम्हारे नाम से

ऐ मसीहाओ बनाओ इक जगह
सब झुकें इन्सानियत के नाम से

आज मेरी आँख कल सी नम नहीं है
मत समझ लेना कि कोई ग़म नहीं है

दर्द का सहना बड़ा दुश्वार होता
दर्द को मुस्का के पीना, कम नहीं है

दो दिलों की सोच, चाहत एक-सी हो
प्रेम की धाराओं का संगम यहीं है

वो कहाँ से आसरा देगा किसी को
जिस में अपना ही कोई दम-खम नहीं है

आपके है वे हितैषी, सब का दावा
स्वार्थ साधन में कोई भी कम नहीं है

दाता! अपना विधान रहने दे
मानव, मानव समान रहने दे

सभी सृष्टि यह तेरा नाटक है
बात इतनी हमें भी कहने दे

ज़ख़्म जितने दिये ज़माने ने
ज़िन्दा उनके निशान रहने दे

सच तो साबित हुए हैं ख़्वाब सभी
मेरा कल्पित जहान रहने दे

आदमी है तेरा खिलौना ही
रोज़ के इम्तिहान रहने दे

क्या थी वो, जो हमने पाई ज़िन्दगी
क्या से क्या तुमने बनाई ज़िन्दगी

हर्फ़े-उल्फ़त से तो वाक़िफ़ मगर
दर्द ने हम से मिलाई ज़िन्दगी

आँधियों से साबक़ा पड़ता रहा
बारहा तिनका बनाई ज़िन्दगी

फूल तो खिलते थे पहले भी बहुत
तुम जो आए महमहाई ज़िन्दगी

ज़िन्दगी का ही था पहलू रात भी
दूसरा, यह जगमागाई ज़िन्दगी

ख़ुदाया कैसी यह नफ़रत भरी हवा है चली
न शहर शहर रहा है, न आज कल सी गली

है एक बार तो गुलशन को कर दिया वीराँ
यह ख़ुदपरस्ती की आँधी है फिर से चली

दरख़्त किस से शिकायत करेगा और किस की
बहार आई मगर शाख़ पर कली न खिली

अँधेरी रात में चस्पाँ थीं आँधियाँ दर पर
हरेक साँस मगर थी घुटी-घुटी सी लगी

सवाल मेरे भी दिल में तो कम नहीं थे, मगर
नज़र में उनकी सवालात की झड़ी सी लगी

प्यारे लाल रत्न

जन्मतिथि : 12-5-1924, लुधियाना

शिक्षा : एम.एच. (इंगलिश, राजनीति शास्त्र, दर्शन-शास्त्र।

प्रकाशन : 4 काव्य संग्रह, 1 आलोचना, 1 निबंध, 1 व्यंग्य संग्रह, 2 शोधालेख।

सम्मान/पुरस्कार: 'महमूद शिरानी पुरस्कार' भाषा विभाग पंजाब।

सम्प्रति : स्वतंत्र लेखन।

सम्पर्क : नई आबादी, खन्ना, 141401 (पंजाब)

दर खुला रक्खो, हवा आती रहे जाती रहे
लू हो या मौज-ए-सबा, आती रहे जाती रहे

नन्हें क़दमों की सदा आती रहे जाती रहे
बूढ़े होटों पर दुआ जाती रहे जाती रहे

सुब्ह को आना ही है, हर शाम को जाना ही है
फ़ायदा रोने से क्या आती रहे जाती रहे

किसके दम पर किस भरम में बुलबुले हैं फूलते
सांस है चलती हवा आती रहे जाती रहे

मौसमों की भीड़ से आज़ाद मैं अंदर की रुत
तू फ़क़त उड़ती घटा आती रहे जाती रहे

उठता रहा धुआं मगर सब देखते रहे
जलता रहा मकां मगर सब देखते रहे

बाज़ार थे सभी खुले, सब होंट बंद थे
लुटती रही दुकां मगर सब देखते रहे

किस किस की बात कीजिए किस किस को रोइये
सब का हुआ ज़ियां मगर सब देखते रहे

गोली किधर से आई थी गोली किसे लगी
किस पर न था अयां, मगर सब देखते रहे

हंगाम-ए-क़त्ल एक बड़ा सानिहा हुआ
इक भीड़ थी वहां मगर सब देखते रहे

आग की बेरुख़ी तेरी बातें
प्यार की गर्मियां मेरी बातें

तेरी शह पा के क्या नहीं करते
तेरे बंदे बुरी-भली बातें

लफ़्ज़ बेकार का बखेड़ा थे
काम आईं तो अनकहीं बातें

दिल का आंगन तुझे बुलाता है
भूल भी जा कही-सुनी बातें

होशमंदों को याद आएंगी
इक क़लंदर की बेतुकी बातें

जां छिड़कतें है ख़्वार करते हैं
जो भी करते हैं यार करते हैं

कहने वाले तो क्या नहीं कहते
करने वाले तो प्यार करते हैं

जिनको तेरी जफ़ा मय्यसर है
वो वफ़ा बार-बार करते हैं

ज़िंदगी वो घड़ी है जिसमें हम
मौत का इन्तज़ार करते हैं

बेख़बर फूल भी ख़िजाओं पर
कुछ बहारें निसार करते हैं

जी रहा हूं कि मर रहा हूं मैं
जी जहां से गुज़र रहा हूं मैं

ये परेशानियां मुबारक हैं
इनके हाथों संवर रहा हूं मैं

इनके आने में राज़ होता है
इन बहारों से डर रहा हूं मैं

तेरी सौगन्ध है मुझे गुलचीं
ख़ार दामन में भर रहा हूं मैं

क्या बताऊं मैं, जानने वालो
पूछते हैं किधर रहा हूं मैं

'नाज़' सहराई

मूल नाम : इन्द्रजीत सिंह
जन्मतिथि : 15-10-1924, गांव भरना (ग़ज़ियाबाद)
शिक्षा : बी.एस.सी, एम.एस.सी.
प्रकाशन : ग़ज़ल-संग्रह 'लाला-ए-सहराई'। अनेक पत्रिकाओं/संकलनों में रचनाएं प्रकाशित।
सम्मान/पुरस्कार: अनेक संस्थाओं द्वारा सम्मानित।
सम्पर्क : 1973, सेक्टर-4, अर्बन एस्टेट, गुड़गांव
फोन - 2322128

ऐ मेरे महबूब तूने क्या किया
मेरे अन्दर बैठ कर पर्दा किया

दूर तक सहरा था, तपती रेत थी
क्या किया जो चील ने साया किया

लोग अपनी बात कह कर चल दिए
मैं फ़क़त अल्फ़ाज़ ही ढूंढा किया

अब किसी से भी गिला मुझ को नहीं
मुझ से मेरे वक़्त ने धोखा किया

अहले-साहिल गुल मचा कर रह गए
डूबने वाला मगर डूबा किया

किस लिए शर्मिन्द-ए-किरदार है
जो किया तूने बहुत अच्छा किया

क्या किया हमने मसीहा से सुलूक
क़त्ल करके फिर उसे सिजदा किया

जान देकर हो गया है जाविदां
'नाज़' तूने ख़ूब ही सौदा किया

इस तौर प्यार हो
बे-इख़्तियार हो

क्यों अश्कबार हो
क्यों सोगवार हो

हम पर तेरा सितम
हो बार-बार हो

जन्नत से हम को क्या
जब कू-ए-यार हो

ऐ 'नाज़' फिर हंसी
पहले नज़ार हो

बात-बेबात डरने से क्या फ़ायदा
यूं कई बार मरने से क्या फ़ायदा

जिस जगह कोई पूछे न इन्सान को
उस जगह फिर ठहरने का क्या फ़ायदा

बस्तियां, गांव, बर्बाद जब कर दिए
तब नदी के उतरने से क्या फ़ायदा

जिस से पामाल हो जाए हस्ती कोई
राज़ अफ़शा वो करने से क्या फ़ायदा

जब हकीक़त छिपाने से छिपती नहीं
'नाज़' बनने-संवरने से क्या फ़ायदा

दोस्ती क्या दोस्ती है आजकल
दुश्मनी से भी बुरी है आजकल

क्या कहें, इन्साफ़ का रुख़ है किधर
चश्मे-हाकिम में कजी है आजकल

ग़म के मारों की कमी कोई नहीं
ग़म गुसारों की कमी है आजकल

ग़म नहीं बरबादिए-दिल का हमें
उन को ग़म है, ग़म यही है आजकल

'नाज़' अब अपने कहां अपनों में हैं
सारी दुनिया अजनबी है आजकल

अबके दुश्मन ने तमाशा क्या किया
वो हमारे साथ ही चलता रहा

उसने शिकवों का बुरा माना न कुछ
वो बड़ा मक्कार था हंसता रहा

दोस्त आए, दुश्मनी की, चल दिए
कारवाने ज़िन्दगी चलता रहा

जान दे दी दूसरों के वास्ते
वो मसीहा मर के भी ज़िन्दा रहा

'नाज़' कठपुतली है जिस ग़फ़्फ़ार की
रक़्स उसकी ताल पर करता रहा

गिरवर दान सिंह बारहठ

जन्मतिथि : 10.1.1928
शिक्षा : विशारद, प्रभाकर, विद्याभूषण, एम.ए. (हिन्दी), जे.टी.सी.
प्रकाशन : 'चढ़ी गगन में बूंद' काव्य-संग्रह।
सम्मान/पुरस्कार: अनेक संस्थाओं द्वारा सम्मानित।
सम्प्रति : स्वतंत्र लेखन
सम्पर्क : 10/326, प्रशांति निवास, गली नं.-1, जुबली बास, लाजपत नगर, अलवर (राज.) 301 001
फोन : 0144-2881807

ज़िंदगी तो कुछ न कुछ नेकी करे, तब है
डूबने वाले को जो लेकर तरे, तब है

यों वतन में रह के तो सब जीते हैं मरते हैं
वतन पर लेकिन कोई जिए मरे, तब है

जन्म जो लेता है मरता है वह लेकिन
ज़िंदगी रहते हुए कोई मरे, तब है

एक दिन मंज़िल यक़ीनन मिल ही जाएगी
रास्ते पर पांव अपना अब धरे, तब है

माफ़ होती है गुनाहों की सज़ा लेकिन
बाखुशी अपना किया खुद ही भरे, तब है

बख़्श देगा वह गुनाहों को तेरे 'गिरवर'
अपनी करनी पर तेरे आंसू झरे, तब है

दो चार दिन की ज़िंदगी उसको हुई नसीब
दो चार दिन जीकर कहीं मर जाएगा ग़रीब

ये फ़क़त कम नहीं है मुहब्बत के दौर में
वह हुस्न मालामाल है यह आशिक़ हुआ ग़रीब

आने दो आती है अगर शाहीन को नज़र
गुलशन में रहनी चाहिए आज़ाद अन्दलीब

मोमिन क्या हाल हो गया नाज़ुक बुतों का देख
पत्थर से पड़ गए हैं जब देखा तुझे क़रीब

'गिरवर' अवामी दर्द के मारे वह चैन से
रोता है इन्कलाब को इकबालिया अदीब

देखिए क्या-क्या दिखाए ज़िन्दगी
और क्या, कितना सताए ज़िंदगी

शाम को सूरज अकेला ही गया
साथ मुश्किल से निभाए ज़िंदगी

फिर से कांटों पर धरा मुंह फूल ने
मौत पर फिर मुस्कराए ज़िंदगी

दो कमल दरिया को लेकर लड़ पड़े
आग पानी में लगाए ज़िंदगी

आए तो 'गिरवर' गले लग जाएगा
काश फिर से लौट आए ज़िंदगी

कैसा तो हाल हो गया हिम्मत किए बग़ैर
मरना मुहाल हो गया अब तो जिए बग़ैर

देखा जो उसका हुस्न तो मुल्ला भी मेरे साथ
पीने पे जम गया है इबादत किए बग़ैर

तौबा किए जाता है दिल रोता भी है मगर
रहता नहीं है यार मुहब्बत किए बग़ैर

मांगे से मौत भी नहीं मिलती है इस जगह
तुम चाहते हो ज़िंदगी क़ीमत दिए बग़ैर

'गिरवर' ज़ुबान पर तेरे काबू नहीं रहा
जीने की आदत सीख तू शिकवा किए बग़ैर

तेरे बग़ैर ज़िंदगी होगी बसर नहीं
मेरी अकेली जान से मंज़िल ये सर नहीं

लिपटी पड़ी है आग हसीनों के जिस्म से
इन आशिक़ों को रोकिए इनको ख़बर नहीं

रहना है तो रहिए यहां बिल्कुल तमीज़ से
दुनिया है यह आख़िर ख़ाला का घर नहीं

वह तो सरापा इश्क़ है उसका तो ज़िक्र छोड़
लेकिन तुम्हारी आह में कुछ भी असर नहीं

लेखा ज़रूर है वहां 'गिरवर' गुनाह का
जैसा इधर में हाल है वैसा उधर नहीं

नन्दलाल पाठक

जन्मतिथि : 3-7-1929, औरिहार, गाज़ीपुर(उ.प्र.)
शिक्षा : एम.ए.
प्रकाशन : 'धूप की छांह', 'जहां पतझर नहीं होता', 'भगवद्गीता-आधुनिक दृष्टि' प्रकाशित। पत्र-पत्रिकाओं/संकलनों में रचनाएं प्रकाशित।
सम्मान/पुरस्कार: अनेक संस्थाओं द्वारा सम्मानित।
सम्प्रति : स्वतंत्र लेखन। पूर्व अध्यक्ष(हिन्दी विभाग) सोफाया महिला, महाविद्यालय, स्नतकोत्तर प्राध्यापक, मुम्बई वि.वि.।
सम्पर्क : अमिताभ-125, मॉडल टाउन, चार बंगला, अंधेरी (प.) मुम्बई-53
फोन - (022) 26368457
मो. - 09820077879

कभी फूल से जला हूं कभी आग से खिला हूं
मैं मुसीबतों का पाला बड़े प्यार से पला हूं

मेरे साथ अब न कोई है सिवा मेरी ख़ुदी के
मैं हूं क़ाफ़िले में तनहा, मैं अकेले क़ाफ़िला हूं

यूं तो ख़ुद हूं बेठिकाना, मेरा दिल है घर ख़ुदा का
मेरी आंख में समन्दर, मैं ज़रा-सा बुलबुला हूं

मेरी शक्ल है तुम्हारी ज़रा आइने में देखो
मुझे पढ़ के खुद को पढ़ लो, मैं किताब-सा खुला हूं

कभी हो चुकी हो तुमसे भी हसीन भूल शायद
कोई पारसा न तुम हो, न मैं दूध का धुला हूं

मेरी ज़िंदगी के फूलों को है मौत ने पिरोया
नहीं आदि जिसका कोई वो अनन्त श्रृंखला हूं

दूर इतने हैं कि हम मिलकर नहीं मिलते
गा रहे समवेत लेकिन स्वर नहीं मिलते

भीड़ में है खो गया यह शहर अब इसमें
छत भले मिल जाए लेकिन घर नहीं मिलते

पंचतारा होटलों में ही कहीं होंगे
शाम को साहब कभी घर पर नहीं मिलते

जितने अपराधी जमे सिंहासनों पर हैं
उतने तो अब जेल के अन्दर नहीं मिलते

मेरी मजबूरी है मेरा घर है शीशे का
वरना क्या ढूंढे मुझे पत्थर नहीं मिलते

एक घटना नई हो गई
उम्र अब मुद्दई हो गई

बन्द होने लगीं खिड़कियां
हर दिशा निर्दयी हो गई

प्यार किसको किया, कब किया
बात आई गई हो गई

आदमी है वहीं का वहीं
औ' सदी पर सदी हो गई

स्वर्ग आकाश से गिर गया
भूमि महिमामयी हो गई

पूर्णिमा की रात! पर काली घटाएं
मुस्कुराएं या कि हम आंसू बहाएं

शोर चारों ओर इतना बढ़ गया है
खो गई हैं शोर के पीछे दिशाएं

नाव बोझिल हो गई है माझियों से
माझियों से कहो अब तो उतर जाएं

कंठ-सूखा, सांस जैसे घुट रही है
और उस पर हुक्म-अब हम गीत गाएं

हम नहीं तैयार मरने को अभी भी
तुम सजा दो लाख चन्दन की चिताएं

कुछ तो हँसने के हैं कुछ रोने के कुछ गाने के दिन
ज़िंदगी के दिन हैं नाटक से गुज़र जाने के दिन

हो भले ही कल्पना पर थी बड़े ही काम की
देवताओं के गगन से फूल बरसाने के दिन

ज़िंदगी ऐसी कोई फिर ला दे जिसमें हो मिठास
फिर वही गोकुल के ब्रज के और बरसाने के दिन

आपके दिन हैं ज़माना आपका हँस लीजिए
ये भी मुमकिन है कभी आ जाएं दीवाने के दिन

आप तो कल तक कली थीं फूल कब से हो गईं
आपके तो दिन अभी थे खेलने खाने के दिन

मुग़नी तबस्सुम

जन्मतिथि : 13-6-1930, हैदराबाद।
शिक्षा : एम.ए. (उर्दू), एम.ए. (परशियन) पी.एच.डी.।
प्रकाशन : अनेक पत्रिकाओं/संकलनों में रचनाएं प्रकाशित।
सम्मान/पुरस्कार: अनेक संस्थाओं द्वारा सम्मानित।
सम्पर्क : 6-3-659/2, सोमाजीगुड़ा, हैदराबाद-500082
फोन - 040 23310406

शाम के दिल में तारा है
देखो कैसा नज़ारा है

मुझको कहीं अब जाना है
मुझको किसी ने पुकारा है

यादों का फैला है जंगल
जंगल में बंजारा है

सूरज है या मेरा दिल
दिल है या अंगारा है

अब यह रस्ता मंज़िल है
अब यह मौज किनारा है

कैसी मुबारक साअत है
रौशन सुबह का तारा है

दिल की लगी रह जाएगी
कोई कमी रह जाएगी

शोले तो बुझ जाएंगे
आग दबी रह जाएगी

सूखे पत्ते बिख़रेंगे
शाख़ हरी रह जाएगी

दरवाज़े चुप साधेंगे
आहट सी रह जाएगी

दर्द के फैले सायों में
तन्हाई रह जाएगी

सर झुकाता है कहां तेरा मुक़द्दर है अलग
घर की दीवार जुदा राह का पत्थर है अलग

एक सूरज पसे दीवार चमकता है जुदा
एक साया इसी दीवार से हटकर है अलग

आसमां पर है अजब चाँद सितारों का समां
दिल में देखो तो यहां रात का मंज़र है अलग

पास तेरे हूं क़तरा है निहां दरिया में
दूर तुझसे हूं कि सहरा से समन्दर है अलग

फ़ुर्सते-उम्र है कम हर्फ़े-तमन्ना सुन ले
बात शिकवों की न पूछते कि वह दफ़्तर है अलग

उसको दिल की ख़बर तो होगी ही
आइने पर नज़र तो होगी ही

कैसे होगी बसर नहीं मालूम
ज़िंदगी है बसर तो होगी ही

रात के ख़्वाब सारे बिखरेंगे
सोने वाले! सहर तो होगी ही

अब हवाओं से क्या गिला कीजे
खाक है दर-ब-दर तो होगी ही

पास रख़्ते-सफ़र नहीं न सही
साथ गर्दे-सफ़र तो होगी ही

एक एक पेड़ उखड़ते देखा
ज़ोर जंगल में हवा का देखा

पास आते हुए सहरा में कहीं
दूर जाता हुआ दरिया देखा

एक चेहरे की सदा डूब गई
एक आवाज़ का चेहरा देखा

दिलपज़ीरों थी अजब आंखों में
बात करने का सलीक़ा देखा

मिल के दोबारा निगाहें न मिलीं
उस ने आंखों में मेरी क्या देखा

'शादाँ' सिरोंजी

मूल नाम : अंसार अहमद
जन्मतिथि : 1930, सिरोंज
शिक्षा : उर्दू, हिन्दी, अरबी ज्ञान
प्रकाशन : पत्र-पत्रिकाओं में रचनाएं प्रकाशित।
सम्मान/पुरस्कार : अनेक संस्थाओं द्वारा सम्मानित।
सम्प्रति : दस्तकारी
सम्पर्क : द्वारा डॉ. सग़ीर शाद, शीतला माता मंदिर, पो- छबड़ा (बारां) राज. - 325230
फ़ोन - 07452-223241
मो. - 9928768981

निगाहें फेर लीं उसने समझकर अजनबी मुझको
नई मालूम अब होती है मेरी ज़िंदगी मुझको

मैं कल उसके अता करदा अलम पर हँसता रहता था
हँसी की बात पर भी अब नहीं आती हँसी मुझको

न काबा है, न बुतख़ाना, न साक़ी है, न मैख़ाना
ख़ुदा जाने कहाँ ले आई है दीवानगी मुझको

जिगर में दर्द है, आँखों में आंसू लब पे ख़ामोशी
तेरी ख़ातिर मयस्सर है बहुत आसूदगी मुझको

शफ़क़ में हुस्ने-गुल में ताबिशो-अंजुम में रह-रह कर
तेरी महसूस बस होती है इनमें आ कमी मुझको

मोहब्बत के ज़माने को ज़माना हो गया लेकिन
रुलाती है किसी की याद 'शादाँ' आज भी मुझको

वो लोग जो अहसासे निदामत नहीं रखते
दौलत की क़िबाओं में भी इ़ज़्ज़त नहीं रखते

हम ग़म में कभी ग़मज़दा सूरत नहीं रखते
तंगी में फ़क़ीरों की सी हालत नहीं रखते

ना जाने कहाँ तुझपे यह अहसान जतादे
कमज़र्फ़ कभी ज़र्फ़ की दौलत नहीं रखते

दुनिया में वो तस्वीर की मानिन्द रहे हैं
जो दिल में तमन्ना कोई हसरत नहीं रखते

रखते हैं नज़र अपने गरेबां पे जो 'शादाँ'
हाथों में कभी संगे मलामत नहीं रखते

क्या हुआ हैरां हैं नज़रें और बशर ख़ामोश है
वो तबाही है कि खुद बर्क़े शरर ख़ामोश है

यूँ खड़ा है भीड़ में कहता नहीं लोगों से कुछ
बाग़ में जैसे कोई सूखा शजर ख़ामोश है

खुद समझ लो क्या बताऊं शहर का मंज़र तुम्हें
रास्ता सुनसान है दीवारो-दर ख़ामोश है

हाथ कोई तो उठे ज़ुल्मो-सितम को रोकने
देखकर चारों तरफ़ यह चश्मे-तर ख़ामोश है

खुद नुमाई के परे जो शख़्स 'शादाँ' है खड़ा
देखिये होते हुए इल्मो-हुनर ख़ामोश है

यह कैसी जलवागाहे नाज़ है यह कैसी महफ़िल है
जो कल तेरे मुक़ाबिल था वो अब ग़म के मुक़ाबिल है

बगोलों में उड़ा करता हूँ मुश्ते ख़ाक के मानिन्द
न कोई कारवाँ मेरा न कोई मेरी मंज़िल है

हमारी बज़्म से उठकर चला जाना तो आसां है
तसव्वुर से हमारे तुम चले जाओ यह मुश्किल है

पराए ग़म को जो अपना समझते हैं ज़माने में
समझता हूँ उन्हीं में दौलते-कोनेन हासिल है

ज़माने की ज़बाँ से डर रहा हूँ इसलिये 'शादाँ'
मेरी बदनामियों में नाम उनका भी तो शामिल है

खो गए तेरी अदाओं में ऐ ग़म्माज़ बहुत
हर तरह दिल ने उठाए हैं तेरे नाज़ बहुत

तू जो चाहे तो ज़माने को जगह दे पल में
तेरे अंदर है अभी क़ुव्वते आवाज़ बहुत

क्यों है रुसवाए ज़माना तू ज़माने भर में
वक़्त ने कल तो दिए थे तुझे ऐज़ाज़ बहुत

सुस्त बाज़ू लिए शाख़ों पे न बैठो वरना
तेज़ रखते हैं ख़लाओं में नज़र बाज़ बहुत

'शादाँ' इस ख़ाक से क़ुदरत को अयाँ करना
अपनी कारीगरी और अब्द के ऐज़ाज़ बहुत

ब्रजेन्द्र अवस्थी
(1.1.1931–22.1.2007)

शिक्षा : एम.ए., पी-एच.डी.
प्रकाशन : ग़ज़ल-संग्रह 'रंग अपने-अपने'। विभिन्न विधाओं की लगभग एक दर्जन पुस्तकें प्रकाशित। लगभग आधा दर्जन पुस्तकों की पाण्डूलिपियां अप्रकाशित। पत्र-पत्रिकाओं में रचनाएं प्रकाशित।

घिरी हो घटाएं, गिरे लाख बिजली जो चलते रहे हैं वो चलते रहेंगे
घनी आंधियों के अंधेरों में दीपक जो जलते रहे हैं वो जलते रहेंगे

भले सारा संसार मिलकर प्रलय-सा, करे आक्रमण तो भी चिन्ता नहीं है
गजेन्द्रों के दल को मृगेन्द्रों के छौने कुचलते रहे हैं कुचलते रहेंगे

न दो ताप इतना कि मन खौल जाए, भुजाओं का विक्रम स्वयं तौल जाए
चुनौती से ये ज्वालामुखियों के सोते उबलते रहे हैं उबलते रहेंगे

भले शान्ति प्यारी बिना-शक हमें है, विनाशक क्षणों में मगर क्रान्ति प्यारी
अंधेरे की छाती पै हम बाल रवि-से मचलते रहे हैं, मचलते रहेंगे

अहिंसा की सुन स्नेहमय लोरियों को न जयचन्द न्यौतें पुनः गौरियों को
निषंगों से हम शब्दवेधी विशिख-से निकलते रहे हैं निकलते रहेंगे

न गुमराह अपनी नई पीढ़ियां हैं न वतन में ही उत्थान की सीढ़ियां हैं
यों सदियों से गिर-गिर के उठ-उठ के हम सब संभलते रहे हैं संभलते रहेंगे

अदावत के फालों से खेतों के भीतर जो बो देगा-रन खेत का बीज कोई
तो राणा के भालों पै भालों के कंदुक उछलते रहे हैं उछलते रहेंगे

मरुथल में भटकने से तुझे जल न मिलेगा
चल-चल के पसर जाएगा तू चल न मिलेगा

चश्मों से अलग भीतरी चश्में के निकट चल
वरना तो कहीं और तुझे हल न मिलेगा

क़िस्मत की हथेली पे बना चक्रव्यूह है
इस जाल से तो मुक्ति का संबल न मिलेगा

मंज़िल की तरफ़ जल्द क़दम रखना उठाकर
कल-कल पुकारने से कभी कल न मिलेगा

हिम्मत हो तो बदल दे अभी चाल वक़्त की
जिस पल का इन्तज़ार है वह पल न मिलेगा

पिंजड़ा नहीं है कोई-कोई पाश नहीं है
तुझ पर मगर उड़ान का अवकाश नहीं है

कहने को सारी सृष्टि को आकाश है ढंके
ये धुन्ध है निगाह की आकाश नहीं है

देखेगा कैसे दिल में बसी उस हंसी की छवि
पर्दा ही मेरे दिल का अभी फ़ाश नहीं है

मत रो कि ज़िंदगी ने नया मोड़ ले लिया
उजड़ा हुआ मकान है ये लाश नहीं है

मुश्किल नहीं है सामने मंज़िल के हैं निशां
पहुंचा मगर वहां कोई हत-आश नहीं है

न लुत्फ़ कुछ भी रहा अब थकी कहानी में
जो दिल का हाल था वो लिख चुका जवानी में

मैं शहरे-हज़रते-फ़ानी में हूं ये है मालूम
है चार दिन यहां रहना सराय फ़ानी में

मिसाले-बर्फ़ नहीं हूं मगर वो बर्फ़ हूं मैं
ब वक़्ते-शाम बदलना है जिसको पानी में

जो बात दिल में है वो आचरण में शामिल है
हुआ न लिप्त मैं दुनिया की लन्तरानी में

भटक रहा हूं शहर गांव और गली, कूचों
किसी भी रोज़ पहुंचना है राजधानी में

ख़तरों से भरा रास्ता हमवार हो न हो
बढ़ना है तुझे आगे मददगार हो न हो

है बीच धार हौसलों से हाथ-पांव मार
ले आनी नाव पार है पतवार हो न हो

यह ज़िन्दगी है जंग मनोबल है तेरे साथ
यह जंग जीत हाथ में, तलवार हो न हो

पानी है कामयाबी मुक़द्दर को हराकर
कुदरत को अपनी हार स्वीकार हो न हो

तू सत्य कह रहा है अटल रहना सत्य पर
सच का प्रमाण देने को अख़बार हो न हो

निर्मल चन्द 'निर्मल'

जन्मतिथि : 6-3-1931, सागर (म.प्र.)
शिक्षा : एम.ए., बी.एड.
प्रकाशन : अनेक विधाओं की आठ पुस्तकें प्रकाशित।
सम्मान/पुरस्कार: अनेक संस्थाओं द्वारा सम्मानित।
सम्प्रति : निर्मल मेडीकल एजेंसी
सम्पर्क : जनता स्कूल के पास, पुर्वियाऊ टौरी, सागर (म.प्र.)
फोन - 07582 222756
मो.- 9993949714

राहे-वफ़ा में जुस्तजू तुझको कमाल दे
हिन्दोस्तां की हर जुबां तेरी मिसाल दे

जिनकी छटा से रोशनी हो दूर-दूर तक
माँ-बाप की गोदा में ऐसे नौनिहाल दे

ये जातियां व धर्म तो हमने बनाए हैं
इंसा खुदा की देन है सबको ख़याल दे

परचम हमारा विश्व में लहराना चाहिए
हर नौजवां के ख़ून में इतना उबाल दे

चारों तरफ़ हो शुद्धता ईमान की फ़तह
बहकी हुई फ़िज़ाओं को थोड़ा खंगाल दे

मुल्के-अदम का रास्ता गंदा न हो कभी
जितना बने तू पाँव का कीचड़ निकाल दे

इतना ही करम कीजिये 'निर्मल' फ़क़ीर पर
देके अदब की भीख ये झोली सँभाल दे

ग़ल्तियाँ हम तो यही बार-बार करते हैं
आज के काम को कल पे उधार करते हैं

बाल लम्बे हों तो होता नहीं जोगी कोई
पेड़ बरगद के जटाएं हज़ार करते हैं

उम्र लम्बी की दुआ दीजिये न निर्धन को
भूख के नाम पे दिन बेशुमार करते हैं

आप छोटे हैं तो निश्चित ही गुनहगार हुए
बड़ों के जुर्म लोग दरकिनार करते हैं

डंक पै डंक लगे अपनों के लेकिन 'निर्मल'
अपने-अपने ही हैं हम ऐतवार करते हैं

खेल क्या बदला कि अपने भी विराने हो गए
पल झपकते ही हरे पत्ते पुराने हो गए

एक क्षण इतना कि वर्षों सी तपन मन में हुई
एक क्षण विस्तार से गुज़रा ज़माने हो गए

खिड़कियों से हवा का बर्ताव तो ऐसा न था
आज यूं मुमकिन लगा झोंके सयाने हो गए

सब्र, उत्पीड़न, निराशा, रंजोग़म, मजबूरियाँ
निर्धनों के हाथ में कितने ख़जाने हो गए

कुर्सियों की दौड़ ने 'निर्मल' तरक़्क़ी खूब की
जो कभी फुटपाथ पर थे वे सिरहाने हो गए

ख़ुशमिज़ाजी ज़िंदगी की शान है
ग़म परस्ती जिस्म का अपमान है

ख़्वाहिशों के नाम पर क्या चाहिए
ये ज़मीं ये आसमां वरदान है

क्या करें पूजन-भजन परलोक को
मुख पे अपने जय जय हिन्दोस्तान है

जो सतत् चमके उन्हीं का यश नहीं
जुगनुओं के पास भी ईमान है

कोई छोटा है नहीं 'निर्मल' यहाँ
सूक्ष्म तिनका आँख को व्यवधान है

आदमी को कुछ न मिले, प्यार तो मिले
अपना किसी को कहने का अधिकार तो मिले

तूफ़ान से भी जूझना आ जाता है जनाब
मरने को हंसी ख़्वाब मद्दगार तो मिले

कितनी सफ़ाई दें मगर सच्चाई है यही
आँखों के साथ दिल भी गुनहगार तो मिले

है रूठने का टोटका भी प्रेम का ही ढंग
चाहत है अन्तरंग की मनुहार तो मिले

जाएंगे कहां खोजने परमात्मा का द्वार
'निर्मल' की चाह इतनी कि संसार तो मिले

खन्ना मुज़फ़्फ़रपुरी

मूल नाम : प्रह्लाद नारायण खन्ना
जन्मतिथि : 21-3-1931, इलाहाबाद
शिक्षा : बी.ए.
प्रकाशन : ग़ज़ल संग्रह 'तन्हा-तन्हा मुझे ज़िंदगी मिली'। अनेक पत्र-पत्रिकाओं में रचनाएं प्रकाशित।
सम्मान/पुरस्कार: 'कला श्री' एवं 'संगीत गौरव'।
सम्प्रति : संस्कार भारती संस्था के नगर अध्यक्ष, संस्थापक - 'साहित्यिक अंजुमन'।
सम्पर्क : 1/डी-1, ब्लू आर्च, कान्वेंट एवेन्यू, चार बंगला, अंधेरी (प.) मुम्बई-53
फोन - (022) 26355622
मो. - 9324557634

जब तेरे ग़म सिमट के आते हैं
अश्क आंखों में मुस्कराते हैं

फूल रख दीजिए किताबों में
ये ख़िज़ां में भी काम आते हैं

कौन खेती करे मुहब्बत की
फ़स्ल नफ़रत की सब उगाते हैं

दुख उठा कर बड़ा किया जिनको
ज़ख़्म दिल पर वही लगाते हैं

वक़्त के साथ जो नहीं चलते
उम्र भर वो फ़रेब खाते हैं

बात अब तो खुशी की क्या होगी
सबके चेहरों पे दर्द पाते हैं

मुख़्तसर-सा सफ़र था 'खन्ना' का
घर से आए थे घर को जाते हैं

प्यार का गीत गुनगुनाना है
दिल का मौसम बड़ा सुहाना है

रो पड़े हैं जो हंसते-हंसते हम
ज़िंदगी का यही फ़साना है

दूर हो जाए तीरगी दिल की
हमको ऐसा दिया जलाना है

दोस्तों से लगा के देख लिया
दुश्मनों से भी दिल लगाना है

नफ़रतों के दयार में 'खन्ना'
प्यार का सिलसिला बढ़ाना है

मुल्क में ये कैसा मंज़र देखते हैं
हाथ जितने सब में खंज़र देखते हैं

प्यार की हरियालियां तो खो गईं सब
दिल की हर धरती को बंजर देखते हैं

है निगाहें दूसरों के ही घरों पर
क्या कभी हम खुद के अंदर देखते हैं

हम कभी जाते रहे साहिल की जानिब
अब तो दामन में समन्दर देखते हैं

आपनी आंखों का है ये 'खन्ना' करिश्मा
सत्य, शिव हम और सुन्दर देखते हैं

शहर में दिन न घर में रात मिली
तन्हा-तन्हा मुझे हयात मिली

घर में सूरज भी चाँद भी है मगर
तीरगी से कहां निजात मिली

बीज बोए थे अम्न के लेकिन
खेत में फ़स्ले हादसात मिली

लोग कहते थे मेरे जैसा उसे
कोई लहजा मिला न बात मिली

अपना-अपना नसीब है 'खन्ना'
किसको कितनी ये कायनात मिली

कोई ख़्वाबों से डर गया होगा
और बेवक़्त मर गया होगा

न कोई नाम कुछ ठिकाना ही
घर से आया था घर गया होगा

यूं ही छूटा न सब्र का दामन
सर से पानी गुज़र गया होगा

तल्ख़ियों से न जो निजात मिली
ज़हर कानों में भर गया होगा

पूछते सब कि बता दे 'खन्ना'
कुछ वसीयत तो कर गया होगा

अनूप सिंह 'नादान'

जन्मतिथि : 1-12-1931, सरधना, मेरठ (उ.प्र.)

शिक्षा : एम.ए.अंग्रेज़ी, एम.फिल, सी.आई.ई. तथा एफ.एल.

प्रकाशन : कालेज मैगज़ीन (सम्पादक) तर्ज़-ए-हयात-1982

सम्मान/पुरस्कारः अनेक संस्थाओं द्वारा सम्मानित।

सम्प्रति : कालेज प्राचार्य से सेवा निवृत्त, स्वतन्त्र लेखन

सम्पर्क : 9, पंचवटी स्कीम नं.-7, अलवर (राज.) 301001
फोन—0144-2342309

जिन्हें रह रह के खुश ख़्वाबों ने मारा वो कहाँ जाएं
न जाएं तो कहाँ जाएं? जो जाएं तो कहाँ जाएं

मचलते हैं शबो-दिन सैकड़ों अरमाँ दिल ए ग़ुम में
वो दिल की वादियों के अशना हैं वो कहाँ जाएं

कटी सुख-चैन से जिनकी उन्हें जन्नत मिली लेकिन
गुज़ारी उम्र दोज़ख़ में जिन्होंने वो कहाँ जाएं

न मालूम कितने अर्से से मेरे दिल में ही रहते हैं
हज़ारों तूफ़ाँ हैं दिल से निकल कर वो कहाँ जाएं

यूं उठने को तलब-ए-अर्ज़ उठती है बहुत लेकिन
अगर गुंजाइश-ए-अर्ज़-ए जुबाँ न हो कहाँ जाएं

ज़माने भर के रंजो-ग़म के हम मारे हुए बन्दे
न आए तेरे क़दमों में ख़ुदारा तो कहाँ जाएं

तलातुम हैं हवादिस हैं, न राहत है, न ख़ुर्मशी है
उठा सर ये दुखों का आस्माँ 'नादाँ' कहाँ जाएं

बुलबुले क़फ़स को कहां आसमां मिले
आहो फ़ुग़ां, तनहाई, ग़म, पीरे निहां मिले

आज़ादी परिन्दे को सौ-जन्नत है अज़ल से
एक आसमां मिले उसे, एक आशियां मिले

हम तो जी लिए घुटन में दहशत में फ़साद में
फ़स्ले नौ को, ए शाहे जहां! बेहतर जहां मिले

इल्म, फ़न तक्नीक को नया आस्मां मिले
तहज़ीब फले-फूले हर शै ख़ुशनुमां मिले

नहीं दर्दे सर 'नादां' जिसे दुनिया के दर्द से
न ये जहां मिले उसे, न वो जहां मिले

ख़ाक-ए-कू-ब-कू बहुत छानी
नब्ज़-ए-आलम क्या है पहचानी

सैकड़ों ग़म हैं काबिज़-ए-दिल, यारब
हमने गोशा नशीनी कब जानी

देख घर घर में टूटते रिश्ते
बढ़ता जाए है दर्द-ए-हैरानी

शिकार करते याँ कौन डरता है
शिद्दत जिस्मानी हो या रूहानी

शफ़ा मांगे है दौर से 'नादाँ'
पीर अपनी हो या हो बेगानी

दिल, क्यूँ ग़म-ए-जाना को ही आवाज़ दीजिए
लाखों ग़म-ए-दौराँ भी हैं एहसास कीजिए

ज़ुल्मो-सितम, मनाफ़रत झगड़े-फ़साद हैं
हैं तल्ख़ियाँ जहाँ में बहुत ग़ौर कीजिए

मुफ़लिसी, ज़ोरो-सितम सैलाब-ए-अश्क हैं
ख़तरों से चमन-ए-हिन्द को आज़ाद कीजिए

दिल में सफ़-ए-मातम है शब-ए-ग़म है दौर में
अभी ज़िक्र जामो सुबू का मुझसे न कीजिए

अभी कुलफतों रंजो-महन में ग़र्क है जहाँ
'नादाँ' को बख़्शिये, ऐ दोस्त! ज़िद न कीजिए

दिल दस्तक-ए-ताबाना दे गुज़रा कोई
क्या आने वाला है नया ख़तरा कोई

निकलता हूँ जब मैं गुलशन के लिये
पकड़ लेता है मुझे सहरा कोई

गुफ़्तगू कीजे तो किससे कीजिए
कोई गूंगा है तो है बहरा कोई

दिल तेरा शब-ए-अमावस है अगर
क्या करे तेरा चमकता चेहरा कोई

चीख़ उठता हूँ वतन के नाम पर
है ज़ख़्म-ए-दिल 'नादाँ' बहुत गहरा कोई

नसीमुल क़ादरी
स्योहारवी

जन्मतिथि : 3-1-1932
शिक्षा : मिडिल पास
प्रकाशन : पत्र-पत्रिकाओं में रचनाएं प्रकाशित। प्रकाशनाधीन 'वादे-नसीम'।
सम्मान/पुरस्कार: अनेक संस्थाओं द्वारा सम्मानित।
सम्प्रति : निजी व्यवसाय एवं स्वतंत्र लेखन।
सम्पर्क : मोहल्ला मियाँ बूलन शाह स्योहारा, जिला-बिजनौर 246746 उ.प्र.
मो. : 9719251506, 9897419311

जब क़लम शायरे-फ़ितरत का रवाँ होता है
नफ़्से-मज़मून जवाँ और जवाँ होता है

राज़ को राज़ ही रखिये तो मुनासिब होगा
सब से कहने का हर इक राज़ कहाँ होता है

दिल का सौदा न कोई दुनिया में अरज़ाँ जाने
दिल का सौदा तो दो आलम पे गराँ होता है

लोग करते हैं मेरे गिरयाए-ग़म पर तनक़ीद
आग से पहले तो ज़ाहिर है धुँआ होता है

कौन अपना है यहाँ कौन पराया है 'नसीम'
इस ज़माने में यह अंदाज़ा कहाँ होता है

अगर तुझ से मुँह मोड़कर जाऊं मैं
मुझे मौत आ जाए, मर जाऊं मैं

इधर जाऊं या के उधर जाऊं मैं
कोई यह बता दे किधर जाऊं मैं

भला कैसे मुमकिन है कूचे से तेरे
बिना तुझको देखे गुज़र जाऊं मैं

इजाज़त अगर ज़िन्दगी दे मुझे
थका हूँ बहुत अपने घर जाऊं में

'नसीम' उनके कूचे में मिलने को उनसे
तमन्ना है शामो-शहर जाऊं मैं

करते हैं लोग कैसे जफ़ा पूछते चलें
होता है कैसे एहदे-वफ़ा पूछते चलें

अंजाम इश्क़ का हमें मालूम है मगर
तजवीज़ क्या करेगें सज़ा पूछते चलें

माना के यह शराब बुरी चीज़ है मगर
साक़ी की राय क्या है ज़रा पूछते चलें

दुनिया हज़ार जान से जिस पर निसार हो
वो कौन सी है तर्ज़े–अदा प्छते चलें

छाई हुई है दिल पे जो बदली सी ऐ 'नसीम'
बरसेगी कब यह खुलके घटा पूछते चलें

रक़्स में जाम आते रहे रात भर
हम ग़ज़ल गुनगुनाते रहे रात भर

शैख़ तक़रीर करने में मसरूफ़ थे
रिन्द साग़र लुन्ढाते रहे रात भर

देस में आग लगती रही और हम
जश्ने-इशरत मनाते रहे रात भर

अस्मतें माँओं, बहनों की लुटती रहीं
हम क़याफ़े लगाते रहे रात भर

हम 'नसीम' आग में ग़म की जलते रहे
और वह मुस्कराते रहे रात भर

काग़ज़ पर जो लिखा जाए
जाँचा जाए, परखा जाए

आज न जाने क्यों दिल अपना
सहमा जाए, डूबा जाए

सर से आँचल उस गोरी के
सरका जाए, ढलका जाए

खुद ही खुद यह कौन है यारो
रोता जाए, हंसता जाए

आज 'नसीम' इस दौरे-नौ में
किसके अपना समझा जाए

गोपाल सक्सेना
'पंकज'

जन्मतिथि : 26-2-1934, उरई, उ.प्र.
शिक्षा : एम.ए. (अंग्रेज़ी साहित्य)
प्रकाशन : 'दीवार में दरार है' कविता संग्रह।
सम्मान : सम्मान यही कि सम्मानित नहीं।
सम्प्रति : अवकाश प्राप्त प्राध्यापक।
सम्पर्क : 254, मोती निधि काम्प्लेक्स, छिंदबाड़ा, मध्य प्रदेश
मो. : 9926540506

शिव लगे सुंदर लगे सच्ची लगे
बात कुछ ऐसी कहो अच्छी लगे

गुब्बतों से मयफ़दों में बंद है
अब ग़ज़ल के ज़िस्म पर मट्टी लगे

याद मां की उंगलियों की हर सुबह
बाल में फिरती हुई कंघी लगे

ज़ुल्फ के झुरमुट में बिंदिया आपकी
आदिवा सी गाँव की बच्ची लगे

रक़्ख करती देह उनकी ख़्वाब में
तैरती डल झील में कश्ती लगे

ज़िंदगी अपनी समय के कुंभ में
भीड़ में खाई हुई लड़की लगे

ज़िस्म 'पंकज' का हुआ खँडहर मगर
आँख में ब्रजभूमि की मस्ती लगे

आप जब लाजवाब होते हैं
कितने हाज़िर जवाब होते हैं

जिनके घर रोटियाँ नहीं होतीं
उनके घर इन्क़लाब होते हैं

कुछ तो काँटे उन्हें चुभेंगे ही
जिनके घर में गुलाब होते हैं

पानी-पानी शराब होती है
आप जिस दिन शराब होते हैं

मौत के वक़्त एक लम्हे में
उम्र भर के हिसाब होते हैं

हक़ीक़त है या दिल को बहला रहा है
सुना है ज़मीं पे ख़ुदा आ रहा है

जुदा कर न देना अदावत दिलों से
अभी दुश्मनी में मज़ा आ रहा है

मुझे ख़ुदकुशी की ज़रूरत ही क्या है
मेरा यार मेरी दवा ला रहा है

पड़ोसी, पड़ोसी के घर तक न पहुँचा
सितारों से आगे जहाँ जा रहा है

फ़रक़ कम या ज़्यादा का है सिर्फ़ 'पंकज'
जिसे देखो बारूद बरसा रहा है

बुझे दियों के नाम हो गए
उजियाले बदनाम हो गए

चिड़ियों की नन्हीं चोंचों पर
चोरी के इल्ज़ाम हो गए

फुटपाथों पर पड़ा हिमालय
टीलों के सम्मान हो गए

किसके आगे हाथ पसारें
ईश्वर तक कंगाल हो गए

ढाई आखर पढ़ा न कोई
सौ-सौ पूर्ण विराम हो गए

होती थी जो शबाब में वो बात अब नहीं
भीगा है खेत ओस से बरसात अब नहीं

कुछ क़ाफ़िये रदीफ़ तो बेशक है पास में
ग़ज़लों में ढाल दूँ जिसे जज़्बात अब नहीं

अब जिस्म ही तो जिस्म से मिलते हैं प्यार में
जिस्मों के साथ रूह की सौगात अब नहीं

हंसना हंसाना लोगों का व्यवसाय बन गया
पहले सी दिलफरेब खुरफात अब नहीं

ये बज़्मे-कायनात से रूख़्सत है आख़िरी
'पंकज' के पास साँसों की ख़ैरात अब नहीं

जयजयराम आनंद

जन्मतिथि : 1-4-1934, नगला सेवा (लायकपुर), मैनपुरी

शिक्षा : एम.ए., एम.एच.डी., विशारद साहित्य रत्न (मा.)

प्रकाशन : शिक्षा में 5 काव्य संकलन नं.-5।

सम्मान : अनेक संस्थाओं द्वारा सम्मानित।

सम्प्रति : साहित्य सृजन, प्रकाशन।

सम्पर्क : ई-7/70, अशोका सोसायटी अरेरा कालोनी,
भोपाल (म.प्र.) 462016
फोन : (0755) 2467604
मो. : 09826927542

नदी किनारे आना-जाना अच्छा लगता है
गीत-ग़ज़ल का ताना-बाना अच्छा लगता है

जैसी बहे बयार पीठ तब तैसी देना
समय-समय का रोना-गाना अच्छा लगता है

झंझावातों को पछाड़ जब नाव किनारे लग जाए
तब मिलजुल कर पीना-खाना अच्छा लगाता है

जो हम गाएं गीत-ग़ज़ल दुनिया दुहराए
भरी सभा में गाना-बाना अच्छा लगाता है

पूजा, अर्चन, सिंगार, दवा, आनन्द बिखेरे
हाथ मिलाए सोना-तांबा अच्छा लगता है

थोड़े में सब कुछ कहना है
गागर में सागर भरना है

सीपी में मोती ढलने को
बूदों को बंदी बनना है

वन-उपवन के गलियारों में
तितली भौरों को हँसना है

बाट जोहते विजयहार हों
उन राहों पर ही चलना है

घर-घर में आनन्द बिखेरे
गीत ग़ज़ल दोहे कहना है

जीवन साथी सबके पेड़
हाथ मिलाते सबसे पेड़

वर्षा आँधी तूफ़ानों का
करें सामना डट के पेड़

छानी-छप्पर महल अटारी
गा उठते बन-ठन के पेड़

मंत्र ऋचाओं की सेवा में
रहे जागते बन के पेड़

जीवन भर आनन्द बाटते
आदि-अंत हैं जग के पेड़

तल्खियों के घूँट हम पीते रहे
इसलिए आँसू के घट रीते रहे

पत्थरों ने कुचल दी सब हसरतें
फिर भी हम दुष्यंत बन जीते रहे

घाव पर छिड़का नमक संसार ने
हर हाल में घाव सब सीते रहे

साजिशों ने नापना चाहा गला
नाप ना पाए विफल फीते रहे

सिल गए जब होंठ सारे शहर के
हम ग़ज़ल आनन्द से गाते रहे

यज्ञ-हवन खेतों पर करते, मेरे गाँव के लोग
पुलिस-बुलिस से ना अब डरते, मेरे गाँव के लोग

घर-घर राजनीति का अड्डा, छुटभैय्या सब नेता
अपनी आन-बान पर मरते, मेरे गाँव के लोग

भरी खुली बंदूक तमंचा, बगल दबाए घूमें
अपनो की गरदन पर धरते, मेरे गाँव के लोग

मधुशाला कोने-कोने पर, ले ले उधार पीते
मदहोशी में गिरते पड़ते, मेरे गाँव के लोग

खबर नहीं दिल्ली-दिल्ली की रहते हैं दीवानें
अक्षर अजान आनन्द लूटते, मेरे गाँव के लोग

लक्ष्मीनारायण शर्मा
'साधक'

जन्मतिथि : 1-5-1934 , पुलगांव (कश्मीर)
शिक्षा : एम.ए. (हिन्दी, इतिहास), एल.टी.
प्रकाशन : ग़ज़ल-संग्रह 'मंज़िल के आस पास'। अनेक पत्र-पत्रिकाओं/संकलनों में रचनाएं प्रकाशित।
सम्मान : निराला साहित्य परिषद थान खम्हरिया (दुर्ग) सहित अनेक संस्थाओं द्वारा सम्मानित।
सम्पर्क : न्यू टीचर कालोनी तिल्दा, पो.-नवेरा, जिला-रायपुर (छ.ग.) 493 114
फोन : (07721) 233318
मो. : 9406062458

मुस्कान की पर्तों के नीचे दर्द गहरा है
पीर का सागर हृदय में आकर ठहरा है

कुछ वियोगों को सहा, चुप पी लिये आँसू
वर्जनाओं का इधर संगीन पहरा है

किन्तु विचलित हूँ नहीं कर्तव्य के पथ में
जगमगाता हर समय संयम का चेहरा है

भावना कर्तव्य से बढ़कर नहीं होती
संकल्प का ध्वज सबसे ऊपर जाकर फहरा है

बलिदान की अनुपम कहानी लिख गया कोई
उत्सर्ग का अध्याय यह सचमुच सुनहरा है

मुस्कान के बिन फूल कोई रह नहीं सकता
आँख का काजल रुदन बिन बह नहीं सकता

मुस्कराना खेल है क्या, मुस्करा के देख
मुस्कान को तेरी जमाना सह नहीं सकता

गुलशनों में गूँजती है, गुफ़्तगू तेरी
तेरा बयान और कोई, कह नहीं सकता

मुश्किलें आसान करना तेरी हिम्मत है
दीवार पक्की सी चुनाचे ढह नहीं सकता

कर दिये हैं पस्त तूने हौसले उसके
नीचे पड़ी तलवार, दुश्मन गह नहीं सकता

सुलगा के आग दिल में चम्पत न होइए
वो रो चुके हैं काफ़ी कुछ आप रोइए

शिकवा नहीं है कोई, विनती ज़रूर है
अब सामने मरीज़ के धीरज न खोइए

बेचैन ज़िन्दगी को, मिलता नहीं सुकून
निर्दोष हैं गर आप तो, निश्चिंत सोइए

क्या हुआ यह आपको, रोए फफ़क फफ़क
आँसू भरा है चेहरा, इसे खूब धोइए

चिलमन में आज 'साधक' झांके हैं कुछ जवाब
सारी निराशा छोड़कर, आशाएँ बोइए

आ गए हैं फूल से पर्वत उड़ाने वाले
छा गए हैं जग में में दहशत जमाने वाले

देना इन्हें निमंत्रण, संकट है घोर मित्रो
सीधा पराए घर को, अपना बताने वाले

छोटे से पंख को भी, मुर्ग़ी बड़ी बताते
हाथी को कहके चींटी, अचरज जताने वाले

जादू—छड़ी घुमाकर महलों की करते रचना
मन अपना रँग न पाए, कपड़े रँगाने वाले

ज़्यादा मतों से जीते, शोहरत भी खूब पाए
अचरज है कुर्सी बैठे, जी भर सताने वाले

मन के अन्दर प्रश्न कुछ उठते गए
बिन उत्तरों के पीर में घुटते गए

हमने समझा था जिन्हें सम्बल सखे
स्टेशनों की भाँति सब छुटते गए

यात्रा पाथेय बिन सम्भव नहीं
शक्ति कम होती गई, पांव भी रुकते गए

समने सोचा था कि पतझर है शुरू
कामना के पात नव उगते गए

आख़िरी दिन भी ललकमय ही रहे
फूल चुनने के लिये झुकते गए

सरदार पंछी

मूल नाम : करनैल सिंह
जन्मतिथि : 14-10-1934, गांव थट्टा भदौरा सिंह (पाकिस्तान)
शिक्षा : मैट्रिक, प्रभाकर, अदीब कामिल
प्रकाशन : सांवले सूरज, सूरज की शाखें, दर्द का तर्जुमा, शिव रंजिनी, तकदे-तकदे आईना, क़दम-क़दम तन्हाई, अधूरे बुत, नक्शे-क़दम, पंछी दी परवाज़, मेरी नज़र में आप, अनुकृति, गुलिस्ताने-अक़ीदत, बोस्ताने-अक़ीदत। 'एक चादर मैली सी' एवं 'वारिस' फिल्म में गीत।
सम्मान/पुरस्कार: शिरोमणि उर्दू साहित्यकार, प्रो. मोहन सिंह एवार्ड सहित अनेक संस्थाओं द्वारा सम्मानित/पुरस्कृत।
सम्प्रति : पूर्ण कालिक साहित्य साधना।
सम्पर्क : 'नशेमन' पंजाब माता नगर, लुधियाना-144013
फ़ोन. 0161-2564165

हम ज़िन्दगी की सारी कहानी सुना गए
आया तुम्हारा नाम तो पहलू बचा गए

हम ने तेरे ख़याल की तितली दबोच ली
सब रंग कायनात के मुट्ठी में आ गए

ख़ुद को उदास पाया तो तन्हाई ओढ़ ली
देखा तुझे उदास तेरे पास आ गए

आ बैठ मेरे सामने, मैं रिन्देख़ास हूँ
कमज़र्फ़ लोग मयकदे से साक़िया गए

'पंछी' शराब पीने में अब क्या मज़ा रहा
अब मयकदे में शेख़ो-बिरहमन भी आ गए

हुस्न मालिक तमाम फूलों का
इश्क़ भी है ग़ुलाम फूलों का

हो गए सुर्ख़ होंठ तितली के
चूम कर सुर्ख़ जाम फूलों का

ये भी पीते हैं रात भर शबनम
लिख लो रिन्दों में नाम फूलों का

पत्ती-पत्ती के रेशे-रेशे पर
सूफ़ियाना कलाम फूलों का

दूसरों के लिये जियो 'पंछी'
बस यही है पयाम फूलों का

मेरा साक़ी मेरे हाथों से प्याला छीन लेता है
वो मेरी दोनों आंखों का उजाला छीन लेता है

हमेशा दान देता है वो मन्दिर और मस्जिद को
मगर मज़दूर के मुंह से निवाला छीन लेता है

जिसे अच्छा नहीं लगता ज़मीं का आसमां होना
वही 'रविदास' के हाथों से माला छीन लेता है

ख़ुदा बे-दख़्ल कर देते हैं हिन्दू भी, मुसलमां भी
वो मस्जिद छीनता है वो शिवाला छीन लेता है

जिसे अच्छी नहीं लगती घरों में रौशनी 'पंछी'
वही जलते चराग़ों से उजाला छीन लेता है

देवताओं को फटे दामन में भर कर ले गया
एक दीवाना तेरे कूचे के पत्थर ले गया

दिन दहाड़े काट कर क़ातिल मेरा सर ले गया
और मुन्सिफ़ कहते हैं, अपना मुक़द्दर ले गया

बारहा ग़ैरत ने रोका अक़्ल ने टोका मगर
दिल हमें मजबूर करके तेरे दर पर ले गया

शर्म आंखों की बदन का लोच और होंठों का रस
ज़र के बदले में वो कैसे-कैसे ज़ेवर ले गया

हुक्म है 'पंछी' के दोनों हाथ पांओं काट दो
क्यों यह राहे आम के सब ख़ार चुन कर ले गया

दैरो-मस्जिद में न वो जंगल या वीराने में है
साक़िया अपना ख़ुदा बस तेरे मयख़ाने में है

और कोई छू के देखे जल न जाए तो कहो
आग के दरिया का पानी मेरे पैमाने में है

ज़हर पीता जा रहा है नाम ले-ले कर तेरा
देख ले अब होश कितना तेरे दीवाने में है

'नींद उस की है दिमाग़ उस का है रातें उसकी हैं
आप की ज़ुल्फ़ों की ख़ुश्बू जिसके सिरहाने में है

एक 'पंछी' के अलावा जानता कोई नहीं
बात जो मेरे तुम्हारे दिल के तहख़ाने में है

'केवल' कृष्ण बहल

जन्मतिथि : 4-1-1935

शिक्षा : एम.ए (सोशल वर्क)

प्रकाशन : ग़ज़ल-संग्रह ''बोलते लम्हे'' कई पत्र-पत्रिकाओं में लेख, ग़ज़लें।

सम्मान : अनेक संस्थाओं द्वारा सम्मानित।

सम्प्रति : नूकैम लिमिटेड में 34 वर्ष वाईस प्रेसीडेन्ट एडमिनिस्ट्रेशन एच.आर के पद पर कार्य कर सेवा निवृत 'अदबी संगम, फ़रीदाबाद' साहित्यिक संस्था के सह संस्थापक; पंजाबी पत्रिका 'पूजा' के सह सम्पादक, 'शेरे सरहद' एवं 'शेरे हरियाणा' में स्तम्भ लेखन।

सम्पर्क : 164 सैकटर–15ए, फ़रीदाबाद-121007
फोन : (0129) 2284 400
मो. : 9810594351

ज़िन्दगी तेरे लिऐ कुछ काम कर जाऊँगा मैं
अनकही अपनी कहानी छोड़ कर जाऊँगा मैं

हर क़दम पर साथ चलती जा रही है चाँदनी
पर अँधेरा साथ जाएगा जो घर जाऊँगा मैं

मैं कभी डरता नहीं था हादसों से ऐ नदीम
क्या ख़बर थी देख कर आईना डर जाऊँगा मैं

कोई तो रक्खेगा चलते वक़्त रिश्तों का भरम
अपना घर, अपना वतन जब छोड़कर जाऊँगा मैं

मुर्शिदि-कामिल से 'केवल' रोशनी होगी नसीब
ख़न्दा पेशानी से दुनिया छोड़ कर जाऊँगा मैं

लब पे आई है और रुकी सी है
ये तो आवाज़ बेबसी की है

हमने भी आज़मा लिया है ख़ूब
दुनिया होती नहीं किसी की है

शाही लगती है ये फ़क़ीरी भी
शान ऐसी मेरी खुदी की है

कुछ दरिन्दों से कम नहीं यारो
आज हालत जो आदमी की है

मेरे मुर्शिद का है काम 'केवल'
खोज दिल में जो रोशनी की है

नहीं अब ताब उड़ने की परों में
सिमट के बैठे हैं अपने घरों में

कहाँ है रोशनी का दौर यारो
अँधेरा है दिलों में और घरों में

मैं खुद अपनी जुबाँ से क्या सुनाऊँ
कहानी पढ़ लो मेरी आँसुओं में

कोई तो बन गया रस्ते का पत्थर
कोई मूरत बना है मन्दिरों में

ये 'केवल' चश्मे-साकी का करम है
जो रौनक़ आ गई है मयकदों में

दिल बुझा हो तो रोशनी क्या है
ग़म के मारों को फिर खुशी क्या है

इक मुसलसल फ़रेब है यारो
हमने जाना है ज़िन्दगी क्या है

है सख़ावत जो दस्ते-साकी में
जानता है कि तश्नगी क्या है

मेरे अश्कों को पौंछने वाले
तेरी आँखों में ये नमी क्या है

आँसुओं से वुजू करो 'केवल'
बिन वुजू के ये बन्दगी क्या है

चन्द रोज़ा ये मकां है ज़िन्दगी
रेत पर जैसे निशां है ज़िन्दगी

हुस्न के जोबन पे जब उतरेगी शाम
होश आएगी कहाँ है ज़िन्दगी

है रवाँ भी और बे-आवाज़ भी
देख कितनी बेज़ुबाँ है ज़िन्दगी

इम्तिहाँ तक़दीर है इन्सान की
हर क़दम इक इम्तिहाँ है ज़िन्दगी

जिनको 'केवल' मुर्शिदे कामिल मिला
बस उन्हीं पे मेहरबाँ है ज़िन्दगी

वी.पी.गुप्ता

जन्मतिथि : 7-1-1935, बिजनौर (उ.प्र.)
शिक्षा : एम.ए. (अंग्रेज़ी, समाजशास्त्र),बी.टी
प्रकाशन : काव्य-संग्रह 'मधुबन' हास्यव्यंग संग्रह 'ताल-बेताल', एवं अनेक पत्रिकाओं/ संकलनों में रचनाएं प्रकाशित।
सम्मान/पुरस्कार: अनेक संस्थाओं द्वारा सम्मानित।
सम्प्रति : वीरा कालेज ऑफ़ इंजीनियरिंग, बिजनौर में प्रवक्ता।
सम्पर्क : निकट अग्रवाल धर्मशाला, जाटान स्ट्रीट, बिजनौर, 246701 (उ.प्र.)
फोन - 01342 263720
मो. - 9897633720

मार्ग बहुत ही कंटकमय है मुझको यह आभास तो है
मेरे क़दमों को भी मंज़िल पाने का अभ्यास तो है

दुनिया मुझ को कुछ क्या देती उलटे सब कुछ छीन लिया
नीड़ नहीं ना सही मगर सिर पर नीला आकाश तो है

सर्द हवाओं के झोंकों से फूल-पात सब त्रस्त हुए
उपवन के द्वारे से लेकिन झांक रहा मधुमास तो है

नियति के प्रतिकूल प्रहारों और समय के वारों से
जीर्ण हुआ है तन पर मन में कुछ करने की प्यास तो है

नभ के धूमिल हो जाने से मेरा मन बोझिल क्यों हो
कुहरा छंट कर धूप खिलेगी मुझको यह विश्वास तो है

गणित स्वार्थ का लेकर चलते पल-पल रंग बदलते लोग
हंस-हंस कर के बातें करते मन में चालें चलते लोग

रीति-प्रीति और संबधों की परिभाषाएं बदल गईं
काम निकल जाने पर कैसे राह बदल कर चलते लोग

शहरी जीवन को अपनाते ही संवेदन शून्य हुए
चीख़ें सुनकर बहरे बनते घर से नहीं निकलते लोग

स्वर्ण हिरण के पीछे-पीछे आँखें मूंदे दौड़ रहे
ठोकर खाकर नीचे गिरते फिर भी नहीं सँभलते लोग

धर्म-कर्म भाई चारे की मर्यादाएं लोप हुईं
आस्तीन में अपनों की ही सांपों जैसे पलते लोग

जिंदगी नीरस सही पर हमको ललचाती तो है
बुझ रहे दीपक में भी आख़िर हुमक आती तो है

यहां नहीं तो वहां सही, बरसे कहीं से दोस्तो
हम तलक भीगी हुई ठण्डी हवा आती तो है

लड़ रहा है कितने साहस से अंधेरे से दीया
है ज़रा-सी रोशनी पर, दूर तक जाती तो है

दिल में जीने की तमन्ना किस क़दर है देखिये
तेल सारा चुक गया सुलगी मगर बाती तो है

सदा संग अपने उजाले रखिए
अंधेरों में खुद को सम्हाले रखिए

स्वप्नों की दुनिया नहीं है हक़ीकत
भ्रम कोई मन में न पाले रखिए

अपनी तरफ से क़सर छोड़िये ना
बाक़ी सब उसके हवाले रखिए

कब तलक सहे जाओगे ज़ुल्म उनके
छलकते हुए सब्र के प्याले रखिए

संभव नहीं भावनाओं पे बंदिश
कितनी ही जंजीरें डाले रखिए

बीच खड़ी जो अविश्वास की भीति गिराओ हे साथी
देखो सब अपने ही तो हैं प्रीति जुड़ाओ हे साथी

खिड़की से लग झांक रहे हो सहमे से घबराए से
संशय छोड़ो बाहर आओ मीत बनाओ हे साथी

कुछ अंधेरा घिर आया था बदली के आ जाने से
आख़िर जीता है सूरज ही जीत मनाओ हे साथी

गाते थे समवेत स्वरों में दिल की मीठी थापों पर
बिसर गया था कुछ दिन से वह गीत सुनाओ हे साथी

सभी फूल हैं कितने सुंदर सतरंगी गुलदस्ते में
इनसे देश सजाने की है रीति निबाहो हे साथी

नाशाद औरंगाबादी

जन्मतिथि : 15-1-1935, शमशेर नगर (औरंगाबाद) बिहार

प्रकाशन : 'परवाज़े-सुख़न' (काव्य संकलन), 'मील का पत्थर' काव्य संकलन, ग़ज़ल-संग्रह, 'यादों की बारिश'। 'ग़ज़ल कैसे लिखें' के सह सम्पादक। अनेक पत्र-पत्रिकाओं, संकलनों में रचनाएं प्रकाशित।

सम्मान : 'परवाज़-ए-सुख़न' (पटना), 'शिव सागर मिश्रा एवार्ड', 'सरस्वती एवार्ड' (फ़रीदाबाद) सहित अनेक संस्थाओं द्वारा सम्मानित पुरस्कृत।

सम्प्रति : रेलवे से सेवा निवृत्ति के पश्चात पूर्ण कालीन साहित्य साधना में रत।

सम्पर्क : 2-डी/40, एन.आइ.टी. फरीदाबाद (हरियाणा)

मौसम मेरे वतन का हमेशा जवां रहे
आबाद इसकी याद से दिल का मकां रहे

बेहद बलन्द-ओ-बाला ये बाग़े-जिनां रहे
मुहताज अब किसी का न हिंदोस्तां रहे

ऐ काश मेरे देश में अम्नो-अमां रहे
बस्ती जले न ख़ून का दरिया रवां रहे

क़दमों को इस के छू के ही चलती रहे नसीम
इससे हमेशा दूर ही दौर-ए-ख़िज़ां रहे

असमत लुटे किसी की न सीता के देश में
लड़की जले न रोती कोई मां यहां रहे

सब को खुशी नसीब हो फूलें फलें सभी
कोई न मेरे देश में मातमकुनां रहे

बस आरज़ू यही है कि 'नाशाद' मेरी लाश
अपने वेतन की ख़ाक़ ही के दरमियां रहे

ग़ज़ल है शायरी है और मैं हूं
यही अब ज़िन्दगी है और मैं हूं

कई सैलाब आए भी गए भी
मगर सूखी नदी है और मैं हूं

मुझे कांटों से भी नफरत नहीं है
गुलों से दोस्ती है और मैं हूं

वो पहली सी कहां हंगामा ख़ेज़ी
अब अपनी ख़ामुशी है और मैं हूं

सितम ढाना है जिनको ढा रहे हैं
मेरी दरयादिली है और मैं हूं

तेरी यादों की बारिश हो रही है
ग़ज़ल कहने की ख़्वाहिश हो रही है

न उनके साथ मेरा नाम आए
रक़ीबों में ये साज़िश हो रही है

वो अपने घर मुझे बुलवा रहे हैं
न जाने क्यों नवाज़िश हो रही है

सफ़र प मुझको भी जाना है शायद
मेरे तलवों में ख़ारिश हो रही है

बहुत ही शाद हैं 'नाशाद' उन के
तग़ज़्ज़ुल की सताइश हो रही है

वो दिन या वो रात नहीं है
पहली सी वो बात नहीं है

कहने को हम एक हैं लेकिन
कोई किसी के साथ नहीं है

मेरी कहानी जोश की सूरत
यादों की बारात नहीं है

चांद को देखूं दर से लेकिन
छूने की औक़ात नहीं है

अब भी है 'नाशाद' अंधेरा
कैसे कह दूं रात नहीं है

खुद को इतनी न आन बान में रख
सादगी का लिहाज़ शान में रख

जंग लड़नी है ज़िन्दगी से अगर
तीर को वक़्त की कमान में रख

ख़ून देने को सब रहें तैयार
इतनी मिल्लत तो ख़ानदान में रख

जब पड़ा वक़्त ख़ून मैंने दिया
नाम मेरा भी दास्तान में रख

मौत बरहक़ है आएगी 'नाशाद'
चाहे खुद को किसी मकान में रख

रमाकान्त दीक्षित

जन्मतिथि : 1-6-1935, अफ़ज़लगढ़ (बिजनौर)
शिक्षा : एम.ए., बी.टी., साहित्यायुर्वेद रत्न।
प्रकाशन : ग़ज़ल-संग्रह 'बोलते पत्थर' सहित अनेक विधाओं की पुस्तकें प्रकाशित। पत्र-पत्रिकाओं में रचनाएं प्रकाशित।
सम्मान/पुरस्कार: 'काव्य शिरोमणि', 'साहित्य श्री' सहित अनेक सम्मानोपाधियां।
सम्प्रति : पूर्णकालीन सहित-सेवा में रत।
सम्पर्क : 12, पुराना हाऊसिंग बोर्ड, भिवानी-127021 (हरियाणा)
फोन : 1664-241554

कुछ ऐसे भी हैं लोग यहाँ, जो आँसू पीकर हँसते हैं
बेशक उनके तन-प्राणों में, दुखदाई दुखड़े बसते हैं

वे तो सबके हमजोली हैं, सबका साथ निभाने वाले
नूतन पाठ पढ़ाते सबको, आदर्श न उनके सस्ते हैं

खुद पर उनको ऐतबार है, वे अपने दिल के राजा हैं
होठों पर मुस्कान थिरकती, जब और शिंकजे कसते हैं

वे छल-प्रपंच से दूर बहुत, सब की ख़ातिर विष पी लेते
पावन पूजा उनकी मंज़िल, उनके तो सीधे रस्ते हैं

चिन्ताओं के गट्ठर लादे, दबे भार से, मगर मस्त हैं
लदे पीठ पर भारी-भरकम, जैसे बच्चों के बस्ते हैं

यह शहर अजब, जंगल है या बस्ती है,
यहाँ ज़िन्दगी, सुख के लिये तरसती है।

गाँव में नीम झूमता, खनक पनघट की,
उसके-जैसी, यहाँ न दिखती मस्ती है।

साग-रोटियाँ, याद आती हैं वहाँ की,
यहाँ, होटल की रोटी डसती है।

यहाँ छूते गगन, कंकरीट के जंगल,
गाँव में हर तरफ़, हरियाली हँसती है।

वहाँ सभी को, पूरी इज़्ज़त दी जाती,
यहाँ ज़िन्दगी, कौड़ी से भी सस्ती है।

हम तो कब के, आँधियों के हवाले हैं
फिर भी हमने, उनमें चिराग़ बाले हैं

निज लक्ष्य के लिये, आस्था ऐसी है मन में
उसमें चर्च, गुरुद्वारे, मस्जिद, शिवाले हैं

मंज़िलों में, हमारे पैरों की आँखों के
खाइयाँ, पर्वत, सभी देखे-भाले हैं

दसों दिशा में, उमड़ती काली घटाओं में
हमने बिजलियों-जैसे, छाए उजाले हैं

जब-जब भी, हमारे सिर पर क़हर टूटा है
इन्द्रधनुषी सौ सपन, आँखों में पाले हैं

जब अपने नहीं, पराए काम आए हैं
ज़िन्दगी में, ऐसे भी मुक़ाम आए हैं

जिन सपनों के लिये, आँखें तरसती रहीं
वे क़ाफ़िले बन कर, सुबह-शाम आए हैं

जब बेसाख़्ता, दुख-दर्दों ने घेर लिया
दोस्त नहीं, हाँ, दुश्मन तमाम आए हैं

जिन्होंने की थी अदावत, कभी भूल से
वे दबा अपने मुँह में, लगाम आए हैं

फूल जब भी बग़ावत पर आमादा हुए
तभी ज़ुबाँ पर, काँटों के नाम आए हैं

और न अब बेमानी लिख
जो भी लिख, लासानी लिख

गुन कर बीती सदियों को
कोई नई कहानी लिख

अपनों से जो ठगा गया
उन आँखों का पानी लिख

आँधी जिस से घबराए
वैसी आज जवानी लिख

भुला नहीं भोला बचपन
बचपन की नादानी लिख

धन सिंह खोबा
'सुधाकर'

जन्मतिथि : 3-10-1935, नरेला, दिल्ली
शिक्षा : बी.एस.सी., एल.एल.बी., डिप्लोमा (प्रशासनिक कानून में)
प्रकाशन : काव्य-संग्रह 'मधु सागर' सहित अनेक पत्र-पत्रिकाओं में रचनाएं प्रकाशित।
सम्मान/पुरस्कार: 'सृजक सम्मान संस्था रायपुर (छ.ग.) द्वारा पुरस्कृत तथा अनेक संस्थाओं द्वारा सम्मानित।
सम्प्रति : भारतीय राजस्व सेवा से संयुक्त आयकर आयुक्त के पद से सेवा निवृत्ति के पश्चात पूर्ण कालीन साहित्य सेवा में रत।
सम्पर्क : 33, गंगोत्री एपार्टमैंट, विकासपुरी, दिल्ली—110018
फ़ोन. 011-28536114
मो. 9810765061

पत्थर हूँ मैं मत पूजिये भगवान की तरह
ठोकर लगाईये मुझे इन्सान की तरह

हालात ने उसको भला ये क्या बना दिया
लगता है ज़िन्दा शख़्स भी बेजान की तरह

पैदा फ़रिश्ता-सा हुआ जो इस जहान में
अब हो गया क्यों आदमी शैतान की तरह

जिसमें सजी है रूह बस कुछ दिन के वास्ते
है आदमी का जिस्म भी गुलदान की तरह

ग़ाफ़िल है अपने फ़र्ज़ से क्यों इस क़दर बशर
अब फ़र्ज़ करता है अदा एहसान की तरह

इन्सानियत का ज़ीस्त में ऊंचा मुकाम है
रहना 'सुधाकर' इस लिये इन्सान की तरह

दिन खुशी-सा मगर ग़म-सी रात है
ये मेरे अपने एहसास की बात है

वक़्त किसने रोका कहां कब बता
हो न मायूस ये वक़्त का घात है

इन को भी अपने दिल में संजो कर रखो
ग़म भी तो ज़ीस्त की एक सौग़ात हैं

प्यार की ऐसी दौलत है सच मानिये
बांटते बांटते बढ़ती दिनरात है

मौत औ ज़ीस्त में इब्तदा से ठनी
कब 'सुधाकर' कहां किसने दी मात है

हमने तो हर हाल जिसे फूल से मंज़र दिये
हाये दामन में हमारे उसने कांटे भर दिये

वो अंधेरे ही हमारी राह में करता रहा
जिसको हमने चांद सूरज साथ में अख़्तर दिये

दर-बदर की ठोकरें खाता रहा वो बेमकां
जिसने औरों के हज़ारों ही बनाकर घर दिये

अब जलाई जा रही हैं ज़िंदा उनकी बेटियां
जिन ग़रीबों ने दहेजों में न माल-ओ-ज़र दिये

क्या समझ पाएगा वो दिल की 'सुधाकर' नाजुकी
जिसने औरों के दिलों को ज़ख़्म ही अक्सर

ख़ास अपना मुकाम रखता हूँ
मैं ज़माने में नाम रखता हूँ

सख़्त से सख़्त इम्तिहानों में
हौसलां मैं तमाम रखता हूँ

वास्ता कुछ नहीं अमीरी से
साथ अपने अवाम रखता हूँ

राहे-मंज़िल से ये न भटका दें
हसरतों पर लगाम रखता हूँ

कोई दुश्मन नहीं 'सुधाकर' का
सब के दिल में क़याम रखता हूँ

ग़म के आलम में ख़ुशी की भी अलामत देखता हूँ
दुश्मनी की शक्ल में भी मैं रफ़ाक़त देखता हूँ

वो बुरा कहता है मुझको इसका कोई ग़म नहीं है
मैं तो उसकी बद्दुआ में भी शफ़ाक़त देखता हूँ

लोग पत्थर दिल उसे कहते हैं लेकिन एक मैं ही
उसके दिल में भी झलकती कुछ लताफ़त देखता हूँ

मैंने इस पर हक़ कभी अपना जताया ही नहीं है
ज़िंदगी को मौत ही की मैं अमानत देखता हूँ

कौन जाने कब मिज़ाज इसका बिगड़ जाए 'सुधाकर'
इसलिये मैं वक़्त की हर इक नज़ाकत देखता हूँ

अंजुम ज़ैदी

जन्मतिथि : 4-8-1936
शिक्षा : बी-एस.सी.; अदीब माहिर
प्रकाशन : ''लहू के फूल', 'लहू का सफ़र' नामक नोहों का संग्रह।
सम्मान : हरियाणा उर्दू अकादमी पुरुस्कार।
सम्प्रति : यू.पी. सैक्रेट्रिएट में क्लर्क, मलेरिया इन्स्पैक्टर (यू.पी. सरकार), एकाउण्टस क्लर्क गुड्ईयर में।
सम्पर्क : 127/सैक्टर 4 आर, फरीदाबाद 121004
फोन : 0129-2213475
मो. : 9891848698

मैं तो चाहूँ सारी दुनिया, मेरे जैसा प्यार करे
धरती को महबूबा माने, और इसका सिंगार करे

तुझ को देख के जाने ये किस पागलपन ने घेर लिया
तेरे दर्शन का अभिलाषी नाचे और चीत्कार करे

ये तो निरा दीवानापन है, जीवन के सौदागर का
ठोस हक़ीक़त की बस्ती में, सपनों का व्यापार करे

उसको है अधिकार सिखाए सब्रो-सुकूँ का पाठ हमें
ज़्यादा खुशी से जो घबराए, ग़म को सहज स्वीकार करे

जीवन के सागर में 'अंजुम' हम ये मान के उतरे थे
भय की कल्पना नाव डुबोए, हिम्मत बेड़ा पार करे

क्या पूछते हो कितने सनाशा है शहर में
हम दोस्तों में रह के भी तनहा हैं शहर में

भागो यहाँ से वरना झुलस जाएगा ये दिल
तपते हुए ख़ुलूस के सहरा है शहर में

किस-किस के दर पे जाएं वफ़ा की तलाश में
जो भी यहाँ हैं ज़र का सनाशा है शहर में

ज़र की हवस नमूद की कोशिश वफ़ा से वैर
कि़तने हज़ार रूप में यकजा हैं शहर में

'अंजुम' पिएगा कौन हमारे सुख़न का रस
जो भी यहाँ है आशिके-सहबा हैं शहर में

हर फूल पर बहार की तस्वीर चाहिये
हम को हमारे ख़्वाब की ताबीर चाहिये

थिरके जो एक पाँव तो रक्साँ हों सब के सब
पैरों में ऐसी प्यार की ज़ंजीर चाहिये

तलवार रख के हाथ से दुश्मन गले मिले
यारो ख़ुलूसे-दिल में वो तासीर चाहिये

हर गोशा जिसका ताजमहल से भी हो हसीं
इस शह्रे-दिल में आज वो तामीर चाहिये

जिस पर कभी न शाम का साया भी पड़ सके
'अंजुम' एक ऐसी सुबह की तदबीर चाहिये

इस जुनूँ के दौर में ढूँढें सुकूने दिल कहाँ
हर तरफ़ तूफ़ान ही तूफ़ान है साहिल कहाँ

ग़मजदा चेहरे पे चेहरा रख के ग़म को बाँट लें
इतनी छोटी सी ख़ुशी भी है हमें हासिल कहाँ

बीच की दीवार उसने कर ली ऊँची और भी
मेरा हमसाया है मेरे हाल में शामिल कहाँ

आए है उस राहरव के हाल पे रोना मुझे
मील के पत्थर से जो पूछे कि है मंज़िल कहाँ

कारवाने-ज़िन्दगी 'अंजुम' इसी उलझन में है
ख़त्म होगा कब सफ़र हाथ आएगी मंज़िल कहाँ

आरज़ू की थी बेख़ुदी के लिये
ग़म मिला भी तो आगही के लिये

ये करम एक अजनबी के लिये
उम्र है मश्क़े दिलबरी के लिये

ग़म गवारा है कब ख़ुशी से हमें
सहना पड़ता है ज़िन्दगी के लिये

इतनी रंगीनियाँ न बिखराओ
हुस्न होता है सादगी के लिए

दी गई है ये ज़िन्दगी 'अंजुम'
चन्द लम्हों की रौशनी के लिये

अमर साहनी

जन्मतिथि : 6-2-1937, रावल पिण्डी

शिक्षा : एम.ए., बी.काम.

प्रकाशन : ग़ज़ल संग्रह 'ज़ख़्म चमकते हैं' सहित कहानी, दोहा एवं माहिया विधाओं में पुस्तकें प्रकाशित। अनेक पत्र-पत्रिकाओं में रचनाएं प्रकाशित।

सम्मान/पुरस्कार: 'कविवर रहीम सम्मान', 'समस्तीपुर सृजनश्री सम्मान', 'पूना माहिया नरेश' संकल्प द्वारा, 'सआदत हुसैन मंटो' सम्मान सोनीपत, केन्द्रीय ग्रहराज्य मंत्री आई.डी.स्वामी द्वारा 2002 में सम्मानित।

सम्प्रति : साहित्य सृजन, अध्यक्ष-उर्दू दोस्त (रजि.), सम्पादक-सूर्य संदेश (पाक्षिक)

सम्पर्क : बी-70, संजय कालोनी, सै.-23, फ़रीदाबाद (हरियाणा)
मो.- 9213174022

चांद तारों की तमन्ना अभी टाली जाए
अपनी धरती ही चलो पहले सजा ली जाए

रश्के-फ़िरदोस बना लेंगे ये धरती अपनी
ये जो नफ़रत की दीवार गिरा ली जाए

आईना देख के डर जाएगा हर इक चेहरा
इन पे चिपकी हुई झिल्ली जो हटा ली जाए

मैं चला जाउंगा जिस रोज़ भी जाना होगा
लाख ज़ंजीर मेरे पांव में डाली जाए

वो जो देखें तो निकलती हुई बारात लगे
घर से मेरी अर्थी कुछ इस तरह निकाली जाए

काम चल सकता हो गर प्यार मौहब्बत से तो 'अमर'
क्या ज़रूरी है कि तलवार निकाली जाए

हम को चुप रहने की आदत हो गई
दर्द सह लेने की आदत हो गई

हुस्न का दीदार जब भी हुआ
मेरी नज़रों में इबादत हो गई

आप से कुरबत और मेरा नसीब
ये तो कहिये , बस! ईनायत हो गई

सच के अन्जाम से हूँ बारबर
क्या करूं? कहने की आदत हो गई

'अमर' साहब! थोड़ा ख़ुद को बदलिये
इश्क़ की भी अब तिजारत हो गई

लोग कह कहते हैं तुम्हे मुझ से शिकायत है कोई
क्या शिकायत है, ज़रा मुझ को भी बताओ तो सही

कैसा लगता है मदहोशी में ज़रा हम भी जानें
अपनी आंखों से किसी रोज़ पिलाओ तो सही

कैसे चुप होते हैं फिर देखे ज़माने वाले
अपने वहशी को ज़रा होश में लाओ तो सही

ज़िंदगी लाश है इस दौर में माना मैंने
मगर ये लाश किसी तौर उठाओ तो सही

देख लेते हैं 'अमर' उन का इरादा क्या है
अपना अफ़साना-ए-ग़म चलके सुनाओ तो सही

सूरज पर भी पोते कालिख तू
अन्धकार में दीप जलाने वाला मैं

इक-दूजे को ज़ख़्म बांटते फिरते लोग
उन ज़ख़्मों को फूल बनाने वाला मैं

बेहोशी और गहरी नींदें तेरी देन
बस्ती-बस्ती अलख जगाने वाला मैं

देते हैं कुछ लोग चमन को वीरानी
वीराने में फूल खिलाने वाला मैं

उस ने तो इन्सान बना कर भेजे थे
हिन्दू, मुस्लिम, सिक्ख बनाने वाला मैं

कुछ तो बोल कि तेरा मुद्दा क्या है
इश्क़ गर अज़ाब है तो सज़ा क्या है

हजूम-ए-ग़म ने यह एहसास तक मिटा डाला
ज़िंदगी क्या है और कज़ा क्या है

नाकामियां तो इश्क़ का मुकद्दर हैं
तेरी दास्तां में फिर नया क्या है

मुल्तफ़ित नज़रों से देखना तेरा
ये मोहब्बत नहीं तो और क्या है

'अमर' का दम ही इक ग़नीमत है
बरना इस शहर में और धरा क्या है

प्राण शर्मा

जन्मतिथि : 13-6-1937, वज़ीराबाद (पाकिस्तान)
शिक्षा : एम.ए. (हिन्दी)
प्रकाशन : 'सुराही' तथा 'ग़ज़ल कहता हूँ'। अनेक पत्र-पत्रिकाओं में रचनाएं प्रकाशित।
सम्मान/पुरस्कार: देश-विदेश की अनेक संस्थाओं द्वारा सम्मानित/पुरस्कृत।
सम्प्रति : साहित्य सृजन
सम्पर्क : 3 Crakston Close Coventry Cv2 5EB , UK
फोन - 024 76457446

अपनी ही भूलों से हम क्यों खोएं ये सौगातें जी
प्यार मुहब्बत यारी-दोस्ती वाली सारी बातें जी

उजियाले के दिन हो चाहे, हों अंधियारी रातें जी
तेरे मेरे बीच में कुछ तो हों प्यारी सी बातें जी

कल आईं थी हर आंगन पर, आहिस्ता ही आहिस्ता
राम करे के आज भी आएं वैसी ही बरसातें जी

जिसके घर की जो बाते हैं घर में उसी के रहने दो
मेरे घर में किसी के घर की क्यों हों कुछ भी बातें जी

रो के सहो या हंस के सहो, ऐ 'प्राण' पड़ेंगी सहनी सब
कुछ क़िस्मत की, कुछ दुनिया की कुछ घर की आघातें जी

ज़िंदगानी को मुहब्बत से निखारा जाए
इस हवेली को ज़रा और संवारा जाए

कोई तो होती है दुख सहने की हद ऐ यारो
कब तलक ज़ीस्त में ये ज़हर उतारा जाए

रोज़ ही पड़ती है कुछ ग़र्द जहां की इस पर
रोज़ ही क्यों न दिलो-जां को बुहारा जाए

पहली बौछार है सावन भी उमंगों से भरी
जी में आता है कि साजन को पुकारा जाए

सच ही कहते हो कि उम्मीद पे जग जीता है
घर को ए 'प्राण' चलो यूं ही उबारा जाए

मेरे दुखों में मुझपे ये एहसान कर गए
कुछ लोग मशवरों से मेरी झोली भर गए

पुरवाइयों में कुछ इधर और कुछ उधर गए
पेड़ों से टूटकर कई पत्ते बिखर गए

वो प्यार के ऐ दोस्त उजाले किधर गए
हर ओर नफ़रतों के अंधेरे पसर गए

तारीफ़ उनकी कीजिए औरों के वास्ते
जो लोग चुपके-चुपके सभी काम कर गए

यूं तो किसी भी बात का डर था नहीं हमें
डरने लगे तो अपने ही साए से डर गए

सोच की भट्टी में सौ-सौ बार दहता है
तब कहीं जाकर कोई इक शे'र कहता है

कुछ न कुछ होती है हर इक में घृणा शामिल
कौन है जो इस बला से दूर रहता है

बात का तेरी करे विश्वास क्यों कोई
तू कभी कुछ और, कभी कुछ और कहता है

टूट जाता है किसी बच्चे का दिल अक्सर
ताश के पत्तों का घर जिस पल भी ढहता है

धूप से तपते हुए ऐ 'प्राण' मौसम में
सूख जाता है समन्दर कौन कहता है

हर एक को ही कुनबे में इक जैसा पालना
कितना कठिन है दोस्तो घर को सम्भालना

आनंद की फुहार है चंदन की गंध है
जादू जगाता माँओं की बाहों का पालना

जिसको उजाड़ कर गए बच्चे शरारती
होता न काश वो किसी चिड़िया का आलना

शायद यही विचार के अब रुक गए हैं आप
आसां नहीं है अपने पे कीचड़ उछालना

ऐ 'प्राण' रास आई है किस मन को दुश्मनी
इस संकरी गली से स्वयं को निकालना

जन्मतिथि : 28-7-1937, टीकमगढ़ (म.प्र.)
शिक्षा : एम.बी.बी.एस, पी.एस.डी.
सम्पर्क : 1-झांसी रोड, ग्वालियर-474002

बी.शुक्ला 'हमसफ़र'

न फ़िक्रे-मौत है जिसको न परवा ज़िंदगी की है
ज़माना है उसी का और ये दुनिया उसी की है

जो ज़ुल्मों का अंधेरा चीर कर आगे निकल जाएं
ज़रूरत अपने सीने में हमें उस रोशनी की है

किसी के घाव सहलाओ किसी के अश्क धो डालो
किसी को क्या ख़बर है उम्र कितनी ज़िंदगी की है

सुकूं दैरो-हरम में इसलिए मिलता नहीं तुमको
ख़ुदा की बाद में, पहले इबादत आदमी की है

वही बू-ए-चमन होगा वही नूरे-वतन होगा
कि जिसने ज़ुल्मतों में दिल जला के रोशनी की है

बहा के ख़ून अपना बाग़े-जलियां गोद में तेरी
वतन के जांनिसारों ने वतन की बंदगी की है

ज़मीं ने जिस जगह की हो शहीदों की क़दम बोसी
वहीं निकले मेरा दम ये तमन्ना आख़िरी की है

रगे-अहले-वतन में ख़ून की रफ़्तार बढ़ जाए
तभी ऐ 'हमसफ़र' समझे कि तूने शायरी की है

दिल की उम्मीद बर आए कोई पैग़ाम मिले
वो अगर आए तो दिल को मेरे आराम मिले

आशिक़ी ने किसे बेदाग़ रखा है अब तक
जो भी उश्शाक़ मिले हम को तो बदनाम मिले

राहे-उल्फ़त में बढ़ाए थे क़दम डरते हुए
हमको हर सम्त से हर गाम पे इल्ज़ाम मिले

वफ़ाओ-हुस्न में रब एक ही अता करता
हमको जितने भी मिले बेवफ़ा, गुलफ़ाम मिले

साक़िया तूने पिलाई है ज़मारे भर को
हमसफ़र को भी तेरे हाथ से इक जाम मिले

अब ऐसे ही ज़िंदगी को गुज़ारा करेंगे हम
आओ न पास फिर भी पुकारा करेंगे हम

दीवार इक रिवाज़ की हायल है दर्मियां
अब दूर से ही तुमको निहारा करेंगे हम

तस्वीर एक है जो तसव्वुर में बन गई
बस रात दिन उसी का नज़ारा करेंगे हम

तुमको हम अपनी राह का साथी न कर सके
तुमको अब अपनी आंख का तारा करेंगे हम

तुम 'हमसफ़र' को याद करो या नहीं करो
दिल में सजा के तुमको संवारा करेंगे हम

जो थे मेरे क़रीब वो ग़ैरों के हो गए
गुल से मिले जो ज़ख़्म तो ख़ारों पे सो गए

कश्ती बचाने वाले तो खुद बदहवास थे
डूबे वो ख़ुद भी साथ में हमको डुबो गए

वो बेबसी में छोड़ के ऐसे गए हमें
नश्तर सा कोई दिल में हमारे चुभो गए

घर के शजर के साए में वो थक के सो गया
पत्ते जो ज़र्द थे वो हरे फिर से हो गए

बातें हज़ार कहने को उनसे तो थीं मगर
हम उनका हाल देख के ख़ामोश हो गए

ताना नहीं देखा कभी बाना नहीं देखा
तुमने मेरा ख़्वाबों का सजाना नहीं देखा

देखा है तबस्सुम को मचलते हुए, लब पे
मचले हुए अश्कों को छुपाना नहीं देखा

दिख जाते कई ख़्वाबे-शिकस्ता तुम्हें ज़रूर
आंखों में छुपा दिल का फ़साना नहीं देखा

मुफ़लिस समझ के छोड़ दिया है मुझे मगर
तुमने मेरे अश्कों का ख़ज़ाना नहीं देखा

बढ़ता रहा सफ़र में अकेला ही 'हमसफ़र'
जो छोड़ दिया फिर वो ठिकाना नहीं देखा

राणा गन्नौरी

मूल नाम : राणा प्रताप सिंह

जन्मतिथि : 3-6-1938, जहानपुर (पाकिस्तान)

शिक्षा : एम.ए. (उर्दू, हिन्दी, संस्कृत) पी.एच.डी. (हिन्दी)

प्रकाशन : हिन्दी, उर्दू एवं मुल्तानी भाषाओं में लगभग 15 पुस्तकें प्रकाशित। तीन पुस्तकों का सम्पादन। लगभग 4 पुस्तकें प्रकाशनाधीन।

सम्मान/पुरस्कार: 'फ़ानूसे-ख़्याल' पर भाषा विभाग हरियाणा द्वारा 'अखिल भारतीय हाली एवार्ड' एवं उ.प्र., बिहार, प.बंगाल की अकादमियों सहित देश भर की अनेक संस्थाओं द्वारा सम्मानित/पुरस्कृत

सम्प्रति : पूर्ण कालीन साहित्य सृजन/सेवा। संयोजक, अंकन साहित्यक मंच पानीपत

सम्पर्क : 1560, सैक्टर-12, हुडा-2, पानीपत-132103
फोन : 0180 2665928
मो. - 9896004545

निकालो सांप अपनी आस्तीं से
कहीं मारे न जाओ तुम इन्हीं से

मिली है ग़म से फुरसत, चंद लम्हे
कोई ऐसे में आ जाए कहीं से

उड़ानें कितनी ऊंची आप भर लें
न टूटेगा मगर रिश्ता ज़मीं से

नहीं आने की कहते हो जो हँसकर
तो पहलू 'हां' का निकले है 'नहीं' से

जो बीती उस पे डालें ख़ाक 'राणा'
नई शुरुआत कर लें हम यहीं से

अपने फ़न में कमाल पैदा कर
नाम हो जिससे काम ऐसा कर

कुछ नहीं होगा तेरे सोचे से
इस क़दर डूब कर न सोचा कर

जाना जाना लगाए रखता है
मेरे पास एक पल तो ठहरा कर

हर घड़ी बेकरार रहता है
दो घड़ी चैन से भी बैठा कर

दिल को तकलीफ़ पहुंचेगी 'राणा'
राख यादों की मत कुरेदा कर

जो कहना था वो कहता रह गया है
यहां कहने को अब क्या रह गया है

तेरे ग़म में वो घुलता रह गया है
तेरा बीमार आधा रह गया है

वफ़ा की अब हक़ीक़त कुछ नहीं है
वफ़ा का बस फ़साना रह गया है

सभी इक दूसरे से बदगुमां हैं
किसे किस का भरोसा रह गया है

सभी महफ़िल से घर को जा जुके हैं
तू ही 'राणा' अकेला रह गया है

रंग यूँ भी बदलते देखे हैं
मैंने पत्थर पिघलते देखें हैं

एक दूजे के ख़ून के प्यासे
पगड़ियां भी बदलते देखे हैं

कितने पत्थर दिलों की आँखों में
मैंने आंसू मचलते देखें हैं

आप अपनी ही आग में आख़िर
मैंने इन्सान जलते देखे हैं

गिरने वाले भी मैंने ऐ 'राणा'
गिरते गिरते संभलते देखे हैं

बदन में रूह रोके से रुकी क्या
किसी की काम आई चौकसी क्या

हमेशा बच के रहना आदमी से
कि कर गुज़रे न जाने आदमी क्या

मुझे ऐ ज़िंदगी के देने वाले
अता की है यह तूने ज़िंदगी क्या

ठगे से रह गए सब जिस को सुनकर
निराली बात कुछ मैं ने कही क्या

किसी के रोकने से रुक सकी है
यह गर्दिश वक़्त की 'राणा' कभी क्या

नरेन्द्र 'दीपक'

मूल नाम : नरेन्द्र कुमार पबरा
जन्मतिथि : 3-9-1938 (झांसी, उ.प्र.)
शिक्षा : एम.ए. (हिन्दी), एलएल.बी.
प्रकाशन : पत्र-पत्रिकाओं में रचनाएं प्रकाशित।
सम्मान : 'अँजुरी भर चाँदनी' पर भारत सरकार द्वारा 'मैथिलीशरण गुप्त पुरस्कार' सहित अनेक साहित्यक संस्थाओं द्वारा सम्मानित।
सम्प्रति : भारतीय रेल से सेवानिवृत्त राजपत्रित रेल यातायात अधिकारी। वर्तमान में भारत भवन, भोपाल में निदेशक (वागर्थ)।
सम्पर्क : 3/2, अमलतास फ़ेज़-2, चूना भट्टी, कोलार रोड, भोपाल (म.प्र.) 462 016
फोन : (0755) 2463873
मो. : 09425011510

दुख को मन के आँगन रखना
यूँ मन को वृन्दावन रखना

अधरों रखना जेठ दुपहरी
पलकों-पलकों सावन रखना

अपना चेहरा दग़ा न दे दे
सम्मुख कोई दर्पण रखना

आहट से भ्रम पैदा होगा
साथ सदा सूनापन रखना

खुद से मिलते-जुलते रहना
खुद को केशर चन्दन रखना

मेरे लिये पराएपन में
थोड़ा सा अपनापन रखना

मेरा मन रखने की ख़ातिर
गिरवी मत अपना मन रखना

प्यार का दीप बाला गया
इस तरह दर्द पाला गया

एक तुम क्या गए मेहरबाँ
ज़िन्दगी से उजाला गया

उन के क़िस्से सुनाए गए
मेरा क़िस्सा उछाला गया

निकले महफ़िल से कुछ ग़म नहीं
मुझ को दिल से निकाला गया

मेरी किस्मत यूँ तय की गई
एक सिक्का उछाला गया

देखी सुनी कभी ना ऐसी कमाल आँखें
आती है याद अक्सर, वो बेमिसाल आँखें

वो पल किसी ने जैसे मन्दिर में हों गुज़ारे
जो पल जिये गए हों, आँखों में डाल आँखें

तुझ जैसा लग रहा था, गुलशन का ज़र्रा-ज़र्रा
हर पात-पात आँखें, हर डाल-डाल आँखें

महफ़िल में उनने मुझे से यूँ बात तो नहीं की
पर पूछती रहीं थीं, मेरा हालचाल आँखें

कुछ वक़्त ने किया है ऐसा सुलूक 'दीपक'
रखती नहीं किसी से, अब बोलचाल आँखें

याद तेरी सँवरती रही रात भर
रात यूँ ही गुज़रती रही रात भर

स्वप्न में तू बहकती रही बाँह में
रातरानी महकती रही रात भर

क्या अजूबा हुआ रात काली घटा
चाँदनी-सी चहकती रही रात भर

एक नन्हें दिये की नरम रोशनी
साथ मेरे पिघलती रही रात भर

रात भर यार महफ़िल सजाए रहे
बात तेरी उछलती रही रात भर

साफ़ सुथरा खूबसूरत आइना है
उसके बारे में ये मेरा सोचना है

खुद को उस में कब तलक देखा करूँ
मुझ को भी, मुझ में, किसी को देखना है

बात ये समझे कभी वह नासमझ भी
मेरे भीतर भी कहीं इक आइना है

उस का चेहरा मेरा चेहरा लग रहा है
सामने, वो शख़्स है, या आइना है

जिसने अपनी शक्ल को खुद ही तराशा
उसको 'दीपक' आइना क्या देखना है

कुन्दन सिंह 'सजल'

जन्मतिथि : 10-12-1938, रायपुर

शिक्षा : एम.ए., बी.एड

प्रकाशन : अनेक पत्रिकाओं/संकलनों में रचनाएं प्रकाशित।

सम्मान/पुरस्कार: अनेक संस्थाओं द्वारा सम्मानित।

सम्प्रति : सेवानिवृत्त प्रधानाध्यापक

सम्पर्क : उदय निवास, रायपुर (पाटन) सीकर, (राज.)

कल समन्दर से मिली तो नाम सागर हो गया
इस नदी का, दोस्त खारापन, उजागर हो गया

जो परिन्दा आसमां पर ढूंढता था आशियां
पेड़ पर लौटा तो उसका, शाख़ पे घर हो गया

आंधियों में जो उड़े पत्ते, उन्हें ऐसा लगा
कल तलक मधुमास था, वो आज पतझर हो गया

शाहजहां से दोस्तो मुमताज जब आकर मिली
ताज बन कर प्यार उनका, संगे मरमर हो गया

ढाई आखर प्यार के जिसने पढ़े जग के लिए
उसका दर सबके लिए, अल्लाह का दर हो गया

छोड़कर इन्सानियत, हैवान बन जाता 'सजल'
आदमी को मौत का, अच्छा हुआ, डर हो गया

लम्बा सफ़र, समय कम, मौला
लुटने का डर, हरदम, मौला

हर चेह्रे पर, एक इबादत
मौन अधर, आंखें नम, मौला

रह पाएगी कितने लम्हे
अंगारों पर शबनम, मौला

फिसले हाथों से, आ आकर
सावन, फागुन मौसम, मौला

मंदिर, मसज़िद, मठ, गुरुद्वारा
किसम-किसम के आदम, मौला

सफ़र में, हमसफ़र होते हुए भी
उसे डर है, निडर होते हुए भी

बंटे परिवार, घर, आंगन बंटे हैं
लोग बेघर हैं, घर होते हुए भी

बंद पिंजरे में अपनी ज़िंदगी से
परिन्दे खुश हैं, पर होते हुए भी

उससे नज़दीकियां हमने बढ़ाई
जुदाई की ख़बर होते हुए भी

किसी की आंख से ओझल रहा मैं
इनायत की नज़र होते हुए भी

सांझ निकट जल्दी चल, मितवा
बढ़े कुहासा पल-पल मितवा

लौट रहे घर थके परिन्दे
मन आहत, तन घायल, मितवा

सम्बन्धों के जाल बिछाए
पग-पग पर बैठे छल, मितवा

कब सर्पो से रहे सुरक्षित
घर आंगन के संदल, मितवा

प्यार ज़िंदगी की ख़ातिर है
अमृत कभी हलाहल, मितवा

चर्चाओं में वक़्त पुराना अच्छा लगता है
कहीं-कहीं पर नया ज़माना अच्छा लगता है

कभी किसी के सच परी विश्वास नहीं होता
और किसी का सिर्फ़ बहाना अच्छा लगता है

इंतज़ार की घड़ियों में वादों के साए में
तस्वीरों से दिल बहलाना अच्छा लगता है

मोटे-मोटे धर्म-ग्रंथ पढ़ने के एवज़ में
छोटे बच्चों से बतियाना अच्छा लगता है

भिनसारे-भिनसारे, सूरज की अगवानी में
नीड़-नीड़ चिड़ियों का गाना अच्छा लगता है

रघुवीर 'अनाम'

जन्मतिथि : 20-3-1939
शिक्षा : एम.ए. (हिन्दी)
प्रकाशन : 'मौसम बदलना चाहिए' ग़ज़ल-संग्रह सहित, काव्य-संग्रह, लघुकथा संग्रह, जीवनी, अभिनन्दन ग्रंथ प्रकाशित।
सम्मान/पुरस्कार: हिन्दी साहित्य सम्मान सिरसा सहित अनेक संस्थाओं द्वारा सम्मानित।
सम्प्रति : स्नातकोत्तर दयानन्द कालेज हिसार के अध्यक्ष, (हिन्दी विभाग) से सेवा निवृत्ति के पश्चात पूर्ण कालीन साहित्य सृजन में रत।
सम्पर्क : 1363/अरबन एस्टेट-2, हिसार (हरियाणा)
मो. 9812419828

तिनका-तिनका जोड़ कर के आशियां बन जाएगा
हम चलें, तुम भी चलो तो कारवां बन जाएगा

शक्ति है संकल्प है मन में है ऊंची उड़ान
कुछ दिनों में देखना तू आसमाँ बन जाएगा

हम अगर हर धर्म का सम्मान करना सीख लें
देखना फिर मुल्क सारा हमजुबाँ बन जाएगा

हर कली गर फूल बन कर शाख पर इतराएगी
कुछ दिनों में महकता इक गुलसिताँ बन जाएगा

ज़िंदगी की कशमकश से थक गए हो क्या 'अनाम'
शाइरी से प्यार कर तू फिर जवाँ बन जाएगा

मन उमड़ता प्यार का सागर तो हो
आंसुओं की छलकती गागर तो हो

आपके घर आऊंगा मैं बार-बार
जब भी आऊं तब मेरा आदर तो हो

हम करेंगे जानो-तन सब कुछ निसार
पांव में पर प्यार की झांझर तो हो

आपके मन में है जो कह दीजिए
जो कहें वह प्रेम का आखर तो हो

जिस्म बेहद ख़ूबसूरत है मगर
आत्मा बेदाग़ सी चादर तो हो

चला थोड़ा सा हूँ फिर भी, थकन महसूस होती है
बहुत पाकर भी पाने की लगन महसूस होती है

स्नेह आदर्श नैतिक्ता बताओ अब कहां ढूंढें
सच्चाई आज के युग में सपन महसूस होती है

यहां रिश्ते हैं क्या रिश्ते जो अब रिसते ही जाते हैं
कि फूलों में भी कांटों की चुभन महसूस होती है

कहां माँ है, कहां पापा, कहाँ भाई, कहाँ बहना
तरक़्क़ी अब तो भैया की जलन महसूस होती है

अजब माहौल आलम में यह कैसा दौर आया है
सभी कुछ है मगर फिर भी घुटन महसूस होती है

हर किसी को आशियाना चाहिये
दर्दे-दिल को भी ठिकाना चाहिये

हर सलीक़ा खुद-बखुद आ जाएगा
महफ़िलों में आना-जाना चाहिये

गर तुझे है शाइरी से वास्ता
कुछ तबीयत आशिक़ाना चाहिये

हर क़दम पर टूटता है दिल यहां
हौसलों का भी ख़ज़ाना चाहिये

तुम ख़ुशी में मुस्कराते हो 'अनाम'
दर्द में भी मुस्कराना चाहिये

उसको धुंधला सा सपना नज़र आ गया
छोड़ कर गाँव को वह शहर आ गया

अपनी मंज़िल की उसको ख़बर ही नहीं
वह चला था कहां से किधर आ गया

तुम तो कहते थे 'ठहरो ज़रा एक पल'
एक पल करते-करते पहर आ गया

छोड़ पीपल को, पोखर को, चौपाल को
इस घुटन में यहां क्यों इधर आ गया

आज रिश्तों के फूलों में ख़ुशबू नहीं
और छलने का सब को हुनर आ गया

मधुकर अष्ठाना

मूल नाम : राजेन्द्र प्रसाद अष्ठाना

जन्मतिथि : 27-10-1939, जन्मस्थान

शिक्षा : एम.ए. (हिन्दी, समाज शास्त्र)

प्रकाशन : ग़ज़ल संग्रह 'गुलशन से बयाबां तक' एवं 'सिकहर से भिनसहरा' (भोजपुरी गीत-ग़ज़ल), नवगीत संग्रह सहित अनेक पत्र-पत्रिकाओं में रचनाएं प्रकाशित।

सम्मान/पुरस्कार: 'भगवती चरण वर्मा सम्मान', लखनऊ सहित अनेक साहित्यिक संस्थाओं द्वारा सम्मानित/पुरस्कृत।

सम्प्रति : पूर्णकालिक साहित्य साधना।

सम्पर्क : विद्यायन, एस.एस. 108-109, सैक्टर-ई, एल.डी.ए. कॉलोनी, कानपुर रोड, लखनऊ (उ.प्र.) - 226012
फ़ोन 0522-2437901मो. 9450447579

आग की ज़द में हमारा आशियाँ
और ऊपर से भयंकर आंधियाँ

क्या बचे कोई समय की मार से
जब यहाँ पर ख़ामियाँ ही ख़ामियाँ

कोशिशें बेपर हुईं इस दौर में
खून में आने लगी हैं गर्मियाँ

कोई चश्मा काम अब आता नहीं
पड़ गईं धुंधली सुबह की सुर्ख़ियाँ

आँख पर पट्टी, बंधी बांहें रहीं
और चेह्रे पर सजी बेशर्मियाँ

लोग क्या से क्या समझ बैठे यहाँ
बेवजह 'मधुकर' मिली बदनामियाँ

एक मुस्कान को जो तरसते रहे
हम उन्हीं के लिये शे'र कहते रहे

दोष दुख के घनों का नहीं है कोई
झोपड़ी पर दया से बरसते रहे

मित्रता आंसुओं से न छूटी कभी
आँख में वे खुशी से बिहँसते रहे

कितने मासूम उनको पता ही नहीं
भूख की आग में हम झुलसते रहे

बात पूछे न 'मधुकर' की उपवन कोई
अब तो उसमें भी कांटे ही बसते रहे

घास पर ओस-कण सी रही ज़िंदगी
एक सूखे सुमन सी रही ज़िंदगी

कितनी मजबूरियों को समेटे हुए
दर्द पर आवरण सी रही ज़िंदगी

गुनगुनाने से आए न जिसको हंसी
एक टूटे सपन सी रही ज़िंदगी

आँख है, पर न ये ठोकरों से बची
कोई अंधी किरण सी रही ज़िंदगी

एक 'मधुकर' मगर शूल हैं अनगिने
आह! तीखी चुभन सी रही ज़िंदगी

कभी इक़रार याद आए, कभी इनकार याद आए
न जाने क्यों वो पिछले दिन मुझे हर बार याद आए

वही पनघट की अठखेली, वही मौसम की रंगोली
तुम्हें मुझसे, मुझे तुमसे रहा जो प्यार याद आए

निगाहों में समाए हैं वही बीते हुए मंज़र
तुम्हारी याद के सँग-सँग गुले-रुख़सार याद आए

बसाया था बड़ी मुश्किल से मैंने दिल का वीराना
दिले-वीरान पर छाई कभी जो बहार याद आए

धँसा हूँ इस क़दर दलदल में कि अब क्या बताऊं मैं
दिले-बीमार याद आए कभी दिलदार याद आए

उम्र भर फुटपाथ पर सोते रहे
एक सूरज माथ पर ढोते रहे

वो महल हमने बनाया देखिये
खुश है ठेकेदार हम रोते रहे

धूप जाड़े की गिरानी ले गई
नाम पर क़िस्मत के हम सोते रहे

दिल तमन्नाओं का कब्रिस्तान है
दफ़्न अरमाँ हर घड़ी होते रहे

झुर्रियों में दर्द बूढ़े चाँद का
रोटियों पर रूप जो खोते रहे

बी.पी. दुबे

जन्मतिथि : 4-2-1940
शिक्षा : आयुर्वेद स्नातक
प्रकाशन : 1. सीताहरण (कविता) 2. अँधेरा ठहरा हुआ है– ग़ज़ल संग्रह 3. रजनी-गंधा– (गीत ग़ज़ल संग्रह), पत्र-पत्रिकाओं में रचनाएं प्रकाशित।
सम्मान : अनेक संस्थाओं द्वारा सम्मानित।
सम्प्रति : चिकित्सक
सम्पर्क : होटल संगम के सामने चौराहा, 5, सिविल लाइन्स सागर (म.प्र.)

मुफ़लिसी रोते-रोते सिसकने लगी
इस तरह ज़ुल्म मंहगाई करने लगी

माँ की आँखों से नींदें हवा हो गईं
बेटी जिस दिन से साड़ी पहनने लगी

झूठे वादे तसल्ली समेटे हुए
अब तो उम्मीद मन से फिसलने लगी

रहबरो सोच लो अब दुआ की जगह
आह कितने दिलों से निकलने लगी

ज़ोर ज़ुल्मों की बुनियाद हिल जाएगी
कुछ हवा इस तरह से भी चलने लगी

रंग मौसम बदलने लगा है
डर हवाओं से लगने लगा है

भाव गिरने लगा आदमी का
आदमी जब से बिकने लगा है

बढ़ती मँहगाई और मुफ़लिसी में
आदमी मौन रहने लगा है

ज़ुल्म ढाए जहाँ जंगलों पर
वहाँ सावन तरसने लगा है

इस तरह और चलना है कब तक
कोई कानों में कहने लगा है

सोलह सिंगार करके सँवरने लगी है रात
हल्का लिवास तन पे पहनने लगी है रात

उनके बदन से आ रही है संदली महक
खुशबू से सरे-शाम महकने लगी है रात

वो छत पे टहलते हैं तो आँगन में शोर है
घुँघरू की तरह आज तो बजने लगी है रात

चलने लगी हर सिम्त से मस्ती भरी हवा
क्या-क्या गुनाह देखिये करने लगी है रात

मौसम है बहुत खुशनुमा और सर्द रात है
लो आज मोम बनके पिघलने लगी है रात

तम रहित आवरण हो गए
सारे सपने हिरन हो गए

सत्य से ज्यों ही परिचय हुआ
झूठ मन के हवन हो गए

गाँव केशर की क्यारीं अभी
कुछ शहर चीड़वन हो गए

दूधिया धूप धूमिल हुई
मेघ इतने सघन हो गए

बृज की गलियाँ सुहानी लगी
मीत राधा-किशन हो गए

तीर तलवार न बंदूक चली है यारो
ये रहज़नी तो रहबरों ने करी है यारो

बहुत हैरान हूँ ये सबका सब हुआ कैसे
बंद दरवाज़े न खिड़की ही खुली है यारो

बहुत संगीन ख़बर, डर है कहूँ हौले से
धर्म ईमान की दुकान लुटी है यारो

चोर, मुंसिफ़, सिपहसालार सभी से डर है
कितनी ज़हरीली हवा अबके चली है यारो

डूबने के सिवा अंजाम और क्या होगा
ठगों के हाथ में पतवार थमी है यारो

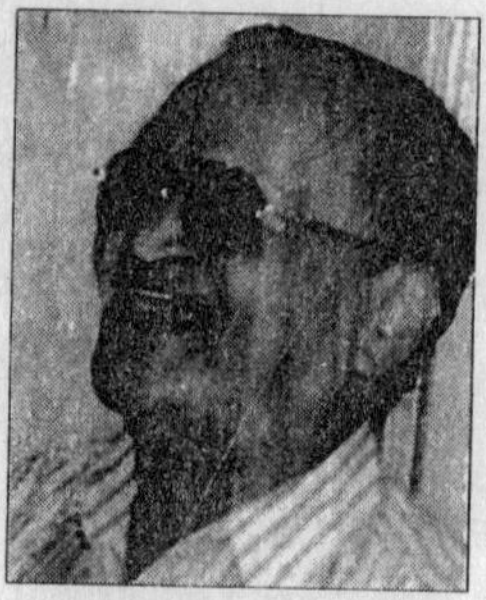

'दरवेश' भारती

मूल नाम : हरिवंश अनेजा

जन्मतिथि : 23-10-1937, जिला झंग

शिक्षा : एम.ए. (संस्कृत), पी-एच.डी.

प्रकाशन : ग़ज़ल-संग्रह 'एहसास की लौ' एवं 'जज़्बात' काव्य-संग्रह सहित अनेक विधाओं की आधा दर्जन पुस्तकें। लगभग 18 पुस्तकों का अनुवाद। काव्य सम्पादक- मसि-कागद'।

सम्मान/पुरस्कार: अनेक प्रतिष्ठित संस्थाओं द्वारा सम्मानित/पुरस्कृत।

सम्प्रति : पूर्णकालीन साहित्य सेवा में रत।

सम्पर्क : 1414/14, गांधी नगर, रोहतक-124001 (हरियाणा)
मो. - 9968405576, 9416514461

ख़ार दामन में सँजोकर बाँटते हैं फूल हम
कर सकें शायद यूँ अपने भाग्य को अनुकूल हम

ये सियासी माफ़िया चट कर रहा है मुल्क को
क्यों न कर दें नष्ट इसे, विध्वंस इसे आमूल हम

क्या समझ पाओगे क्या अन्तर है हम दोनों के बीच
तुम हो गुलशन के महकते फूल और वनफूल हम

कुछ न पूछो माजरा अब किसलिए चुप साध ली
दे तो सकते थे जवाब 'उस' प्रश्न का माकूल हम

हाँ, थी इक हसरत फ़क़त 'दरवेश' थी हसरत यही
छाए रहते उनके अधरों पर बने ताम्बूल हम

ज़िंदगानी की कहानी मत पूछ
कम से कम मेरी ज़बानी मत पूछ

खूँ में है कितनी रवानी मत पूछ
हमने क्या जी में है ठानी मत पूछ

हार मुमकिन ही न थी अपनी कभी
उनकी इकतर्फ़ाबयानी मत पूछ

दास्तां ग़म की रुला ही तो गई
वो नई थी कि पुरानी मत पूछ

आफ़तें तुझको जहां में 'दरवेश'
हैं अभी कितनी उठानी मत पूछ

है होती अनोखी नज़र की ज़बां
न इसकी इबारत न इसका बयां

न ख़ामोश बैठो कहो कुछ मियां
हुई कैसे गूंगी तुम्हारी ज़बां

इधर हमने गुपचुप कोई बात की
उधर कान बनने लगीं खिड़कियां

बिलखते रहे हादिसों में अवाम
सियासत की बनती रहीं सुर्ख़ियां

खुशी, खौफ़, ग़म, आँसू, दुख, सुख, हँसी
हैं जीवन की 'दरवेश' ये झलकियां

व्यर्थ ही तुम हताश हो बैठे
हिम्मत उठने की अपनी खो बैठे

हम भी कितने अजब हैं सौदागर
मूल तो मूल सूद खो बैठे

चढ़ते सूरज से दोस्ती क्या की
अपने साये से हाथ धो बैठे

घर के झगड़ों से कब है क्या निकला
क्यों फटे दूध को बिलो बैठे

सोचिए खूब सोचिए 'दरवेश'
बीज क्यों नफ़रतों के बो बैठे

गुल होकर भी ख़ार न बन
तू ऐसा किरदार न बन

बन बैसाखी खुद अपनी
व्यर्थ किसी पर भार न बन

डोर है रिश्तों की नाजुक
तू हरगिज़ तलवार न बन

बन न भले सुखदेव, भगत
कम से कम ग़द्दार न बन

घर को घर ही रख 'दरवेश'
आँगन में दीवार न बन

शकील शिफ़ाई

मूल नाम : शकील अहमद
जन्मतिथि : 1-12-1939, अलीगढ़ (उ.प्र.)
शिक्षा : सिविल इंजीनियरिंग।
प्रकाशन : 'शहरे सुख़न' प्रकाशित। डॉ. अब्दुल कलाम की अंग्रेज़ी कविताओं के संग्रह 'माई जर्नी' का 'मेरा सफ़र' शीर्षक से उर्दू अनुवाद।
सम्मान : अनेक संस्थाओं द्वारा सम्मानित।
सम्प्रति : इंजीनियर
सम्पर्क : ए/153, राम प्रस्थ ग़ाज़ियाबाद (उ.प.)
फोन : 0120-2624975
मो. : 990306854

यक़ीन किस पे करेगा वफ़ा शआर के बाद
वो ऐतबार जो टूटा हो, ऐतबार के बाद

मेरे ख़याल में उसको फ़िराक़ कहते हैं
जो इन्तज़ार हो औक़ाते-इन्तज़ार के वाद

ये बूंद-बूंद लहू की मेरे ज़मीर की है
एक और नाम दे मुझे गुनहगार के बाद

फ़िज़ा का हाल तो देखा था बारहा लेकिन
चमन का हाल न देखा गया बहार के बाद

'शकील' उसको तेरा जाँ-नशीन होना है
मनाए जश्न जो हर शागे-सोगवार के बाद

यहां पर इस्तेराबे-दिल नहीं है
ये महफ़िल तो तेरी महफ़िल नहीं है

नहीं मक़्तूल को क़ातिल से शिकवा
कि जैसे कोई भी बिस्मिल नहीं है

जहां पर जुस्तजू तस्कीन पाए
वो मंज़िल तो मेरी मंज़िल नहीं है

खुदा पर तो यक़ीं रखता है लेकिन
खुदाबाज़ी का दिल क़ायल नहीं है

'शकील' आसाने-तर्के-शर हो
तो कारे-ख़ैर मुश्किल नहीं है

शिकने-पस्पा हुआ करती थी अक्सर
मदद बोसों की इतनी थी जबीं पर

बदन की झुर्रियां लिखने लगी हैं
सिमटता है कोई मजमून अंदर

चला रक्खा है दो मुट्ठी हवा ने
वगरना ख़ाक है सांसों का पैकर

कोई महसूस करता ही नहीं है
मुझे महसूस करने के बराबर

न हटते थे जो सीने से हमारे
वो बच्चे अब चले जाते हैं बचकर

रेगज़ारों में आम पैदा कर
बेकसों में इमाम पैदा कर

अब न आएगा कोई पुरुषोत्तम
कोई हम में से राम पैदा कर

इक शहंशाह दे फ़क़ीर-सिफ़त
अपना क़ायम मुकाम पैदा कर

जो मिसाइल से फूल बरसा दे
ऐसा अब्दुल कलाम पैदा कर

मोहतरम गर 'शकील' होना है
अपना खुद अहतराम पैदा कर

फ़रेबे-ज़िन्दगी जब खाइएगा
तब अपनी राय को झुठलाइगा

न जाने आप क्या से क्या हुए हैं
न जाने क्या से क्या हो जाइएगा

खुदा बनना ज़रूरी तो नहीं है
कभी तो मशवरा फ़रमाइएगा

माल दोस्ती पूछेंगे उस दिन
कि उससे आप जब भर पाइएगा

'शकील' अच्छी ख़बर सच्ची न हो तो
उसे सुन-सुन के जी बहलाइएगा

सय्यद जाफ़र 'रज़ा'

जन्मतिथि : 1-1-1941, लखनऊ
शिक्षा : डिप्लोमा इन मशीनिष्ट-आई टी आई
प्रकाशन : ग़ज़ल-संग्रह 'दूसरा मैं', सहित अनेक पत्रिकाओं/संकलनों में रचनाएं प्रकाशित।
सम्मान/पुरस्कार: अनेक संस्थाओं द्वारा सम्मानित।
सम्प्रति :
सम्पर्क : 501, अंजली अपार्टमेंट, सेक्टर-2, सानपाडा, नवी मुंबई- 400705
मो. - 9821146565

मायूसियों से दिल को सजाए हुए हैं लोग
आईने ग़म के घर में लगाए हुए हैं लोग

हर सम्त एक जश्ने-चराग़ां है इन दिनों
अपने घरां को आप जलाए हुए हैं लोग

किस की तरफ ये दस्ते-मुहब्बत बढ़ाइये
हाथों से अपने ज़ख़्म दबाए हुए हैं लोग

अपना है कौन, कौन पराया है क्या ख़बर
चेहरों पे और चेहरे लगाए हुए हैं लोग

इख़्लाक़-ओ-उन्सियत के कफ़न में लपेट कर
इन्सानियत की लाश उठाए हुए हैं लोग

बाहों में बाहें डाले हुए हैं मगर 'रज़ा'
इक दूसरे से खुद को छुपाए हुए हैं लोग

दिल में अक्से-मलाल रहने दो
आईना बे-मिसाल रहने दो

इक निशानी तो चाहतों की रहे
हसरते-पुर-मलाल रहने दो

मुझको दिल से निकाल दो अपने
सिर्फ़ मेरा ख़्याल रहने दो

दौलते-ग़म कहां-कहां से मिली
दोस्तो यह सवाल रहने दो

थक गए हो 'रज़ा' बहुत तुम भी
अब मेरी देख-भाल रहने दो

जो बात कहने से पहले बदल गए हालात
तमाम उम्र खटकती रही वही इक बात

हसीन यादों की चुभती हों सिल्वटें जैसे
तड़प रहा हूं मैं करवट बदल रही है रात

है उनकी आंखों में अब भी मलाल की सुर्ख़ी
यक़ीन मानिए बदले नहीं अभी हालात

तफ़क्कुरात के दामन में हादसात लिए
लबों पे अब भी तबस्सुम में खेलती है हयात

ये सांस लेने की क़ीमत चुका रहे हैं 'रज़ा'
न आरज़ूओं से फुरसत न जुस्तुजू से निजात

हमारे वास्ते इतना बहुत है
कि हमने आपको चाहा बहुत है

तबस्सुम भी करम लगता है मुझको
मेरी आंखों को यह धोखा बहुत है

बता देगा यक़ीनन रुख़ हवा का
शजर का एक ही पत्ता बहुत है

सलीक़े से सजा लेता हूं दिल में
मुझे ज़ख़्मों का अन्दाजा बहुत है

कमी अपनी 'रज़ा' कोई न देखी
अगरचे आईना देखा बहुत है

रंज का है कभी ख़ुशी का है
मुझपे एहसान ज़िंदगी का है

सिसकियां ले रहा है वह रिश्ता
आदमी से जो आदमी का है

दोस्ती में भी क्या नहीं होता
नाम बदनाम दुश्मनी का है

ज़िंदगी को बचा लिया उसने
जिसपे इल्ज़ाम ख़ुदकुशी का है

आके बाहर ख़ुदी से देख 'रज़ा'
लुत्फ़ कुछ और बेख़ुदी का है

अमर नाथ

जन्म तिथि : 1-2-1941

शिक्षा : इंजीनियरिंग डिप्लोमा

प्रकाशन : खण्ड काव्य-2, कहानी संग्रह-1, एक भजन संग्रह एवं अनेक संकलनों में सहयोगी रचनाकार।

सम्मान/पुरस्कार: 'समानान्तर' (आगरा) द्वारा 'सम्पादक शिरोमणि' सहित अनेक संस्थाओं द्वारा सम्मानित।

सम्प्रति : पूर्णकालीन साहित्य सेवा में रत।

सम्पर्क : 401-ए, उदयन-1, बंगला बाज़ार, लखनऊ (उ.प्र.)
फोन - 0522 2446036

मैं मरीजे-इश्क मुझे, बीमार रहने दीजिए
मुझको अपने हाल पर, सरकार रहने दीजिए

रोते आए मुद्दतो से, याद में तेरी सनम
सिलसिला जारी अब, आहोज़ार रहने दीजिए

तेरी यादों को रखा हमने सँजोकर दिन बहुत
महल उन यादों के अब, बिस्मार रहने दीजिए

पाँवों में छाले उगे अब गलियों की ख़ाक छान
ज़िंदगी से मुझको अब बेज़ार रहने दीजिए

मुझको अपने कर्म का फल भोगने दो खुद सनम
आप अपना न कोई सरोकार रहने दीजिए

मन पहले दे दिया था जीवन भी है तुम्हारा
पर मुझको मौत का खुद मुख़्तार रहने दीजिए

होने को बिस्मिल 'अमर' सिर झुकाए अब खड़ा है
रहमदिल बनने का अब किरदार रहने दीजिए

फिर नये मंज़र दिखे
बाग़ सब बंज़र दिखे

रात में जो लूटते
बांटते लंगर दिखे

मांगते थे भीख जो
क़िस्मत सिकन्दर दिखे

ताल समझे थे जिसे
गहरे समन्दर दिखे

तोष से जीते 'अमर'
गाते कलन्दर दिखे

मन में अपने आस भरिए
फिर थोड़ा विश्वास भरिए

ज़िंदगी बन जाए सुनहरी
ऐसा कुछ अहसास भरिए

ज़िंदगी को कर सतरंगी
वासन्ती मधुमास भरिए

तोड़ सितारे आसमाँ के
कुछ धरती के पास धरिए

शोषित की हरो प्यास 'अमर'
जीवन में उल्लास भरिए

इक मधुर से सपन हो गए हैं
भावना के सुमन हो गए हैं

गए जब से शरण राम की वे
मुक्त आवागमन हो गए हैं

मन सुमन सा सु-मन हो गया है
वो महकते चमन हो गए हैं

केतु, राहु भगे सब शनिश्चर
कर्म मंगल-लगन हो गए हैं

कर समर्पण चरण ईशा के तू
शेष दिन अब पवन हो गए हैं

बार-बार रो रही बेटी ग़रीब की
ज़ार-ज़ार हो रही बेटी ग़रीब की

घायल तो जिस्म है पर टूट गया मन
तार-तार हो रही बेटी ग़रीब की

ना दहेज दे सकी ग़रीबी बाप की
गुनहग़ार हो रही बेटी ग़रीब की

सास ननद मारती, ताने रोज़-रोज़
शर्मसार हो रही बेटी ग़रीब की

मौत से न लड़ सकी ज़िंदगी से ऊब
हार-हार रो रही बेटी ग़रीब की

अर्जुन कनौजिया

मूल नाम : अर्जुन देव कनौजिया
जन्मतिथि : 26-3-1941, पालमपुर
शिक्षा : बी.ए.
प्रकाशन : पहला ग़ज़ल-संग्रह प्रकाशनाधीन।
सम्मान : महाविद्यालय में हिन्दी में उत्कृष्ट लेखन के लिये पुरस्कृत। 'पहाड़ी विकास संगम', सन्देश (हि.प्र.) द्वारा सम्मानित।
सम्प्रति : हिमाचल प्रदेश स्वास्थ्य विभाग, सहायक मलेरिया अधिकारी के पद से निवृत्त।
सम्पर्क : समीप राधा कृष्णा मन्दिर, टीका आईमा, पो.-पालपुर, जिला कांगड़ा (हि.प्र.) 176061
फोन : (01894) 232232

है आरज़ू किस तरफ़ मुझ को बता ज़िन्दगी
अपनी ख़ता से हुई मुझसे ख़फ़ा ज़िन्दगी

क़ातिल छिपा है यहीं तो मौत कब आएगी
मरने से पहले कभी ख़ुद को जगा ज़िन्दगी

बादल उठे हैं यहां बारिश लगी आज फिर
तू भीग ले संग में जागे ज़रा ज़िन्दगी

बेताबियां संग हैं जाएं कहां वो कभी
लग जा गले आ मेरे तू मत लजा ज़िन्दगी

तुम ओस का कण बनो रब को करो बन्दगी
तुम हो खड़े सामने काटे सज़ा ज़िन्दगी

दिल तो मेरा सो गया, आंखें रही हैं खुली
देखे ज़माना तुझे कर ले वफ़ा ज़िन्दगी

कौन कहता है यहां पर खुदा होगा
कह दिया होगा किसी ने सुना होगा

उसका दर तो दूर है, दूर दरवाज़ा
है कोई तो तार जिससे जुड़ा होगा

ग़ौर से देखो उसे मांगता है क्या
मुक़द्दर उस का कहीं पर खुदा होगा

ग़ैर का पैग़ाम लेकर वो आया है
बात कोई तो हुई, वो झुका होगा

जब मेरी फ़रियाद सुनता नहीं वो भी
होगा कोई और उससे जुदा होगा

—

कहां से आके यहीं आबशर है फूटी
रहा वजूद कहां मंझधार है टूटी

मुझे गिरा के गए क्यों जो साथ मेरे थे
अना मेरी जो गिरी शर्मसार है टूटी

सज़ा मिली है वफ़ा की वजह यही तो है
इक आह दिल से उठी बेक़रार है छूटी

चला जो साथ हमारे था सिलसिला कैसा
दरार-पड़ जो गई आर-पार है फूटी

भंवर तो घूम रहा था दिमाग़ पागल था
उसे डुबो के मेरी यादगार है लूटी

जहां में जंग सी हालत कहीं चली न रहे
मिटे तनाव अदावत चली कोई न रहे

किसी गली में भी भूखा कोई रहे न यहां
जहां में भीख की लानत कहीं बची न रहे

ख़लल भी डाल न पाएं अमन की बात करें
किसी भी कोने में दहशत कहीं बसी न रहे

जगे रहें तो कभी दाग़ भाल पे न लगे
मसल के रख दे कि नफ़रत भरी कली न रहे

कभी कहीं पे जो उठ भी पड़ेगी बात कोई
मिले निजात उसी से कलह चली न रहे

सपना हसीं है बनी ज़िन्दगी
किस तरफ़ जा रही है मेरी ज़िन्दगी

मैंने महलों की हसरत करी है बहुत
आज कैसी इमारत बनी ज़िन्दगी

भीड़ में अजनबी कोई हँस के मिला
यूं लगा एक पल में सजी ज़िन्दगी

हूं चला जा रहा साथ लेकर उसे
सांस की सांस में ही थमी ज़िन्दगी

है जवानी के दिन तो सुहाना सफ़र
अपनी बाहों में सिमटी हुई ज़िन्दगी

देवी नागरानी

जन्मतिथि : 11-5-1941, कराची
शिक्षा : बी.ए.
प्रकाशन : ग़ज़ल संग्रह 'ग़म में भींजीं खुशी, व 'चरागे-दिल'। विभिन्न पत्र-पत्रिकाओं में रचनाएं प्रकाशित।
सम्मान/पुरस्कारः अनेक संस्थाओं द्वारा सम्मानित।
सम्प्रति : शिक्षिका (न्यू जर्सी, यू.एस.ए.)
सम्पर्क : 586, Brittany circle Nutely, New Jersey, 07110-3954 U.S.A.

क़िस्मत हमारी हमसे ही मांगे है अब हिसाब
ऐसे में तुम बताओ कि हम दें भी क्या जवाब

अच्छाइयां, बुराइयां दोनों है साथ साथ
इस वास्ते हयात की रंगीन है किताब

घर बार भी यहीं है, परिवार भी यहीं
घर से निकल के देखा तो दुनिया मिली ख़राब

पूछूंगी उनसे इतने ज़माने कहां रहे
मुझको अगर मिलेंगे कहीं भी वो बेनकाब

मुस्काते मंद-मंद हैं हर इक सवाल पर
हर इक अदा जवाब की उनकी है लाजवाब

पिघले जो दर्द दिल के, सैलाब बन बहे
आंखों के अश्क बन गए मेरे लिये शराब

दोनों सुरों को रख दिया मैंने सँभालकर
जब दिल ने मेरे सुन लिया बजता हुआ रबाब

कौन किसकी मानता है आजकल दुश्वारियां
जानते हैं लोग अपनी बेसरो-सामानियां

मैने गुरबत में हमेशा देखी है आसानियां
दौलतो-सर्वत से लेकिन बढ़ गई दुश्वारियां

मुस्कराकर राहतों का लुत्फ़ लेते हैं सभी
रास्ते दुश्वार हों तो बढ़ती हैं बेताबियां

चाहती हूँ मैं मिटा दूं हर नए हर अक्स को
लौट कर रह रह के फिर,आ जाती है परछाइयां

साया भी मेरा मुझीसे है ख़फ़ा 'देवी' बहुत
नागवार उसको भी हैं शायद मेरी नादानियां

आंधियों के भी पर कतरते हैं
हौसले जब उड़ान भरते हैं

ज़िदगी इक हसीन धोखा है
फिर भी हंस कर सुलूक करते हैं

ग़ैर तो ग़ैर हैं चलो छोड़ो
हम तो बस दोस्तों से डरते हैं

राह रौशन हो आने वालों की
हम चराग़ों में ख़ून भरते हैं

आदमी देवता नहीं फिर भी
बन के शैतान क्यों विचरते हैं

क्या बहारों का कोई भी मौसम नहीं है
या गुलों की महक में ही कुछ दम नहीं है

हमने रो-रो के दामन भिगोया है कितना
आंसुओं से तिरी आंख तक नम नहीं है

रास आती नहीं थी बहारें भी मुझको
इसलिये अब ख़िज़ाओं का मातम नहीं है

ज़िन्दगी अस्ल में तेरे ग़म का है नाम
सारी खुशियां हैं बेकार अगर ग़म नहीं है

मौत का मेरे दिल में नहीं ख़ौफ़ 'देवी'
मौत खुद ज़िन्दगी ये कहीं कम नहीं है

उसे इश्क़ क्या है पता नहीं
कभी शमॣअ पर जो जला नहीं

न बुझा सकेंगी ये आंधियां
ये चराग़े-दिल है दिया नहीं

मेरे हाथ आईं बुराइयां
मेरी नेकियों को गिला नहीं

मैं जो अक्स दिल में उतार लूं
मुझे आइना वो मिला नहीं

जो मिटा दे 'देवी' उदासियां
कभी साज़े-दिल यूं बजा नहीं

इनायत खान 'परदेसी'

जन्मतिथि : 19-6-1941, सिरोही (राजस्थान)
शिक्षा : हाई स्कूल
प्रकाशन : 'दूसरे लम्हे' एवं 'और दिल टूट गया' प्रकाशित।
सम्मान : अनेक संस्थाओं द्वारा सम्मानित।
सम्प्रति : साहित्य सृजन।
सम्पर्क : 599/मराठवाडा चाल, एन.एस.एस. रोड, नारायण नगर, घाटकोपर, मुंबई-400086
मो. : 9869318954

मिल ही जाए उन्हें फुर्सत, ये ज़रूरी तो नहीं
जगाए उनको भी फुर्क़त, ये ज़रूरी तो नहीं

राहें हमवार मोहब्बत की, हमारी कर दें
दुश्मनों में हो शराफ़त, ये ज़रूरी तो नहीं

उनकी महफ़िल में हैं, अपने तो पराए भी हैं
हमको भी दे दें वो दावत, ये ज़रूरी तो नहीं

इक लिफ़ाफ़ा गुलाबी, घर पे मेरे भेजा है
ये उन्हीं की हो शरारत, ये ज़रूरी तो नहीं

बन्द आंखों ने उन्हें, पहलू में देखा अपने
ख़्वाब हो जाए हक़ीक़त, ये ज़रूरी तो नहीं

और भी खूबरू देखे हैं, जहां में हमने
सब में उन-सी हो नफ़ासत, ये ज़रूरी तो नहीं

सब पे वो अपना करम, करते हैं 'परदेसी' मगर
हमपे उनकी हो इनायत, ये ज़रूरी तो नहीं

प्यार किसी से, होता क्यों है
दिल जो गया तो, रोता क्यों है

नींद उड़ा देती है जुदाई
वस्ल हमेशा सोता क्यों है

इश्क़ की राहों में, ये ज़माना
हिज्र के कांटे, बोता क्यों है

सीने में नफ़रत के ख़ंजर
वो बेदर्द चुभोता क्यों है

दुनिया से 'परदेसी' बेगाना
प्यार में आशिक़ होता क्यों है

ख़्वाब आंखों में सजा लाए हैं
उसने फिर से दिये जलाए हैं

इक तबस्सुम के भी मोहताज रहे
अश्क आंखों में, झिलमिलाए हैं

हैं महरबां रक़ीब इतने क्यों
बज़्म में मुझको भी बुलाए हैं

एक दिल चाहिये, निशाने को
तीरो-तरकश, वो साथ लाए हैं

बिजलियां टूट पड़ीं 'परदेसी'
जब नशेमन कभी, सजाए हैं

हालाते-ज़िन्दगी पर, इक निगाह डाल बैठे
लाखों ही गल्तियां हम खुद में निकाल बैठे

ये रोज़गारे-ग़म जब, निकले किसी तरह से
तब आपका हमारे, दिल में ख़याल बैठे

जब वस्ले-शब की हमने, की उनसे गुफ्तगू
इस ख़ास बात को वो, बातों में टाल बैठे

तुझसे तेरा दुपट्टा, ही ना सम्हल सका तो
महफ़िल में कोई कैसे, फिर दिल सम्हाल बैठे

'परदेसी' अगर दिल में, बेचैनियां ना हों तो
कोयल फुदक फुदक कर, क्यों डाल डाल बैठें

ज़ख़्म ऐसे भी हुआ करते हैं
जलते हैं फिर भी, दुआ करते हैं

शिद्दते-दर्द में, कमी जो लगे
ज़ख़्म रह-रह के छुआ करते हैं

आशियाना-ए-दिल तो ख़ाक हुआ
बेसबब फिर भी, धुवां करते हैं

इक तबस्सुम पे जाँ लुटा बैठें
ऐसे दिलबर भी, हुआ करते हैं

दिल की गहराईयों को छू जाएं
वो ही अशआर हुआ करते हैं

श्यामसुन्दर सौनकिया

जन्मतिथि : 3-9-1941
शिक्षा : एम.ए. (हिन्दी) पी-एच.डी., साहित्य रत्न
प्रकाशन : अनेक पत्र-पत्रिकाओं में रचनाएं प्रकाशित।
काव्य-संकलन: 'व्यथा-कथा है मेरी पाती', 'अन्तर्बोध'। पत्र-पत्रिकाओं में रचनाएं प्रकाशित।
सम्मान : अनेक संस्थाओं द्वारा सम्मानित।
सम्प्रति : स्वतंत्र लेखन एवं शोध निर्देशन सेवानिवृत महाविद्यालयीन सेवा।
सम्पर्क : प्रतिमान, नया खण्डेराव, जालौन (उ.प्र.)
मो. : 9450291196

ना मुनासिब तू चमन से कभी तकरार न कर
फूल है, फूल का बदनाम तू किरदार न कर

फूल होने से ही शोहरत है जहाँ में तेरी
फूल को फूल ही रहने दे, अरे, ख़ार न कर

हुक्मरानों की हुकूमत को ज़ेहन में न बसा
लफ़्ज़ को लफ़्ज़ ही रख, तू उन्हें औज़ार न कर

होके मग़रूर न दिल चाहने वालों के दुखा
जां निसारों को भी अपने से बेज़ार न कर

सुनहला मौक़ा है, खुशबू भी बला की लेकिन
चाहने वालों को फिर यूँ तो बेक़रार न कर

फूल ऐसे भी गुलशन में कि तू कुछ भी नहीं
ज़ब्त से काम ले और खुद को गुनहगार न कर

हर मुसीबत में तू खुद को आज़माना सीख ले
अश्क पीकर ज़िन्दगी में मुस्कराना सीख ले

मुफ़लिसी में जो यहाँ मासूमियत मुहताज है
ये परिंदे हैं अभी बे-पर, चुगाना सीख ले

अब तलक खुद को खुदा तू मानकर भटका मगर
भूलकर अपनी खुदी अब सर झुकाना सीख ले

छा रही ग़म की घटाएं, चाँद तारे हैं उदास
प्रेम के सूरज से सब को जगमगाना सीख ले

हो गई बहरी शराफ़त गूँगी है दिल की ज़ुबाँ
प्यार का इज़हार कर, दिल गुद गुदाना सीख ले

थी तपन भारी गगन घन छा गए
चाहता था मन तुम्हें, तुम आ गए

फूल भी लगने लगे थे शूल से
आप उनको, कर पुनः उनसा गए

तुम हो बस तुम-ही, तुम्हें हम क्या कहें
रूप तुम ऐसा अनूठा पा गए

रातभर सपने बिखेरे नींद ने
भोर, तुम साकार करने आ गए

कानों में रस घोलते, सब आपके
प्रेम-पूरित गीत उर में छा गए

प्रीति की रीति है ऐसी कि निभाते न बने
याद रखते न बने, और भुलाते न बने

मान लेते हैं फ़साने को हक़ीक़त सब लोग
राज़े-दिल जो है, किसी को वो सुनाते न बने

रंगे उल्फ़त का, शरारत करे इज़हार मगर
मुँह से कहते न बने, दिल से छुपाते न बने

दर्दे-दिल वो ही समझते हैं कि दिलदार हैं जो
बे-दिलों को तो ये रोकर भी सुनाते न बने

रू-ब-रू तुझसे शिकायत भी नहीं कर पाता
अश्क आँखों में तो आते हैं बहाते न बने

चाहने वालों के दिल का चैन हो, राहत हो तुम
तुम हसीं भर ही नहीं हो, हुस्न की इज़्ज़त हो तुम

चाहने वालो मगन हैं प्यार में, दीदार में
वाक़ई उनके लिए अल्लाह की रहमत हो तुम

तुम नहीं होते, नहीं होते हसीं शामो-सहर
नूर हो तुम सुब्ह का और शाम की रंगत हो तुम

पा लिया जिसने तुम्हें, उसने सभी कुछ पा लिया
खुशनसीबों के लिए दुनिया में ही जन्नत हो तुम

क्या कहूं, क्या-क्या हो तुम, कहना ये मुमकिन ही नहीं
इस दिले-बेताब की धड़कन हो तुम, चाहत हो तुम

गंगेश गुंजन

जन्मतिथि : 15-6-1942, बरारी (भागलपुर)

शिक्षा : एम.ए. (हिन्दी, मैथिली), पी.एच.डी.

प्रकाशन : काव्य-संकलन, 'शब्द तैयार हैं' सहित लगभग 20 पुस्तकें प्रकाशित।

सम्मान/पुरस्कारः 'साहित्य अकादमी' सहित अनेक संस्थाओं द्वारा सम्मानित।

सम्प्रति : उपाध्यक्ष, सुलभ साहित्य अकादमी।

सम्पर्क : 74 डी, कंचनजंगा एपार्टमेंट, सेक्टर-53, नोएडा (उ. प्र.)

फोनः 0120-4245068

मोबाइलः 9899464576

आह कैसी धूप है जलने लगे हैं
हाय कितनी तड़प है चलने लगे हैं

इस तरह बिन ब्याह के दूल्हे बने हैं
खुद ही खुद को बेतरह खलने लगे हैं

धीरे-धीरे रक्त में घोला ज़हर है
उन्होंने और साथ में चलने लगे हैं

लोगों के आंसू का चस्का लग गया है
उनके बच्चे खून पर पलने लगे हैं

सीनों पर तैनात वे फ़ौलाद से थे
वक़्त की तासीर से गलने लगे हैं

बंद कर दी थीं उन्होंने सब ज़ुबानें
खुद ही घबराए हुए खुलने लगे हैं

शोर में विश्वास रखते नहीं 'गुंजन'
कठिन संकल्पों में हम ढलने लगे हैं

लेते हैं मेरी परीक्षा मुस्कराते हैं
हम अभी उनकी हक़ीक़त आज़माते हैं

दूध के धोए बने फिरते हैं देखें कब तक
देखें कब वह अपने हाथों मात खाते हैं

साज़िशें हैं रेशमी बिस्तर हमें मालूम
इसलिए सोने से पहले जाग जाते हैं

ये ही कंधे हैं जहां पर बैठता सूरज
ये ही बाजू हैं सभी नक़्शे बनाते हैं

मेरी चुप्पी का मतलब न लेना बेबसी
वक़्त पर ही वक़्त के पैग़ाम आते हैं

ज़िंदगी से गुज़र गए तुम भी
रास्ते में ठहर गए तुम भी

लोग तो घर ही से नहीं निकले
बीच रस्ते से घर गए तुम भी

देह की दुनिया में आंखें भटकीं
जाने किस दुख में मर गए तुम भी

मानता हूँ बहुत है धूप कड़ी
झेल पाए न दो पहर तुम भी

ज़िंदगी के लिए जीने के ही नाम
जाने क्यों पी गए ज़हर तुम भी

सारा गांव अंधेरा है
इसमें एक घर मेरा है

टूटे पुल और पगडंडी
सन्नाटे का डेरा है

छोड़के नफ़रत की नागिन
भागा हुआ सपेरा है

अपमानित आहत हैं लोग
लोकतंत्र का फेरा है

सूरज की अगवानी में
सारा गांव अंधेरा है

मन से इश्क़ और ऋण उतारा है
खुद को इश्क़ बार और मारा है

उसी ने छीन लिए सब अधिकार
वो जो कहते रहे तुम्हारा है

उन्हीं का आश्वासन है उम्मीद
हाथ में कुछ कहां हमारा हैं

क़त्ल करने का ये औज़ार महीन
कोई समझे तों कितना न्यारा है

भूख और प्यास से बेचैन तबाह
मेरे सब ओर गांव सारा है

कैलाश पचोरी

जन्मतिथि : 2-7-1942, बैरसिया (भोपाल)

शिक्षा : एम.ए., बी.एड.।

प्रकाशन : एक कविता-संग्रह शीघ्र प्रकाश्य। अनेक पत्र-पत्रिकाओं में रचनाएं प्रकाशित।

सम्मान : 'बज़्म तजवीरे-अदब' सहित अनेक संस्थाओं द्वारा सम्मानित।

सम्प्रति : शिक्षा विभाग से सेवा निवृत्ति के पश्चात पूर्णकालीन साहित्य सृजन/सेवा में रत।

सम्पर्क : द्वारा श्रीमती सुशीला पचोरी, शारदा सदन, पो.मु-बैरसिया, भोपाल (म.प्र.) 463106
फोन : (07567) 288403
मो. : 9300489344

मैं सही था किन्तु मुझको ही ग़लत समझा गया
जो नहीं था मैं मुझे अक्सर वही समझा गया

आज़माया जब उसे वह धूर्त ही साबित हुआ
जिसको अक्सर ज़िन्दगी में देवता समझा गया

उसके भीतर दिल भी था कुछ हसरतों की शक्ल में
जिसको उसकी ज़िंदगी में मक़बरा समझा गया

फ़तूह का परचम उसी ने बुर्ज पर फ़हरा दिया
ज़िंदगी की जंग में चारा जिसे समझा गया

सिर्फ़ नंगापन नुमाया हो रहा है जिस्म से
इन दिनों फ़न को महज़ एक जिस्म भर समझा गया

चंद किश्तों में बँट गई गोया
उम्र आँखों में कट गई गोया

हाशिये पर लिखे गए ऐसे
सदी हिस्सों में छँट गई गोया

वक़्त के शिकंजे कसते ही गए
ज़ीस्त फाँसी पे चढ़ गई गोया

थकान आँच में पकी ऐसे
चिनगी चिनगी चटक गई गोया

आप और आपका ये शीश महल
रूह प्यासी निकल गई गोया

सुर्ख़ आँखों में रत जगे होंगे
फिर साज़िशों के पर उगे होंगे

जिस्म को भूख का तोहफ़ा देकर
वो पशेमान तो हुए होंगे

रेत के ढीह पे ये शीश महल
आख़िरी वक़्त पर गिरे होंगे

भूख और मुफ़लिसी तौबा-तौबा
कुछ दरिंदे वहाँ रहे होंगे

चाँद और जिस्म ये तन्हाई का
चंद यादों के तर्जुमे होंगे

अंधेरे का परकटे शायद
ये घना कुहरा छटे शायद

आप चाकू से तने बैठे
आपका रुतबा घटे शायद

भूख आँतों में उतर आई
रात आँखों में कटे शायद

हादसे के पार हैं चीख़ें
हादसा दम घोट दे शायद

कबूतर ने फड़फड़ाए पर
ये कबूतर अब उड़े शायद

तुम आए शुक्ल पक्ष आ गया
गीत गोविंद कोई गा गया

कोमल गाँधार हुए रिक्त क्षण
भीतर जाने क्या कुलबुला गया

रितुओं का जादूगर चुपके से
रंगों के कलष ढुलका गया

कंगन सा खनकता पलाष वन
आदिम आग कोई सुलगा गया

इत्रफ़रौश हो गया मौसम
संयम की नदी पिघला गया

अखिलेश 'अंजुम'

मूल नाम : अखिलेश कुमार गुप्ता
जन्मतिथि : 4-12-1942, बुलन्दशहर (उ.प्र.)
शिक्षा : एम. ए. (अर्थशास्त्र), डिप्लोमा पत्रकारिता।
प्रकाशन : अनेक पत्र-पत्रिकाओं में रचनाएं प्रकाशित, ग़ज़ल-संग्रह 'खिड़कियां बंद हैं खोलिए'।
सम्मान/पुरस्कार: अनेक संस्थाओं द्वारा सम्मानित।
सम्प्रति : निदेशक-स्टर्लिंग सिस्टम एण्ड कंट्रोल, कोटा
सम्पर्क : 2—झ—4, दादाबाड़ी, छोटा चौराहा, शिवालिक स्कूल के पास, कोटा, 324009 (राज.)
फोन : 0744 2504481, 3095586

जीवन का पर्याय आज कुछ आंसू बोना है
इस पर्वत से उस पर्वत तक पत्थर ढोना है

हाथों में टूटे दरपन और उड़े हुए चेहरे
कैसी यह त्रासदी ख़ून के आंसू रोना है

मुस्कानों से दर्द छुपाते रहना ही अच्छा
पर्त दुखों की खुल जाना तो नंगा होना है

पग-पग पर उत्तंग-शिखर सी खड़ी समस्याएं
और आदमी आज हो गया कितना बौना है

लाख प्रयत्न किये मिल जाए सुख दो ही पल का
किन्तु नहीं आया वो गुर जो जादू-टोना है

हम ठहरे पीड़ा के वंशज हमसे मत उलझो
दुख तो अपने निकट सदा ही रहा खिलौना है

आदमी रद्दी हुआ अख़बार हो जैसे
ज़िंदगी टूटी हुई तलवार हो जैसे

हाथ बांधे सिर झुकाए भीड़ चारों ओर
हर जगह कोई लगा दरबार हो जैसे

हर नया अनुभव हमें यूँ तोड़ जाता है
काटती तट को नदी की धार हो जैसे

दर्द के एकान्त-क्षण हमने जिए कुछ यूँ
कोई उत्सव हो कोई त्यौहार हो जैसे

रही है तुम से निकटता आज तक कुछ यूँ
बीच में इक कांच की दीवार हो जैसे

अंदर बाहर बड़ी घुटन है
मुरझाया-मुरझाया मन है

कांटे तो कांटे थे आख़िर
फूलों में भी बड़ी चुभन है

इस युग की उपलब्धि यही है
हर चेहरा टूटा दरपन है

रिश्ते-नातों से तो अच्छा
मेरे घर का सूनापन है

बांहों में भरते हो लेकिन
अंदर तो बेगानापन है

घर बिना छत बनाए जाएंगे
लोग जिनमें बसाए जाएंगे

आपका राज हो या उनका हो
हम तो सूली चढ़ाए जाएंगे

साल-दर-साल बाढ़ आएगी
आप दौरों पे आए जाएंगे

हम तो होते रहेंगे यूँ ही हवन
लोग उत्सव मनाए जाएंगे

बूढ़े बरगद पे देखना जाकर
अब भी दो नाम पाए जाएंगे

राजपथ जिनसे जगमगाए हैं
वो फ़कत रौशनी के साए हैं

चंद ख़्वाबों की ज़िंदगी के लिए
हमने खुद ही फ़रेब खाए हैं

रौशनी की यहाँ तिजारत ने
हाय! कितने ही घर जलाए हैं

छोड़ बैठे हैं खुद को लहरों पर
जब से साहिल पे घर बनाए हैं

आजकल देखिये अंधेरों ने
हर तरफ़ दायरे बढ़ाए हैं

दिनेश शुक्ल

जन्मतिथि : 1-1-1943

प्रकाशन : ग़ज़ल-संग्रह 'धूप का सफ़र' एवं 'मौसम तनी गुलेल' सहित दो दोहा-संग्रह। पत्र-पत्रिकाओं में रचनाए प्रकाशित।

सम्मान : 'पं.गंगा चरण मिश्र स्मृति सम्मान' खण्डवा सहित अनेक संस्थाओं द्वारा सम्मानित/पुरस्कृत।

सम्पर्क : रामेश्वर रोड, खंडवा-450001 (म.प्र.)

किस तरह रिश्तों के जंगल में रहे, बोलो पिता
ज़ख़्म अपनों ने दिए, कैसे सहे, बोलो पिता

वक़्त की मुट्ठी में, संबंधों की भीगी धूल ले
क्यों घरौंदे प्रेम के, गढ़ते रहे, बोलो पिता

बेटों, बहुओं की नज़र में, पेंशन की राशि थे
ये ज़हर भी, किस तरह पीते रहे, बोलो पिता

चार रोटी, इक कटोरी, दाल, सब्जी के लिए
रोटियों के क्यों गणित, बनते रहे, बोलो पिता

ये बुढ़ापा, जिल्लतें, अपमान, ताने, फब्तियाँ
क्यों भ्रमों की गठरियाँ, बाँधे रहे, बोलो पिता

दुख की गहरी धूप थी, सर पर नमक का बोझ था
ऐसे क़िस्से अनकहे, क्यों ना कहे, बोलो पिता

उम्र भर केवल दुखों की, राजधानी बन जिए
ज़िंदगी क़िश्तों में क्यों, जीते रहे, बोलो पिता

पसीना था, तो पत्थर पर खिला था
मैं पत्ता था, तो रंगों में हरा था

सजी थी रोटियों की इक नुमाइश
मगर हर पेट पर पट्टा बँधा था

सलीक़े से कोई सपना न देखा
हज़ारों रात से सोया पड़ा था

हमारी जेब में पैसे, नहीं थे
हमारे गाँव में मेला लगा था

हमारे दौर के क़िस्से न पूछो
यहाँ हर आदमी खुद से डरा था

समय बना दुख की तहसीलें
मुर्दा-घर पर उड़ती चीलें

किसने यहाँ नसीब लिखे यह
किसने लिखी, नमक की झीलें

पिंडली, बोझ जिस्म का तोले
पाँवों के क़द नापें, कीलें

भय, आंतक, हादसे, हत्या
रक्तपात, फ़लसफ़े, दलीलें

डरा हुआ था, खुद से ईश्वर
चल हम भी होठों को सी-लें

लहू-लहू हर मंज़र लिख
मुल्क हुआ ये बंजर लिख

पारा-पारा स्वप्न हुए
नीदें खुश्क समंदर लिख

बँटी ग़रीबी सुविधा पर
इक रोटी, सौ बंदर लिख

थे वोटों के अंक-गणित
ये मस्जिद, ये मंदिर लिख

फल वाले ये पेड़ गिरे
पृथ्वी बनी वबंडर लिख

वक़्त के घर दुखों की नदी लड़कियाँ
थी दुखों के क़दों से बड़ी लड़कियाँ

इक किसी बात पर, फिर वजह, बेवजह
देर तक खिलखिला कर, हँसी लड़कियाँ

लड़कियों ने भ्रमों के, गढ़े स्वप्न कुछ
शंख, सीपी, घरौंदे, बनी लड़कियाँ

इक किसी फूल पर, इक किसी नाम पर
खुशबुओं की सुराही, बनी लड़कियाँ

थी अजूबा बनी, जिंदगी के लिए
एक निर्णय लिए जब, चली लड़कियाँ

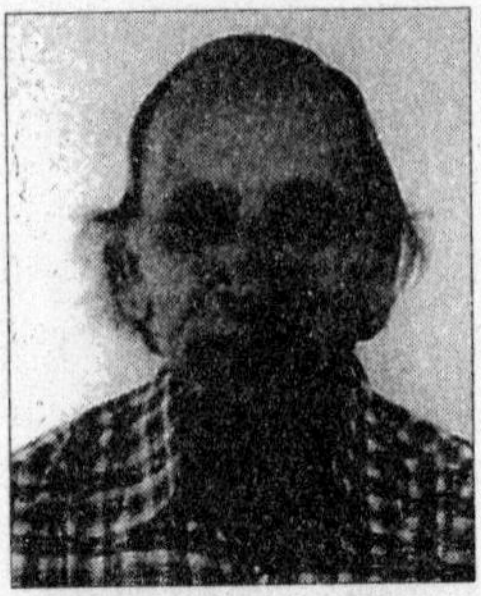

विजेन्द्र सिंह 'परवाज़'

जन्मतिथि : 28-3-1943

शिक्षा : बी.काम.

प्रकाशन : 'हिन्दी ग़ज़लें और मुक्तक', 'रोटी का पेड' (काव्य), 'उर्दू अदब' (उर्दू नज़्म), 'प्यासा रहा दरिया' (ग़ज़ल-संग्रह) सहित एक खण्ड काव्य प्रकाशित। अनेक पत्र-पत्रिकाओं में रचनाएं प्रकाशित।

सम्मान/पुरस्कार: अनेक संस्थाओं द्वारा सम्मानित।

सम्प्रति :

सम्पर्क : 527/7, जागृति विहार, मेरठ, उ.प्र.

ये इन्तहा भी देख तो, सब्र-ओ-क़रार की
उम्रें बढ़ा रहा हूं, तेरे इन्तज़ार की

ये सोचता हूं, गर्द को पलकों पे देखकर
ताज़ा है एक याद, अभी तक ग़ुबार की

हम लोग सिर्फ़ एक जनाज़े के साथ हैं
लाशें हैं इस क़दर नहीं फ़ुर्सत शुमार की

कांटा चुभा तो होश में आना पड़ा मुझे
रंगीनियों में खोया हुआ था बहार की

रख ले मेरे ख़ुदा! मेरी मासूमियत की लाज
लोगों से ठन गई है मेरी आर-पार की

क़ातिल ने इस अदा से संभाली है अपनी तेग़
नौबत न आएगी कोई चीख़-ओ-पुकार की

'परवाज़' उसकी ज़ुल्फ़-ए-परीशां की क्या मिसाल
ये आसमां झलक है, इसी इन्तशार की

यूं भी रुस्वा मुझको इस दुनिया का डर करता रहा
ज़ह्न से निकला तो मेरे दिल में घर करता रहा

जब अमीरी में मुझे गुर्बत के दिन याद आ गए
कार में बैठा हुआ, पैदल सफ़र करता रहा

कौन, किसके काम आता है मुसीबत में यहां
मुस्करा कर मुझको कोई चश्मेतर करता रहा

जब भी मैने लब हिलाए, खुल के कहने के लिए
वो नज़र से गुफ़्तगू को मुख़्तसर करता रहा

आंख झपकी थी कि रुख़्सत हो गया उसका शबाब
वक़्त यूं भी हसरतों को बेअसर करता रहा

एक इस उम्मीद पर बैठा रहे कब तक कोई
आएगा लेकर अंधेरी रात में दीपक कोई

वो तुम्हारा हाथ हो या फिर हवा की आहटें
मेरे दरवाज़े पे भी, देता तो है दस्तक कोई

जैसी जिसकी शक्ल है, वैसी ही आएगी नज़र
आईने पर भी अगर लाता है, लाए शक कोई

हर मुसाफ़िर ख़्वाहिशों की राह में गुम हो गया
प्यार की मंज़िल पे तो पहुंचा नहीं अब तक कोई

हम में वे कुछ है नहीं 'परवाज़' जो हर शख़्स में
देख ले आकर हमारे रू-ब-रू बेशक कोई

मंज़र ये किस बला का है! अहसास के क़रीब
दरिया है इक लहू का मेरी प्यास के क़रीब

ऐ दोस्त! ख़ामियों की तरफ़दारियां न कर
नागिन का बिल भी देख हरी घास के क़रीब

जैसे कोई दरार पुराने मकान में
शक यूं खड़ा रहा, मेरे विश्वास के क़रीब

लाए हैं लोग ताज, मेरे सर के वास्ते
दिन आ रहे हैं फिर किसी वनवास के क़रीब

'परवाज़' शायरी से मयस्सर सुकून है
अच्छा है गर रहें इसी अहसास के क़रीब

क्या करें आख़िर! बसाकर बस्तियां
लोग रख देंगे जलाकर बस्तियां

शाम ही से फिर लगे बुझने चिराग़
सो रहेंगी चोट खाकर बस्तियां

रोशनी की चाह में डूबेंगी फिर
तीरगी दिल से लगाकर बस्तियां

सरहदों पर जंग का ऐलान है
इस तरफ़ रख दीं उठाकर बस्तियां

धुन्ध में 'परवाज़' भीगी रात भर
धूप रख देगी सुखाकर बस्तियां

अहमद वसी

जन्मतिथि : 8-10-1943, सीतापुर (उ.प्र.)

शिक्षा : बी.ए., एल.एल.बी.

प्रकाशन : 'बहता पानी' (काव्य-संग्रह, उर्दू में), ग़ज़ल-संग्रह 'बादलों के शहर में', एक काव्य-संग्रह 'जुगनू मेरे साथ-साथ'।

सम्मान/पुरस्कार: उर्दू अकादमी से पुरस्कृत।

सम्प्रति : आकाशवाणी मुम्बई से सेवा निवृत्त।

सम्पर्क : ई/2, हंजर नगर, पंप हाउस, अंधेरी (पूर्व) मुंबई-93
फोन - (022) 26873058

झूठ बोलूं तो गुनहगार बनूं
साफ़ कह दूं तो सज़ावार बनूं

अपने चेहरे पे सजा लूं ख़बरें
शाम तक आज का अख़बार बनूं

किसी चूड़ी की खनक बन न सका
किसी बेड़ी की तो झन्कार बनूं

आप अपने को न इतना चाहूं
अपनी ही रहा की दीवार बनूं

हंस के मिलना भी अदाकारी है
मैं भी ऐ काश अदाकार बनूं

दोनों ही मारेंगे, मर जाएंगे
किस क़बीले का तरफ़दार बनूं

क्या मेरा मोल है मालूम तो हो
आज यूसुफ़ सरे - बाज़ार बनूं

जंगल, सहरा, पानी है
सर से ऊंचा पानी है

तुझसे मिलता जुलता सा
उजला-उजला पानी है

नंगे पांव चले आओ
गोरा-गोरा पानी है

मेरी आंखें बादल हैं
इनमें इतना पानी है

ख़बरें सबसे कहती हैं
ख़ून से महँगा पानी है

मन्ज़र मेरी नज़र का बदलता दिखाई दे
अस सारा शह्र आग में जलता दिखाई दे

यूं जागने लगे तेरी यादों के सिलसिले
सूरज गली-गली से निकलता दिखाई दे

तेरे क़रीब आ के बदन लहर-सा गया
सांसों में आबशार मचलता दिखाई दे

ये आस्तीन भीग चली आंख नम हुई
या मोम बन के दर्द पिघलता दिखाई दे

फिर चाँदनी लगे तेरी परछाई की तरह
फिर चाँद तेरी शक्ल में ढलता दिखाई दे

दूर तक था घना-घना जंगल
बस्तियां बस गईं कटा जंगल

कितना अंदर से ख़ाली-ख़ाली है
देखने में भरा-भरा जंगल

दूर तक साथ दे मुसाफ़िर का
रेत, खुशबू, घटा, हवा, जंगल

हो सके तो इधर चले आओ
दे रहा है तुम्हें सदा जंगल

शहर ने मेरे ख़्वाब छीन लिए
सूनी आंखों में आ बसा जंगल

फिर लुटी बस्तियां जगमगाने लगीं
बेवफ़ा लड़कियां याद आने लगीं

आंख में रतजगे का समां देखकर
नींद की देवियां मुस्कराने लगीं

हाथ मेंहन्दी के फूलों से गुलनार थे
सब्ज़ थीं पत्तियां लहलहाने लगीं

एक कश्ती का अंजाम है सामने
दूसरी कश्तियां डगमगाने लगीं

ख़ून आंखों में उतरा तो हर शहर में
ख़ून की नदियां सरसराने लगीं

जय भगवान गुप्ता
'राकेश'

जन्मतिथि : 8-10-1943, गुणा (सोनीपत)
शिक्षा : एम.ए., बी.कॉम.
प्रकाशन : हाईकू रत्नावली, व्यंग्य के रंग, छोटे क़द का बड़ा नेता व अनेक स्मारिकाओं का सम्पादन। हिन्दी सप्ताहिक 'स्वर्ण जयन्ती प्रतिविम्ब' का सम्पादन।
सम्मान/पुरस्कार: 'आराधन श्री सम्मान' सहित अनेक संस्थाओं द्वारा सम्मानित।
सम्प्रति : निजी व्यवसाय। संरक्षक-उर्दू दोस्त (रजि.), अध्यक्ष-'संकल्प' साहित्यिक संस्था।
सम्पर्क : 617, सैक्टर-16ए, फ़रीदाबाद 121002, हरियाणा।
फोन : 0129 22822856
मो.- 9310181093

मौक़े पे जो संभाला होता
आलम कुछ और निराला होता

सफल हो जाती गर योजनाएं
हर मुंह को आज निवाला होता

कश्ती किनारे पे न डूबती
मांझी कोई रखवाला होता

बड़े मज़े से रह लेते हम भी
सच का गर शौक न पाला होता

पंच अगर निर्णय अपना लेते
तो ठीक जगह परनाला होता

'राकेश' महल कुछ झुक जाता तो
कुटिया में तनिक उजाला होता

वो अगर मेहरबान हो जाए
राह मुश्किल आसान हो जाए

सूखे ठूंठ भी महकने लगें
नागफनी जाफ़रान हो जाए

सुने बहरा गूंगा लगे गाने
तानसेन सी तान हो जाए

मत सुनाओ इन बेजुबानों को
कारगर कब जुबान हो जाए

'राकेश' जब उसकी दुआएं हों
ज़मीन भी आसमान हो जाए

नदी किनारे जो बस्ती है
पानी को बहुत तरसती है

ख़ाली-ख़ाली हो जाती है
जम के बदली जो बरसती है

जगमगाता है शहर सारा
ये अंधेरे में सिसकती है

क़िस्मत भी अजीब पाई है
उजड़ती है न ही बसती है

आग को इससे लगाव है
रुलाकर खूब हंसती है

ज़िंदगी का चमन वीरान हुआ जाता है
खुद-ब-खुद मौत का सामान हुआ जाता है

इक और बड़ी क़िस्मत की मेहरबानी है
रोज़ कोई ग़म मेहमान हुआ जाता है

कहने को ग़मे-दिल तो जुबां की बात बहुत थी
अश्कों का यूं ही अहसान हुआ जाता है

ये क्या हादसा हुआ है जहान में
जानने वाला भी अनजान हुआ जाता है

जाने क्या 'राकेश' अभी हाल-जहाँ होगा
दिन-ब-दिन बदतर इन्सान हुआ जाता है

समस्या जो हल हुई
तपस्या सफल हुई

नए लक्ष्य तय करें
ये इच्छा प्रबल हुई

रंग लाई उम्मीदें
आंखें क्यूं सजल हुई

मन किसान सा झूमे
देखी जो फ़सल हुई

'राकेश' जी सकेगा
आशा की पहल हुई

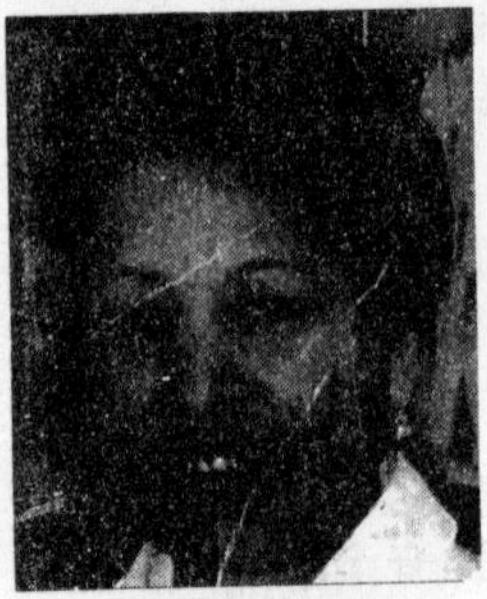

उषा राजे सक्सेना

जन्मतिथि : 22-11-1943, गोरखपुर (उ.प्र.)
शिक्षा : एम.ए. (अंग्रेजी)
प्रकाशन : पत्र-पत्रिकाओं में रचनाएं प्रकाशित। कविता, कहानी और निबंध की आठ पुस्तकें प्रकाशित।
सम्मान : 'विश्व हिन्दी साहित्य प्रसार सम्मान' उत्तर प्रदेश हिन्दी संस्थान से पुरस्कृत एवं सम्मानित।
सम्प्रति : 1. लंदन के स्कूलों में शिक्षण एवं प्रशिक्षण कार्य-1968-97; 2. सह-संपादन 'पुरवाई' एवं स्वतंत्र लेखन।
सम्पर्क : 54, Hill Road
Mitcham-Surrey,
CR.4 2HQ-U.K.

आह तक लब पे आए नहीं इस तरह मुस्कराना पड़ा
धूप में तुझको छाया मिले मेघ बन के भी छाना पड़ा

छोड़ना भी जिसे था कठिन, साथ रखना भी जो था कठिन
हम ही टूटे, हम ही ढले, ऐसे ही रिश्ता निभाना पड़ा

अपनी मंज़िल भी थी प्यार की, अपनी महफ़िल भी थी प्यार की
रास्ते में मगर प्यार के, बेरहम ये ज़माना पड़ा

मुझमें चाहत थी तेरे साथ की, दिल में मूरत थी तेरे प्यार की
जग के तीरों से बिंधते हुए मुझको तेरे पास आना पड़ा

इस जहाँ के हर इक खेल में, हम 'उषा' बन के जोकर रहे
खुद तो रोए मगर हर घड़ी, इस जहाँ को हँसाना पड़ा

आईने से डर गया है आदमी
अपने हाथों मर गया है आदमी

पेड़ की मस्ती भरी क्यों छाँव से
आज भी थक कर गया है आदमी

इस ज़मीं का सफ़र तो तय कर गया
क्या लाँघ कर अंबर हो गया है आदमी

ज़िंदगी के घर में रहकर चार दिन
मिट्टी के अब घर गया है आदमी

जलते-जलते 'उषा' जब वो थक गया
एक दिन बुझ कर गया है आदमी

ज़िन्दगी को स्वार्थ का, नश्तर लगा
ढेर था ईंटों का, उसको घर लगा

हादसा यह क्या हुआ, इस शहर में
आते-जातों को हमेशा डर लगा

जब कहीं भी प्यार की मैयत उठी
मेला नफ़रत का वहाँ अक्सर लगा

उफ़् हमारे दौर की यह सभ्यता
दिल में आता है उसे ठोकर लगा

दिन में चल कर तू थक गई है 'उषा'
रात हो आई है चल बिस्तर लगा

कोई संदेसा न आया एक अर्सा हो गया
एक वही अपना न आया एक अर्सा हो गया

मेरी पलके आँसुओं से रात-दिन रौशन रहीं
और कोई सपना न आया एक अर्सा हो गया

मेरी काया सात फेरों को तरसती ही रही
कोई भी रिश्ता न आया अर्सा हो गया

मेरे दिल की चोट खाने को यूँ आदत क्या पड़ी
एक भी आँसू न आया एक अर्सा हो गया

जो 'उषा' मंज़िल की रुख़ में ले चलेगा एक दिन
बस वही रस्ता न आया एक अर्सा हो गया

चाहत जब दौलत तक आई
समझो वह फ़ितरत तक आई

साज़िश, साज़िश केवल साज़िश
उनकी हर आदत तक आई

मानव खुद जब बम बन बैठा
यह दुनिया दहशत तक आई

ऊँचे महलों की कीरत से
यह दुनिया ग़ुरबत तक आई

टकराई फिर जम कर बरसी
बदली जब परबत तक आई

श्याम झँवर 'श्याम'

जन्मतिथि : 26-3-1944, मानसा (नीमच) उ.प्र.

शिक्षा : एम.ए. (हिंदी), साहित्य रत्न

प्रकाशन : अनेक पत्र-पत्रिकाओं में रचनाएं प्रकाशित। कुछ पुस्तकें प्रकाशनाधीन

सम्मान/पुरस्कार: रोटरी क्लब, रतलाम सहित अनेक संस्थाओं द्वारा सम्मानित।

सम्प्रति : स्वतंत्र लेखन

सम्पर्क : म.नं. 581, विकास नगर, नीमच (म.प्र) 458411
फ़ोन न. 07423-230423

पूरा जीवन खप जाता है कुछ परिवर्तन लाने में
खोने को सब ही खोते हैं कुछ लगता है पाने में

भ्रष्ट-तन्त्र में धन की ताक़त खूब जानती है जनता
बीत गया है पूरा जीवन इनसे ही टकराने में

दिल में प्यार आँख में जज़्बा लिए चाहिये हाथ यहाँ
सद्भावों की नदी चाहिये बिगड़ा देश बनाने में

मुल्क-सियासत और व्यवस्था प्रश्नचिन्ह हैं बनी हुई
पूरा जन सैलाब चाहिये इनको यहाँ जगाने में

जीवन के कड़वे यथार्थ ने तन भी मन भी तोड़ दिया
शायद लम्बा समय लगेगा सपने नए बनाने में

प्यार जहां से भी मिल जाए लाना होगा बस्ती में
मानवता के सच्चे मोती रखिये सदा ख़जाने में

परिवारों में घर बस्ती में गाँव देश में जज़्बा हो
फिर परिवर्तन नहीं रुकेगा भारत भाल सजाने में

मंदिर-मस्जिद-गुरूद्वारे हैं जेल यहाँ इन्सान की
बांट रहे आंतक धर्म सब मूरत भी भगवान की

जिसकी लाठी भैंस उसी की प्रजातन्त्र है ले जाए
सत्ता ठहरी है मूंछो पर आज यहाँ बलवान की

ढोंगी नेता और माफ़ियावान झूठ के पुतले हैं
बस्ती-बस्ती रावण बैठे सत्ता में ईमान की

जहाँ इबादत होनी थी उस मस्जिद में हथियार मिले
आतंकी हाथों के इ़ज़्ज़त क़ैद हुई रमज़ान की

निपट गाँव का होरी भोला पूछ रहा है नेताजी
कब झौपड़िया नहीं जलेंगी, सत्ता में धनवान की

सब गवाही दे रही हैं सुर्ख़ियां अख़बार की
राजधानी में हुकूमत, माफ़िया सरदार की

आदमीयत भी रहे और दाल रोटी खा सकें
ये खुशी दंगाईयों ने छीन ली संसार की

आदमी के पास में है चाँद से टी.वी. तक तलक
पर यहाँ बेहद कमी है प्यार की झनकार की

घर चलाना मूल्य वृद्धि में यहाँ मुश्किल हुआ
आँख में ठहरी नहीं कोई खुशी त्यौहार की

प्यार, मानवता, अमन, इंसानियत कुछ है नहीं
है ज़रूरत ज़िंदगी को अम्न की बौछार की

आदि-अन्त पता नहीं पर बेहद किल्लत होती है
प्रेम जिसे कहते हैं ज़्यादा उससे नफ़रत होती है

कोई चेहरा नहीं सादगी लिए मिला जीवन भर में
हर चेहरे पर आड़ी-तिरछी एक इबारत होती है

सन्त बने दूकान लगाए यहाँ मदारी बैठे हैं
बेच रहे ताबीज़ धर्म के इनकी इज़्ज़्त होती है

मेरी देख ग़रीबी उसने झट दरवाज़ा बन्द किया
सच है शहरी लोगों में भी बहुत शराफ़्त होती है

'श्याम' जिएगा आपनी मस्ती सत्य लिखेगा लेखन में
शायर के सपनों में सच की एक इमारत होती है

इस मन का सम्बन्ध भावना के ऊंचे जज़्बों से है
गीतों का सम्बन्ध प्यार के दर्द भरे रिश्तों से है

मानवता को खोकर मानव क्यों जीता है जीवन को
मेरी सारी ये पीड़ाएँ आग-धरे-बन्दों से है

घर, दफ़्तर, दूकान, आदमी यहाँ भावना शून्य हुआ
सदा हमारी रही शिकायत दर्द भरे पहरों से है

जन से, जनगणमन ग़ायब है यहाँ सियासत मुर्दा है
मेरी सारी व्यथा कथाएँ लोहे के पिंजरों से है

कोस रहे हैं सभी हुकूमत जनता को आराम नहीं
जनता का सम्बन्ध अमन के दर्द भरे लम्हों से है

प्रकाश लखानी

जन्मतिथि : 1-7-1944, ताजोरी, (पाकिस्तान)

शिक्षा : बी.काम.

प्रकाशन : 'युगवाणी' काव्य-संग्रह। अनेक पत्रिकाओं/संकलनों में रचनाएं प्रकाशित।

सम्मान/पुरस्कार: अनेक संस्थाओं द्वारा सम्मानित।

सम्प्रति : लेखा प्रबन्धक, एस्कार्टस लि. से सेवानिवृत्त के पश्चात वर्तमान में चार्टर्ड एकाउन्टेट फ़र्म में लेखा निरीक्षक।

सम्पर्क : म.नं. - 2 ई/43, फ़रीदाबाद, न्यू टाउन (हरियाणा)

फोन - 0129 4082342

मो. - 9818170088

चाह गर मंज़िल की है तो राह में बैठा न कर
आग का दरिया भी हो तो कूद जा सोचा न कर

यह लकीरें हाथ की तो पल में बदलेंगी मगर
भींच ले मुट्ठी हथेली विवश हो देखा न कर

माना घुंघरु बांधना तेरी विवशता है मगर
डगमगा जाएं न पग हर ताल पर नाचा न कर

तू खुदा है होगा पर इतना समझ ले ठीक से
सामने वाले को भी तू कम कभी आंका न कर

सारे रिश्ते तोड़ डाले ख़त जला डाले सभी
बन्द आंखों में मेरी अब रात भर झांका न कर

ज़िंदगी कम काम ज़्यादा मौत मोहलत दे न दे
करना है जो आज कर ले कल पे तू टाला न कर

बादशाह का क्या भरोसा काट डाले हाथ कब
ताज की तामीर कर पर छूने की इच्छा न कर

महफ़िल में सारी रात ही जलना पड़ा उसे
पोशीदा हर गुनाह को रखना पड़ा उसे

अपना ही तेल पी गए सारे दिये वहां
वह वन्दना का दीप था जलना पड़ा उसे

चाहे पतिव्रता है आख़िर तो है वह नारी
हर युग में आग पर ही चलना पड़ा उसे

कुछ ऐसे घुल चुके हैं वह ज़िंदगी में उसकी
समझौता आंसुओं से करना पड़ा उसे

मंदिर भी है उसी का मस्ज़िद भी है उसी की
खुद से ही खुद की ख़ातिर लड़ना पड़ा उसे

मंज़िल की जुस्तजू में एक कच्चा घड़ा हूँ
मैं आज भी ग़मों के चनाबों में खड़ा हूँ

यह वक़्त ही बतलाएगा शोला हूँ या शबनम
फिलहाल तो इक अश्क हूँ पलकों पे अड़ा हूँ

इस शहर की पहचान हूँ मैं मील का पत्थर
खुद पर लिखा के ज़ीरो चौराहे पे गड़ा हूँ

आई बहारें जाने किसके नसीब में
मुझको ख़िज़ां मिली है ठूंठ बन के खड़ा हूँ

पुरख़तर हैं राहें न मंज़िल का है पता
बारूद के इक ढेर पे हर वक़्त खड़ा हूँ

ओढ़ कर ग़म को सितम, जी बैठे
लब सिये और अश्क़ पी बैठे

प्यास जन्मों की बुझ नहीं पाई
चाहे सागर समूचा पी बैठे

ज़िंदगी से कभी न मिल पाए
ज़िंदगी चाहे सारी जी बैठे

ज़हर दुनिया में घट नहीं पाया
चाहे सुकरात ज़हर पी बैठे

क़फ़स हो चाहे सोने-चांदी का
पंछी तो सूखी डाल ही बैठे

कहानी ग़म की हमने ली जो इस ज़माने में
लगेगी उम्र उसे आपको सुनाने में

मैं तेरी जुल्फ़ भी सुलझाऊंगा ठहर तो जा
अभी तो उलझा हूं मैं ज़ीसत को सुल्झाने में

जो मन में बात है सच्ची ज़रा बताओ तो
न हमको टालो यूं रखा है क्या बहाने में

जलाई तुमने जो मश्अल बचाके रखना उसे
लगी है आंधियां कब से उसे बुझाने में

छुड़ा लिया है तुमने झट से अपना हाथ मगर
मुझे तो उम्र लगेगी तुम्हें भुलाने में

राधेश्याम सक्सेना
'घायल'

जन्म स्थान : 1944, फ़रुर्ख़ाबाद (यू.पी.)
शिक्षा : एम.ए. हिन्दी साहित्य
प्रकाशन : पत्र-पत्रिकाओं में रचनाएं प्रकाशित।
सम्मान : अनेक संस्थाओं द्वारा सम्मानित।
सम्प्रति : सेवा निवृत्त वरिष्ठ शिक्षक।
सम्पर्क : 165/10 शिक्षक कॉलोनी, मोहनगिरी, विदिशा, (म.प्र.) पिन-464001

अब न दुआओं की ज़रूरत न दुआ की जाए
आतिश-ए-ग़म को ज़रा और हवा दी जाए

ख़त्म हो जाए, जब उम्मीद जख़्म भरने की
ज़ख़्म नासूर बन जाने की दवा दी जाए

मेरी कोशिश है इज़ाफ़ा हो तेरी ख़ुशियों में
तेरी कोशिश है, मेरी नींद उड़ाली जाए

बहुत बातें अभी तक की है ज़माने भर की
अब तो कुछ बात ज़माने के सिवा की जाए

हमको मालूम है, फ़िलहाल बहुत मुश्किल है
ऐसी मुश्किल भी नहीं जो न सँभाली जाए

ज़ेह्न में तू मुस्करा के आ गई
ख़्वाब आंखों में सजा के आ गई

सिर्फ़ तेरा एक दिल चोरी हुआ
तू हज़ारों दिल चुरा के आ गई

शाम के सूरज की तन्हा ज़िन्दगी
रात सीने में दबा के आ गई

नफ़रतों की एक चिंगारी उड़ी
आग बस्ती में लगा के आ गई

ख़्वाब की बारात आंखों में लिए
ज़िन्दगी फिर मुस्करा के आ गई

जुनूने-इश्क़ में, दीवाने कहां पहुंच गए
रफ़्ता-रफ़्ता मेरे अफ़साने कहां पहुंच गए

ये बात जलती हुई शम्मा की लौ से पूछो
वस्ल की चाह में परवाने कहां पहुंच गए

देखकर पत्थरों का शहर मैंने दिल से कहा
लेके ज़ख़्म-जिगर आईने कहां पहुंच गए

मेरे जलते हुए मकां ने मुझको बतलाया
आतिश-ओ-आब के याराने कहां पहुंच गए

आंखों-आंखों में उनसे इस क़दर हुई बातें
बातों-बातों में खुदा जाने कहां पहुंच गए

जब भी हम दर्दे-दिल गुनगुनाने लगे
लोग सुनने लगे, हम सुनाने लगे

एक पल में ज़माने ने जो कह दिया
उसको कहने में हमको ज़माने लगे

आने-आने लगी ज़िन्दगी मेरे घर
जब से तुम मेरे घर आने-जाने लगे

वो कभी झूठी तेरी कहानी लगी
वो कभी झूठे तेरे फ़साने लगे

हमने आते हुए देखा जब चारागर
अपने ज़ख़्मों को फ़ौरन छिपाने लगे

शाम जब भी उदास होती है
तू मेरे दिल के पास होती है

सुनके आहट हवा के पैरों की
तेरे आने की आस होती है

तेरे हौले से मुस्कराने में
जाने कितनी मिठास होती है

सच ही कहते है ज़माने वाले
तेरी हर बात ख़ास होती है

जब भी पर्दा उठाया यादों ने
तू मेरे आस-पास होती है

तुली फ़क़ीर चंद
जालंधरी

जन्मतिथि : 7-11-1944, ख़्याला खुर्द, अमृतसर
शिक्षा : विज्ञान स्नातक, रशियन भाषा में डिप्लोमा
प्रकाशन : ग़ज़ल संग्रह 'ख़लल' (पंजाबी, हिन्दी, उर्दू) , नागपाश (पंजाबी, हिन्दी) 'काफ़िया' का संपादन।
सम्प्रति : स्वतन्त्र लेखन, प्रकाशन।
सम्पर्क : 5-रमेश कॉलोनी, सामने एस.डी.कालेज
जालन्धर 144001
फोन - 0181 2232803
मो. - 9815888058

मंज़िलों को जा रहा अब क़ाफ़िला कोई नहीं
मंज़िलों के वास्ते अब हौसला कोई नहीं

सर से बढ़ कर कुछ नहीं और सर से कम कुछ भी नहीं
इससे बढ़कर उस नगर का दाख़िला कोई नहीं

यह तेरे आदर्श के मीनार ऊपर है खड़ा
मत कहो कि आसमां को आसरा कोई नहीं

खुद की खींची रेख के हम खुद ही क़ैदी हो गए
दो बदन जलते रहे पर मामला कोई नहीं

हर बल्ब फुटपाथ पे, बस्ती में, संसद भवन में
जागता है, जागता पर रहनुमा कोई नहीं

क़लम को देकर छलावा आ गया हूँ
देखकर रस्ते का लावा आ गया हूँ

बंसरी नीरो की मैं भी बन गया हूँ
पा के नीरो का बुलावा आ गया हूँ

छोड़ आया हूँ अकेली भीड़ को मैं
छोड़ कर शायरी का दावा आ गया हूँ

तेरी महफ़िल में मैं साबुत आ सका ना
आपकी शायरी के अलावा आ गया हूँ

लाख के घर से बहाने लाख पा के
अम्न को देकर बढ़ावा आ गया हूँ

शम्अ की आंख में जो पानी है
आग इसने अभी बुझानी है

शम्अ की आंख में जो पानी है
आग इसने अभी लगानी है

इसके रुख़सार पे जो छलके हैं
बाज़ुबानी है, बेज़ुबानी है

पंखुड़ी-पंखुड़ी करी बुलबुल
यह सैय्यादों की शादमानी है

इक सोटी हूँ, इक लंगोटी हूँ
हम पे अल्लाह की मेहरबानी है

आंच अपनी, गुलाब कहते हैं
मेरे ख़त को अज़ाब कहते हैं

उम्र गुज़री खिज़ां के दामन में
लाग मुझको गुलाब कहते हैं

इसके दो-आब भी प्यासे हैं
फिर भी इसको पंजाब कहते हैं

ज़हर सब्ज़ी में मुफ़्त मिलता है
बख़्शिशों को सवाब कहते हैं

मंदिरों, मस्जिदों की ख़ैर नहीं
आ रहे इंतख़ाब कहते हैं

जो मेरा मेहरबान रुसवा है
महक से जाफ़रान रुसवा है

जब अहिंसा पे लाठियां बरसीं
तब से हिन्दोस्तान रुसवा है

सिर्फ़ इक तुम क्या हुए रुसवा
हमसे सारा जहान रुसवा है

जब से घर में ना तालमेल रहा
तब से मेरा मकान रुसवा है

चांद की चंद हरकतें सुनकर
चांद से आसमान रुसवा है

शिवशंकर मिश्र

जन्मतिथि : 8-12-1944, सोपरनिया (पूर्वी चंपारण)
शिक्षा : एम.ए., पीएच. डी. (अंगरेज़ी)
प्रकाशन : विभिन्न पत्र-पत्रिकाओं व संकलनों में रचनाएं प्रकाशित। 'निर्णय', 'सार्थक' आदि कई पत्रिकाओं का सम्पादन।
सम्मान/पुरस्कार: 'राधाकृष्ण पुरस्कार' सहित अनेक संस्थाओं द्वारा सम्मानित/पुरस्कृत।
सम्प्रति : स्वतंत्र लेखन
सम्पर्क : 327/बी, कडरू, रांची (झारखंड) 834002
फ़ोन. 0651-2340782
मो. 9430116631

तुम ने तो सोचा ठीक पर अब क्या करो इस का
जो हो गया उलटा असर अब क्या करो इस का

जो हो सका तुम ने किया जी जान से लगकर
जो हो न पाया कुछ अगर अब क्या करो इस का

कुछ बात उन के मिज़ाज की आदत की भी कुछ थी
बदली नहीं उन की नज़र अब क्या करो इस का

दिल में तो था अरमान ये हम भी दिखा देंगे
यों हो गए खुद ही टुअर अब क्या करो इस का

'मिशरा' नहीं आयी तुझे भी अक़्ल कुछ थोड़ी
है पागलों का यह शहर अब क्या करो इस का

लाल सब पन्ने हैं काले हाशिये हैं
बेरहम बदकार सारे सिलसिले हैं

जल गया घर जो किसी का तो हुआ क्या
ज़्यादातर शहरी यहां के सरफिरे हैं

है धुआं उठता सुलगती शाम कब से
मोम से गलते मुहब्बत के क़िले हैं

जीते जी मर-मर गए सौ बार हम तो
जाने किस उम्मीद पर अब भी टिके हैं

कोशिशें जारी थीं कल भी आज भी हैं
कोशिशों के 'मिशरा' सब उलझे सिरे हैं

बीता कितना वक़्त कितनी उम्र भी बीती
राह निकली पर न अब तक ज़िंदगी की ही

ख़्वाब था या कांच था या मिट्टी का था कुछ
जब मिली आवाज़ अपने टूटे दिल की थी

लड़खड़ाता हूँ मगर मैं झूठ बोलूंगा
दोस्तों में यों ही थोड़ी मैं ने पी ली थी

हम वफ़ा सर तक लपेटे भी रहे नंगे
और उन को ढंकती उन की बेवफ़ाई भी

मर गया 'मिशरा' कभी का जाने कब का मैं
लाश मेरी चल रही उम्मीद में जीती

रात दिन की बेकली है और मैं हूँ
लाश कोई अधजली है और मैं हूँ

सच जो है जो भी है जैसा है वही इस
ज़िंदगी का झूठ भी है और मैं हूँ

मुश्किलें हैं और सब आसानियां हैं
इक पुरानी सी गली है और मैं हूँ

चाहतें हैं राहतें हैं क्या नहीं है
जेब में कुछ मूंफली है और मैं हूँ

यादें थोड़ी थोड़े से ग़म थोड़ी खुशियां
'मिशरा' थोड़ी शायरी है और मैं हूँ

माफ़ कर दो भूल जाओ ग़म करो गुस्सा करो
बेवफ़ा तो बेवफ़ा है बेवफ़ा का क्या करो

लोकशाही की अदाएं कम नहीं क़ातिल हैं अब
सर झुकाकर साहिबे-दीवान को सिजदा करो

क्या नहीं जो हो रहा है क्या बचा बाक़ी है अब
जो सुनो रोया करो और देखो तो तड़पा करो

ज़िंदगी में कुछ सचाई प्यार भी कुछ हो ज़रा
याद रह जाए किसी को काम कुछ ऐसा करो

आज फिर हम पर जो बीती 'मिशरा' क्या बतलाएं हम
बच्चे ऐसे तो किसी के रब नहीं पैदा करो

ओम राज़

मूल नाम : ओमप्रकाश गुप्ता
जन्मतिथि : 9-1-1945, रामपुर (उ.प्र.)
शिक्षा : बी.काम.
प्रकाशन : ग़ज़ल-संग्रह 'थकी परियाँ' प्रकाशित। पत्र-पत्रिकाओं में रचनाएँ प्रकाशित।
सम्मान/पुरस्कार: अनेक संस्थाओं द्वारा सम्मानित।
सम्प्रति : साहित्य साधना में रत।
सम्पर्क : 6-प्रकाशकुंज, पीपल टोला, रामपुर-244901 उ.प्र.
फोन - 0595-2324105
मो. - 9412152858

मैं नदिया का बहता पानी मेरा ठौर ठिकाना क्या
वापस लौट नहीं सकता मैं पनघट से याराना क्या

सुख के साझेदार बहुत हैं दुख के हिस्सेदार नहीं
खुदग़रज़ों की इस बस्ती में अपना क्या बेगाना क्या

जान के फूल को इक अंगारा तितली पास नहीं आए
बिन मौसम गुल का गुलशन में खिलना क्या मुर्झाना क्या

रोटी के मारे बच्चे की हसरत भी एक गुड़िया थी
हम तो यारो सोच रहे थे बच्चे का बहलाना क्या

मौत की गुत्थी भी सुलझा लें शर्त है यह वह साथ रहे
'राज़' यह पेचोख़म गर्दिश की ज़ुल्फ़ों के सुलझाना क्या

सुनते-सुनते वह हमारी दास्तां यूं खो गया
एक गुलाबी जिस्म रफ़्तः रफ़्तः पत्थर हो गया

यह मुहब्बत की ज़मीं है और धरती प्यार की
कौन था जो बीज नफ़रत के यहां पर बो गया

हैं हसीं परियां थकीं सी और शहज़ादे उदास
गांव वाला शह्र की रंगीनियों में खो गया

मेज़बां उन कोठियों में इस क़दर मसरूफ़ थे
नौकरों की सफ़ में मेहमां भूखा प्यासा सो गया

हमनशीं ऐ, 'राज़' मेरा इस क़दर हस्सास था
देखकर ख़ामोश मुझको बिन रुलाए रो गया

देर तक तन्हाइयों में सिसकियां रह जाएंगी
इस हसीं नक़्शे पे उजड़ी बस्तियां रह जाएंगी

बूढ़े बदगद की रिदा तो छीन लेंगी आंधियां
जिस्म से पौधों के चिपकी पत्तियां रह जाएंगी

आपसे मांगे हुए सब ख़्वाब वापस कर दिए
पास मेरे आपकी कुछ चिट्ठियां रह जाएंगी

इक थका हारा मुसाफ़िर राह में सो जाएगा
बस बंधी कपड़े में सूखी रोटियां रह जाएंगी

बादशाह तो जंग लड़ते-लड़ते बूढ़ा हो गया
'राज़' महलों में जवां शहज़ादियां रह जाएंगी

इक खिलौना हसीं कांच का तोड़कर
चल दिए मुझको रोता हुआ छोड़कर

कर ले चोरी कोई घर की तन्हाइयां
आए हैं इसलिए दर खुला छोड़कर

ज़ख़्मी कांटों से यह उंगलियां हो गईं
आए थे तितलियों के लिए दौड़कर

तोड़कर रिश्ते को अच्छा लगता है तो
देखिये रिश्ता टूटा हुआ जोड़कर

गिरते हैं जिसकी आंखों से आंसू ज़रा
'राज़' देखो कहनी का रुख़ मोड़कर

गिर गया बरगद तो सूना रास्ता रह जाएगा
दूर तक वीरानियों का सिलसिला रह जाएगा

टूटे तारे की तरह चमकूंगा फिर बुझ जाऊंगा
दूर खिड़की से कोई बस देखता रह जाएगा

बेदर-ओ-दीवार घर में लोग रहते थे कभी
यह बताने के लिए बस आइना रह जाएगा

तू भले ही साथ मेरे दूर तक चलता रहे
फिर भी तुझमें और मुझमें फ़ासला रह जाएगा

मैं नहीं अशआर कहता गुनगुनाने के लिए
मेरी ग़ज़लें पढ़ने वाला सोचता रह जाएगा

'साज़' जबलपुरी

मूल नाम : सी.एस. चराडिया
जन्मतिथि : 1-4-1945
शिक्षा : स्नातक (कला)
प्रकाशन : ग़ज़ल-संग्रह 'मिज़राब'। अनेक पत्र-पत्रिकाओं में
सम्मान/पुरस्कार: अनेक संस्थाओं द्वारा सम्मानित।
सम्प्रति : दैनिक देशबन्धु जबलपुर में 'सलाहकार सम्पादक'।
सम्पर्क : 1947, ग़ज़ल हाउस, व्ही.एफ.जे. इस्टेट, जबलपुर (म.प्र.)
फोन : 0761-2331947
मो. : 9826374353

साथ दुनिया के हर इक गाम पे चलना भी है
और फिर गर्दिशे हालात बदलना भी है

रौशनी के किसी दरिया की तरह बहते हुए
मुझको इक सीप की आग़ोश में पलना भी है

तन के रहना है अटल अज़्मे अमल ले के यूँ ही
और हिमालय की तरह मुझको पिघलना भी है

गर्म सहरा में हूँ मैं बर्फ़ का नन्हा सा दीया
ऐ हवाओ! ज़रा ठहरो मुझे जलना भी है

दिल के ज़ख़्मों को सरे-शाम अभी मत छेड़ो
इन चिराग़ों को यूँ ही सुब्ह तक जलना भी है

कूचा-ए ज़ीस्त नहीं है कि सँभल भी न सकूँ
ये तेरी बज़्म यहाँ पी के सँभलना भी है

'साज़' उल्फ़त की हक़ीक़त से है वाक़िफ़ लेकिन
इसको ख़्वाबों के खिलौनों से बहलना भी है

साथ देने के सभी वादे ज़ुबानी निकले
मेरे अहबाब तो बहता हुआ पानी निकले

ऐ मेरे दिल मेरा दावा है कि ग़म सहने में
ग़ैर मुमकिन है कि कोई तेरा सानी निकले

ऐसे भी लोग तेरी बज़्म में तिश्नालब हैं
जो अगर रेत निचोड़ें भी तो पानी निकले

लोग नाखुन से चट्टानों पे बनाते हैं कुआँ
और उम्मीद ये करते हैं कि पानी निकले

मेरे आगे मेरे ऐबों को जो कहते थे हुनर
'साज़' वो दोस्त मेरे दुश्मने-जानी निकले

खुशबुओं में खंगाल रक्खा है
उसने मुझको सम्भाल रक्खा है

भूल जाए हमें खुशी लेकिन
ग़म ने सबका ख़याल रक्खा है

मुश्किलों में भी ज़िन्दगी तूने
एक पहलू निकाल रक्खा है

दिल से कोई जवाब बन न सका
आँख ने वो सवाल रक्खा है

'साज़' निर्धन के सर की टोपी सा
सबने मुझको उछाल रक्खा है

सर्द ख़ामोशियों से कुछ बोलें
घास की सेज पर चलो सोलें

क्या पता अब मिलें मिलें न मिलें
आओ कुछ देर मिल के हम रोलें

उस तरफ़ इक गुजश्ता मौसम है
उन दरीचों को आज मत खोलें

एक दिल है औ एक दुनिया है
अब किसी एक के तो हम हो लें

एक मीज़ान ले के खुशबू का
'साज़' मेरे वजूद को तोलें

मौसमे-गुल फिर सुहाना हो गया
आपका भी ग़म पुराना हो गया

आपके बिन ज़िन्दगी दुश्वार थी
इस कमी को इक ज़माना हो गया

जागता है देख कर मौक़ा-महल
दर्दे-दिल कितना सयाना हो गया

जिनकी फुरक़त थी उदासी का सबब
लीजिये उनका भी आना हो गया

'साज़' साहब आईये, उठिये, चलें
हो गया आँसू बहाना हो गया

अनूप अशेष

मूल नाम : अनूप सिंह
जन्मतिथि : 7-4-1945
शिक्षा : एम.ए. (हिन्दी)
प्रकाशन : प्रकाशनाधीन ग़ज़ल-संग्रह 'कोई नाम दीजिए'। 8 नवगीत-संग्रह प्रकाशित, 5 नवगीत-संग्रह प्रकाशनाधीन। पत्र-पत्रिकाओं में रचनाएं प्रकाशित।
सम्मान : अनेक संस्थाओं द्वारा सम्मानित।
सम्पर्क : अतुल मेडिकल स्टोर, हास्पिटल रोड, सतना (म.प्र.) 485001
मो. : 9301187991

छोह एक तालाब-सा भर जाय ठहर जाय
पानी में झाँकती हुई आँखों में लहर जाय

हर घर की हर दीवार पर चिपकी हों सूरतें
प्रेमी की गली आगे इधर जाय, उधर जाय

पीपल में हवा आए पत्तों के हिंडोले हों
चुपके से अँधेरें में सुबह जाय, सहर जाय

बाँधे कोई बाँहों में साँसों में तपन को
आने का बहाना हो अगर जाय मगर जाय

बिस्तर पर नींद सोए आँखों में याद जागे
कमरे की खिड़कियों से आँसू की नहर जाए

धूप में घास हो गई लड़की
वक़्त-हँसिए में खो गई लड़की

सूप में फटकती धान के दाने
धूल की खास हो गई लड़की

गाय की आँखें रहती गीली हैं
नाँद में खुद समो गई लड़की

सुबह नैहर है शाम पीहर है
घर की आँखें भिगो गई लड़की

दुख पिता का वियोग भाई का
बाँह में धर के सो गई लड़की

आँखों उतरी थकान की छाती
बूढ़े गिरते मकान की छाती

घाव भीतर बयान आँखों में
धूल रस्ते की क्यों रही आती

धूप इतनी कड़ी रही अपनी
आशिकी बोझ क्यों उठा पाती

रात बैठी उदास नीम तले
सुबह का इंतज़ार है घाती

अब जगाए न कोई होंठों से
नींद बुझते दिये की है बाती

मेले के तंबुओं में लेटी हुई थकान
कुछ गिरने जा रहे हैं जैसे बने मकान

पर्दे के आइने में रक्काशा सज रही है
कुछ लोग उठा लाए हैं घर के पानदान

यह शोर रतजगे का सोता है न रुकता है
हम भी रहे लगाए सपनों की एक दुकान

कुछ रात बेचते हैं कुछ नींद बेचते हैं
सोया न कुछ दिनों से शरीफ़ों का ख़ानदान

हमने नहीं दिया है यह आईना किसी को
चेहरे ही ढूँढते हैं बिखरी हुई लदान

कौन वंशी-सी बजाता है
कोई भूला याद आता है

दूध पीता-सा कोई बच्चा
उँगलियों में दिन चुराता है

कनखियों से देखती होगी वहाँ
चंद्रमा कैसे लजाता है

एक तोता शाम को उड़कर
गुलमोहर जैसे हिलाता है

आँसुओं से लिखी एक पाती
धूप में कोई सुखाता है

गोविन्द सक्सैना

जन्मतिथि : 10-10-1945, ग्वालियर

शिक्षा : स्नातकोत्तर (हिन्दी साहित्य, समाज शास्त्र), विधि स्नातक।

प्रकाशन : 'रक्षा बंधन' खण्ड काव्य। पत्र-पत्रिकाओं में रचनाएं प्रकाशित।

सम्मान : अनेक संस्थाओं द्वारा सम्मानित।

सम्प्रति : म.प्र. राजकीय सेवा से निवृत्त पूर्ण कालीन साहित्य सेवा में रत।

सम्पर्क : "कला कुटीर", कॉटे साहब का बाग़, शब्द प्रताप आश्रम रोड, ग्वालियर-12 मध्य प्रदेश
फोन : (0751) 2482510

जिधर भी दृष्टि जाती है, मची है हर तरफ़ हलचल
सभी को है ये बैचेनी, न जाने कैसा होगा कल

किए नीलाम सोने के वो दिन, चांदी सी वो रातें
बेचने को हैं वो तत्पर, हमारा शेष गंगा जल

थे जिनके बांबियों में घर, वो चंदन वन के मालिक हैं
जहां दिखता था कुछ समतल, वहां भी कर दिया दल-दल

यूं ही बदनाम है चम्बल, छुपे खादी में है असली
सहज ही ठग लिया कहकर, कि लाएंगे सुनहरा कल

कपोलों जैसे सेबों पर, टपकती लार है उसकी
मेरे फूलों की बग़िया भी, पड़ोसी को रही है खल

दबाया है गला 'गोविंद' मशीनों ने कलाओं का
कहीं ढूंढे नहीं मिलती, हाट में ढाका की मलमल

भोर पीड़ा का भजन, सांझ सदाओं में कटी
दिन प्रथाओं से कटा, रात व्यथाओं में कटी

दर्द फिरता रहा आवारा-सा
सर्जना दन्त कथाओं में कटी

हम अधूरा-सा उपन्यास रहे
वेदना किंवदंतियों में कटी

व्याकरण जब से हुआ बैरागी
गीत की उम्र गुनाहों में कटी

जब से बिकने लगी कविता 'गोविन्द'
क़लम की तोल तुलाओं में घटी

रोशनी करने की सज़ा क्या है
दीप से पूछिये व्यथा क्या है?

साथ सूरज के चला और जला
जिस्म से रूह तक बचा क्या है?

उम्र भर अजनबी सी साथ रही
जिंदगी ने मुझे दिया क्या है?

सांस के धागे में पिरोता है
गीतों-ग़ज़लों को माजरा क्या है?

ज़िंदगी पढ़के पूछता है वो
गीत 'गोविंद' में लिखा क्या है?

ज़िंदगी कितनी जल्दी तमाम हो गई
चार मुक्तक पढ़े और विराम हो गई

पालने से उठे छूने दहलीज़ को
और पलक के झपकने में शाम हो गई

रूठा बचपन तो छूटे खिलौने सभी
भोले शैशव से जब राम-राम हो गई

साथ ही जीने-मरने के वादे ग़लत
मौत इस सत्य का इम्तहान हो गई

हिम की चट्टान गल, बूंद में ढल गई
सारी पूंजी मज़ारों के नाम हो गई

दर्द देने में कोई क़िफ़ायत न कर
किन्तु रोने पे भी फिर हिदायत न कर

रिक्त संवेदना से है मन रूप का
अश्रु इनके लिये तू प्रवाहित न कर

मेरे चारों तरफ़ आग ही आग है
फूल से तन को मुझमें समाहित न कर

ज़िंदगी भ्रम है और मौत जीवन का क्रम
ज़िंदगी की दुआ दे के शापित न कर

प्यार के बोल दो, मोल 'गोविन्द' का है
सोने में तोलने की इनायत न कर

'ताबिश' धर्मकोटी

मूल नाम : तरसेम लाल ठाकुर
जन्मतिथि : 1-11-1945
शिक्षा : डिप्लोमा इन मैके. इंजी.
प्रकाशन : 'नकूशे-मंज़िल', 'कलियां, गुंचे, फूल', 'जो तुम नहीं'।
सम्मान/पुरस्कार: अनेक संस्थाओं द्वारा सम्मानित।
सम्प्रति : ए. जी. मैनेजर, श्री राम पिस्टंस, ग़ाज़ियाबाद
सम्पर्क : जी-1102, नीलपदम-1, वैशाली सैक्टर-5, ग़ाज़ियाबाद (उ.प्र.)
फोन : 0120 2776582
मो. - 9810111074

मैं ही क़तरा हूँ मैं समन्दर भी
एक ज़र्रा भी संग-ए-मरमर भी

मैं हूँ शामो-सहर की मस्त हवा
मैं ही झोंका भी बाद-ए-सरसर भी

अर्श पर मैं हूँ, मैं ज़मीं पर भी
मैं ही पैग़ाम भी पयम्बर भी

मेरी तख़्लीक़ है चमन सारा
दीदावर भी हूँ और मंज़र भी

तिरे दर का फ़क़ीर हूँ लेकिन
निगह-ए-दहर में तवंगर भी

मेरा 'ताबिश' नहीं कोई सानी
मैं ही मरहम भी और नश्तर भी

हर गाम तुझे तेरी क़सम ढूँढते रहे
राहों में तिरे नक़्शे कदम ढूँढते रहे

खुशियाँ तलाश करता रहा जिनके वास्ते
वो मेरी ज़िंदगानी में ग़म ढूँढते रहे

मैं मयकदे से निकला तो साक़ी तेरी क़सम
हर सम्त मुझको अहले-हरम ढूँढते रहे

अपनी तलाश पूरी न हो पाई आज तक
गुज़रे जिधर से तेरे क़दम ढूँढते रहे

'ताबिश' तू बेख़बर ही रहा है तमाम उम्र
तुझको किसी के दीदा-ए-नम ढूँढते रहे

ख़्वाहिशे-दीदार को समझा है कब
तुमने मेरे प्यार को समझा है कब

आप चारागर हैं लेकिन आपने
हालते-बीमार समझा है कब

ज़िंदगी भर तंगदस्ती ले लड़ा
वक़्त ने फ़नकार को समझा है कब

साज़ समझा है तिरी पाजेब को
चीख़ती झंकार समझा है कब

ग़ैर की महफ़िल है 'ताबिश' मसबतन
आपकी तकरार को समझा है कब

कितना प्यारा लगता है
आँख का तारा लगता है

जो उल्फ़त से खाली है
वक़्त का मारा लगता है

मेले में तन्हा-तन्हा
कोई बेचारा लगता है

उनसे बिछड़ के दिल मेरा
पारा-पारा लगता है

गुस्से में उनका चेहरा
और भी प्यारा लगता है

ऐसी कोई ख़ता नहीं करते
हम किसी से दग़ा नहीं करते

जी की परवाह गर हमें होती
तुम से अहदे-वफ़ा नही करते

बात करते हैं वफ़ाओं की मगर
लोग ही हक़ अदा नही करते

करके अहसां छिपा लिया कीजे
जो किया है कहा नहीं करते

है हलीमी बजा मगर 'ताबिश'
इस क़दर भी झुका नहीं करते

आज़ाद कानपुरी

मूल नाम : लाल मन आज़ाद
जन्मतिथि : 3-6-1946, रामपुर
शिक्षा : बी.कॉम.
प्रकाशन : 'आईना आज का' वक़्त की आवाज़
सम्मान/पुरस्कार: मानस संगम, कानपुर सहित अनेक संस्थाओं द्वारा सम्मानित।
सम्प्रति : दूरसंचार विभाग से सेवानिवृत्ति के पश्चात पूर्ण कालीन साहित्य साधना में रत।
सम्पर्क : 1144, एल.आई.जी. आवास विकास-3
कानपुर-208 017
मो. - 9415483012, 9415405996

पिलाए जा पिलाए जा नज़र के जाम ऐ साक़ी
मुझे मालूम है हर शाम का अन्जाम ऐ साक़ी

छिपाए छिप नहीं सकता छिपाने की ज़रूरत क्या
हुआ है नाम दुनिया में बहुत बदनाम ऐ साक़ी

न जाने क्या से क्या होता मुहब्बत करने वालों का
अगर मिलता नहीं दिल को ज़रा आराम ऐ साक़ी

किसी के दिल के रिश्ते को समझता है जो बाख़ूबी
वही करता है मुझको याद सुब्हो-शाम ऐ साक़ी

मुहब्बत जिस से करता हूँ उसी के शे'र कहता हूँ
पहुंच जाएगा दुनिया में मिरा पैग़ाम ऐ साक़ी

अजल से रोज़े-महशर तक मुहब्बत से इबादत तक
ज़बां पर सिर्फ़ होगा इक तिरा ही नाम ऐ साक़ी

बचा है अब फ़क़त 'आज़ाद' पीने को पिला दे तू
नहीं है मयकदे में अब कोई ख़ैयूयाम ऐ! साक़ी

वतन को मिले मेहरबां कैसे-कैसे
पड़े हैं क़दम के निशां कैसे-कैसे

न खुद का पता है न मंज़िल का यारो
दिखाई पड़े कारवां कैसे-कैसे

सभी बात सुनते हैं मतलब की अपने
किसे क्या कहें हमज़ुबां कैसे-कैसे

न हिन्दी, न इंगलिश, न उर्दू, न अरबी
यहाँ हो रहे तरजुमां कैसे-कैसे

पढ़ाई-लिखाई से अब दूर हैं वो
कि 'आज़ाद' हैं नवजवां कैसे-कैसे

वातावरण है क़त्ल का हर ज़िंदगी के साथ
व्यवहार आदमी का ये है आदमी के साथ

मैं चाहता हूँ आप मेरे साथ ही रहें
वो दोस्ती के साथ हों या दुश्मनी के साथ

जब फूल तितलियों से बढ़ाएगा दोस्ती
भौंरा भी छेड़छाड़ करेगा कली के साथ

लोगों ने मेरी प्यास को बदनाम कर दिया
मैं तो ज़रा सी दूर चला था नदी के साथ

'आज़ाद' तो सदा से ही आज़ाद है यहाँ
वह क्यों करेगा बात क़फ़स की किसी के साथ

हर तरफ़ ख़मोशियां छाने लगी हैं
आहटें तूफ़ान की आने लगी हैं

साज़िशों ने इस क़दर घोला ज़हर है
मछलियां पानी से कतराने लगी हैं

राज़ ज़ाहिर हो चुका है रहबरी का
बस्तियां रहबर से घबराने लगीं हैं

नाख़ुदा साहिल पे है आराम से और
कश्तियां आपस में टकराने लगी हैं

आंधियाँ भी, बिजलियाँ भी गोलियाँ भी
तुम से अब 'आज़ाद' घबराने लगी हैं

तुम्हारे दर पे आना भी मैं अपना हक़ समझता हूं
ये अपना सर झुकाना भी मैं अपना हक़ समझता हूं

यहां जो रहनुमा ख़ुद को समझते हैं सदाचारी
उन्हें शीशा दिखाना भी मैं अपना हक़ समझता हूं

फ़रिश्ता तो नहीं हूं पाप भी करता हूं मैं लेकिन
वतन जन्नत बनाना भी मैं अपना हक़ समझता हूं

क़सीदे भी लिखे हैं मुल्क की तारीफ़ में मैंने
मगर कमियां बताना भी मैं अपना हक़ समझता हूं

जहां 'आज़ाद' मेहनतकश को दो रोटी नहीं मिलती
वहां से लोट जाना भी मैं अपना हक़ समझता हूं

मृणालिनी घुले

जन्मतिथि : 28-9-1946, गुना (म.प्र.)
शिक्षा : एम.ए. (संस्कृत, हिन्दी), बी.लिब. एस-सी. संगीत प्रभाकर।
प्रकाशन : अनेक पत्र-पत्रिकाओं व संकलनों में रचनाएं प्रकाशित
सम्मान/पुरस्कार: शिव संकल्प साहित्य परिषद द्वारा 'काव्य सुरभि' सहित अनेक संस्थाओं द्वारा सम्मानित।
सम्प्रति : स्वतंत्र लेखन
सम्पर्क : 101, रीगल रीजेन्सी, एन-28-29, साकेत नगर, ओल्ड पलासिया, इन्दौर (म.प्र.) 452007

बंद कमरे में न यूं आंसू बहाया कीजिये
मुस्कराहट दूसरों पे भी लुटाया कीजिये

अपने गुलशन को तो फूलों से सजाते हैं सभी
दूसरों की राह में कलियां बिछाया कीजिये

वक़्त ने ही ग़म दिया और वक़्त ही मरहम बना
फिर गिलों शिकवों में क्योंकर वक़्त ज़ाया कीजिये

प्यार की सीमा शुरू होती है इस दहलीज़ पर
नफ़रतों को छोड़कर बाहर ही आया कीजिये

ग़म से बेझिल हो अगर दिल एक है इसका इलाज
खुशनुमा सा गीत कोई गुनगुनाया कीजिये

ख़ामियों को दूसरों की दिल में पोशीदा रखें
ख़ूबियों को सामने सबके सुनाया कीजिये

देखा उन्हें तो समझा तेवर नहीं है कल के
वो इस मकां पे आए ईमान को कुचल के

इस ख़ौफ़ से कि उनके माथे पे बल न आए
हमने क़दम उठाए कितने सँभल-सँभल के

मेरी हयात को तो बरबाद करके छोड़ा
लेकिन हिसाब हमसे मांगे गए हैं पल के

ये दोस्तों के मज़मे अब हैं सुकूं के बाइस
रोते ही रहते वर्ना तनहाइयों से मिलके

की बंदगी सभी ने उगते हुए सूरज की
ये बात कह रहा है ये आफ़ताब ढल के

ग़म है दर तो ख़ुशी दहलीज़ है
ज़िंदगी बहुत ही लजीज़ है

वक़्त बे-वक़्त रुला जाती है
याद भी कितनी बदतमीज़ है

आपकी एक नज़र इनायत है
आपका हर सितम अजीज़ है

आज लब से किराया लेती है
हंसी फिर भी मेरी कनीज़ है

आज पहनो कल बदल डालो
वक़्त ऐसी ही एक कमीज़ है

कई बार आना मिलन के बहाने
फ़ना हो गए आज दिन वो सुहाने

न समझा कोई मेरे ग़म की कहानी
व्यथा अपनी-अपनी सब लगे सब सुनाने

पलटते नहीं देर लगती है बाजी
कभी तीर वाले भी बनते निशाने

जो ईमान पर जान कुर्बान कर दें
वो कहलाए जाते हैं सच्चे दिवाने

अजी छोड़ो बीती सदी की कहानी
नए साज़ पर अब नए दो तराने

जिनकी आंखों में कोई ख़्वाब नहीं
ज़िंदगी उनकी कामयाब नहीं

हर गुलिस्ताँ में घूम कर देखा
सिर्फ़ कांटे हैं बस गुलाब नहीं

ज़ख़्म देते हैं और मरहम भी
आपका भी कोई जवाब नहीं

सिर्फ़ आंखों से पढ़ नहीं सकते
दर्दे-दिल है कोई किताब नहीं

बज़्म में कहकहे लगाते हैं
जिनके ग़म का कोई हिसाब नहीं

के.पी.सक्सेना 'दूसरे'

जन्मतिथि : 10-3-1947, सतना (म.प्र.)
शिक्षा : एम.एस.सी, एम.ए., एल.एल.बी.
प्रकाशन : दो काव्य संग्रह प्रकाशित। अनेक पत्र-पत्रिकाओं में रचनाएं प्रकाशित।
सम्मान/पुरस्कार: 'अस्मिता शंखनाद', 'हिन्दी प्रतिष्ठा सम्मान' सहित अनेक संस्थाओं द्वारा सम्मानित।
सम्प्रति : स्वतन्त्र लेखन।
सम्पर्क : श्री शांतिनाथ नगर, टाटीबंध, रायपुर (छ.ग.) 492099
फोन : 0771 4070240
मो. - 9827178750

ज़िंदगी को मुस्कराए एक अरसा हो चला
सुर में उनके सुर मिलाए एक अरसा हो चला

तू मुझे दे दे तसल्ली मुफ़्त में बहलाए जा
उनको यूँ वादा भुलाए एक अरसा हो चला

जिस तरफ़ भी देखिए हैं सूरते उम्दा यहाँ
पर किसी पे दिल को आए एक अरसा हो चला

चौंकता है वो परिंदा आज भी आकाश में
बाज़ से जिसको छुडाए एक अरसा हो चला

उंगलियों पे डोर किसके देखिये काबिज़ हुई
पुतलियां जिनको नचाए एक अरसा हो चला

था जितना लाज़िमी बस उतना बदल गया
हम सोचते हैं आदमी कितना बदल गया

यूँ ही नहीं बदन में सिरहन है हो रही
मौसम तेरे लिहाज़ में इतना बदल गया

सारी उमर गवाँ दी सिक्कों के जोड़ में
अपना ही सिक्का देखिये कितना बदल गया

आख़िर को देख डाली तारों की चाल भी
इतना ही तो लिखा था जितना बदल गया

हमने भी क़त्ल देखा उसने भी क़त्ल देखा
इज़लास में जो आया कितना बदल गया

आप इतिहास थोड़ा पढ़ा कीजिए
आसमां पर न यूँ ही चढ़ा कीजिए

बन के छा जाऊं मैं भी इबारत यहाँ
मुझको गाहे-बगाहे पढ़ा कीजिए

बह चुका अब बहुत ख़ून इंसान का
पत्थरों को न ऐसे गढ़ा कीजिए

घर किताबों का घर है मेरी मानिये
वक़्त-बे-वक़्त इनको पढ़ा कीजिए

आह धीमी भी करती असर जोर का
सोचकर क़त्ल सर पे मढ़ा कीजिए

न दोगे जुबां ग़र तो बेह्तर रहेगा
ये इंसान गूंगा ही बेह्तर रहेगा

कुचल दो अगर फन उठाया है उसने
जो इस बार छोड़ा तो डसकर रहेगा

लो हाकिम पे फिर से भरोसा किया है
सलीब आज कांधों पे बंधकर रहेगा

पकड़ में अगर आ गई एक उंगली
तो समझो कि सर पे वो चढ़कर रहेगा

ये ला दें भले तोड़कर के सितारे
तोहफ़ा मेरा सब से बढ़कर रहेगा

कुछ जादू घर में रहता है
जो हमको थामे रहता है

यूं ही नहीं चले आते हैं
सपनों का माने रहता है

लाख समंदर खारा होगा
वो पैमाने में रहता है

घर बहता हर बार बाढ़ में
वो कल की रौ में रहता है

तू नाहक ही भटक रहा है
वो हरदम तुझमें रहता है

संतोष सौनकिया
'नवरस'

जन्मतिथि : 1.5.1947, सिकरी राजा (म.प्र.)
शिक्षा : एण्टर मीडियेट
प्रकाशन : हम नदिया की धार (गीत संग्रह)। अनेक पत्र-पत्रिकाओं में रचनाएं प्रकाशित।
सम्मान/पुरस्कार: जनवादी साहित्य परिषद औरैया सहित अनेक संस्थाओं द्वारा सम्मानित/पुरस्कृत।
सम्प्रति : शिक्षण कार्य
सम्पर्क : गणेश जी, जालौन (उ.प्र.)
फोन : 05168 222088
मो. - 9956822153

ये घर तुझे मिला है, आसान किराए पर
उपभोग को मिला हर सामान किराए पर

क्यों फूलता फिरे तू अपनी बुलंदियों पर
यदि मिल गया तुझे कुछ सम्मान किराए पर

ये पेट की व्यथा जो पचती नहीं विवश हो
इन्सान ढो रहा है इन्सान किराए पर

गिरवी रखा हुआ जो मुखिया की हवेली में
घुटता ग़रीब का हर अरमान किराए पर

परिधान है धवलतम बारूद मुट्ठियों में
फैले गली-गली में शैतान किराए पर

सौगन्ध खा रहे हो कर्त्तव्य निष्ठता की
फिर क्यों गंवा रहे हो ईमान किराए पर

'नवरस' उदास मत हो मिल जाएंगे बहुत जो
करते फिरें तुम्हारा गुणगान किराए पर

नेह नातों में अगर होती कभी तक़रार है
हार में तो हार है ही जीत में भी हार है

ग़म न कर जो फूल देकर भी तुझे कांटे मिले
फूल लेकर फूल दे ऐसा कहां संसार है

बेवफ़ा दुनिया से करता क्यों वफ़ा की इल्तज़ा
प्यार के बदले कहां मिलता सभी को प्यार है

लमहा-लमहा जो उसूलों को जिया करता यहाँ
आज की दुनिया में जीने का नहीं हक़दार है

मुस्कराने की कला 'नवरस' से कोई सीख ले
जिसके बल पर हर मुसीबत को किया स्वीकार है

देखने में पहले से बेहतर हुआ है आदमी
आचरण में पशु से भी बदतर हुआ है आदमी

लूट, हत्या, अपहरण, व्यभिचार में ऐसे रंगा
यूँ लगे अपराध का ही घर हुआ है आदमी

देख कर इतने घिनौने कृत्य भी देखे नहीं
सो गई सम्वेदना पत्थर हुआ है आदमी

भर गया नस-नस में जिसके है गुनाहों का ज़हर
डस रहा हर एक को विषधर हुआ है आदमी

सिर्फ़ इतने पर नहीं संतोष 'नवरस' उसको है
अपने सुख में और को दुख कर हुआ है आदमी

ज़िंदगी है अधूरी तुम्हारे बिना
लग रही खुद से दूरी तुम्हारे बिना

नापते ही रहे नींद की दूरियां
यूँ कटी रात पूरी तुम्हारे बिना

तोड़ डाला यही सोचकर आईना
देखना क्या ज़रूरी तुम्हारे बिना

खोजती ही रही है ग़ज़ल काफिये
हो न पाई है पूरी तुम्हारे बिना

सूर्ख़ जो थी नशीली वो 'नवरस' हुई
पानी-पानी अंगूरी तुम्हारे बिना

तुम मिल गए मुझे तो मुझे ज़िंदगी मिली
जीवन की प्यास बुझ गई ऐसी नदी मिली

कितना हूँ ख़ुशनसीब जो इतनी ख़ुशी मिली
क़दमों में बैठ उनके मुझे बंदगी मिली

तुमने तो चार चाँद लगाए हैं घरों में
वो क्या करें कि जिनको नहीं रोशनी मिली

जो झूठ फ़रेबों से उड़े आसमान में
उड़ती पतंग उनकी यकायक कटी मिली

जिस पर तुम्हारी प्रेम भरी दृष्टि पड़ गई
'नवरस' उसी के क़दमों पे दुनिया झुकी मिली

मश्कूर अली

जन्मतिथि : 10-7-1947, अलीगढ़

शिक्षा : बी.ई (मेकेनिकल)

प्रकाशन : 'रहनुमाए-सन्अत', 'कोई सफ़र पे निकला है' तथा 'थोड़ी दूर...और' प्रकाशित। पत्र-पत्रिकाओं में रचनाएं प्रकाशित।

सम्मान : अनेक संस्थाओं द्वारा सम्मानित।

सम्प्रति : उप निदेशक उद्योग (उ.प्र.सरकार)

सम्पर्क : 4/1100 (7) सर सैयद ागर, अलीगढ़ (उ.प्र.)
मो.–9910279041

न शिकवे हमको आते हैं न कुछ फ़रियाद आती है
अगर कुछ आ भी जाती है तो तेरी याद आती है

नज़र जब-जब भी मिलती है तो ये महसूस होता है
तुम्हें भी कोई भूली बात अक्सर याद आती है

ग़ज़ल के साथ अच्छा सा गला होना ज़रूरी है
वगरना सबके हिस्से में कहाँ ये दाद आती है

वफ़ा पर मिटने वालों के फ़साने ज़िन्दा रहते हैं
ज़माना हो गया मजनूं को लेकिन याद आती है

खुदा की ज़ात पर रखिए भरोसा हज़रते 'मश्कूर'
खुदा चाहे तो पल में ग़ैब से इमदाद आती है

वह जो दुश्मन के साथ है साहिब
यह भी क़िस्मत की बात है साहिब

उसके घर में सवेरा निकला है
मेरे आँगन में रात है साहिब

काम सदियों के पाल रक्खे हैं
चन्द दिन की हयात है साहिब

हाँ पता है मेरी तबाही में
मेरे अपनों का हाथ है साहिब

ज़िंदगी जश्न है अगर 'मश्कूर'
मौत भी एक बरात है साहिब

हवाओं का ज़माना आ रहा है
दियों के साथ छोड़ा जा रहा है

जो रहते थे सफ़े-अव्वल में हरदम
उन्हीं का क़द घटाया जा रहा है

ख़ताएं लोग करते जा रहे हैं
मगर इल्ज़ाम हम पर आ रहा है

हमीं सच बोलते हैं शहर भर में
हमीं से सच छुपाया जा रहा है

मुबारक हो मियाँ 'मश्कूर' साहब
ग़ज़ल कोई तुम्हारी गा रहा है

यह तो किया कि सब पे भरोसा नहीं किया
लेकिन किसी के साथ में धोखा नहीं किया

घर से बुला के लाई हैं, घर की ज़रूरतें
मैंने ख़ुशी से पार यह दरिया नहीं किया

सारे चराग़ मैंने लहू से जलाए हैं
जुगनूं पकड़ के घर में उजाला नहीं किया

ऐसा न था कि दर्द से बेचैन भी न थे
लेकिन सड़क पे कोई तमाशा नहीं किया

'मश्कूर' मैंने उम्र ग़रीबी में काट दी
लेकिन किसी अमीर को सजदा नहीं किया

जमीं चाहते हैं, न ज़र चाहते हैं
मुहब्बत की बस इक नज़र चाहते हैं

जहाँ रात दिन हों मुहब्बत की बातें
मुहब्बत का ऐसा नगर चाहते हैं

अगर वो मुहब्बत का पैग़ाम भेजें
तो हम भी कहाँ उस से सर चाहते हैं

रहें जिसके साए में छोटे-बड़े सब
मुहब्बत का ऐसा शजर चाहते हैं

हमें मंज़िलों की तलब भी नहीं है
सफ़र में मगर हमसफ़र चाहते हैं

सुषमा चौहान 'किरण'

जन्मतिथि : 15-10-1947, उदयपुर
शिक्षा : एम.ए. (हिन्दी), बी.एड.
प्रकाशन : कविता-संग्रह 'तलाश ढाई आखर की' सहित दो कहानी-संग्रह, पत्र-पत्रिकाओं में रचनाएं प्रकाशित।
सम्मान/पुरस्कार: अनेक संस्थाओं द्वारा सम्मानित।
सम्प्रति : मुख्याध्यापिका, केन्द्रीय विद्यालय।
सम्पर्क : केंद्रीय विद्यालय क्रमांक-1, वायुसेना, जोधपुर (राज.) 34201
फोन : 0291 2550066
मो.- 9829361445

ऐसा मैंने सपना देखा
इक लड़की का जलना देखा

सबने जिसको पत्थर समझा
मैंने उसका गलना देखा

इस-उस हाथों खेल रही थी
जीवन का यूं तपना देखा

जीवन की टेढ़ी राहों पर
इक नटनी सा चलना दखा

थोड़े से धन की ख़ातिर ही
गुप-चुप उसका मरना देखा

वो पानी सी मुझे लगी थी
हर बर्तन सा ढलना देखा

पीया गली को जाऊं मैं
कैसे गीत सुनाऊं मैं

चेहरे पर मुस्कान लिये
दुनिया को भरमाऊं मैं

जीवन उसका शूल भरा
फूलों से सहलाऊं मैं

दुख दर्दों के मेले में
प्यार बांट इठलाऊं मैं

चाह 'किरण' की एक यही
पग-पग दीप जलाऊं मैं

बिखरे और संवर जाए
देखें कौन किधर जाए

जीवन तपती दोपहरी
शाम हुई लो घर जाए

भंवरा खुशबू के घर पर
नहीं गया है पर जाए

तेरा वहां बसेरा हो
जितनी दूर नज़र जाए

'किरण' ढूंढता सूर्य गया
अब लो वहां सहर जाए

तेरी मेरी प्रीत अलग है
इस दुनिया की रीत अलग है

प्यार बांटता है दुनिया को
उसका तो संगीत अलग है

वर्तमान देखा है जिसका
उसका देख अतीत अलग है

प्यार से जिसने जीता जग को
समझो उसकी जीत अलग है

एक 'किरण' ऊंचे भवनों में
आकर के भयमीत अलग है

शायद ये घर मेरा है
पसरा खूब अंधेरा है

मन में जितनी तस्वीरें
सबमें तुझे उकेरा है

माला के हर मनके पर
नाम गुना अब तेरा है

तेरी पलक जहां उठी हो
होता वहीं सवेरा है

आंसू सूखे आंखों के
बस पत्थर का डेरा है

शमीम अब्बास

जन्मतिथि : 19-4-1948, फ़ैज़ावाद (उ.प्र.)
शिक्षा : स्नातक
प्रकाशन : ग़ज़ल-संग्रह 'अच्छी सी कोई बात'। पत्र-पत्रिकाओं में रचनाएं प्रकाशित।
सम्मान : अनेक संस्थाओं द्वारा सम्मानित।
सम्प्रति : पूर्णकालीन साहित्य सेवा में रत।
सम्पर्क : 102, बी/6, सैक्टर-10, शांति नगर, मीरा रोड, मुम्बई-401107
फोन : (022) 28113418
मो. : 09869980161

बड़ी सर्द रात थी कल मगर बड़ी आँच थी बड़ा ताव था
सभी तापते रहे रात भर तेरा ज़िक्र क्या था अलाव था

वो ज़बाँ पे ताले पड़े हुए वो सभी के दीदे फटे हुए
बहा ले गया जो तमाम को मेरी गुफ़्तगू का बहाव था

कभी मैकदा कभी बुतकदा कभी काबा तो कभी ख़ानक़ाह
ये तेरी तलब का जुनून था मुझे कब किसी से लगाव था

चलो माना सब को तेरी तलब चलो सारे हैं जाँ-ब-लब
प तेरे मरज़ में यूँ मुबतिला कहीं हम सा कोई बताव था

मुझे क्या जुनून था क्या पता जो जहाँ को रौंदता यूँ फिरा
कहीं टिक के मैंने जो दम लिया तेरी ज़ात ही वो पडाव था

हैं कुछ कुछ अब भी उस से राबते से
वो मेरा है मगर एक फ़ासले से

यहीं तो मात हो जाती है अपनी
वो सब कुछ कर गुज़रता है परे से

तुम्हारे बाद दुनिया फिर मिली थी
थे सारे रंग ही लेकिन उड़े से

ये कड़वा सच तुझे हम खो चुके हैं
उतरता ही नहीं अपने गले से

उसे बिपता सुना आए हैं अपनी
मगर उम्मीद क्या चिकने घड़े से

तू जो पलटा साँझ सकारे पलटे हैं
आंगन कोठा डवडी हाते पलटे हैं

बैठक में चिंघाड़ते हैं बड़के ताया
धुन्यां, तेली, नाई, जुलाहे पलटे हैं

ईद, दशहरा, दीवाली और आशूरा,
ताज़िए, दंगल, मेले ठेले पलटे हैं

कल परसों जब बिछड़े थे कँगाल थे हम
आज सरों पर चाँदी लादे पलटे हैं

खोया तो सब खो ही गया कुछ मिल न सका
हम ने सारे कमरे उलटे पलटे हैं

मिल न मिल मर्ज़ी तेरी
चित तेरी पट भी तेरी

बाँट लें आ कायनात
तू मेरा बाक़ी तेरी

घर में भी घर कर गई
दिल ये वीरानी तेरी

जानलेवा हो चली
जान ख़ामोशी तेरी

रायगाँ सारे जतन
हाय हठधर्मी तेरी

तू क्या जाने तेरी बाबत क्या क्या सोचा करते हैं
आँखें मूंदे रहते हैं और तुझ को देखा करते हैं

दूर तलक लहरें बनती हैं फैलती हैं खो जाती हैं
दिल के बासी, ज़ह्न की झील में कंकर फेंका करते हैं

एक घना सा पेड़ था जिस को बर्सों पहले काट दिया
शाम ढले कुछ पंछी हैं अब भी मंडलाया करते हैं

अकसर यूँ होता है हवाएँ ठट्ठा मार के हँसती हैं
और खिड़की दरवाज़े अपना सीना पीटा करते हैं

अभी ये एक तबस्सुम अपने लब पे न जाने कैसा था
कौन से बादल है जो तपती धूप में साया करते हैं

कैलाश गुरु 'स्वामी'

जन्मतिथि : 3-5-1948
शिक्षा : एम.ए., (हिन्दी, इतिहास), पी.एच.डी.।
प्रकाशन : 'तन्हा सफ़र' एवं अनेक पत्र-पत्रिकाओं में रचनाएं प्रकाशित।
सम्मान : अनेक संस्थाओं द्वारा सम्मानित।
सम्प्रति : सरकारी सेवा में कार्यरत (एग्री कल्चर विभाग)
सम्पर्क : 3, लेबर कॉलोनी, सीहोर-466001 (म.प्र.)
फोन : (07562) 404265
मो. : 9826084033, 9826529759

ठिकाना हो न हो, फिर भी ठिकाना ढूंढ लेते हैं
क़फ़स में रहके भी हम आशियाना ढूंढ लेते हैं

मेरी तन्हाईयों का ज़िक्र जब उन तक नहीं पहुंचा
तो किसकी रहबरी से वो ठिकाना ढूंढ लेते हैं

गिज़ा हंसों को मोती की कोई लाकर नहीं देता
वो खुद ही सीपियों में अपना दाना ढूंढ लेते हैं

कभी उनको सहारे की ज़रूरत ही नहीं पड़ती
परिन्दे खुद-ब-खुद अपना ठिकाना ढूंढ लेते हैं

किताबे-दिल में वो ग़म को छुपा लें भी तो क्या होगा
कुछ ऐसे हैं जो इनमें भी ठिकाना ढूंढ लेते हैं

जब उनका नाम अपनी रूह में गुदवा लिया 'स्वामी'
वो फिर क्यूं तर्के-उल्फ़त का बहाना ढूंढ लेते हैं

जितने यार बनाओगे
उतने दुश्मन पाओगे

सब हैं अपनी ही धुन में
किस-किस को समझाओगे

अक्ल की बातें अब न करो
दीवाने कहलाओगे

फूलों से बचकर रहना
ख़ुशबू से जल जाओगे

उनका ग़म सहकर 'स्वामी'
हर ग़म से बच जाओगे

कुछ तो जीने का बहाना सोचूं
मैं इसी सोच में हूँ क्या सोचूं

जो बुरा सोचते हैं मेरे लिये
मैं उन्हीं के लिये अच्छा सोचूं

सोचने के लिए अब कुछ भी नहीं
कोई बतलाये के अब क्या सोचूं

वो समझ में ही ना आयेगा कभी
मैं उसे कितना ही गहरा सोचूं

'स्वामी' मुझसे तो सभी अच्छे हैं
क्यों किसी के लिये बेजा सोचूं

ग़म उठाने का हक़ अदा कीजे
मुस्कुराने का हौसला कीजे

क़ाबिले-दीद ही सही दुनिया
जी नहीं चाहता तो क्या कीजे

वो जो दिल से कभी नहीं मिलता
उससे मिलने की क्या दुआ कीजे

बेज़मीरों की भीड़ हो जिसमें
ऐसी महफ़िल में जा के क्या कीजे

अब तकाज़ा है वक़्त का 'स्वामी'
हर मुसीबत का सामना कीजे

रात भर मेरी ग़ज़लें वो गाता रहा
कौन था जो उसे याद आता रहा

ख़्वाब बेदारियों के दिखाता रहा
किसलिये मेरी नींदें उड़ाता रहा

आंधियाँ उम्र भर ग़म की चलती रही
इक दिया आस का टिमटिमाता रहा

मौत का ख़ौफ़ तो दूर की बात है
मेरा साया मुझे ही डराता रहा

आह दुनिया में किसका यहीं कीजिये
'स्वामी' ईमान दुनिया से जाता रहा

प्रमोद रामावत 'प्रमोद'

जन्मतिथि : 5-5-1948 (बघाना) नीमच (म.प्र.)
शिक्षा : विधि स्नातक
प्रकाशन : सोने का पिंजरा (ग़ज़ल-संग्रह), जुगनुओं का कारवाँ (मुक्तक व अशआर)। पत्र-पत्रिकाओं में रचनाएँ प्रकाशित। 'अब सुबह नज़दीक है' (ग़ज़ल-संग्रह), 'सधी हुई चुप्पी' (काव्य संकलन) का संपादन।
सम्मान : अनेक संस्थाओं द्वारा सम्मानित।
सम्प्रति : उप सम्पादक—'अमृत मंथन' दैनिक, जन सम्पर्क अधिकारी-गोमाबाई नेत्रालय।
सम्पर्क : जे-71, इंदिरानगर, नीमच (म.प्र.)
मो. : 0924097155

सोने का पिंजरा बनवाकर, तुमने दाना डाला दोस्त
हम तो थे नादान पखेरू, अच्छा रिश्ता पाला दोस्त

हम तो कोरे काग़ज़ भर थे, अपना था बस दोष यही
तुमने पर अख़बार बनाकर, हमको खूब उछाला दोस्त

हमने इस साझेदारी में, अपना बस कुछ झोंक दिया
तुम तो पक्के व्यापारी थे, कैसे पिटा दिवाला दोस्त

कल थे एक हमारे आंगन, किसने यह इंसाफ़ किया
तुमको तो दिल्ली की गलियां, हमको देश निकाला दोस्त

सच्चाई पर चलते-चलते, उस मंज़िल तक जा पहुंचे
सब लोगों ने पत्थर मारे, तू भी एक उठा ला दोस्त

लोग वतन तक खा जाते हैं, इसका इसे यक़ीन नहीं
मान जाएगा, तू ले जाकर दिल्ली इसे दिखा ला दोस्त

आशियां हमने बनाया आंधियों से पूछकर
ऐ-हवा, अब तू गुज़रना खिड़कियों से पूछकर

बाग़बां हैं आप गुलशन के वहां तक ठीक है
फूल को छूना यहां की तितलियों से पूछकर

मैं कोई सूरज नहीं, पर हूँ अंधेरों के ख़िलाफ़
जंग अपनी लड़ रहा हूँ, बिजलियों से पूछकर

बाप है तो बेचिये मत, ज़िन्दगी अनमोल है
फ़ैसला कुछ भी करें तो, लड़कियों से पूछकर

घोंसलों को कांख में ले रात भर जागा दरख़्त
हाथ चूज़ों को लगाना टहनियों से पूछकर

तू तो भोला है, तुझे सच्चाइयों का क्या पता
नींव के पत्थर, तुझे ऊंचाइयों का क्या पता

मुस्कराहट तू बहुत मशहूर है, हर बज़्म में
पूछ आंसू से, तुझे तनहाइयों का क्या पता

सिर्फ़ आंखों से छुआ, मुझको अभी दिल से नहीं
इस लहर को झील की गहराइयों का क्या पता

वो गले मिलते भी हैं, पर फ़ासले मिटते नहीं
जो कभी दिखती नहीं, उन खाइयों का क्या पता

जो सफ़र के वक़्त पीछे भी नहीं देखें उन्हें
अनुसरण करती हुई परछाइयों का क्या पता

प्रिये! अजन्ता शैल शिल्प की अंगड़ाई सी लगती हो
तुम यमुना में ताजमहल की परछाई सी लगती हो

मैं उजड़ी वीरान हवेली का बस एक झरोखा हूं
तुम मुझ में से हुई प्रवाहित पुरवाई सी लगती हो

पीड़ा, क्रन्दन और रुदन के महाप्रलय के बीच प्रिये
तुम बिस्मिल्ला खां साहब की शहनाई सी लगती हो

एकाकीपन के अरण्य में तिमिर बरसता मेघों से
तुम प्राची में उषः काल की अरुणाई सी लगती हो

पैर धुला कर खड़े राम के असमंजस सा मेरा मन
कभी-कभी मुझको केवट की उतराई सी लगती हो

आँसू से मुस्कान बनाती है लड़की
जीवन को वरदान बनाती है लड़की

अपनी दुनिया की वह अनुपम सर्जक है
खुद का एक जहान बनाती है लड़की

सम्बन्धों में आँच जगाए रखती है
खुद को आतिशदान बनाती है लड़की

सूनेपन का यह सागर तर जाने को
रिश्तों के जलायान बनाती है लड़की

उसे पता है सेज सजी है काँटों की
तकिये पर गुलदान बनाती है लड़की

मनाज़िर 'आशिक़' हरगानवी

जन्मतिथि : 01-07-1948, चतरा (झारखंड)

शिक्षा : एम.ए.(उर्दू, फारसी) पी.एच.डी.

प्रकाशन : उर्दू, हिन्दी, अंगिका और अंग्रेज़ी भाषा में 104 पुस्तकें प्रकाशित।

सम्मान/पुरस्कार: अनेक पुस्तकें पुरस्कृत/प्रमुख पत्र-पत्रिकाओं, संकलनों में रचनाएं प्रकाशित/अनेक कृतियों पर शोध कार्य किया गया।

सम्प्रति : प्रोफ़ेसर, स्नातकोत्तर (उर्दू विभाग) भागलपुर विश्वविद्यालय

सम्पर्क : कोहसार, भीकनपुर-3, भागलपुर 812001 (बिहार)
फोन 0641-2423633
मो. 9430966156

सिकुड़ी सिमटी शरमाई शरमाई जैसे छुई मुई
बेल है नर्मो-नाज़ुक सी वह, या है इक कश्मीरी लुई

सर्द दिसम्बर की रातों में उसके कोमल तन की आंच
याद दिलाती है मेरे बिस्तर की नर्म मुलायम रुई

पहले उस के कोरे तन से शोला-सा इक लपका था
फिर आकाश पे बादल छाए, फिर बारिश भी ख़ूब हुई

चढ़ते चाँद की रातों में हम दोनों की वह बेबाकी
जैसे ऊपर तले हों अक्सर चलती घड़ी की दोनों सुई

कुछ तो शर्म ने रोका 'आशिक़' कुछ मैं भी घबराया था
लेकिन धीरे-धीरे आख़िर मिट ही गई इक रोज़ दुई

धीमे सुर में रिमझिम रिमझिम मीठा मीठा शोर
सतरंगा किरणों का झूला, झूला झूलें मोर

पर्वत पर्वत भरें कुलेलें झरने मस्त मलंग
चंचल शोख़ हवा चरवाही बादल डंगर ढोर

अपने पूरे यौवन पर है मौसम का दरिया
बांझ ज़मीनों पर बरसेगी आज घटा घंघोर

शाम ढले तक रहेगा यूं ही रोशनियों का राज
शाम गए से रात ढले तक घोर अंधेरा घोर

ख़्वाब में शायद देखे थे सब हंसते बसते लोग
आँख खुली तो पाया 'आशिक़' जग बेदर्द कठोर

कुछ तू भी ले कुछ मेरे नाम लिख
धरती पे फिर कोई पैग़ाम लिख

उलझी हुई ज़िंदगी पर न जा
रंगीनिए-सुब्हे लिख शाम लिख

सूने हैं कब से तेरे रात दिन
बेताबिए-दिल का अंजाम लिख

ख़ामोश फिर हो गई मैकशी
मेरे ख़ुदा गर्दिशे-जाम लिख

'आशिक़' नवा बे-असर हो गई
नग़मों में अब कोई इलहाम लिख

भीगी रात चाँदनी खो गई
जगती हुई ज़िंदगी खो गई

वह पत्थर पर आईना रख गया
चेहरों की भी दिलकशी खो गई

पैमाने रहे मेरे बाद भी
रस्मो-राहे मैकशी खो गई

हर परवाज़ है ख़लाओं तलक
आगे सारी दोस्ती ही खो गई

'आशिक' राहे-ज़िंदगी में कहीं
मेरी रूहे-शायरी खो गई

पुरानी बात है सावन बोलता है
बहारों मे ही गुलशन बोलता है

अगर क़ानून ने लब सी लिये हों
समझ लीजे वहां धन बोलता है

मेरे आँसू के क़तरे की सदाक़त
हैं चुप आँखें तो दामन बोलता है

ये शायद बेबसी की इन्तेहा है
हुआ ख़ाली तो बरतन बोलता है

फ़साना दिल की बरबादी का 'आशिक़'
चमन ख़ामोश है बन बोलता है

नवाब शाहाबादी

मूल नाम : अरुण कुमार श्रीवास्तव

जन्मतिथि : 28-8-1948, शाहाबाद (हरदोई)

प्रकाशन : पहला सफ़र, ये अंदाज़े बयाँ मेरा, इज़्तराब, गीतों के गाँव में, अंधेरे से उजाले तक। काशी गरिमा (त्रैमासिक) का संपादन।

सम्मान : काशी भूषण : एवं काशी रत्न सहित अनेक संस्थाओं द्वारा सम्मानित।

सम्प्रति : मुख्य चिकित्सा अधीक्षक, डीजल रेल इंजन कारख़ाना, वाराणसी (उ.प्र.)

सम्पर्क : 2डी/40, एन.आई.टी. फरीदाबाद (हरियाणा)

मो. : 9839221614, 9415203768

मुहब्बत में अगर कहिये तो कुछ गुस्ताख़ियाँ कर लूँ
अधूरी जो पड़ी है वह मुकम्मल दास्ताँ कर लूँ

बड़ी ख़्वाहिश है मेरी भी चमन में घर बनाने की
जहाँ कहिये वहीं तामीर अपना आशियाँ कर लूँ

अमीने-राज़ हाय ग़म कोई मिलता नहीं मुझको
इजाज़त दो तो मैं तुमको ही अपना राज़दाँ कर लूँ

करूँगा पेश फिर दुनिया को अपनी दास्ताने-ग़म
ज़रा अपने लहू से सुर्ख़ इसकी सुर्ख़ियाँ कर लूँ

चला जाऊँगा उठके खुद ही मैं सहने-गुलिस्ताँ से
ज़रा दो चार दिन कुछ और सैरे-गुलसिताँ कर लूँ

इसी बाइस मैं ऐ बाहज नशे में चूर रहता हूँ
जहाँ तक बन पड़े कम ज़िन्दगी की तल्ख़ियाँ कर लूँ

लगा लूँ किस तरह 'नवाब' लब पर मोहरे ख़ामोशी
जुबां रहते हुए खुद की मैं कैसे बेज़ुबाँ कर लूँ

और जीने की ख़्वाहिश है हमको मगर
बाँध कर फिर भी बैठे हैं रख़्ते-सफ़र

मेरे हालात की तरह से वक़्त भी
एक मरकज़ पे जैसे गया है ठहर

आज की रात काटे से कटती नहीं
कौन जाने कि कब इसकी होगी सहर

अहदो-पैयाँ में इनको न बाँधे कोई
दोनों मतरुक हैं क्या अगर क्या मगर

उस तरफ़ दैरो-काबा इधर मयक़दा
किससे पूछे ऐ 'नवाब' जाए किधर

बाद मुद्दत के जब किसी से मिले
यूँ लगा जैसे ज़िन्दगी से मिले

इक ज़माना गुज़र गया, हमको
तेरी दुनिया में आदमी से मिले

की मदद किसने वक़्त पड़ने पर
यूँ तो मिलने को हम सभी से मिले

चैन दिल को मेरे सितमगर की
दोस्ती से दुश्मनी से मिले

यूँ तो 'नवाब' थे मगर फिर भी
हम मिले जिससे आजिज़ी से मिले

सीखा है यही तुमने चाहत का सिला देना
बातों को मेरी हँसकर बातों में उड़ा देना

महफ़िल में मुहब्बत की बे पर्दा चले आओ
देखे न उधर कोई ये क़ैद लगा देना

मशहूर किया तुमको इस दर्जा मुहब्बत में
मुमकिन ही नहीं मेरे अहसान भुला देना

दुनिया को तेरी वरना हम आग लगा देते
आता ही नहीं हमको शोलों को हवा देना

जो रखते हैं हाथों में कशकोल गदायी का
ऐसों को 'नवाब' अपने घर का न पता देना

आते-आते लबों तक हँसी रह गई
रास्ता देखते ज़िन्दगी रह गई

हो गया गुलसिताँ पर अंधेरों का राज
और मुँह देखती रौशनी रह गई

रंजिशों की वो आँधी चली इस बरस
दोस्ती मिट गई दुश्मनी रह गई

दहशतों का ये आलम गुलिस्ताँ में था
मेरे दिल की कली अधखिली रह गई

ऐ 'नवाब' अब कहाँ वो नवाबी के दिन
शानो-शौकत धरी की धरी रह गई

'सामिर' खत्री

जन्मतिथि : 1-6-1949, जावरा (रतलाम) म.प्र.
शिक्षा : मैट्रिक
प्रकाशन : अनेक पत्र-पत्रिकाओं में रचनाएं प्रकाशित।
सम्मान : अनेक संस्थाओं द्वारा सम्मानित।
सम्प्रति : गुजरात समाज सुरक्षा विभाग से सेवा निवृत्त। दिसम्बर 2004 से अभी तक निरंतर दिल्ली उर्दू प्रकाशन (मासिक) 'खातून-मशरिक़' में उर्दू ग़ज़ल, छंद और ग़ज़लों पर विवेचन प्रकाशित होता है।
सम्पर्क : जूना वणकरवास, दाहोद (गुजरात) 389151

सोचता हूँ फेंक दूँ सर पे सभी रिश्तों का बोझ
क्यों लिए फिरता रहूँ मैं ज़ेहन पर चेहरों का बोझ

हो गई जिस दिन से जज़्बों पर हिरासत फ़िक्र की
ज़ब्त से बाहर हुआ एहसास पर लफ़्ज़ों का बोझ

मेरा अपना एक लम्हा ढूंढता हूँ आजतक
जिसके ऊपर लद रहा है अनगिनत लम्हों का बोझ

आँख ने पल में मिटा डाले मनाज़िर के नुकूश
है तबीअ़त पर गुज़िश्ता शब के उन ख़्वाबों का बोझ

मअशरा क्यों है इलाकाई हदों की क़ैद में
क्यों ज़बां पर आजकल है इस क़दर लहजों का बोझ

खोलना मुश्किल बहुत है एक लम्हे की तहें
क्या उठा पाएगी फ़ितरत पुश्त पर सदियों का बोझ

क्या समझ पाएंगे मेरी फ़िक्र के असरार को
जो उठा सकते नहीं 'सामिर' मेरे लफ़्ज़ों को बोझ

लाख छुपाएँ छुप ना पाए
फ़ितरत अपना रंग दिखाए

मेरी कहानी अपनी हद में
आप का चेहरा क्यों मुरझाए

शायद सूरज डूब रहा है
क़द छोटे हैं, लम्बे साए

काँच के घर हैं मोम के ताले
नींद भला फिर किस को आए

तन्हाई के ख़ौफ़ ने 'सामिर'
रिश्तों के हालात बनाए

बेतहाशा जब कभी मसले गए तितली के पर
चीख़ उट्ठे इन्तेहाए-दर्द से तितली के पर

संगदिल ख़ारों ने जज़्बों को कभी समझा नहीं
फूल की निस्बत ने घायल कर दिये तितली के पर

लम्स इक लम्हे का कितना दर्द देकर चल दिया
उँगलियों का रंग जिस दम दे गए तितली के पर

हो ख़लाओं में उफ़क़ के पार मंज़िल का सफ़र
क्या मसाफ़त तय करे, जिसको मिले तितली के पर

सोचकर, हो जाए ना तौहिने-हुस्ने-काएनात
जेब में 'सामिर' ने अपने रख लिए तितली के पर

पत्थरों की बस्तियों में क्या किसे आवाज़ दें
वादिए-बेहिस तू ही बतला किसे आवाज़ दें

गूंज कर फिर लौट आएगी सदाए-बाज़गश्त
कोहसारों में खड़े तनहा किसे आवाज़ दें

बन्द दरवाज़े सभी और अजनबी बस्ती जहां
है कोई बहरा, कोई गूंगा, किसे आवाज़ दें

कश्तिए-अल्फ़ाज़ है बह्‌रे-तख़य्युल में फँसी
मौजे-तूफ़ां में नहीं चारा किसे आवाज़ दें

अजनबी से आ रहे हैं हर तरफ़ चेहरे नज़र
कौन है 'सामिर' यहाँ अपना किसे आवाज़ दें

लम्हे की वारदात कि सदियां गुज़र गईं
फुर्क़त भरी हयात कि सदियां गुज़र गईं

रिश्तों के लम्स खो गए माज़ी की धुन्ध में
थी आजकल की बात कि सदियां गुज़र गईं

इक लम्हा अपनी कोख में लेकर युगों का राज़
ठहरा जो एक राज़ कि सदियां गुज़र गईं

तंग आके इन्तेहाई-घुटन से अभी-अभी
सोई थी काएनात कि सदियां गुज़र गईं

'सामिर' क़फ़स का दौर बहुत हो गया तवील
पाएंगे कब निजात कि सदियां गुज़र गईं

सतीश कौशिक

मूल नाम : सतीश कौशिक

जन्मतिथि : 19-6-1949, चरखी दादरी (हरियाणा)

शिक्षा : कला स्नातक

प्रकाशन : पत्र-पत्रिकाओं में रचनाओं का प्रकाशन। 'हलफनामे सुबह के' काव्य-संकलन प्रकाशित।

सम्मान/पुरस्कार: अखिल भारतीय साहित्य परिषद् द्वारा 'टेक चन्द गोरखपुरिया साहित्य सम्मान।'

सम्प्रति : निजी व्यवसाय एवं स्वतंत्र लेखन।

सम्पर्क : 13, डी.सी. कालोनी, हिसार-125005 (हरियाणा)

मो. : 09896345254

तिल-तिल कर बाती सा जलना तुम क्या जानो
रोज़ समय के साथ पिघलना तुम क्या जानो

सांझ ढले तो सन्नाटों के साथ सुलगना
सूरज-सा फिर सुबह निकलना तुम क्या जानो

हम सनकी थे, बिना पाल-पतवार चल दिये
यूँ लहरों के पार निकलना तुम क्या जानो

नए छन्द में हमने अपने गीत लिखे हैं
पीड़ा के सन्दर्भ बदलना तुम क्या जानो

लहू-लहू ये पाँव तुम्हारे बाहर रखना
भीतर कालीनों पर चलना तुम क्या जानो

इन भीगे नयनों में ये उजली सी यादें
बरसातों में धूप निकलना तुम क्या जानो

सरल नहीं था कट-कट कर गंगा जल होना
किसी हिमालय का यूँ गलना तुम क्या जानो

हर तरफ़ है दर्द के मन्ज़र तुम्हारे शहर में
साँस लेना भी हुआ दूभर तुम्हारे शहर में

एक जंगल गुम्बदों का या फ़सीलों की हदें
ढूंढते हैं हम हमारा घर तुम्हारे शहर में

ये सुबह तो आँख में चुभती है इसका क्या करें
कौन लाया था इसे ढो कर तुम्हारे शहर में

कौन समझेगा सफ़र ही दूरियाँ होठों की प्यास
ना मेरा पीपल न वो पोखर तुम्हारे शहर में

इस महक पर तो लिखा है एक पहचाना सा नाम
कौन गुज़ारा है इधर होकर तुम्हारे शहर में

कहीं वो दर्द के जंगल में जल रहा होगा
मेरी तलाश में शोलों पे चल रहा होगा

मुझे यक़ीं है वो अब भी सुलगती रातों में
सुबह के वास्ते करवट बदल रहा होगा

न जाने क्यूँ ये अँधेरे भी अब नहीं चुभते
चराग़ बन के वो रातों में जल रहा होगा

महक गुलों की मेरे सहन तक नहीं पहुँची
ज़रूर इसमें हवा का दख़ल रहा होगा

मिले जो तू तो सफ़र से मुझे निजात मिले
मेरा वजूद ये सदियों से चल रहा होगा

भंवर की ज़द में किनारों से बात करते रहो
जो शब घिरे तो सितारों से बात करते रहो

वो मुश्किलों में भी तुम पर जो मेहरबान रही
उसी नज़र की नफ़रतों से बात करते रहो

बुझो तो पहले अंधेरों में देर तक जलना
जलो तो बुझते शरारों से बात करते रहो

बँधे हों हाथ तो सज़दे में सर झुका देना
सिले हों लब तो इशारों से बात करते रहो

हवा को दर्द सुनाने से कुछ नहीं होगा
भुला के दर्द बहारों से बात करते रहो

उसको देखा चाहो तो तन्हाइयों में देखना
उजली-उजली रात की रानाइयों में देखना

ख़ुशबुओं ने पंख खोले साँस महकी चाँद की
कौन है नग़मा-सरा अमराइयों में देखना

ढूंढते हैं लोग सब कुछ साहिलों की रेत में
अपनी आदत थी ज़रा गहराइयों में देखना

इक परिंदा पंख अपने फ़ड़फ़ड़ाता मर गया
उसने छोड़ा ही नहीं ऊँचाइयों में देखना

अपनी ज़ुल्फ़ें, अपनी बाँहें, अपनी आँखें, अपना नूर
तू कभी आकर मेरी तन्हाइयों में देखना

प्रेम भण्डारी

जन्मतिथि : 23-9-1949, उदयपुर
शिक्षा : एम.ए., पी.एच.डी.
प्रकाशन : झील किनारे तन्हा चाँद, खुश्बू रंग-सदा के संग, पत्र-पत्रिकाओं में रचनाएं प्रकाशित।
सम्मान : राजस्थान उर्दू अकादमी एवं अन्य।
सम्प्रति : संगीत विभाग, सु.वि.वि. उदयपुर।
सम्पर्क : 17-बी, नीमच माता स्कीम, उदयपुर, 313001 (राजस्थान)
फोन : (0294) 2454647
मो. : 9414158358

दरिया है अपने जोश में कच्चा घड़ा हूँ मैं
अपने वजूद के लिये फिर भी लड़ा हूँ मैं

सूरज कभी जो पुश्त पे आकर खड़ा हुवा
कहने लगा ये साया भी तुझ से बड़ा हूँ मैं

किस्तों में काट डालेंगे मुझको शहर के लोग
तन्हा लबे सड़क जो शजर सा खड़ा हूँ मैं

मैं हर्फ़े बेमिसाल हूँ मुझको बरत के देख
बोसीदा किताबों की क़ब्र में गड़ा हूँ मैं

लफ़्ज़ों के तीर तंज़ के नश्तर थे उसके पास
ख़ामोश रह के फिर भी बराबर लड़ा हूँ मैं

बस्ती में क़त्ले-आम की कोशिश न बन सका
मैं क़ातिलों के ज़ह्न की साज़िश न बन सका

कोई कमी न उसमें थी शायद इसीलिये
वो शख़्स मेरे वास्ते ख़्वाहिश न बन सका

जैसा भी सीधा सादा था सब मेरा अपना था
मैं उसकी ख़्वाहिशों की नुमाईश न बन सका

मैं रुक नहीं सका तो मेरी बेबसी थी ये
बादल था उसके सहन में बारिश न बन सका

जिस पर तमाम उम्र बहुत नाज़ था मुझे
मेरा वो इल्म मेरा सिफ़ारिश न बन सका

दिल पे हे रहमो-करम लब पे दुआ रक्खी है
अब भी पुरखों की ये तहज़ीब बचा रक्खी है

अपने साये में किसी को ना झुलसने देंगे
धूप से शर्त ये पेड़ों ने लगा रक्खी है

लोट के आऊंगा मेहफ़ूज़ यक़ीं है मुझको
उसने सामाने-सफ़र में जो दुआ रक्खी है

अब भी आगे हैं सुलह के कई आसार नज़र
हमने दिल में कहां दीवार उठा रक्खी है

मेरा हर लम्हा बीता है बिगड़ी बात बनाने में
आधी उम्र कटी झगड़े में, आधी उम्र मनाने में

आगज़नी का आया है इल्ज़ाम मुझीपे क्यूं यारो
हाथ जले हैं मेरे तो बस्ती की आग बुझाने में

दिल ही का काम नहीं था पावों के छाले भी थे
तुम चाहे मानो ना मानो रेत की प्यास बुझाने में

शिकवे शिकायत प्यार मोहब्बत सामने हो तो अच्छा है
देर बहुत लगती है यूं भी ख़त के आने जाने में

दूर के पत्थर मोती हैं, मुट्ठी के मोती हैं पत्थर
बस इक फ़र्क़ यही देखा है पाने और गंवाने में

कभी जो मेरे घर जाएगी
तन्हाई भी डर जाएगी

तेरी रहमत रहे सलामत
सबकी झोली भर जाएगी

मेरी आंख की आस लगाए
नींद बेचारी मर जाएगी

रूत बदली तो इन शाख़ों का
दामन ख़ाली कर जाएगी

तू जो रोज़ मिला मुझसे तो
देख तबीयत भर जाएगी

'साहिल' सहरी नैनीताली

मूल नाम : रहीम ख़ान
जन्मतिथि : 04-11-1949, नैनीताल
शिक्षा : इण्टरमीडिएट
प्रकाशन : ग़ज़ल संग्रह 'सफ़र सफ़र है'
सम्मान/पुरस्कार: अनेक संस्थाओं द्वारा सम्मानित।
सम्प्रति : साहित्य सृजन।
सम्पर्क : नई बस्ती, हल्द्वानी, जिला - नैनीताल (उत्तरांचल)
फोन - 05946 320566
मो. - 9358864844

हम आए हैं बिकने को, क़ीमत क्या कौन लगाता है
घाटे के सौदे में देखें पैसा कौन कमाता है

भीड़ में क्या पहचान किसी की, क्या कीजे इस बात पे ग़ौर
कपड़े कौन बदलता है, और चेहरा कौन लगाता है

जीने वालों के रिश्तों का बोझ उठाता है हर शख़्स
मरने वाले की मय्यत को कांधा कौन लगाता है

पूरी की पूरी बस्ती करती है पत्थर की पूजा
किस की क़िस्मत फूटी है, आईना कौन लगाता है

इक-इक लग़ज़िश, इक इक क़तरे का रखते हैं यार हिसाब
'साहिल' सहरी के ग़म का अन्दाज़ा कौन लगाता है

कहां-कहां पे लुटे हो, शुमार मत करना
मगर किसी पे भी अब ऐतबार मत करना

हमारी राह में कलियां नहीं हैं कांटे हैं
हमारी राह कभी इख़्तियार मत करना

बहुत ही क़ीमती है यह तेरे बदन का लिबास
किसी ग़रीब के बच्चे को प्यार मत करना

मैं लौटने के इरादे से जा रहा हूं मगर
सफ़र सफ़र है, मेरा इंतज़ार मत करना

शराबख़ाने का रस्ता भी छूट जाएगा
शराबख़ाने में 'साहिल' उधार मत कारना

इक ऐसे मोड़ पे लाकर किसी ने छोड़ा था
हर एक दर्द ने रिश्ता हमीं से जोड़ा था

हसीन गीत, सरापा ग़ज़ल, मुकम्मल नज़्म
मैं जिस क़दर भी उसे चाहता वो थोड़ा था

किरन-किरन से हमें कर दिया गया महरूम
हमीं ने तीरा शबी का तिलिस्म तोड़ा था

अगर चराग़ जलाकर गुरूर है तुम को
तो रात मैंने भी रुख़ आंधियों का मोड़ा था

हर एक लब पे है चर्चा मेरे निशाने का
अगरचे मैंने अंधेरों में तीर छोड़ा था

सिलसिला कुछ किसी से मिलता है
रोज़ इक ख़त नदी से मिलता है

वह बहुत बेरुखी से मिलता है
क्या करें, दिल उसी से मिलता है

अक़्ल वालो, सुकूं ज़माने में
सिर्फ़ दीवानगी से मिलता है

आप तक हम पहुंच ही जाते हैं
रास्ता शायरी से मिलता है

डिग्रियां जेब में रखो 'साहिल'
तजरुबा ज़िंदगी से मिलता हैं

दर-बदर-की ठोकरें खाना मुक़द्दर हो गया
मैं सफ़र पर इस तरह निकला, कि बेघर हो गया

अब किसी भी चोट का एहसास से रिश्ता नहीं
दिल पे ऐसे-ऐसे ग़म टूटे, कि पत्थर हो गया

जाने किस लहजे में प्यासों ने खुदा से की दुआ
गांव मेरा चन्द लम्हों में समन्दर हो गया

मुद्दतों से मेरे कांधे पर चढ़ा बैठा है वो
लोग इस धोखे में हैं, बौना क़दावर हो गया

कल तलक तो ख़ैर जीने को तरसते थे मगर
अब हमारे वास्ते मरना भी दूभर हो गया

लोकनाथ मिश्र 'मीत'

जन्मतिथि : 3-12-1949, सागर (म.प्र.)
शिक्षा : एम.ए. (गणित) संगीत प्रभाकर एवं जादूगर
प्रकाशन : 1. सभ्यता का फर्क़ (काव्य संग्रह), 2. अक्षर देवता (काव्य संग्रह), 3. 'सम' संगीत एवं काव्य का मूल आधार।
सम्प्रति : व्याख्याता।
सम्पर्क : मोहन नगर वार्ड, मिश्रा कुआं के सामने, सागर (म.प्र.) 470002
फोन : (07582) 699149

प्रश्न अनसुलझे बहुत हैं, और तुमसे क्या कहें
आप भी उलझे बहुत हैं, और तुमसे क्या कहें

भूख कब से द्वार पर, बैठी हुई है गाँव के
हाथ में छाले बहुत हैं, और तुमसे क्या कहें

इंसानियत इंसान से तो दूर कोसों हो गई
आदमी नंगे बहुत हैं, और तुमसे क्या कहें

मेरी बेटी को जलाया, दिन दहाड़े सास ने
चीख़ कर रोए बहुत हैं, और तुमसे क्या कहें

जब से तुम सत्ता में आए, दूर दिल्ली हो गई
काम भी काले बहुत हैं, और तुमसे क्या कहें

अंतः करण में अपने ज़रा, ताकिएगा यार
अपने विषय में इसके बाद, फांकिएगा यार

नंगे खड़े हैं आप भी, अपने हमाम में
ग़ैरों के बाथरूम में मत, झाँकिएगा यार

नींद में चलने का, जिन्हें रोग लग गया
कुछ रात स्वयं उनके साथ, जागिएगा यार

आतंकियों की भीड़ में जब, मौत हो क़रीब
बेफ़िक्र उनपे गोलियाँ भी, दागिएगा यार

बगुलों को मिल रहे हैं यहाँ, संत के ख़िताब
अख़बार में कुछ ऐसी ख़बर, छापिएगा यार

क्या कहें आज उनके ख़्वाबों को
गधे चरने लगे गुलाबों को

उनके ख़त का जवाब क्या लिख दूँ
शब्द मिलते नहीं जवाबों को

जितने घुसपैठिये हैं उन सबके
नोंच कर फेंक दो नकाबों को

वो तो ज्वालामुखी हैं बचपन से
क्यों न उगलेंगे आज लाबों को

वो न सुधरेंगे किन्हीं ग्रंथों से
फाड़ कर फेंक दो किताबों को

न धरा चाहिए न गगन चाहिए
जो न उजड़े कभी वो चमन चाहिए

आँख से तू तनिक भी, न ओझल रहे
प्यार में अपने इतनी लगन चाहिए

आख़िरी सांस तक लब पे शिकवा न हो
शाख़ पे मुझको ऐसे सुमन चाहिए

अब न छीनो किसी के लबों की हँसी
तन से मन से घृणा का वमन चाहिए

आख़िरी चंद सांसें हैं कुछ तो करो
'मीत' को कुछ नहीं अब अमन चाहिए

रात को जुगनूँ से चमके, और दिन में खो गए
ऐसे सूरज इस जहाँ में, बेतहाशा हो गए

फ़स्ल सारी बो रहे हैं, कल्पना के खेत में
बाग़बाँ ऐसे जहाँ में, ढेर सारे हो गए

उम्र भर मेरी प्रतीक्षा जागकर करते रहे
पास आए हम, तो वो बोले बिना ही सो गए

पाँव के छालों ने खींचे, अनुभवों के मानचित्र
रास्ते अब साफ़ सारे, मंज़िलों तक हो गए

आज तक तो हाल न, पूछा किसी ने 'मीत' का
आख़िरी जब साँस टूटी, यार सारे रो गए

बृज भूषण चतुर्वेदी
'बृजेश'

जन्मतिथि : 1-1-1950, मथुरा (उ.प्र.)
शिक्षा : स्नातक
प्रकाशन : विभिन्न पत्र-पत्रिकाओं एवं काव्य संकलनों में रचनाएं प्रकाशित 'क्यों सखि साजन' (मुकरियाँ)। 'थोड़ा सा मधुमास' (काव्य संकलन); 'मधुवन समर्पित तुम्हें' (काव्य संकलन) का सम्पादन।
सम्मान : अनेक संस्थाओं द्वारा सम्मानित।
सम्प्रति : राजस्थान शिक्षा विभाग में कार्यरत शिक्षक
सम्पर्क : सुंदरजी की बगीची बारां (राज.) 325205
मो. : 9928447145

तेरा द्वारा देख लिया
ये जग सारा देख लिया

रातें राजकुमारी सी
दिन बंजारा देख लिया

तेरे ख़त की चाहत में
हर हरकारा देख लिया

बाक़ी और बचा है क्या
प्यार तुम्हारा देख लिया

दिखलाता जो दिशा 'बृजेश'
वो ध्रुव-तारा देख लिया

भूखे से भगवान की बातें
छोड़ो भी ये ज्ञान की बातें

पहले हाथ पे रोटी तो रख
फिर करना ईमान की बातें

कहाँ आदमी को फ़ुर्सत है
सोचे ज्ञान-ध्यान की बातें

घर में बैठे क्या करते हो
मौसम-तापमान की बातें

'बृजेश' तो करता है केवल
हँसी और मुस्कान की बातें

रात ढलेगी धीरे-धीरे
बात बनेगी, धीरे-धीरे

तू ख़्वाबों में, खोई होगी
आँख खुलेगी, धीरे-धीरे

झाँकेगा बदली से सूरज
धूप खिलेगी, धीरे-धीरे

दिल की कोयल, फुदक-फुदक कर
ग़ज़ल कहेगी, धीरे-धीरे

इतनी जल्दी क्या है 'बृजेश'
रुत बदलेगी, धीरे-धीरे

पंखों बिना उड़ान देखिये
विधि का अजब विधान देखिये

झूठ चढ़ा है सर-आँखों पर
पाँव तले ईमान देखिये

सिर्फ़ काग़ज़ों में चलते हैं
सरकारी अभियान देखिये

देश भक्त, कवि, कलाकार का
पग-पग पर अपमान देखिये

ख़बर नहीं पल की 'बृजेश' पर
सालों का सामान देखिये

दिन सुनहरे स्याह काले हो गए
क़ैद सूरज के उजाले हो गए

खेत में उगने लगी है भूख अब
ख़्वाब रोटी के निवाले हो गए

घुल गया इतना हवाओं में ज़हर
सांस लेने के भी लाले हो गए

आदमी अब बन गया है इक मशीन
ढंग जीने के निराले हो गए

कल शहर था, आज क़ब्रिस्तान है
लोग दंगों के हवाले हो गए

जमना प्रसाद उपाध्याय

जन्मतिथि : 1-1-1950, पुहंदी

शिक्षा : इन्टरमीडियट

प्रकाशन : विभिन्न पत्र-पत्रिकाओं में रचनाएं प्रकाशित।

सम्मान/पुरस्कार: इन्डियन हाईकमीशन लन्दन एवं यू.के. से प्रशस्तिपत्र सहित अनेक संस्थाओं द्वारा सम्मानित।

सम्प्रति : लेखन

सम्पर्क : ग्राम-पोस्ट पुहंपी-बीकापुर, फ़ैजाबाद (उ.प.)

जब तलक हाथ में पत्थर नहीं आने वाला
अपनी मुट्ठी में मुक़द्दर नहीं आने वाला

बहार आई मगर बेहया के पेड़ों पर
चमन मे फूल का मंज़र रहीं आने वाला

साहिबे वक़्त बहुत आएंगे माना लेकिन
किसी भी सम्त से रहबर नहीं आने वाला

क़दम बढ़ाओ कि मंज़िल क़रीबतर होगी
सफ़र मे मील को पत्थर नहीं आने आने वाला

समन्दरों को खंगालो तो कोई बात बने
लेके सौग़ात समन्दर नहीं आने वाला

रंगाई जाएंगी जब तक लहु से दीवारें
किसी भी छत पे कबूतर नहीं आने वाला

चंद मख़्सूस किताबों को अमल में लाओ
हर सदी में तो पयम्बर नहीं आने वाला

नहीं रही अब छुई-मुई लाचार ग़ज़ल
बदल चुकी है अब अपना किरदार ग़ज़ल

राजपथों को छोड़ो पगडंडियां लिखो
छोड़ चुकी है दिल्ली का दरबार ग़ज़ल

गांव की चौपालों तक लाओ सुखनवरो
महलों में हो जाएगी बीमार ग़ज़ल

तुझको अब सूरज से आंख मिलाना है
तोड़ दे अंधियारे का कारागार ग़ज़ल

मीर की मैना पिंजरे के दिन बीत गए
नील गगन में उड़ चल पंख पसार ग़ज़ल

चांद सूरज तो आसमान में रख
एक दिया अपने भी मकान में रख

तेरे होने का कुछ पता भी चले
तू अगर खुद को इम्तिहान में रख

दिल में रहमो क़रम तो रख लेकिन
तल्खियां भी ज़रा जुबान में रख

इल्तिज़ा है बहार आने की
हर परिन्दे को बस उड़ान में रख

ढूढ मत छांव इन दरख़्तों में
सर को अपने ही सायबान में रख

मुस्कराते होंठ पर यह पीर-पर्वत है तो है
हम हैं मेहनतकश हमें इससे मोहब्बत है तो है

हम किसानों के मुक़द्दर में है सूरज का निज़ाम
और हम को धूप में चलने की आदत है तो है

शाह के बंगलों में सारी रोशनी गांवों से है
गांव में लेकिन अंधेरों की हकूमत है तो है

देश का शासन बड़े लोगों के हाथों में सही
देश का परचम किसानों की बदौलत है तो है

हम नहीं करते किसी भी स्वर्ग की परिकल्पना
बस इन्हीं ख़ेतों में हम लोगों की जन्नत है तो है

फूल की खुशबू चुभन तक आ गई है
अब तो पुरवा भी घुटन तक आ गई है

हो चुका है राम को बनवास कब का
अब कथा सीताहरन तक आ गई है

इस कदर सारा समन्दर पी गया वो
अपनी हालत आचमन तक आ गई है

क्या सबब है आज की कविता सिमटकर
रहबरों के आचरन तक आ गई है

क्या किया जाए ये कब तक सोचियेगा
बात जब जीवन मरन तक आ गई है

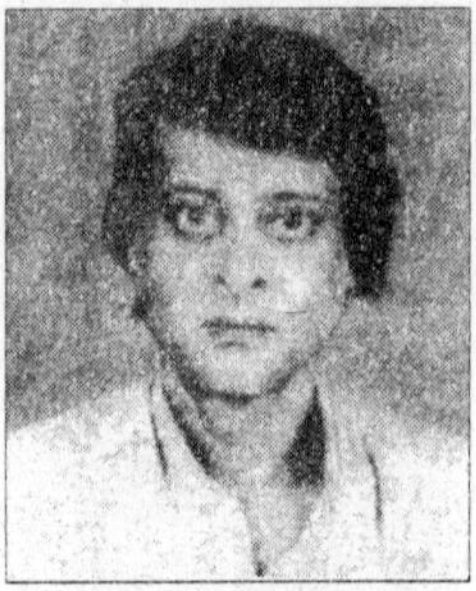

साक़िब बनारसी

जन्मतिथि : 1-1-1950
प्रकाशन : पत्र-पत्रिकाओं में रचनाएं प्रकाशित।
सम्मान : अनेक संस्थाओं द्वारा सम्मानित।
सम्प्रति : निजी व्यवसाय
सम्पर्क : 11-6-391/6ए/5, फ़र्स्ट फ़्लोर, वक़्फ़ कांप्लेक्स, दरगाह यूसुफ़ेन रोड, इस्लामी सेंटर के बाज़ू, नामपल्ली, हैदराबाद -500001 (आं. प्र.)
दूरभाष : 91-40-6576937, 3214007
मो. :

जहाँ पे सामने दरिया दिखाई देता था
वहीं हर आदमी प्यासा दिखाई देता था

मैं क्या बताऊँ मुझे किसने कर दिया ज़ख़्मी
हरेक शख़्स तो अपना दिखाई देता था

उसे बना दिया मक़्तल शरीफ़ लोगों ने
वो एक शहर जो अच्छा दिखाई देता था

लहू लहू-सा बदन कौन किसको दिखलाता
हरेक शख़्स तड़पता दिखाई देता था

उसी को आज ज़रूरत है चंद क़तरों की
ज़माने भर को जो दरिया दिखाई देता था

उसी की आँखों में आँसू हैं आज ऐ 'साक़िब'
जो कल तलक हमें हँसता दिखाई देता था

लहजे में जिसके इक ज़रा शाइस्तगी नहीं
मुझसे ही क्या किसी से भी उसकी बनी नहीं

जिस पेड़ में ज़रा-सी भी हमसायगी नहीं
उस पेड़ से मेरी कोई वाबस्तगी नहीं

जिस पेड़ पर बसेरा परिंदों का था कभी
ऐसा जला कि अब कोई टहनी हरी नहीं

साए में जिसके दुनिया के ग़म भूलता था मैं
अब मेरे सर पे माँ की वही ओढ़नी नहीं

'साक़िब' वो अपना होके भी अपना न हो सका
उस शख़्स के मिज़ाज में संजीदगी नहीं

ये आँसू क्या क़यामत कर रहे हैं
मेरी आँखों से हिजरत कर रहे हैं

फ़क़ीरों की जो ख़िदमत कर रहे हैं
वहीं सच्ची इबादत कर रहे हैं

सँभल सकती नहीं तलवार जिनसे
वो लशकर की क़ियादत कर रहे हैं

है सन्नाटों का ऐसा शोर घर में
पड़ोसी भी शिकायत कर रहे हैं

वही हैं सुर्ख़रू दुनिया में 'साक़िब'
बुर्ज़ुगों की जो इज़्ज़त कर रहे हैं

रोज़ हंगामा एक सियासी है
जिस तरफ़ देखो बदहवासी है

ग़म ज़ियादा खुशी ज़रा-सी है
ज़िंदगी क्या है एक सज़ा-सी है

इक ज़रा-सा उदास क्या है दिल
सारे माहौल पर उदासी है

एक तुम क्या ख़फ़ा हुए मुझसे
सारी दुनिया ख़फ़ा-ख़फ़ा-सी है

दौरे हाज़िर को क्या हुआ 'साक़िब'
बेलिबासी ही खुशलिबासी है

आईनाए-वजूद को इतना उजाल दे
गर टूट जाए भी तो ज़माना मिसाल दे

साहिल पे जा लगूँ तो न साहिल करे कुबूल
और डूबने लगूँ तो समुंदर उछाल दे

खुशियों की हो तलब जिन्हें तू उनको दे खुशी
दोनों जहाँ के ग़म मेरी झोली में डाल दे

फिर मेरे आँसुओं पे कोई क़हक़हा लगा
ऐ मेरी ज़िंदगी यह धनक फिर उछाल दे

ग़ालिब का रंग मीर का लहजा भी कर अता
'साक़िब' को शायरी में तू इतना कमाल दे

सतीन देसाई 'परवेज़'

जन्मतिथि : 4-4-1950, दाहोद (गुजरात)
शिक्षा : एम.बी.बी.एस.
प्रकाशन : पत्र-पत्रिकाओं में रचनाएं प्रकाशित।
सम्मान : 'मुखोमुख' ग़ज़ल संग्रह-गुजरात साहित्य अकादमी से पुरस्कृत; 'कवि' एवं 'तादर्थ्य' पत्रिका के श्रेष्ठ ग़ज़लकार के कई सम्मान; शेठ श्री गिरधरलाल संस्कार केन्द्र का निष्ठा एवार्ड; मां हरिश्वरी देवी संस्थान केन्द्र बड़ोदरा से वरिष्ठ ग़ज़लकार एवार्ड।
सम्प्रति : चिकित्सक
सम्पर्क : 21, अमृतवाड़ी सोसायटी, दाहोद, गुजरात
फोन : (02673-222155, 221339)

मुद्दत के बाद जागा, तो मैं मैं न था वहां
करवट बदलके देखा, तो मैं मैं न था वहां

शायद वो बंदगी के मक़ामात थे अलग
मैंने किया जो सजदा, तो मैं मैं न था वहां

तन्हाईयां, ख़यालो-क़लम सब में मैं ही था
काग़ज़ पे जब भी उतरा, तो मैं मैं न था वहां

वैसे तो चारों ओर मेरे अपने चेहरे थे
सच ने किया तमाशा, तो मैं मैं न था वहां

तासीर मेरे जलने की ऐसी न थी कभी
जब भी उठा धुआं-सा, तो मैं मैं न था वहां

था अजनबी मैं अपनी ही तक़दीर के लिए
उसको क़रीब पाया, तो मैं मैं न था वहां

मुम्किन है मेरी रूह कभी भेद खोल दे
मैंने मुझे ही ढूंढा, तो मैं मैं न था वहां

बुलन्द जर्फ़ हूं पर, जर्फ़े-नातवां का क्यूं
हूं एक ज़र्रा मगर तेरे आसमां का क्यूं

न कोई सिम्त की हद से हैं मेरी परवाज़ें
मेरी ग़ज़ल को तसव्वुर हो ला-मकां का क्यूं

न कोई और है शिकवा वो पर्दादारी से
निहां नहीं तो तुझे ख़ौफ़ फिर अयां का क्यूं

शरूर दे नहीं इतना तू ख़ाके-जाहिल को
फ़क़त लगाव हो जन्मों की दास्तां का क्यूं

परे-बहिश्त हुआ जा रहा हरिक लम्हा
करूं सफ़र, मगर लम्हों के दरमियां का क्यूं

नफ़स हरेक तेरा ख़ुद में इन्तख़्वाबी हो
क़ज़ा के मोड़ पे शिद्दत से इनक़लाबी हो

धनक के रंग लिये आसमां से उतरे पर
महक में घुलती हुई ओस तो गुलाबी हो

नफ़स के दावे से तसलीम है ख़ुदाई पर
उसे कुबूल करूं जिसकी बेनक़ाबी हो

अगर है अज़्म तेरा टूटके बिखरने का
समंदरों की तहों में भी तू सराबी हो

ख़ुदा के ज़हन में क्या है पता चले 'परवेज'
जहाने-मश्क मगर रूह ना किताबी हा

लगे जो ज़ह्न पे, पत्थर नहीं मैं सायों का
क्यूं कोई मुझ में बसे, घर नहीं मैं सायों का

जुदा हो जिस्म से, वो सर नहीं मैं सायों का
पटक रखे मुझे, बिस्तर नहीं मैं सायों का

किनारे जिस्म के सारे के सारे जोड़ चला
बदन में मिटता, समंदर नहीं मैं सायों का

यूं अपनी पुश्त पे नूरे-ग़ज़ल को झेलूं मैं
कि कोई बार-सा, मुझपर नहीं मैं सायों का

क़ज़ा के जश्न तलक पहन के चले परवेज़
नुमाइशों का वो ज़ेवर नहीं मैं सायों का

समंदरों को बचाना अभी तो बाक़ी है
कि कश्तियों से छुड़ाना अभी तो बाक़ी है

अता न हर्फ़ को कीजे अभी कबीराई
ग़ज़ल में लौट के आना अभी तो बाक़ी है

ये सुब्हो-शाम बहुत मंदिरों में पीट चुके
नफ़स के ढोल बजाना अभी तो बाक़ी है

तमाम उम्र की संजीदगी पे हावी हो
ज़ुबाने-तिफ़्ल पढ़ाना अभी तो बाक़ी है

कभी न होता है सूना चबूतरा 'परवेज़'
वहां पे रूह का दाना अभी तो बाक़ी है

रमेश मनोहरा

जन्मतिथि : 7-6-1950, जावरा (रतलाम) म.प्र.

शिक्षा : इण्डर मीडिएट

प्रकाशन : अनेक पत्र-पत्रिकाओं में रचनाएं प्रकाशित। कविता, कहानी, नाटक विधाओं की पुस्तकें प्रकाशनाधीन।

सम्मान/पुरस्कार: अनेक संस्थाओं द्वारा सम्मानित।

सम्प्रति : सहायक अध्यापक (विज्ञान)

सम्पर्क : शीतला गली, जावरा (रतलाम) म.प्र.- 457226

फोन - 07414 229414

अचरज भरे इनके कमाल देखिये
सूखी नदी में फैंकते जाल देखिये

ढूंढते हैं वे अंधेरे में उजाला
ऐसे प्रगतिशील भरे ख़्याल देखिये

यहाँ से वहाँ फैले हुए हैं
होते हर सौदे में दलाल देखिये

इतना निचोड़ लिया है इन्हें यारो
कि रह गई है इनकी खाल देखिये

शकुनी आज भी सब पर भारी
बदली नहीं शतरंज की चाल देखिये

मुल्क के लिए नहीं है एक सोच
इसलिए होती संसद में धमाल देखिये

जो भी आया वो फैलती गई 'रमेश'
समस्याओं की बेल विकराल देखिये

आ गया कितना ठहराव रिश्तों में
आदमी मरकर जी रहा है किश्तों में

एक दिन डूबना तो लाजिम है
बैठ गए छेद वाली कश्तियों में

ज़हरीलों सांपों को खदेड़ा जंगलों में
फिर भी वे आ गए बस्तियों में

जिनका किया जाता है इस्तेमाल
आज वे टंगे हुए हैं तख़्तियों में

है जिनके काले कारनामे 'रमेश'
लिया जाता उनका नाम हस्तियों में

गर्दिशों में भी जलते रहो मशालों की तरह
ग़मों को ओढ़ते रहो सदा दुशालों की तरह

एक दिन मयस्सर है मंज़िल तुम्हारी इसलिए
घबरा के भागो न दूर यूँ ग़िज़ालों की तरह

रोशनी अंधेरे को न छले इसलिए तुम
अंधेरों में भी चमकते रहो उजालों की तरह

एकता का परिचय अब इस तरह दो दोस्तो
सदा आपस में जुड़े रहो दालों की तरह

गर इरादे नेक हैं और हौसले हैं बुलन्द
तो बेहिचक खनकते रहो प्यालों की तरह

कब तक उगेगा आग धुआं नगर मेरा
ऐसे में बताओ कैसे होगा गुज़र मेरा

पड़ोसी जब खुद लगाए बैठा है घात
तो कैसे सुरक्षित रह पाएगा घर मेरा

धर्म और मज़हब से बड़ा मुल्क है यारो
जब भी आएगी आंच कटेगा सर मेरा

गर होंगे पैदा मीर-ज़फ़र, जयचन्द से
उन्हें ख़त्म कर देगा राष्ट्रीय स्वर मेरा

मुल्क की हिफ़ाज़त के लिए लडूंगा अंत तक
इस तरह कटेगा ये जीवन का सफ़र मेरा

रिश्तों में मत घोलिए ज़हर बाबा
परस्पर मत चलाईए ख़ंजर बाबा

हर आंगन का हो दूर अंधेरा
इसलिए लाईये रोशनी बाबा

देगा दुआ वो जो दुःखी है जहां में
काटिये उसके साथ आप सफ़र बाबा

भटका मुसाफ़िर पूछता पता मंज़िल का
कोई नहीं बताता अजीब है शहर बाबा

रखता रहा हरदम 'रमेश' लिहाज आपका
फिर भी आप बरसाते रहे हैं पत्थर बाबा

इन्दिरा अग्रवाल

जन्मतिथि : 2-7-1950, अलीगढ़ (उ.प्र.)

शिक्षा : एम.ए., पी-एच.डी., विद्या वाचस्पति, संगीत प्रभाकर।

प्रकाशन : तीन कविता-संग्रह एवं एक हाइकु संग्रह। अनेक पत्र-पत्रिकाओं में रचनाएं प्रकाशित। गीत, ग़ज़ल, कथा, लघु-कथा लेख एवं मुक्तक की एक कृति प्रकाशनाधीन।

सम्मान : 'हिन्दी भूषण' मेरठ, 'ऋतम्भरा सम्मान' कुम्हारी (दुर्ग) सहित अनेक संस्थाओं द्वारा सम्मानित।

सम्प्रति : प्रवक्ता (हिन्दी), स्वतंत्र लेखन।

सम्पर्क : 3/25, अग्निहोत्री सदन, न्यू लेखराज नगर, अलीगढ़-202001 (उ.प्र.)
मो. : 9412176767, 9897294147

तारकों को जगाती रही, रात भर
रात रानी खिलाती रही, रात भर

याद लिपटी हुई थी कि मन प्राण से
लोरी गाकर सुनाती रही, रात भर

टूटकर भी क्यों दिल ये टूटा नहीं
सपने फिर से सजाती रही, रात भर

सूर्य चमके, सवेरा जल्दी से हो
रात को भी जगाती रही, रात भर

काँच टूटा, चुभे न, यही सोचकर
बिखरी किरचें उठाती रही रात भर

प्राण क्वारे-के-क्वारे रहे उम्र भर
देह बिछती बिछाती रही रात भर

बच नहीं सकता, सभी के आपदा सम्मुख खड़ी है
हर कोई कहता है अब तो ज़िन्दगी मुश्किल बड़ी है

वह न मानेगा किसी की यार मेरे सुन ज़रा
ग़ैरों की सुनता नहीं अब उसे अपनी पड़ी है

बिन पिये ही झूमते है हम तो उनकी याद में
क्या करें ऐ दोस्तो आँख जब उनसे लड़ी है

कौन किसको दे सहारा ये समझ आता नहीं
हर किसी के पाँव में सख़्त यूँ बेड़ी पड़ी है

कहने को तो पास मेरे है बहुत कुछ आज भी
एक बस उनकी कमी ही रात दिन खलने लगी है

ज़िन्दगी ही ज़िन्दगी थी
एक बस तेरी कमी थी

डूब कर के भी न समझा
पाँव के नीचे नदी थी

तू जिसे समझा कि तेरी
हर किसी की चाँदनी थी

वह किसी की क़ैद में थी
तू जिसे समझा परी थी

तू जिसे अब तक न भूला
वह विरह की रागिनी थी

कौन? कहाँ? किसका हो जाए
जाने कौन कहाँ खो जाए

किसका पता ठिकाना क्या है?
किसका बोझ कौन ढो जाए

करो नहीं आँसू की निंदा
अश्रु कलुष सारा धो जाए

हर दस्तक पर चौंक उठे मन
लगे कि अब आए वो आए

प्यार करे जो जितना ज़्यादा
उतना व्यक्ति सहज हो जाए

हवाओं के रुख़ अब बदलने लगे हैं
पत्थर के दिल भी अब पिघलने लगे हैं

तड़पा रहे थे कल तक जो अपने
आज वो स्वयं ही तड़पने लगे हैं

समझा था जिसने सफ़र है सुहाना
मंज़िल पे आकर भटकने लगे हैं

अपना ही ग़म जिन्हें लगता था अपना
दर्द वो हमारा अब समझने लगे हैं

तोड़ते रहे जो दिल हर किसी का
टूटा दिल अपना तो सिसकने लगे हैं

ओंकार सिंह 'ओंकार'

मूल नाम : ओंकार सिंह

जन्मतिथि : 4-7-1950, चंगरी (मुरादाबाद)

शिक्षा : इण्टरमीडिएट

प्रकाशन : ग़ज़ल-संग्रह 'संसार हमारा है' (प्रकाशनाधीन)

सम्मान/पुरस्कार: अनेक संस्थाओं द्वारा सम्मानित।

सम्प्रति : विद्युत विभाग (उ.प्र.) में कार्यरत

सम्पर्क : बी-241, आवास विकास कालोनी, बुद्धि विहार, दिल्ली रोड, मझोला (मुरादाबाद) उ.प्र.
फोन : 0591 2483587
मो.: 9997505734

क्यों प्यार अब दिलों से मिटाए हुए हैं लोग
वीरान ज़िंदगी को बनाए हुए हैं लोग

सर पर तो आसमान उठाए हुए हैं लोग
लेकिन क़दम ज़मीं से हटाए हुए हैं लोग

पस्ती में मुझ को देख के नज़रें भी फेर लीं
अपने थे जो कभी वो पराए हुए हैं लोग

करके इज़ाफ़ा रोज़ नया ख़्वाहिशात में
खुद ज़िंदगी को बोझ बनाए हुए हैं लोग

साथी हमारे होने का करते थे ढोंग जो
दुश्मन से वो ही हाथ मिलाए हुए हैं लोग

इस शह्र का मिज़ाज तो 'ओंकार' देखिये
अच्छों को ही नज़र से गिराए हुए हैं लोग

वो इन्सां जो वफ़ा का आइना मालूम होता है
हक़ीक़त जानने पर बेवफ़ा मालूम होता है

इज़ाफ़ा रोज़ ज़ुल्मों में हुआ मालूम होता है
कहां ज़ालिम का लेकिन तज़किरा मालूम होता है

कोई दूरी नहीं है जब हमारे दरमियां आई
दिलों के बीच फिर क्यों फ़ासला मालूम होता है

मैं जब ग़ोते लगाता हूँ विचारों के समन्दर में
तो कोई आस का मोती छुपा मालूम होता है

मुहब्बत के उजालों से रहे 'ओंकार' दिल रोशन
तो ख़तरा हर अदावत का टला मालूम होता है

हर बुराई यहां इनआम हुई जाती है
ज़िंदगी जैसे कि कोहराम हुई जाती है

अब हुनरमंद भी बेकार नज़र आते हैं
क्यों सनद इल्म की नाकाम हुई जाती है

इश्तहारात हैं चीज़ों की तरह जिस्मों के
आबरू चीज़ सी नीलाम हुई जाती है

इस तरह दिल में बसा है तेरी यादों का नगर
ज़िंदगी जैसे तेरे नाम हुई जाती है

इक शराफ़त ही तेरे पास बची है 'ओंकार'
वो भी इस दौर में बदनाम हुई जाती है

हिन्द की नारी कहां है आज की मॉडल कहां
हद हवा पच्छिम की चल दी छीनकर आंचल कहां

फ़ोन कानों पर लगाये वाहनों पर बैठकर
तेज़तर रफ़्तार से जाते हैं ये जागल कहां

रोग मिट जाते थे गंगा में नहाने से कभी
साफ़ छोड़ा पापियों ने अब वो गंगा जल कहां

सब परिन्दे उड़ रहे हैं तेज़तर रफ़्तार से
तू कटे पर का हैं पंछी जाएगा पैदल कहां

है अंधेरा ही अंधेरा हर तरफ़ 'ओंकार' अब
हो गया दिलकश उजाला आँख से औझल कहां

यये दीपक ज्ञान का बुझता नहीं है
ये वो सूरज हे जो छिपता नहीं है

किसी के दुख से जो दुखता नही है
वो दिल पत्थर है जो लचता नहीं है

मरूस्थल की बुझाता प्यास कैसे
समन्दर है मगर चलता नहीं है

हिमायत क्या करेगा वो किसी की
किसी का दर्द जो सुनता नहीं है

ख़रीदारों से 'ओंकार' कह दो
कि फ़न बाजार में बिकता नहीं है

महमूद 'हमसर' अब्बासी

मूल नाम : महमूद ख़ान अब्बासी
जन्मतिथि : 27-7-1950, आबू रोड
शिक्षा : मैट्रिक
प्रकाशन :अनेक पत्र-पत्रिकाओं एवं सहयोगी संकलनों में रचनाएं प्रकाशित
सम्मान/पुरस्कार: अनेक संस्थाओं द्वारा सम्मानित।
सम्प्रति : रेलवे में सर्विस
सम्पर्क : राणा वास, गांधीनगर,
आबू रोड, (राज.) 307026
फोन. 02974-225702
मो. - 9829786598

मेरे ज़ख़्मों को कभी तुम यूं हरा मत करना
अपनी आंखों को ये सावन की घटा मत करना

और भड़काते हैं ये आग बुझाने वाले
तुम पड़ोसी को बुलाने की ख़ता मत करना

हादिसे शहर में फैले हैं शिकंजों की तरह
घर से निकलो तो यूं रस्ते में रुका मत करना

हम पे लाज़िम है चराग़ों की हिफ़ाज़त करना
इन हवाओं से कभी प्यार-वफ़ा मत करना

तोड़ देती हैं ये अपने ही किनारे नदियां
दर्द सीने में दबाके यूं रखा मत करना

वहशते-मुल्क से चाहे है ये सुर्ख़ी अब तो
अपने हाथों को यूं पाबन्दे-हिना मत करना

एक धोखा है निगाहों का ये बचना 'हमसर'
तुम कभी चांद के हमराह चला मत करना

हमने बड़े सलीक़े से रहबर बदल दिया
गिरने से पहले छत के ही ये घर बदल दिया

ईदुल-फ़ितर के रोज़ गले मिल रहे थे सब
बच्चों की इक लड़ाई ने मंज़र बदल दिया

छेड़ा था ज़िक्र ही अभी सुकरात का यहां
साकी ने मेरे हाथ का सागर बदल दिया

रिश्वत न लेना भी यहां पे जुर्म हो गया
इस जुर्म ने ही मेरा तो दफ़्तर बदल दिया

'हमसर' हमारा हौसला तोड़ा है इस तरह
यारों ने संगे-मील का पत्थर बदल दिया

अश्क को कब रूमाल देते हैं
लोग आंखें निकाल देते हैं

ऐब अपने यहां छुपाने को
क़ीमती पर्दा डाल देते हैं

बर्फ़ के लोग अपने लहजे से
ख़ून मेरा उबाल देते हैं

ज़िंदगी की यही तो क़ीमत है
एक सिक्का उछाल देते हैं

बरहना जिस्म के लिए 'हमसर'
खेंच कर अपनी खाल देते हैं

अब मुकम्मल जवाब आएगा
चैन दिल को जनाब आएगा

दिल का कमरा भी जगमगायेगा
चांद खोले नकाब आएगा

अपने बाजू बनालो पतवारें
रास्ते में चिनाब आएगा

क्यो चराग़ों की लौ भड़कती है
क्या कोई माहताब आएगा

घर सजाया है हमने भी 'हमसर'
रात को आफ़ताब आएगा

बारिश में जब भीगे चिड़िया
अपने परों को नोंचे चिड़िया

अपने सिवा ना कोई भाए
दरपन को है तोड़े चिड़िया

आंधी में जब पेड़ गिरा तो
तिनका-तिनका ढूंढे चिड़िया

बच्चे ओझल होने लगे तो
द्वार दुआ के खोले चिड़िया

ग़ज़लें 'हमसर' अच्छी कहना
सांझ सवेरे बोले चिड़िया

ओम रायजादा

जन्मतिथि : 26.8.1950

शिक्षा : एम.ए.

प्रकाशन : 'परछाइयां' एवं 'आदमी के लिए' ग़ज़ल संग्रह एवं 'प्रतिदान' खण्ड-काव्य प्रकाशित। 'ओम रायजादा की ग़ज़लें' प्रकाशनाधीन। अनेक पत्र-पत्रिकाओं में रचनाएं प्रकाशति। अनियमतकालीन 'ऋचा' का सम्पादन। सूखे बादल, मैला आकाश, बंजारा सूरज, आदि का सम्पादन।

सम्मान/पुरस्कार: देश भर की अनेक संस्थाओं द्वारा सम्मानित/पुरस्कृत

सम्प्रति : अध्यापन

सम्पर्क : शक्तिनगर सावरकर वार्ड, कटनी -483501 फोन : 223268
मो. - 9893269303, 9300021278

सपनों का आशियाना फिर से उजड़ गया
ठंडी हवा का झोंका थप्पड़ सा जड़ गया

ऊंचे दरख़्त पे था परिन्दों का घोंसला
जल गया वो जंगल जोड़ा बिछड़ गया

क़ाफ़िला चला फिर उन मंज़िलों के रास्ते
कुछ दूर जा न पाया वापिस भी मुड़ गया

गत रात भूख से वो फुटपाथ पर मरा
उठवाने शव सुबह से गणतंत्र जुड़ गया

बरगद के गिर्द फिर से कुछ बांध गए डोरी
आज़ादियों की ख़ातिर जड़ से उखड़ गया

जनगण का गान जिसको मुद्दत तलक रटाया
कल शाम वो ही तोता पिंजड़े से उड़ गया

यारो चुकाओ फ़र्ज़ ये हिन्दोस्तान है
खातों में अब तो दर्ज ये हिन्दोस्तान है

हक़ मांगना मना है यहां बोलना मना
सुनता है कौन अर्ज़ ये हिन्दोस्तान है

भ्रष्टाचार-लूटमार, हैं बेरोजगार
क्या लाइलाजे-मर्ज़ ये हिन्दोस्तान है

बेच-बेच देश को खाते हैं रहनुमा
कुछ लोग हैं खुदग़र्ज़ ये हिन्दोस्तान है

सारी प्रगति है 'ओम' ये गिरवी विदेश में
ले लीजिये अब कर्ज़ ये हिन्दोस्तान है

तूफ़ां से लड़ सके जो यहां नर नहीं रहा
आवाज़ में असर है मगर स्वर नहीं रहा

सूरज की रोशनी भी कहीं क़ैद हो गई
अंधियारों को उजालों का कोई डर नहीं रहा

मुद्दत से चल रहे हैं, मंज़िलें पता नहीं
दूरी में मील का कोई पत्थर नहीं रहा

परिवर्तनों के तूफ़ां आवाज़ दूं तुझे
बहती हुई हवा में अब गुज़र नहीं रहा

पावों तले ज़मीं नहीं है आसमान गुम
मुद्दत हुई है अपना कहीं घर नहीं रहा

यारो पानी में न डालो पत्थर
अपने हाथों में संभालो पत्थर

हाथ श्रम के कटेंगे बात है तय
ताजमहलों में कमालो पत्थर

प्यास लगने पे अपना खून पियो
भूख लगती है तो खा लो पत्थर

सामने हैं ये चने लोहे के
पहले थोड़े से चबालो पत्थर

कांच-घर और सितम ढा न सके
एक ही बार उछालो पत्थर

ये तेज़ हवा आदमी का घर उड़ा न दे
इस ज़िंदगी की लाश ठिकाने लगा न दे

चलतीं यहां पे कश्तियां अब तो सिहर सिहर
कोई सुराख़ फिर कहीं कश्ती डुबा न दे

इन्सान का ये खून जाने रंग लाये कब
मौसम ये गर्म खून को ठंडा बना न दे

ज़ख़्म ही बदन के ये रास्ता बनाएंगे
कोई हमारे ज़ख़्म पे मरहम लगा न दे

कट जाएगा दरख़्त तो पत्ते न रहेंगे
ये 'ओम' सच का आइना कोई दिखा न दे

ओमप्रकाश सिंह

जन्मतिथि : 8-12-1950, उतरागौरी, रायबरेली (उ.प्र)
शिक्षा : एम.ए. (हिन्दी) पी-एच.डी.
प्रकाशन : गीत, नाटक, समीक्षा आदि विधाओं की लगभग एक दर्जन पुस्तकें प्रकाशित। पत्र-पत्रिकाओं में रचनाएं प्रकाशित। 'प्रज्ञा', 'नया शोध' का सम्पादन।
सम्मान : अनेक संस्थाओं द्वारा सम्मानित।
सम्प्रति : रीडर एवं अध्यक्ष, हिन्दी-विभाग बैसवारा स्नातकोत्तर महाविद्यालय, लालगंज
सम्पर्क : 251, शांति निकेतन, साकेत नगर, लालगंज, रायबरेली (उ.प्र.) 229206.
फोन : (05315) 244383.

आदमी को आदमी से दिल लगाना चाहिए
दिल न हो तो दिल की ख़ातिर दिल लगाना चाहिए

आग-पानी हो या हो ज्वालामुखी कोई कभी
हर परिस्थिति में उसे बस मुस्कराना चाहिए

कोई शिकवा हो गिला हो या शिकायत हो कभी
जिस किसी से हो उसी से गुनगुनाना चाहिए

हर किसी में हो नहीं सकती हैं बातें एक-सी
आदमी को प्यार करने का बहाना चाहिए

हम तो बस इस धार में एक नाव काग़ज़ की बने
दिल में होता है कि हमको पार जाना चाहिए

पर्वतों को तोड़ने की यदि तमन्ना है कहीं
शेरे दिल को रास्ते खुद ही बनाना चाहिए

गूंगे संदर्भों के प्रश्न-सा जिए
अंधी मानवता की प्यास को लिए

पपड़ाए होठों पर बुनियादी शब्द
सन्नाटे में उठते आज किसलिए

कुंठा संत्रास की विसंगतियों से
बस्ती में जलते हैं दर्द के दिए

सपनों में इतने बौराए से लोग
पांव नहीं थमते दो घूंट के पिए

उग आए फिर बबूल पनघट के पास
तलुओं में चुभने का ख़्याल कीजिए

हर तरफ़ उठने लगा है फिर धुएं का घर
आंख में गड़ने लगा है फिर धुएं का घर

लग रहा है देखना मुश्किल नदी-पर्वत
इस तरह चलने लगा है फिर धुएं का घर

धुल न पाया है अभी तक दाग़ मौसम का
आदमी होने लगा है फिर धुएं का घर

शाम होते ही धुएं के रंग उभरे हैं
रोशनी पीने लगा है फिर धुएं का घर

आज वह परछाइयों का गांव लगता है
पेड़-सा पलने लगा है फिर धुएं का घर

ख़्वाबों में उतर आए हैं आंखों के रास्ते
यूं दिल से दिल लगाए हैं आंखों के रास्ते

जब भीड़ में हमशक्ल कोई और मिल गया
सारा शहर उठाए हैं आंखों के रास्ते

बादल कभी बिजली कभी आंधी कभी तूफ़ां
हर पल में मुस्कराए हैं आंखों के रास्ते

चुभने लगी है ज़िन्दगी कांटों की नोंक पर
अब फूल निकल आए हैं आंखों के रास्ते

मंदिर में है, मस्जिद में है, साकार निराकार
हमको तो नज़र आए हैं आंखों के रास्ते

अब न खिड़की से शहर को झांकिये
ज़िन्दगी अख़बार-सी है बांचिये

क़त्ल हैं संपादकी के शीर्षक
बेशरम मुखपृष्ठ की मत हांकिये

उम्र काफ़ी कट गई विज्ञापनों में
शेष होते जा रहे हैं हांसिये

कांच के टुकड़े हुआ है आदमी
हरेक टुकड़े में हक़ीक़त भांपिये

बिक रही इंसानियत बाज़ार में
सच का चेहरा झूठ से मत ढांकिये

अशोक चक्रधर

जन्मतिथि : 8-2-1951, खुर्जा (उ.प्र.)
शिक्षा : एम.ए., एम.लिट., पी-एच.डी.
प्रकाशन : कविता, हास्य, नाटक, बाल साहित्य, प्रौढ़ साहित्य, समीक्षा, अनुवाद की लगभग तीस पुस्तकें प्रकाशित।
सम्मान/पुरस्कार: रास्ट्रीय एवं अन्तरराष्ट्रीय संस्थाओं द्वारा शताधिक सम्मान/पुरस्कार।
सम्प्रति : (पूर्व प्रोफेसर एवं अध्यक्ष, हिन्दी विभाग), जा. मि. इस्लामिया नई दिल्ली), वर्तमान में हिन्दी समन्वयक जीवन पर्यात शिक्षण संस्थान दिल्ली विश्व-विद्यालय, दिल्ली - 7

सम्पर्क : जे-116, सरिता विहार, नई दिल्ली-110044
फ़ोन 011-26949494
मो. 9811013621

क्या बतालाऊं सुविधाओं में कैसे-कैसे ज़िंदा हूं
गुलदस्ते में फूल सजाकर फूलों से शर्मिंदा हूं

कोठी भी है गाड़ी भी है रोटी भी है इज़्ज़त भी
किस मुंह से फिर कहता हूं मैं मुफ़लिस का कारिंदा हूं

मिलते ही वो ख़ुश होते हैं, बाहों में भर लेते हैं
मुड़ते ही जो आए लबों पर, मैं अपनी ही निंदा हूं

इस माथे पर लाखों शिकनें, कुछ अपनी कुछ ग़ैरों की
जिसके दोनों ओर नदी हों उस तट का बाशिंदा हूं

ये मत करना वो मत करना आहत हुआ नसीहत से
भूतकाल के आईने में खड़ा हुआ आइंदा हूं

उलझन में था मेरा शायर कैसे मुकम्मल हो ये ग़ज़ल
जिसको ख़ारिज कर न सका वो, मैं वो शे'र चुनिंदा हूं

जो तू दरिन्दा है, तो ये मसान तेरा है
अगर परिन्दा है तो आसमान तेरा है

तबाहियां तो किसी और की तलाश में थीं
कहां पता था उन्हें ये मकान तेरा है

छलकने मत दे अभी अपने सब्र का प्याला
ये सब्र ही तो असल इम्तेहान तेरा है

न बोलना है, तो मत बोल, ये तेरी मर्ज़ी
तेरी चुप में भी मुकम्मल बयान तेरा है

भुला दे अब तो भुला दे कि भूल किसकी थी
अशोक 'चक्रधर', सारा जहान तेरा है

मिन्नतें कीं बहुत किंतु ख़ाली गईं
अर्ज़ियां सब की सब यूं ही टाली गईं

पीर रूठे हुए क्यों नज़र आते हैं
चादरें तो मज़ारों पे डाली गईं

झुनझुना-सा बजाते थे बच्चे जिन्हें
वो सभी गुल्लकें तोड़ डाली गईं

बंद दड़बे में ज्यों चुग रहीं मुर्ग़ियां
लड़कियां भी इसी भांति पाली गईं

हाथ का कौर बस हाथ में रह गया
थालियां सामने से हटा ली गईं

ये घर है दर्द का घर, परदे हटा के देखो
ग़म हैं हंसी के अंदर, परदे हटा के देखो

लहरों के झाग ही तो परदे बने हुए हैं
गहरा है ये समन्दर परदे हटा के देखो

नभ में उषा की रंगत चिड़ियों का चहचहाना
ये ख़ुशगवार मंज़र परदे हटा के देखो

एक ओर हैं धुआं सा, एक ओर है कुहासा
किरणों की डोर बनकर, परदे हटा के देखो

ऐ 'चक्रधर' ये माना, हैं ख़ामियां सभी में
कुछ तो मिलेगा बेहतर, परदे हटा के देखो

छोड़ दे मनहूसियत, मनहूसियत में क्या धरा
लौट कर घर आ गया है, अब तो पगले मुस्करा

लौट कर वनवास से जब पांव छूने को झुके
मातु कौशल्या ने झट आगे बढ़ा दी मंथरा

बम फटा तो संतरी के आख़िरी अल्फ़ाज़ थे
मुफ़्त में भी दे तो मत लेना किसी से संतरा

शायरी करना नहीं है हर किसी के बस की बात
शायरी करनी है तो कर 'चक्रधर' से मशवरा

'चक्रधर' का मशवरा लेकिन समझ पाया है कौन
हो सिकंदर या क़लंदर, सरफिरा या मसख़रा

रंजीत भट्टाचार्य

जन्मतिथि : 25-8-1951, धमतरी (छ.ग.)
शिक्षा : बी. कॉम.
प्रकाशन : काव्य संग्रह 'पांव बने हाथ' एवं विज्ञान उपन्यास 'अबूझमाड़ का अतिथि' / पत्र-पत्रिकाओं में रचनाएं प्रकाशित।
सम्मान/पुरस्कार: अनेक संस्थाओं द्वारा सम्मानित।
सम्प्रति : अध्यक्ष, जिला हिन्दी साहित्य समिति, धमतरी (छ.ग.)
सम्पर्क : फ़ीचर सम्पादक, दैनिक प्रखर समाचार, सिहावा मार्ग, धमतरी (छ.ग.) 493773
फोन : 07722 238054,
237777 (का.)

हवा चलेगी नदी बहेगी फूल खिलेगा चाँद उगेगा
इसी फ़ज़ा में, इसी ज़मीं पर मुझको मेरा चाँद मिलेगा

दुनिया की अँखों से छुपना कुछ दुश्वार नहीं है लेकिन
चाँद से बचना मुश्किल है तू जिधर चलेगा, चाँद चलेगा

उठ्ठी हैं आकाश-समन्दर में बादल की लहरें देखो
अब छोटी सी कश्ती बनकर शब-भर आधा चाँद तिरेगा

ठंठी रातों में ओढ़ेगा नील गगन बादल का कम्बल
वो बूढ़ा तापेगा अंदर जब सिगड़ी सा चाँद जलेगा

छप-छप लहरें, हवा सनन-सन इक कश्ती में होंगे दोनों
मैं लहरों में खो जाऊंगा, तू बोलेगा चाँद सुनेगा

मैं तो देख रहा हूँ तू भी देखना मेरे दिल की जानिब
तू आएगा चाँद खिलेगा, तू जाएगा चाँद बुझेगा

पेड़ को जब दौड़ने की बारहा हसरत हुई
जब हवा के पंख में परवाज़ की हरकत हुई

सर्द आहों में हुई तब्दील यूँ ख़्वाहिश मेरी
गर्म कॉफ़ी जैसे रक्खे रक्खे ही शरबत हुई

क्या करे गर ना करे दिल रोज़गारे-रंजो-ग़म
कारख़ाना-ए-मुहब्बत बन्द है, मुद्दत हुई

मैंने चाहा था जिसे वो मुझसे कोसो दूर था
और जो था पास मेरे उससे न उल्फ़त हुई

हँस पड़ा तो आदमी के क़हक़हे ग़ायब हुए
और जब रोया तो उसको अश्क की किल्लत हुई

घर के बदले जब दरो-छत-खिड़कियाँ रह जाती हैं
तब बशर रहते नहीं, परछाइयाँ रह जाती हैं

घर को चाहे जितना भर लो क़हक़हों से दोस्ता
छुपके कोने में कहीं तनहाइयाँ रह जाती हैं

घर नहीं होता कभी ख़ाली हो जाते हैं मकाँ
आहटें कुछ, यादें कुछ, कुछ सिसकियाँ रह जाती हैं

यूं तमन्नाएं हैं दिल में म्याद चुक जाने के बाद
माइके में जैसे बूढ़ी लड़कियाँ रह जाती हैं

मैं दिन की धूप से कुछ रोशनी चुराऊँगा
फिर स्याह रात के चेहरे पे मलने जाऊँगा

अभी आंधी की नज़र है मिरे नशेमन पर
मैं तितलियों का गाँव फिर कभी बसाऊँगा

वो दिन गए, जब तिरे माथे सजाने बिंदिया
मैं चाहता था, चाँद फ़लक़ से चुराऊँगा

गिरी हैं ठीक अभी उस जगह पे बिजलियाँ
जहाँ तय था मेरा कि आशियाँ बनाऊँगा

मैं अचानक किसी तूफ़ाँ से लड़ने वाला हूँ
मुझे तूफ़ाँ की ख़बर मत दो, मैं डर जाऊँगा

सेहरा में वो निशाँ ख़ूबरू दिखते हैं
पाँव जले जब गर्म रेत पे, बनते हैं

संगज़ार में सुर्ख़ फूल इक खिलता है
चट्टानों पर ख़ून बहा था, कहते हैं

मुझपे मेरा दिल मुक्के बरसाता है
आँख में आँसू लेकर वो जब हँसते हैं

बस, हमको दो जाम आख़िरी फिर देखो
हम भी कैसे तौबा-तौबा कहते हैं

बहुत नया जब लगे ज़माना तो समझो
हम भी उसको ख़ूब पुराने लगते हैं

'सदा' अम्बालवी

मूल नाम : राजेन्द्र पाल सिंह

जन्मतिथि : 20-10-1951, अम्बाला

शिक्षा : एम.ए.गणित, आई.ए.एस.

प्रकाशन : 'सदा-ए-बाज़ गश्त' (उर्दू), 'सदा-ए-दिल सद चाक' (उर्दू), 'अपना-अपना आस्मां' (हिन्दी, उर्दू, पंजाबी)। अनेक पत्र-पत्रिकाओं में रचनाएं प्रकाशित।

सम्मान/पुरस्कार: अनेक संसथाओं द्वारा सम्मानित।

सम्प्रति : पंजाब एण्ड सिंध बैंक के अध्यक्ष एवं प्रबंध निदेशक।

सम्पर्क : 3 बी, हुडको प्लेस, एन्ड्रयूज गंज, नई दिल्ली - 110049
मो. - 9868223977

अब कहां दोस्त मिले, साथ निभाने वाले
सब ने सीखे हैं अब आदाब ज़माने वाले

दिल जलाओ या दिए आंखों के दरवाज़े पर
वक़्त से पहले तो आते नहीं आने वाले

अश्क बन के मैं निगाहों में तेरी आऊंगा
ऐ मुझे अपनी निगाहों से गिराने वाले

वक़्त हर ज़ख़्म का मरहम तो नहीं बन सकता
दर्द कुछ होते हैं ता उम्र रुलाने वाले

इक नज़र देख तो मजबूरियां भी तू मेरी
ऐ मेरी लग्ज़िशों पर आंख टिकाने वाले

ये सियासत है कि लानत है सियासत पे 'सदा'
खुद है मुजरिम बने क़ानून बनाने वाले

क़दम-क़दम पे तू ऐ राह रौ क़याम न कर
मुकामे-यार से पहले कहीं मुकाम न कर

तेरे लिए तो सभी मंज़िलें मराहिल हैं
रहे-तलब के मुसाफ़िर सफ़र तमाम न कर

ये शहर है, यहां मतलब की बात होती है
ग़रज़ न हो तो पड़ोसी से भी कलाम न कर

लगे न ठेस किसी दिल पे बेरुख़ी से तेरी
भले ही मंदिर-ओ-मस्जिद का अहतराम न कर

न छेड़ ज़िक्र ग़मे-दिल का जा-ब-जा तू 'सदा'
जो ख़ास उनके लिए है वो बात आम न कर

दिल न माना, मना के देख लिया
लाख समझा बुझा के देख लिया

लोग कहते हैं दिल लगाना जिसे
रोग वो भी लगा के देख लिया

बेवफ़ाई है तेरी रग-रग में
आज़मा, आज़मा के देख लिया

ज़ख़्म दिल का है लादवा यारो
चारःगर को दिखा के देख लिया

उन से निभता नहीं कोई रिश्ता
दोस्त, दुश्मन बना के देख लिया

चार दिन और हैं यारों के ये डेरे यारो
कल किसी और के होंगे ये बसेरे यारो

वक़्त के साथ सभी नक़्श भी मिट जाएंगे
वक़्त की रेत पे जो हम ने उकेरे यारो

आंख चुंधिआई चकाचौंध से काले धन की
इन उजालों से तो बेहतर है अंधेरे यारो

तुम इन्हें गीत कहो, नज़्म कहो या कि ग़ज़ल
मैंने काग़ज़ पे कुछ आंसू हैं बिखेरे यारो

रात ख़्वाबों में बनाता है महल ढेर 'सदा'
ढेर हो जाते हैं सब सुबह-सवेरे यारो

क्यूं ये हसरत थी दिल लगाने की
थी न हिम्मत अगर निभाने की

मांगकर हम से ले लिया होता
क्या ज़रूरत थी दिल चुराने की

कौन आएगा भूल कर रस्ता
दिल को क्यूं ज़िद है घर सजाने की

रंग तुम भी बदलते हो पल-पल
ख़ूब तस्वीर हो ज़माने की

क्या मज़ा उनसे रूठने का 'सदा'
जिन को फ़ुरसत नहीं मनाने की

चन्द्रमणि त्रिपाठी

जन्मतिथि : 2-5-1952
शिक्षा : स्नातक
प्रकाशन : प्रकाशनाधीन 'मेरी राम मड़इया में' (गीत-ग़ज़ल संग्रह)। पत्र-पत्रिकाओं में रचनाएं प्रकाशित।
सम्मान : अनेक संस्थाओं द्वारा सम्मानित।
सम्प्रति : पत्रकारिता
सम्पर्क : साहित्य सम्पादक, दैनिक स्वतंत्र भारत
1, जापलिंक रोड, लखनऊ (उ.प्र.)
मो. : 9838071423

गुनाह आस्तीं में पलते हैं
और हम आईने बदलते हैं

बर्फ़ जिनका लिबास है यारो
वे कहाँ धूप में निकलते हैं

बुरा लगे तो माफ़ करिएगा
आप कुछ आदमी-से लगते हैं

माँगने से खुशी नहीं मिलती
हम तो वैसे भी कम निकलते हैं

वे अँधेरे में कभी रोते हैं
जिनके दम से चिराग़ जलते हैं

जब कोई रास्ता नहीं होता
तब कई रास्ते निकलते हैं

ठोकरों पर हो गए हैं आजकल
स्वप्न बेघर हो गए हैं आजकल

आजकल हम मुस्करा सकते नहीं
ग़म सिकन्दर हो गए हैं आजकल

छत सियासत की बपौती हो गई
लोग बंदर हो गए हैं आजकल

दर्द का धनुहा उठाओ राम जी
हम स्वयंवर हो गए हैं आजकल

आँसूओं को राजधानी सौंप दी
फिर दिगम्बर हो गए हैं आजकल

गाँव भीतर से घुना है दोस्तो
शहर लोहे का चना है दोस्तो

उस महल के द्वार पर दस्तक न दो
वो सियासत से बना है दोस्तो

जो हमारा ही लहू पीता रहा
वो हमारा सरगना है दोस्तो

रीढ़ की हड्डी नहीं गिरवी रखी
इसलिए यह सिर तना है दोस्तो

आप भी लीजै बजाकर देखिए
देश अपना झुनझुना है दोस्तो

मैंने पाई हैं दो पड़ी आँखें
काश बन जाएं हथकड़ी आँखे

एक मंज़िल गुनाह सौ, यानी
ज़रूर हैं कहीं गड़ी आँखें

आज रिश्ता जनम-जनम का है
पास बैठी थीं दो घड़ी आँखें

एक तूफ़ान के ठहरते ही
झुक गई हैं बड़ी-बड़ी आँखें

तोड़ देंगी ज़रूर आईना
हुज़ूर आपकी चढ़ी आँखें

खुद को देख, ज़माना देख
रिश्तों का बल खाना देख

सच कहने का यह अंज़ाम
रूठा हुआ ज़माना देख

पूछ न ये जीवन क्या है
ग़म आना, ग़म जाना देख

पिंजरे की मायूसी देख
पंछी का उड़ जाना देख

अब तो घर भी कहता है
कोई और ठिकाना देख

'वारिस' हस्तिनापुरी

जन्मतिथि : 1952
शिक्षा : मिडिल उर्दू हिन्दी
प्रकाशन : पत्र-पत्रिकाओं में रचनाएं प्रकाशित।
सम्मान : एक बार एक संस्था द्वारा सम्मानित।
सम्पर्क : कश्मीरी मार्केट, हस्तिनापुर (मेरठ) उ.प्र.
फोन : 9897092781

जहाने-इश्क़ के रस्ते जिन्हें लगते हैं आसां से
वो कुछ आकर सबक ले लें मेरे चाके-गरिबां से

ख़याले-यार को रुख़्सत करूँ दिल से अरे तौबा
बड़ा दुश्वार है, मुश्किल बहुत हैं मेरे इमकां से

हमारे आँसुओं ने सब सुना दी दास्ताँ दिल की
भरम यूँ खो दिया सारा टपक कर चश्मे-मिज़गां से

सितारों जो फ़शानी पर अभी जी भर के इतरा लो
अभी तो दूर है आँसू हमारे उनके दामां से

अकेला छोड़कर तो जा रहे हो क़ाफ़ले वालो
बहारें साथ लाऊंगा अगर लौटा बयांबां से

कोई जब क़ाफ़ला सूए-हरम जाते हुए देखा
बहुत रोए, बहुत तड़पे, लिपट कर हम भी अरमां से

बनाए जिनके सदके में खुदा ने दो जहां 'वारिस'
मुझे है नाज़ क़िस्मत पर मैं हूँ उनके गुलामां से

जो देखता था दरीचे से बार-बार मुझे
उसी के हुक्म से लाएं हैं सूएदार मुझे

मैं इस तरह से दबा गर्दिशों के बोझ तले
ये सर भी दोश पे लगता है अब तो बार मुझे

पयामे-वस्ल भी आया तो हाय कब आया
कज़ा ने कर दिया काँधों पे जब सवार मुझे

फिर इक बार करो वादा-ए-वफ़ा लेकिन
कुछ इस तरह से के आ जाए ऐतबार मुझे

वो कह रहे हैं जनाजे को देखकर 'वारिस'
कि जा रहा है कोई करके अश्कबार मुझे

मय के छलकते पैमानों से याराना सा लगता है
वाइज़ की गुफ़्तार का लहजा रिन्दाना सा लगता है

पीले चेहरे, भीगी आँखें, सूखे लब, बिखरे अरमां
आज़ादी का दौरे-हक़ीक़त अफ़साना सा लगता है

क्या नग़मात सुनाएं बुलबुल क्या फूलों की बात करें
हद्दे-नज़र तक शहने-गुलिस्तां वीराना सा लगता है

इल्मो-हुनर में माहिर जिसको फ़रजाना कहते हैं लोग
वो तेरे कूँचे में आकर दीवाना सा लगता है

मुझसे बिछड़ के जाने वाले तू ही नहीं तन्हा ऐ दोस्त
'वारिस' भी सारी दुनिया से बेगाना सा लगाता है

नीलाम अपने घर की शराफ़त न कीजिए
मज़हब का लेके नाम सियासत न कीजिए

इन बातों से बढ़ जाएँगे दुश्मन के हौसले
अपनों से भूल कर भी अदावत न कीजिए

अंजाम पहली बार का मालूम है मुझे
बस आप मेरे घर की हिफ़ाज़त न कीजिए

गर है नसीब में तो कभी मिल ही जाएंगे
मेरे लिये किसी से बग़ावत न कीजिए

'वारिस' हरेक लफ़्ज़ बढ़ाएगा दर्दे-दिल
माज़ी की वो किताब तिलावत न कीजिए

हमारी जीस्त का बनकर निगेहबां कौन देखेगा
छुपा रखे हैं जो सीने में अरमां कौन देखेगा

नज़र से अलविदा कहकर अकेला छोड़ने वाले
हमीं देखेंगे ये मंज़र परीशां कौन देखेगा

यहां रो-रो गुज़रती हैं क़फ़स में ज़िन्दगी अपनी
खुदा जाने वहां नज़्मे-गुलिस्तां कौन देखेगा

अदाएं नाज़ से रख दें अगर वो पांव सेहरा में
मेरी वहशत मेरा चाके-गरीबां कौन देखेगा

गुलिस्तां से तो गुज़रेंगे हज़ारों क़ाफ़िले 'वारिस'
यहां तुम क्यों भटकते हो बयाबां कौन देखेगा

रवि ज़िया

मूल नाम : रवि डोगरा
जन्मतिथि : 7-7-1952, मुम्बई
शिक्षा : एम.बी.बी.एस., डी.टी.सी.डी.
प्रकाशन : 'उजालों के सुराग़' (ग़ज़ल-संग्रह), एवं विभिन्न पत्र-पत्रिकाओं में रचनाएं प्रकाशित।
सम्मान/पुरस्कार: अनेक संस्थाओं द्वारा सम्मानित।
सम्प्रति : सिविल अस्पताल पठानकोट में बतौर मुख्य चकित्सा अधिकारी कार्यरत।
सम्पर्क : नई गार्डन कॉलोनी, नियर रेनुका मंदिर, मिशनरोड, पठानकोट 145001 (पंजाब)
फोन नं : 0186 2230942
मो. - 9814522942

पत्थरों पे नाम लिखवाने से क्या हो जाएगा
शहर में कुछ रोज़ शायद तज़करा हो जाएगा

बर्फ़ पिघलेगी तो बदलेगा शजर का पैरहन
कुछ दिनों में ज़र्द मंज़र फिर हरा हो जाएगा

क्या सुनाऊँ मैं तुम्हें शहरे-ख़िरद की दास्तां
ख़ुद-बख़ुद सब से तुम्हारा सामना हो जाएगा

एक शायर की नज़र से देखना उस को कभी
उस का चेहरा रफ़्ता-रफ़्ता फूल-सा हो जाएगा

मैंने कब सोचा था ख़्वाबों का सफ़र करते हुए
इस क़दर दीवार-ओ-दर से फ़ासला हो जाएगा

मैं भी थक जाऊँगा अपनी ख़्वाहिशों से हार के
तू भी इक दिन इस सफ़र से अनमना हो जाएगा

घर से निकलूंगा 'ज़िया' किस अजनबी की चाह में
शहर का हर शख़्स जिस दिन आशना हो जाएगा

जिस्मों के दरमियां कोई दीवार भी नहीं
और दिल तेरे विसाल का हक़दार भी नहीं

ख़ुशबू बुला रही है मगर जाने किस तरफ़
हद्दे-निगाह तक कोई गुलज़ार भी नहीं

आंखों में दर्द दिल में मुसलसल उदासियां
कहने को लोग शहर के बीमार भी नहीं

मैं ही तेरे ख़याल को रुसवा न कर सका
वरना किसी को भूलना दुशवार भी नहीं

दिल जिस गई बहार का है मुंतज़र 'ज़िया'
अब उसके लौट आने के आसार भी नहीं

घूप, छांव और बरसातें लिख देना तुम
ख़त में ये सारी बातें लिख देना तुम

जाने पहचाने चेहरों की बस्ती में
कुछ बेनाम मुलाक़ातें लिख देना तुम

अपने तन्हा कमरे की दीवारों पर
ये लम्बी सूनी रातें लिख देना तुम

तुम तो दरिया हो प्यासों की झोली में
मंज़र मंज़र बरसातें लिख देना तुम

मिल कर भी मुश्किल हो जब इज़हार 'ज़िया'
ग़ज़लों में दिल की बातें लिख देना तुम

बेजान दर-ओ-बाम में ये किस की सदा है
दीवार है और उस पे कोई नाम लिखा है

मैंने तो ये मंज़र कहीं देखा न सुना है
हर रात जो आंखों में उतरता है वो क्या है

कहने को नए मोड़ कई आए सफ़र में
दिल है कि उसी मोड़ पे मुद्दत से रुका है

मुश्किल है बहुत मिलना यहां फिर से बिछड़ कर
रुक जाओ अगर कोई तुमें रोक रहा है

क्यूं ज़हन में अब नक़्श कोई टिक नहीं पाता
हर सम्त 'ज़िया' डूबते चेहरों की सदा है

तंग-दस्ती में वही मंज़र सुहाना हो गया
जिस तरफ़ जाकर मयस्सर आबो-दाना हो गया

क्यूं मेरे बालों की चांदी देखकर हैरान हो
हमको बिछड़े भी तो आख़िर इक ज़माना हो गया

जब से रुख़सत हो गए ऊंची हवेली के मकीं
पंछियों की शब-गुजारी का ठिकाना हो गया

देखने को अब नया कुछ भी नहीं इस शहर में
हर गली हर मोड़ हर चेहरा पुराना हो गया

पेड़ आंगन में लगाया था ये कल की बात है
देखते ही देखते बरसों पुराना हो गया

अजय ढींगरा 'अजय'

जन्मतिथि : 5-8-1952, शिवपुरी (म.प्र.)
शिक्षा : बी.एससी., आर.डी.एस.
प्रकाशन : पत्र-पत्रिकाओं में रचनाएं प्रकाशित।
सम्मान : अनेक संस्थाओं द्वारा सम्मानित।
सम्प्रति : डेण्टिस्ट एण्ड ऑप्टीशियन। वर्तमान में बज़्मे-उर्दू, शिवपुरी में महासचिव।
सम्पर्क : ढींगरा डेण्टल एण्ड ऑप्टीकल्स, धर्मशाला रोड, शिवपुरी (म.प्र.) 743551
फोन : (07422) 508921

ख़्वाब की गर हम से तामीर नहीं होती
इतनी अच्छी अपनी तक़्दीर नहीं होती

गर मुसव्विर का करम हम पे नहीं होता
इस जहाँ में अपनी तस्वीर नहीं होती

ज़िंदगी घुट-घुट के तन्हा ये गुज़र जाती
गर बनी रिश्तों की ज़ंजीर नहीं होती

हम कभी जौहर नहीं अपने दिखा पाते
सामने गर अपने शमशीर नहीं होती

पूछता दुनिया में फिर कौन 'अजय' किस को
प्यार की गर पास जागीर नहीं होती

बोलिये ज़रूर बोलिये
पहले पर ज़ुबान तोलिये

तल्खियाँ मिटेंगी खुद ब खुद
मिश्री तो बयां में घोलिये

रिश्ता तोड़कर गई ख़ुशी
हम ग़मों के साथ हो लिये

लुत्फ़े-ज़िंदगी के वास्ते
मौसमों से साथ हो लिये

उसकी जानता है वो 'अजय'
आप सच हमेशा बोलिये

कौन सी ये राह पर चलने लगे हैं लोग
वक़्त से पहले ही अब मरने लगे हैं लोग

वास्ता रखते नहीं इक दूसरे से अब
देखते ही देखते बंटने लगे हैं लोग

उठ गया अपना भरोसा इस ज़माने से
दोस्त बन कर दोस्त को ठगने लगे हैं लोग

इस क़दर नीचे गिरे उठना हुआ मुश्किल
बेच कर ईमान को सजने लगे हैं लोग

देखते नज़रें उठा कर अब नहीं खुद को
आईने से इस क़दर डरने लगे हैं लोग

आ गए हम ये कैसे जहाँ में
काग़ज़ी फूल हैं गुलसिताँ में

खो गया आदमी आजकल का
काँच के झिलमिलाते मकाँ में

चाँद दिखता न सूरज चमकता
छा गया कौन ये आस्माँ में

अक्स ओझल हुआ आईने से
आ गया कौन ये दरमियाँ में

हाल उसका 'अजय' क्या सुनाएं
दर्द ही दर्द था दास्ताँ में

गुलों की ले के सुर्खियाँ हवा गई अभी-अभी
उजाड़ कर ये गुलसिताँ हवा गई अभी-अभी

बनाया हमने था जिसे तो तिनका-तिनका जोड़कर
गिरा के पल में आशियाँ हवा गई अभी-अभी

किनारे लगने वाले थे ज़रा सी देर में मगर
डुबो के अपनी कश्तियाँ हवा गई अभी-अभी

ज़मीं से आस्मान तक जिधर नज़र गई धुआँ
जला के अपनी बस्तियाँ हवा गई अभी-अभी

पलक झपक न पाए थे कि हादसा गुज़र गया
बना के ग़म की दास्ताँ हवा गई अभी-अभी

तेजेन्द्र शर्मा

जन्मतिथि : 21-10-1952, जगरांव (पंजाब)

शिक्षा : एम.ए. (अंग्रेज़ी)

सम्प्रति : सिलवर लिंक रेलवे (लंदन)

सम्पर्क : 74-A, palmerston Road, Harrow & wealdstone, HA3 7RW, Middx, U.K.

ये जो तुम मुझको मुहब्बत में सज़ा देते हो
मेरी ख़ामोश वफ़ाओं का सिला देते हो

मेरे जीने की जो तुम मुझको दुआ देते हो
फ़ासले लहरों के साहिल से बढ़ा देते हो

अपनी मग़रूर निगाहों की झपक कर पलकें
मेरी नाचीज़ सी हस्ती को मिटा देते हो

हाथ में हाथ लिए चलते हो जब ग़ैर का तुम
मेरी राहों में कई कांटे बिछा देते हो

तुम जो इतराते हो माज़ी को भुलाकर अपने
मेरी मजबूर सी यादों को चिता देते हो

ज़बकि आने ही नहीं देते मुझे ख़्वाबों में
मुश्किलें और भी तुम मेरी बढ़ा देते हो

राह में देख के भी देखते तुम मुझको नहीं
दिल में कुछ जलते हुए ज़ख़्म लगा देते हो

जो तुम न मानो मुझे अपना, हक़ तुम्हारा है
यहां जो आ गया इक बार, बस हमारा है

कहां कहां के परिन्दे, बसे हैं आ के यहां
सभी का दर्द मेरा दर्द, सब ख़ुदारा है

नदी की धार बहे आगे , मुड़ के न देखे
न समझो इसको भंवर अग यी किनारा है

जो छोड़ आये बहुत प्यार है तुम्हें उससे
बहे बयार जो, समझो न तुम, शरारा है

यह घर तुम्हारा है इसको न कहो बेगाना
मुझे तुम्हारा, तुम्हें अब मेरा सहारा है

घर किसने किसी ग़ैर का आबाद किया है
शिद्दत से आज,दिल ने उसे याद किया है

जग सोच रहा था कि है वो मेरा तलबगार
मैं जानता था उसने ही बरबाद किया है

तू ये न सोच, शीशा सदा सच है बोलता
जो ख़ुश करे वो आईना, ईजाद किया है

सीने में ज़ख़्म हैं मगर टपका नहीं लहू
कैसे मगर ये तुमने ऐ सय्याद किया है

तुम चाहने वालों की सियासत में रहे गुम
सच बोलने वालों को नहीं शाद किया है

अजब सी बात है अजब सा ये फ़साना है
कि अपने शह्र में अपना नहीं ठिकाना है

वतन को छोड़, इस शह्र से बनाया रिश्ता
यहां मगर न कोई यार, न याराना है

सुबह की सर्द हवाओं से लड़ता जाता हूं
शाम तक थक के चूर हो के लौटा आना है

मगर वो कुछ तो है जो मुझको यहां रोके है
इसी को अब मुझे अपना वतन बनाना है

यहां समझते हैं इन्सान को सभी इंसां
तभी तो अब मुझे वापिस न गांव जाना है

थक गया हूं अब तो मैं दिन-रात की तकरार से
गोया टूटा हो मुसाफ़िर रास्तों की मार से

अब तलक है आस मुझको क्योंकि बाक़ी सांस है
जीते जी शायद वो मुझसे बात करले प्यार से

जो भी आया झोलियां भर कर गया अपनी मगर
मैं ही लौटा हाथ ख़ाली आपके दरबार से

ऐ जहां वालो भला क्यों आपको इल्ज़ाम दूं
मैं परेशां हूं बहुत, ख़ुद अपने ही किरदार से

देखते रह जाइयेगा मेरे क़दमों के निशां
जब चला जाऊंगा इक दिन दूर इस संसार से

पारसनाथ बुल्ली

मूल नाम : पारसनाथ बुलचंदानी
जन्मतिथि : 4-2-1953, ग़ाज़ीपुर (उ.प्र.)
शिक्षा : एम.ए. (राजनीतीशास्त्र), एम.बी.ए., डिप्लोमा इन लेबर लॉज, एल.एल.बी.
प्रकाशन : अनेक पत्र-पत्रिकाओं में रचनाएं प्रकाशित।
सम्मान/पुरस्कार: अनेक संस्थाओं द्वारा सम्मानित।
सम्प्रति : अधिवक्ता।
सम्पर्क : 1377/8, फ़रीदाबाद, हरियाणा।
फोन : 0129 6579067
मो. - 9213658877

किस लिए खुद से ख़फ़ा है, ये बता तो आख़िर
किसके दामन में वफ़ा है, ये बता तो आख़िर

ज़िंदगी जी लिए, कुछ मर लिए, कुछ बाक़ी है
कौन इस सबसें जुदा है, ये बता तो आख़िर

डूबती कश्तियाँ वैसे तो बुरा मंज़र है
वक़्त से कौन बचा है, ये बता तो आख़िर

इंतिहा तक भी पहुंच जाएगा तेरा चलना
दो क़दम पर क्यों रुका है, ये बता तो आख़िर

मुश्किलें आ गई 'पारस' मुकाबिल हो जा
डर के फिर कौन उठा है, ये बता तो आख़िर

मुश्किलों में भी मुस्कराते हो
किस तरह खुद को आज़माते हो

एक आँसू किसी का पौंछ दिया
बंदगी हो गई बताते हो

हर मुसाफ़िर को हौसला देकर
दीप राहों में तुम जलाते हो

कैसे होते हैं दोस्त दुनिया में
अपने किरदार से दिखाते हो

आज 'पारस' कहा है लोगों ने
तुम तो सोए हुए जगाते हो

सब्र की सख़्त नज़र है प्यारे
सब्र सदियों का सफ़र है प्यारे

दहशतें सर पकड़ के बैठी हैं
एक कमज़ोर ख़बर है प्यारे

आप अब शोर के, नहीं हक़ में
चुप्पियों का ये असर है प्यारे

फ़ैसला जल्द हो तो बेहतर है
तू इधर है कि उधर है प्यारे

याद सांसों में रवां है 'पारस'
बंदगी आठ पहर है प्यारे

अपना दामन ही तार-तार मिला
कैसा उलझा हुआ, किरदार मिला

मिल गया एक दिन वो फ़ुरसत से
जैसे डूबा हुआ उधार मिला

मंज़िलें ख़ाक तय हुई होंगी
जो भी गुज़रा वो गिरफ़्तार मिला

वक़्त आया तो टिक नहीं पाए
हौसला जिनसे बार-बार मिला

किसने फिर से जगा दिया 'पारस'
आज एक शख़्स बेक़रार मिला

आप बचते रहे ज़माने से
लोग मिलते रहे बहाने से

इन मिसालों में एक साज़िश है
यूँ शिकायत हुई फ़साने से

आप इन्साफ़ के पुजारी हैं
बाज़ आएं उन्हें बचाने से

सूरते-हाल ही नहीं बदली
पूछकर देख ले सयाने से

जानता हूँ मैं आपको 'पारस'
आप ख़ामोश हैं ज़माने से

अनिल अनवर

जन्मतिथि : 20-2-1953, सीतापुर (उ.प्र.)

शिक्षा : बी.एस सी., इलेक्ट्रानिक्स यांत्रिकी में डिप्लोमा

प्रकाशन : गद्य-पद्य की अनेक रचनाएं विभिन्न पत्रिकाओं में प्रकाशित। त्रैमासिक 'मरुगुलशन' का 1995 से नियमित प्रकाशन/सम्पादन।

सम्मान/पुरस्कार: अनेक संस्थाओं द्वारा सम्मानित।

सम्प्रति : वायुसेना में 21 वर्षों तक सेवा उपरांत स्वैच्छिक सेवा निवृत्ति। पूर्णकालीन साहित्यिक सेवा में रत।

सम्पर्क : 33, व्यास कोलोनी, एयर फोर्स, जोधपुर (राज.) 342001
फोन : 0291 2626917
मो. 9413258971

ख़ुदा! यह कैसे ग़मों से गुज़रना पड़ता है
कि संग सीने पे हँस कर भी धरना पडता है

न तो मिज़ाज मिले और न ही दिल जिस से
निबाह ऐसे बशर से भी करना पड़ता है

किसी की मौत पे क्या मर्सिया कहा जाए
जहाने-फ़ानी में सब को ही मरना पड़ता है

अगरचे सह्बा नहीं है इलाज़े-दर्दे-दिल
मगर जो जाम हो खाली तो डरना पड़ता है

जमाना कैसा यह बदला है चन्द बरसों से
शरीफ़ लोगों को गुण्डों से डरना पड़ता है

मगर वो ख़ालिके-कुल खूब है आदिल 'अनवर'
गुनाह जो करे उस को ही भरना पड़ता है

वो फिर हमारे सर की उठाने लगे क़सम
क्या झूठ कह रहे हैं कि खाने लगे क़सम

हम को तो शक नहीं हुआ उनके बयान पर
है चोर उन के दिल में जो खाने लगे क़सम

क़समों का ऐतिबार क्या किसने निभाईं, ये
हाकिम अदालतों में दिलाने लगे क़सम

अब ऐसे लोग हैं कहां दुनिया में आज कल
सब कुछ लुटा के भी जो निभाने लगे क़सम

लिल्लाह! फिर क़सम कोई 'अनवर' न खाईये
कोई नया सितम न ये ढाने लगे क़सम

हमने सीखा है ज़माने में यह रुसवाई से
दिल का अफ़साना कहों मत किसी हरजाई से

मौअतबर कोई नहीं दौरे-ज़माना है बुरा
बच सको तो बचो खुद अपनी भी परछाई से

राज़े-दिल जान कर दे दें न दग़ा पल भर में
बाज़ दुश्मन नज़र आते हैं सगे भाई से

महफ़िलों में न लगे जी तो यह जी करता है
जा के बातें करें हम दश्त में तन्हाई में

नुक्ताचीनी की तेरी हम को नहीं है परवाह
ख़ौफ़ खाते है तेरी हौसला-अफ़ज़ाई से

कैसे बनेगी बात वफ़ा की यक़ीन की
मेरे तुम्हारे बीच में दीवार चीन की

ताज़िंदगी बना न सके सिर्फ़ इक मकान
ऊंची है आसमान से क़ीमत ज़मीन की

ग़द्दार मुल्क के कहीं बाहर न ढूंढिये
सापों को है तलाश किसी आस्तीन की

हम भी मसर्रतों के समुन्दर में डूब लें
नज़रे-करम मिले तो किसी नाज़नीन की

'अनवर' न उस बशर से तअल्लुक रखो कभी
जो क़द्र तक न कर सके ईमानो-दीन की

हाये! सहरा में किसी नख़्ल का साया ही नहीं
कोई हमदर्द मेरे दर्द ने पाया ही नहीं

एक ही शख़्स जो अपना सा मुझे लगता था
हाले-दिल उस से मैंने तो बताया ही नहीं

या तो समझो कि यहां कोई नहीं है अपना
या यह मानो कि यहां कोई पराया ही नहीं

नग़्माज़न कौन है इस दश्त की तन्हाई ने
इतना मीठा तो किसी बज़्म में गाया ही नहीं

एक ही नूर से रौशन है यह दुनिया 'अनवर'
अपना सानी कोई ख़ालिक ने बनाया ही नहीं

सागर त्रिपाठी

मूल नाम : राम सागर पृथ्वीपाल त्रिपाठी
जन्मतिथि : 25-3-1953, गौरा (सुल्तानपुर)
शिक्षा : एल.एल.बी., एम.बी.ए.
प्रकाशन : ग़ज़ल, दोहा, छंद, कवित्त विधा की लगभग 5000 रचनाएं (कुछ प्रकाशित कुछ अप्रकाशित)। अनेक पत्र-पत्रिकाओं में रचनाएं प्रकाशित।
सम्मान/पुरस्कार: देश-विदेश की अनेक साहित्यिक संस्कृतिक, सामाजिक संस्थाओं द्वारा सम्मानित।
सम्प्रति : पृथ्वी ग्रुप (प्रकाशन, निर्माण निगम, प्लान्टेशन, फाउण्डेशन) के मालिक।
सम्पर्क : 1/25, पुष्प विहार, कुलाबा, मुम्बई-4000055
फोन : 022 22152915
मो. - 9820052915, 9920052915

अश्क पीकर भी अगर मय की ख़ुमारी है तो है
दिल की बाज़ी जीतकर भी हमने हारी है तो है

झूठ सच में है मुसलसल एक ही जद्दो-जहद
दो दिलों के दरमियाँ इक जंग है जारी है तो है

ताज है कश्मीर, दिल दिल्ली है, धड़कन मुंबई
पाँव माँ के धो रही कन्या कुमारी है तो है

मंदिरों की घंटियों से उठ रही है अब अज़ान
आरती मस्जिद ने मंदिर की उतारी है तो है

दास्ताँ दिल की तरन्नुम से सुनाता हूँ मगर
आपकी नज़रों में ये नग़मा-निग़ारी है तो है

दौरे-हाज़िर में सियासत का सही रंग देखिये
नाचता बंदर के हाथों में मदारी है तो है

अदाओं में रियाकारी बहुत है
सियासत में अदाकारी बहुत है

ये वो जाने कि उसके दिल में क्या है
ज़ुबाँ पर तो वफ़ादारी बहुत है

छुपाने के हुनर आए न अब तक
बताने में भी दुश्वारी बहुत है

ख़ुदा से भी नहीं कुछ मांगता हूँ
उसी ने दी जो ख़ुद्दारी बहुत है

रफ़ाक़त रास ही आई न हमको
लबे-शीरी की बस यारी बहुत है

वफ़ा की हद मुक़र्रर हो गई है
शरर की ताब अब तर हो गई है

बस इक किरदार तेरा डालने से
कहानी और बेहतर हो गई है

कहाँ का इश्क़ ये कैसी मोहब्बत
वफ़ा कम से भी कमतर हो गई है

मैं उसकी बदनसीबी बन गया हूँ
किसी का वो मुक़द्दर हो गई है

हया पर लग गए पैबन्द इतने
किसी मुफ़्लिस की चादर हो गई है

इधर उधर की बात बना कर
चला गया मुझको बहलाकर

उल्फ़त में दिल की तहरीरें
नज़रों से चुपचाप लिखाकर

पलकों पर लेकर आया है
सूरज तारे चाँद सजाकर

ग़म की गर लज़्ज़त लेना है
ज़ख़्मों को कुछ और हरा कर

इश्क़े-जुनूँ में मिटने की ज़िद
ज़हर पी गया खूब हिलाकर

सियाह रात में सतरंग घोलता हूँ मैं
हर एक शय में तुझे ही टटोलता हूँ मैं

सरापा सच हूँ मुझे कब तलक छुपाओगे
सिलोगे होंठ तो आँखों से बोलता हूँ मैं

बस इस ख़याल से ख़ामोश हो गया हूँ मैं
कहें न लोग कि दिन रात बोलता हूँ मैं

मेरी बिसात को शीशे में ढालते हो तुम
तुम्हारे अज़्म को आँखों में तोलता हूँ मैं

गुमाने-इश्क़ में 'सागर' हिलोर लेता है
तुम्हारे दिल की गिरह जब भी खोलता हूँ मैं

सुशील कुमार गौतम

जन्मतिथि : 28-3-1953, कटनी (म.प्र.)
शिक्षा : बी.एससी.
प्रकाशन : अनेक पत्र-पत्रिकाओं में रचनाएं प्रकाशित।
सम्प्रति : भा.जी.बीमा निगम में कार्यरत
सम्पर्क : शासकीय नेहरु डिग्री कालेज के पास,
बुढ़ार, जिला- शहडोल (म.प्र.) 484110
मो.- 9826394474

हमने लिखा न और कुछ, जबसे ग़ज़ल लिखने लगे
ना मिले दुनिया से जबसे, तुमने हम मिलने लगे

बेला, जुही, चम्पा, चमेली, बाग में दिखते नहीं
कांटों पर और कैक्टसों पर फूल अब खिलने लगे

कोई बरगद अब किसी को बौना कर पाए नहीं
बरगदों के पेड़ भी अब गमलों में सजने लगे

हमने की मेहनत-मशक्कत तब हमें शोहरत मिली
देखकर शोहरत हमारी, लोग क्यों जलने लगे

नेकी नज़र आने लगे, हमको बदी में भी अगर
फिर तो सही संसार, हमको स्वर्ग सा लगने लगे

बिन मरे तो स्वर्ग भी देखो कभी मिलता नहीं
बिन तपे सोना कभी भी, स्वर्ण बन बिकता नहीं

तू मिटाकर देख ले, अपनी ज़रा हस्ती कभी
मर्तबा ऐसा न कोई, जो कि मिल सकता नहीं

जो कहो करके दिखाओ, देख हित होगा तभी
घोषणाओं से महज़ ये देश तो चलता नहीं

उम्र भर लड़ता रहा अन्याय, अत्याचार से
झुक गई मेरी कमर पर सर कभी झुकता नहीं

'ये' मिले और 'वे' मिले 'गौतम' मिले लाखों यहां
पर कहें इन्सान जिसको, शख़्स वो मिलता नहीं

जीवन का नहीं दर्द तो नादार है ग़ज़ल
शब्दों का फ़क़त खेल है व्यापार है ग़ज़ल

साग़र, शराब, साक़ी, ज़ुल्फ़ों से खेलती
महलों के गीत गाती बेजार है ग़ज़ल

भरने को पेट देखो पत्थर वो तोड़ती
लगती जो चोट दिल पे वो मार है ग़ज़ल

हंसते हुए ही उसने था पी लिया ज़हर
मीरा का श्याम से था वो प्यार है ग़ज़ल

दुल्हन बनाके बेटी जबसे बिदा करी
'गौतम' के आंसुओं की वो धार है ग़ज़ल

अपनी भी ज़रा सोच ज़माने को सताने वाले
घर तेरा भी जलेगा दुनिया को जलाने वाले

अपना सा सब समझने लगें दूजों के दर्द को भी
दुनिया में फिर न होंगे दुनिया को सताने वाले

पल भर में दूर होंगी दुनिया की दूरियां देखो
गर दिल से दिल मिलालें हाथों को मिलाने वाले

अपना भी गिरेबान कभी झांक कर तो देख ज़रा
दूसरों के दोषों को सरे आम गिनाने वाले

'गौतम' की अगर मानो सब प्यर से रहना सीखें
दुनिया में अमर होते बस प्यार लुटाने वाले

सूख जाए गर नदी तो ग़म नहीं
आंख में आंसू हमारे कम नहीं

सांत्वना से सूख जाते ज़ख़्म वे
अब तलक जिनका बना मरहम नहीं

सूख जाएगी गरीबी की फ़सल
है चुनावी घोष इसमें दम नहीं

जानते हम एक दूजे का पता
मिल मगर पाते कभी भी हम नहीं

और जो हो, आदमी वे है नहीं
देख पीड़ा आंख जिसकी नम नहीं

'स्वप्नेश'

मूल नाम : आर.एस. शाक्यवार
जन्मतिथि : 10-4-1953, जालौन (उ.प्र.)
शिक्षा : स्नातक
प्रकाशन : 1. रूपधरा दानव का
2. चले गये जो मधुशाला
3. हिन्दुस्तान हमारा है।
सम्मान : श्री वीरेन्द्र केशव साहित्य परिषद टीकमगढ़ द्वारा 7-10-2007 को 'बुन्देल साहित्यश्री' उपाधि से अलंकृत।
सम्प्रति : वर्तमान में सहायक वाणिज्यिक कर अधिकारी के रूप में टीकमगढ़ में पदस्थ।
सम्पर्क : 42, शान्ति विहार, दर्पण कॉलोनी के पास, आर.के. पुरी, ग्वालियर (म.प्र.) 474011
दूरभाष : फोन : (07683) 244489 कार्यालय
मो. : 93296-75642

बच गई थी भंवर से जो नैया मेरी, क्या पता था किनारे पे बह जाएगी
न भरोसा था पहली मुलाक़ात ही, ऐ सनम आख़िरी होके रह जाएगी

कितनी हसरत थी पहली मुलाक़ात की, ये मुलाक़ात ही ख़्वाब सा बन गया
झटका था ज़ोर का, धीरे से लग गया, ज़िन्दगी चुपके से ये भी सह जाएगी

ज़िन्दगी में न खाईं है कम ठोकरें, ठोकरें खाके ही हम संभलते रहे
ठोकरों में है ये सबसे ठोकर बड़ी, न भरोसा जुबां किससे कह जाएगी

जुल्म सह-सहके जुल्मी न बन जाएं हम, रात दिन अब यही डर सताता हमें
हम न कर बैठें उन पर भी कोई सितम, उनकी नज़रों में क्या साख रह जाएगी

गर हसीं तुम हो तो, हम जवां कम नहीं, बांध लेना मेरी बात को गांठ में
खो न जाएं कहीं, आज की भीड़ में, तू तड़पती ज़माने में रह जाएगी

हो गया आज मायूस 'स्वप्नेश' भी, देखते-देखते राह वो थक गया
हाल दिल का ये पथराई आंखें सनम, बेरहम इस ज़माने से कह जाएगी

ये क्या हुआ कि, वो मेरी पहचान बन गया
ईमान बन गया, मेरा ईमान बन गया

तिनका जो जा रहा था, अभी तैरता हुआ
तुमको ख़बर, जहाज का कप्तान बन गया

राहों के पेचो-कर्ब के, तेवर समझ लिये
ये कौन है, कि जो मेरा भगवान बन गया

जन्नत की राह इस क़दर, आसान तो नहीं
चाहत जिसकी में आदमी, शैतान बन गया

'स्वप्नेश' तुमने देखा, इशारा फ़क़ीर का
कल तक जो ख़ाकसार था, सुल्तान बन गया

मुस्करा क्या दिये, रास्ता मिल गया
प्यार का इक नया, सिलसिला मिल गया

कबसे वीरान था, ज़िन्दगी का चमन
आ गए आप, तो दिल से दिल मिल गया

घिर गईं जब, अंधेरे की परछाइयां
राह में इक दिया, यकबयक जल गया

कुछ समय बादलों ने, जो सूरज ढका
मुस्कराकर कहें, देखो दिन ढल गया

स्वप्न पूरा हुआ, आज 'स्वप्नेश' का
आगे बढ़ने का जो, रास्ता मिल गया

तेरे प्यार की गर, निशानी न होती
मेरी भूल इतनी, सुहानी न होती

अगर तुम न मिलते, तो हम भी न होते
शुरू प्यार की ये, कहानी न होती

ये जोशे-मुहब्बत, ये रंगीन चाहत
न होती, अगर शब सुहानी न होती

अगर दो क़दम भी, भले साथ होते
हमें उनसे इतनी, ग्लानी न होती

'स्वप्नेश' ये भी, न मिलता सहारा
जो पहचान उनसे, पुरानी न होती

भूले से इनको छूना मत, न सोचो नए परिन्दे हैं
इनकी नज़रों से दूर रहो, जालिम शैतान के बन्दे हैं

ये बातें बहुत बनाते हैं, इनकी बातों में मत आना
जितने बाहर से साफ़ हैं ये, उतने अन्दर से गन्दे हैं

रुपयों का लेना-देना तो, है बड़ी ज़रूरत इन्सां की
तुम जिन टेपों की बात करो, वे महज चुनावी फन्दे हैं

कर जाएं बहुत, कुछ न बिगड़े, ये बहुत बड़े जादूगर हैं
दुनिया वाले सब समझ रहे, ये उनके गोरखधन्धे हैं

है दुखी आज 'स्वप्नेश' यारो, इस देश का क्या होगा
कण-कण में भ्रष्टाचार बसा, अब ये हो गए दरिन्दे हैं

जगदीश प्रकाश चौहान

जन्मतिथि : 12-4-1953, महू (म.प्र.)

शिक्षा : एम.ए.डी.ए.सी. 'आयुर्वेद रत्न'।

प्रकाशन : कई पत्र-पत्रिकाओं में लेखन।

सम्प्रति : महू में काव्य लेखन।

सम्पर्क : 2309, अजंता टेंट हाऊस, लूनियापुरा चौराहा, महू-453411 (म.प्र.)
फोन : (07324) 228129, 324446
मो. : 9977034803

कोई समझा है न समझेगा ये अफसाने
क्यों जल-जलके मरा करते हैं परवाने

अजीब शय है मोहब्बत भी इस जमाने में
खुद तड़फने के लिये करते हैं इश्क दीवाने

उनके आने की खबर पाते ही बहकते हैं कदम
खुदबा-खुद नाचने लगते हैं जामों-पेंमाने

खुदा की कुदरत का करिश्मा तो देखिये जनाब
नजरें मिलते ही धड़कने लगते हैं जवां दिल अंजाने

प्यार के बदले दर्द ही दर्द मिला हमको
राज उल्फत का जगदीश ही तो बस जाने

अपनों ने किया जब भी किनारा कभी-कभी
गैरों ने दिया है बढ़के सहारा कभी-कभी

माली ने उजाड़े हैं परिंदों के घोंसले
सैयाद ने भी पंख संवारा कभी-कभी

रातों की तन्हाई में जब हम थे अकेले
अश्कों को पीके वक्त गुजारा कभी-कभी

ये तिश्नगी ये मयकदा साकी छलकते जाम
मिलता है देखने को ये नजारा कभी-कभी

अक्सर हमें अपनों ने धोखा दिया 'जगदीश'
देखा न पीछे मुड़कर जो पुकारा कभी-कभी

हर तरफ़ शोर है, होश में रहना
साज़िशों का ज़ोर है, होश में रहना

क़दम-क़दम पर राहज़न हैं खड़े
ठगी का दौर है, होश में रहना

कल ही लूटा था सरे आम उसे
आज कोई और है, होश में रहना

कैसे बच पाएगी झोंपड़ी उसकी
आँधियों का ज़ोर है, होश में रहना

इस ग़ज़ल का हर एक शे'र 'जगदीश'
काबिले-ग़ौर है, होश में रहना

छिप गये हो तो फिर सामने आते क्यों हो
अपने ओठों पे मेरा नाम भी लाते क्यों हो

कैसे भुलेंगे तेरे साथ बिताए लम्हें
भूली बातों को याद दिलाते क्यों हो

पास आते भी नहीं दूर जाते भी नहीं
अपने दिलदार को इतना सताते क्यों हो

दोस्त हो दुश्मन हो, बताओ तुम क्या हो
गैर के साथ मेरे कूंचे से जाते क्यों हो

नाम लिखकर 'जगदीश' अपने नाम के साथ
बाद में उनको किताबों से मिटाते क्यों हो

कब तक रूलाएगें ये बम के धमाके
आतंक मचाएगें ये बम के धमाके

कायरता में बदल गई है सहनशीलता हमारी
बुजदिल बनाएगें ये बम के धमाके

मंदिर में मस्जिद में ट्रेनों में बजारों में
लाशें ही बिछाएगें ये बम के धमाके

हर तरफ छिपे बैठे हैं लादेन-ओ-मुर्शफ
वतन यूंही जलाएगें ये बम के धमाके

जिंदा हैं हम या मुरदा कौम हैं 'जगदीश'
ऐसे ही आजमाएगें ये बम के धमाके

रोशन लाल 'रोशन'

जन्मतिथि : 4-1-1954, बेतिया पं. चम्पारण (बिहार)
शिक्षा : एम.ए. (हिन्दी), पी-एच.डी., बी.एड.
प्रकाशन : अनेक पत्र-पत्रिकाओं में रचनाएं प्रकाशित। ग़ज़ल, मुक्त छंद, हाइकू गीत लेखन। 'हमारी बस्ती में' (ग़ज़ल संग्रह)। 'समय-संवाद' का सम्पादन जून 2007 से
सम्मान : अनेक संस्थाओं द्वारा सम्मानित।
सम्पर्क : बी-17/33-सी-2, तिलमांडेश्वर वाराणसी (उ.प्र.) 221001

पुस्तक क़लम दवात रिसाले ख़रीद लो
साहित्य के हैं जितने हवाले ख़रीद लो

सूरज को रूढ़ियों के लबादों से ढांक दो
फिर ज़ुल्मतों के नाम उजाले ख़रीद लो

कोई भी सच न बोल सके झूठ के खिलाफ
बाज़ार में हैं जितने भी ताले ख़रीद लो

दंगों में काम आएंगे या फिर चुनाव में
ख़ंजर तमाम मोल लो, भाले ख़रीद लो

शायद तुम्हारा पेट भरेगा इसी तरह
हम मुफ़लिसों के मुंह के निवाले ख़रीद लो

ईमान बेचकर कहीं किरदार बेचकर
मूल्यों के सारे शाल-दुशाले ख़रीद लो

भगवान बोलता है न ईश्वर ही कुछ कहे
मस्जिद ख़रीद लो कि शिवाले ख़रीद लो

हम चाह कर भी दिल को न अपना बना सके
तुम चाहे जितने चाहने वाले ख़रीद लो

ज़िन्दगी वो सफ़र है कर्फ़्यू का
हर क़दम पर शजर है कर्फ़्यू का

तंग-नज़री कि तंग-दामानी
टहनी-टहनी समर है कर्फ़्यू का

अब भी सद्भावना की बस्ती में
रात-दिन दर्दे-सर है कर्फ़्यू का

उनके दिन ईद, रात दीवाली
हम ग़रीबों का घर है कर्फ़्यू का

सच से भयभीत कौन है 'रोशन'
सबके सीनों में डर है कर्फ़्यू का

साक्ष्य सभी खो कर भी बोले
सच तो चुप हो कर भी बोले

गिरने वाले! अन्धा है क्या
रस्ते की ठोकर भी बोले

श्रम को सुनना करना पड़ता
पूंजी जो सोकर भी बोले

क़ातिल का ख़ंजर छुप जाए
हाथ लहू धोकर भी बोले

कान धरे अधिकार न किंचित
मजबूरी रोकर भी बोले

ग़ैर कह कर मुझे पुकारेगा
क्या मेरा दोस्त मुझ से हारेगा

ताड़ को आसमान कहता है
कौन कमज़र्फ़ को उतारेगा

रूढ़ियों में घिरा हुआ इन्सान
नफ़्स का आइना संवारेगा

कथ्य के फल उसे मिलेंगे जो
शब्द की आरती उतारेगा

जो भी चाहेगा मुझसे जीतेगा
जो भी सोचेगा मुझसे हारेगा

लोग घर-घर बनाने लगे आइने
शहर में सब दिखाने लगे आइने

घुल गया है लहू में ये बाज़ार-वाद
नग्नता को भुनाने लगे आइने

हमने ज़ख़्मों से पर्दा हटाया ही था
लीजिए मुस्कराने लगे आइने

तब्सरा जब न कर पाए हालात का
खीजकर मुंह चिढ़ाने लगे आइने

ये सियासत की फ़ित्नागरी देखिये
पत्थरों को बचाने लगे आइने

राजेन्द्र टोकी

जन्मतिथि : 10-1-1954, लुधियाना
शिक्षा : एम.ए. (हिन्दी), एम.फिल., पी-एच.डी., डी.लिट.
प्रकाशन : 3 काव्य संग्रह, 1 कहानी-संग्रह, 3 आलोचना, 2 सम्पादित, 5 उर्दू से देवनागरी में सम्पादित।
सम्मान : प्राध्यापन
सम्प्रति : अनेक संस्थाओं द्वारा सम्मानित।
सम्पर्क : अध्यक्ष, हिन्दी विभाग, ए.एस. कॉलेज, खन्ना-141402, पंजाब
फोन : (01628) 233155
मो. : 9914323155

अपने ज़ख़्मों पे नमक हमने छिड़कना सीखा
इस तरह दर्द की शिद्दत से गुज़रना सीखा

कुछ तो फ़ितरत से ही दुनिया से निराले थे हम
और कुछ आपकी सोहबत में बिगड़ना सीखा

ज़िन्दगी तेरा नशा हम पे चढ़ा कुछ ऐसा
हमने हर बात पे लोगों से झगड़ना सीखा

तुमने सिक्कों की तरह ख़ुद को समेटे रक्खा
हमने ख़ुश्बू की तरह दोस्त बिखरना सीखा

उम्र भर हम तो पशेमाँ रहे, कि क्यों आख़िर
बूँद भर दर्द को सागर में बदलना सीखा

धूप के साथ सदा रहने का फल जान के ही
छांव ने वक़्त से संग रूप बदलना सीखा

जो ज़माने ने दिये ग़म वे रहे ग़म लेकिन
तेरे हर दर्द ने नग़्मों में बदलना सीखा

उसकी ख़्वाहिश है कि हो जाऊँ मैं रेज़ा-रेज़ा
जिसकी सोहबत में कभी मैंने सँवरना सीखा

एक मंज़र है यही सबको दिखाने वाला
खुल के रोया है बहुत सबको रुलाने वाला

उलझा बिखरा हुआ जीवन जो बिताने वाला
अपने जज़्बात को ग़ज़लों में सजाने वाला

सुबह् होते ही वो मुँह फेर के चल देता है
रात भर प्यार चराग़ों से जताने वाला

मैं भी अब लोगों के ज़ख़्मों पे नमक छिड़कूँगा
मैंने अन्दाज़ लिया सीख ज़माने वाला

मैं नए दौर की तस्वीर बनाऊँ कैसे
पल में हर शख़्स नया रूप बनाने वाला

दिल में ग़म, चेहरे पे ख़ुशी क्या है
हमसे पूछो ये ज़िन्दगी क्या है

मेरे दामन में कुछ नहीं, माना
ज़िन्दगी तेरे पास भी क्या है

आप-सा हमसफ़र अगर मिलता
हम दिखाते कि ज़िन्दगी क्या है

हर जगह साथ-साथ चलती है
बे-बसी मुझ से चाहती क्या है

शब के पाले, मरें उजाले में
इन चराग़ों की ज़िन्दगी क्या है

कहने को ज़िन्दगी के सहारे ज़रूर हैं
रिश्ते, हसीं फ़रेब के जाले ज़रूर हैं

क्या जाने किस जनम में, मगर इतना याद है
कुछ दिन हसीन हमने गुज़ारे ज़रूर हैं

जब दिल ही बुझ गया हो तो बतलाओ क्या करें
जीने को यूँ तो लाख सहारे ज़रूर हैं

कुछ कम नहीं है दर्द की शिद्दत गो आज भी
कहने को मेरे ज़ख़्म पुराने ज़रूर हैं

माना, वहाँ न मैं हूँ, न तुम, फिर भी आज भी
माज़ी की उस जगह पे उजाले ज़रूर हैं

अब अँधेरों को घना भी देखो
अपने अन्दर का दिया भी देखो

पी लिया तुमने अना का प्याला
अब ज़रा इसका नशा भी देखो

घर की रौनक पे निगह डाली है
मेरे अन्दर का ख़ला भी देखो

हर घड़ी वो ही वो है आँखों में
कुछ तो तुम उसके सिवा भी देखो

अपनी सदियों पुरानी आँखों से
हो सके कुछ तो नया भी देखो

मंसूर उस्मानी

जन्मतिथि : 1-3-1954, मुरादाबाद

शिक्षा : एम.ए. (उर्दू)

प्रकाशन : 'मैंने कहा', 'ग़ज़ल की खुशबू', 'जुस्तजू' एवं 'कशमकश' प्रकाशित। अनेक पत्र-पत्रिकाओं में रचनाएं प्रकाशित।

सम्मान/पुरस्कार: उ.प्र. उर्दू अकादमी सम्मान। हिन्दी-उर्दू साहित्य सम्मान (लखनऊ), भारतीय दूतावास, सऊदी अरब, पोयट्री एचीवमैंट एवार्ड, न्यू यार्क, ह्यूस्टन सिटी कौंसिल, यू.एस.ए. सहित अनेक संस्थाओं द्वारा सम्मानित/पुरस्कृत।

सम्प्रति : मुरादाबाद नगर निगम में कार्यरत।

सम्पर्क : नजमा हाउस, निकट मजार शरीफ़, बारादरी, मुरादाबाद (उ.प्र.)
फोन - 0591 2315926
मो.- 9897189671

ज़िंदगी भर की कमाई है ग़ज़ल की खुशबू
हमने मुश्किल से बचाई है ग़ज़ल की खुशबू

मैंने जिस दिन से मुहब्बत का छुआ है दामन
मेरी सांसों में समाई है ग़ज़ल की खुशबू

नाज़ कर अपने मुक़द्दर पे कि हमने जानां!
तेरी ज़ुल्फ़ों से चुराई है ग़ज़ल की खुशबू

तुमने दुनिया को अदावत के तरीक़े बांटे
हमने दुनिया में लुटाई है ग़ज़ल की खुशबू

उसको हर दौर ने ऐज़ाज़ दिया है 'मंसूर'
जिसने लफ़्ज़ों में छुपाई है ग़ज़ल की खुशबू

चाहे दिल ही जले रोशनी के लिए
हमसफ़र चाहिए ज़िंदगी के लिए

दिल सुलगता रहा एक दिये की तरह
लब तरसते रहे इक हंसी के लिए

दुश्मनी के लिए सोचना है ग़लत
देर तक सोचिए दोस्ती के लिए

जिस सदी में वफ़ा का चलन ही नहीं
हम बनाए गए उस सदी के लिए

आशिक़ी-वाशिक़ी, मयकशी-वयकशी
अब ज़रूरी नहीं शायरी के लिए

इतनी शिद्दत से याद आती है
आस जीने की टूट जाती है

मैं यहां दर्द से तड़पता हूं
वो कहीं दूर मुस्कराती है

सिर्फ़ बेटे ही ग़म नहीं देते
अब तो बेटी भी दिल दुखाती है

हर नफ़स मौत-सा गुज़रता है
हर घड़ी ज़िंदगी रुलाती है

तेरे ग़म की उदास रातों में
शायरी दिल को थपथपाती है

जो आपकी नज़रों में वफ़ादार बहुत थे
परखा तो वही लोग अदाकार बहुत थे

बदनाम हुए जिनके लिए अह्ले-मुहब्बत
वो फूल से चेह्रे भी गुनहगार बहुत थे

लिखने के लिए दिल की कहानी तो नहीं थी
पढ़ने के लिए 'मीर' के अशआर बहुत थे

जिस दौर में फ़ाक़ों पे था दुनिया का गुज़ारा
उस दौर के हमसाए भी ख़ुद्दार बहुत थे

'मंसूर' सब आसान हुए उसके करम से
वो काम जो मेरे लिए दुश्वार बहुत थे

शोख़ी, सपने, काजल, नीर
एक कमां में कितने तीर

ताजे-ग़ज़ल के कोहे-नूर
मोमिन, ग़ालिब, सौदा, मीर

लाशें, फ़ाक़े, जंग, फ़साद
मेरे युग के रांझा-हीर

इश्क़ ये बोला दिल से यार
एक मुरीद और इतने पीर

जह्दे-मुसलसल ऐ 'मंसूर'
कैसी क़िस्मत, क्या तक़दीर

सुरेश पबरा 'आकाश'

जन्मतिथि : 4-6-1954

शिक्षा : एम.काम, बी.एड., एल.एल.बी.

प्रकाशन : अनेक पत्र-पत्रिकाओं में रचनाएं प्रकाशित।

सम्मान/पुरस्कार: अनेक संस्थाओं द्वारा सम्मानित।

सम्प्रति : सेवा निवृत्त व्याख्याता, वर्तमान में अधिवक्ता।

सम्पर्क : जू.एच.आई.जी.-61, जे सेक्टर, अयोध्या नगर, भोपाल (म.प्र.)
फ़ोन 0755-2628748
मो. 9893290590

मैं अगर चुप हो गया तो बेजुबां हो जाऊंगा
चुप्पियां पाले रहा जल कर धुआं हो जाऊंगा

मैं रहा उनके दिलों में जिनका ना घर द्वार है
ऐसे अपनों के लिये मैं आशियां हो जाऊंगा

साफ कहने का मुझे अंजाम भी मालूम है
जानता हूँ मैं कहां हूँ और कहां हो जाऊंगा

ये सही है मैं बहुत तन्हा रहा हूँ उम्र भर
एक दिन तुम देखना मैं कारवां हो जाऊंगा

ज़िंदगी में गर कहीं भी यार तुम जो मिल गए
उम्र चाहे जो हो मेरी मैं जवां हो जाऊंगा

मजबूरी में क्या-क्या यारों सहना पड़ता है
हमको राई को भी परबत कहना पड़ता है

चुल्लू भर पानी में ही देखो मजबूरी में
यहां वहां हमको तिनके सा बहना पड़ता है

इक पल भी जिस जगह ठहरना दूभर लगता है
उसी जगह पर हमें उम्र भर रहना पड़ता है

हमें हार पर अक्सर अपनी रोना आता है
मगर हार को हंसते हंसते सहना पड़ता है

ज़ुल्म से टक्कर लेना प्यारे मत घबराना तुम
बड़ी इमारत को भी इक दिन ढहना पड़ता है

जगह जगह दीवार तनी है
कहने को दुनिया अपनी है

ये सब कुर्सी का चक्कर है
जितनी भी ये तनातनी है

दोष भला अब किसको दें हम
हमने ही सरकार चुनी है

तुम ताक़तवर हो ये माना
मगर हथेली ख़ून सनी है

अब जो भी माली आ जाए
ये बगिया यूं ही रहनी है

बेवज़ह जो दाद देते हैं
केक्टस को खाद देते है

मीठे स्वभाव के जो हैं
बहुत कड़वा स्वाद देते हैं

अपनी गुस्ताख़ियों को ये
दूसरों पर लाद देते हैं

राहत के नाम पर ये लोग
भूखे को प्रसाद देते हैं

अब तो इनकी चीर फाड़ हो
घाव ये मवाद देते हैं

जो ख़ास के आस पास होता है
आम होकर भी ख़ास होता है

जैसे दिन आदमी के होते हैं
वैसा उसका लिबास होता है

मुझको तोला न जाए सिक्कों से
हल्केपन का अहसास होता है

उसूलों से जंग अब नहीं होती
वार अब तो अनायास होता है

जो चाहता है ये दुनिया बदले
वो तो सूली के पास होता है

चरन जीत सिंह 'सागर'

जन्मतिथि : 29-8-1954, नई दिल्ली
शिक्षा : एम.ए., पी.एच.डी.
प्रकाशन : रमता जोगी बहता पानी, जमा जरब तक़्सीम, तल्ख़ तुर्श शीरीं, धूप छांव।
सम्मान/पुरस्कार : अनेक संस्थाओं द्वारा सम्मानित।
सम्प्रति : पंजाब एण्ड सिंध बैंक में कार्यरत।
सम्पर्क : बी-37, विष्णु गार्डन, नई दिल्ली-110018
मो. - 9811116003

मेरा माज़ी हाल पे मेरे आंख जमाए बैठा है
मैं जिस रस्ते से निकलूं वो घात लगाए बैठा है

मैंने उसको चाहा, सुलझे नहीं मिला छोड़ो, लेकिन
ये पागल दिल अब तक उसकी आस लगाए बैठा है

मैं चाहूं सांसों की उलझन मुझसे तो कुछ नींद आए
लेकिन वो तो मेरी सांसों को उलझाए बैठा है

मुझको खुद अपना ही डर है और किसी से डरना क्या
काम ग़लत मुझसे कोई, ये दिल करवाए बैठा है

बरसों तेरी राह चला हूं, आज तलक रस्ते में हूं
लेकिन तू दुनिया में खोया मुझे भुलाए बैठा है

वो अफ़साने
ज़ख़्म पुराने

तेरी यादें
हैं तहख़ाने

दिल पर साधे
ख़ूब निशाने

पांव के छाले
सहरा छाने

दिल दीवाना
किसकी माने

रात कट जाएगी, दिन गुज़र जाएंगे
ज़ख़्म कैसे भी हो ज़ख़्म भर जाएंगे

वक़्त ऐसा भी आएगा सोचा न था
वक़्त आने पे वो यूं मुकर जाएंगे

कब तलक यूं बियाबां में भटकेंगे हम
कुछ पता अब नहीं हम किधर जाएंगे

ग़म के मारों पे गर तू करेगा करम
तो हज़ारों मुक़द्दर संवर जाएंगे

रहती दुनिया तलक नाम रौशन रहे
काम हम ऐसे दुनिया में कर जाएंगे

मेरी झोली भर दे मौला
मुझको भी तो घर दे मौला

मैं जो मांगूं वो मिल जाए
मुझको ऐसा वर दे मौला

सूखे फूल या पंख़ मोर के
या तितली के पर दे मौला

जुल्म के आगे जो कट जाए
शानों पर वो सर दे मौला

तू तो सब कुछ कर सकता है
उसको मेरा कर दे मौला

पता तक नहीं है मगर ढूंढता हूं
तुझे हर नगर, दर-ब-दर ढूंढता हूं

हुआ ख़ुद से भी बेख़बर ढूंढता हूं
मैं अब तक तेरी रहगुज़र ढूंढता हूं

मिले चैन, बेचैन दिल को जहां पर
मैं कबसे कोई ऐसा दर ढूंढता हूं

निकाले अंधेरों से वो मुझको आकर
इक ऐसा बशर मोअतबर ढूंढता हूं

मेरे साथ साए की मानिन्द है वो
मैं 'सागर' जिसे हर डगर ढूंढता हूं

कृष्ण सुकुमार

जन्मतिथि : 15-10-1954
शिक्षा : स्नातक
प्रकाशन : ग़ज़ल संग्रह 'पानी की पगडंडी' सहित तीन उपन्यास एवं दो कहानी संग्रह। अनेक पत्र-पत्रिकाओं एवं संकलनों में रचनाएं प्रकाशित।
सम्मान/पुरस्कार: 'सृजन सम्मान' (अमन कमेटी, हरिद्वार), 'काव्य कर्ण सम्मान' (बैतूल) सहित अनेक संस्थाओं द्वारा सम्मानित/पुरस्कृत
सम्प्रति : भा. प्रौ.सं. रुड़की में कार्यरत्
सम्पर्क : 193/7, सोलानी कुंज, भा.प्रौ.सं. रुड़की (उत्तरांचल) 247667
मों. 9897336369

अगर तू चाहता है हर समंदर पार हो जाना
तो अपनी प्यास का बेइंतिहा विस्तार हो जाना

हमारे आपसी रिश्ते ज़रूरत की बुनावट हैं
ग़लतफ़हमी है इनसे पैरहन तैयार हो जाना

जो अपने ख़ास हैं जिन पर बहुत उम्मीद होती है
बहुत मुम्किन है उन का वक़्त पर मक्कार हो जाना

हमें अपना समझ कर जो हमारा दुख उठाते हैं
उन्हीं के दुख में आता है हमें लाचार हो जाना

हमारे जिस्म का हर सोच का तहज़ीब तक का भी
बहुत तकलीफ़ देता है फ़कत बाज़ार हो जाना

किसी की याद तो आई बहुत है
मगर उस राह पर काई बहुत है

बहुत ही ख़ूबसूरत मोड़ पर हूँ
यहां ठहरूं तो रुसवाई बहुत है

ऐ दरियादिल मुझे पत्थर बना दे
तेरी दुनिया तमाशाई बहुत है

मैं ख़ुशियों से कहां नाआश्ना हूँ
ग़मों से भी शनासाई बहुत है

मैं अपनी प्यास में डूबा हुआ हूँ
यहां दरिया की गहराई बहुत है

बहुत मासूम था आसान भी था
तभी तो शख़्स वो इंसान भी था

कभी तो ज़ुल्म ढाए जिंदगी ने
कभी मुझ पर बड़ा एहसान भी था

मुझे लूटा मगर आगाह करके
सितम तो था मगर ईमान भी था

उसी पर उम्र भर मरते रहे हम
कि जीने का वही सामान भी था

मिलन, माना ख़ुशी की इंतिहा था
बिछुड़ने का मगर इमकान भी था

किसी को मशूवरा देने से अच्छा
मदद करना दुआ देने से अच्छा

भुला दो जो सफ़र में छूट जाए
पलट कर फिर सदा देने से अच्छा

अगर है एक चिंगारी भी बाक़ी
धुआं देना बुझा देने से अच्छा

चलो कुछ और सोचें ख़्वाब देखें
है यादों को हवा देने से अच्छा

किसी से दोस्ती करके निभाना
फ़क़त आंसू बहा देने से अच्छा

फ़ना दीवार करना चाहता हूँ
मैं सबसे प्यार करना चाहता हूँ

हवा में ज़हर घोला जा रहा है
मैं ख़ुशबूदार करना चाहता हूँ

वफ़ा की अब यहां क़ीमत नहीं है
पलट कर वार करना चाहता हूँ

पकड़ से लफ़्ज़ छूटा जा रहा है
जिसे इज़हार करना चाहता हूँ

उधर से फिर पुकारा है किसी ने
समंदर पार करना चाहता हूँ

घमंडीलाल अग्रवाल

जन्मतिथि : 25-10-1954, पाड़ला (रेवाड़ी)
शिक्षा : एम.ए. (हिन्दी), बी.एड., पत्रकारिता में डिप्लोमा।
प्रकाशन : नेह की परछाइयां, आस्था का सूरज, सन्नाटा बुनते दिन, चांदनी की व्यथा सहित 6 विज्ञान-संग्रह एवं 25 बाल-संग्रह। गणित बनती ज़िंदगी (ग़ज़ल-संग्रह) शीघ्र प्रकाश्य।
सम्मान/पुरस्कार : हरियाणा साहित्य अकादमी, पंचकूला (4 बार) सहित देश के विभिन्न प्रान्तों की 52 संस्थाओं द्वारा पुरस्कृत/सम्मानित।
सम्प्रति : अध्यापन (विज्ञान)
सम्पर्क : 785/8, अशोक विहार, गुड़गांव-122001 (हरियाणा)
फोन - 0124 2255570
मो. - 9210456666

कुर्सियों के दोस्त अपने दोस्त बन पाए नहीं
क्या करें कि रंग इस युग के हमें भाए नहीं

वो मिले जब भी लिए इक स्वप्न आंखों में नया
इसलिए ये पांव उनके द्वार मंडराए नहीं

कांच के रंगीन घर में बैठककर विध्वंस के
गीत अधरों ने रसीले भूलकर गाए नहीं

हो गई गूंगी व्यवस्था, न्याय के जुगनू उड़े
घाव गहरे-से हृदय ने सबको दिखलाए नहीं

कोकिला चुपचाप कागा तेज़ स्वर में चीखते
आसमां पे ऐसे बादल आज तक छाए नहीं

घर बनाना ठीक है, वातावरण भी तो बना
आज बिगड़ा जा रहा पर्यावरण भी तो बना

ये करेंगे, वो करेंगे, रात-दिन चिल्ला रहे
बोलने से पूर्व अपना आचरण भी तो बना

बीज में है बंद सुंदर एक पौधा रसमई
बीज की रक्षा करे वो आवरण भी तो बना

गीत, ग़ज़लें और दोहे जन्म लेंगे सैकड़ों
किन्तु पहले इन सभी की व्याकरण तो बना

आरती आगे बढ़ेगी, हँस उठेंगे देवता
आरती के वास्ते मंगलाचरण भी तो बना

राजा लिख, न रानी लिख
अब तो नई कहानी लिख

फूलों की पंखुड़ियों पे
बंदूकों के मानी लिख

छोड़ ठिठोली महलों की
झोंपड़ियों की बानी लिख

झुकी कमर, टूटे सपने
सच ने क्या-क्या ठानी लिख

कल को जो इतिहास बने
ऐसी एक निशानी लिख

आओ चित्र बनाएं कुछ
जीवन को महकाएं कुछ

भेदभाव में चैन कहां
भेदभाव बिसराए कुछ

दो पल बैठें पास ज़रा
हंस-हंस कर बतियाएं कुछ

उस ग़रीब के हाथों को
रोटी तक पहुंचाएं कुछ

चलने में गति है, लय है
आगे चलते जाएं कुछ

जब तक अपना परिचय कम था
आंखों का हर कोना नम था

सुबह हुई तो सूरज निकला
रजनी भर बस तम ही तम था

ये तो तू था जिससे हारा
मुझसे लड़ता, किसमें दम था

फूलों के मुखड़े मुरझाए
अब के जाने क्या मौसम था

बदली-बदली लगती बदली
बस्ती-बस्ती में मातम था

सुरेश मक्कड़ 'साहिल'

जन्मतिथि : 14-11-1954, गुढ़ा जिला महेन्द्रगढ़

शिक्षा : स्नातक

प्रकाशन : अनेक पत्रिकाओं/संकलनों में रचनाएं प्रकाशित। ग़ज़ल संग्रह 'दर्द लहरों का' प्रकाशनाधीन

सम्मान/पुरस्कार: अनेक संस्थाओं द्वारा सम्मानित।

सम्प्रति : निजी व्यवसाय

सम्पर्क : सुरेश मक्कड़ क्लॉथ हाउस, निकट नगर पालिका, महेंद्र गढ़ (हरियाण)
फोन - 01285 220400
मो. - 9416418364

किसी दिल में जो अंगड़ाई, कोई अरमान लेता है
बहुत ज़ालिम ज़माना है वहीं पहचान लेता है

तुझे मंज़िल मिलेगी एक दिन तेरी ही मेहनत से
अरे! तू मुफ़्त में रहबर का क्यों एहसान लेता है

अजब ही शख़्स है शायर ख़बर खुद की नहीं रखता
मगर औरों के दिल की बात हर इक जान लेता है

वतन के वास्ते बातें बड़ी हर शख़्स करता है
मगर जब पेट भर जाए तो चादर तान लेता है

वो ईश्वर है या अल्ला है कोई तो बात है उसमें
मुसीबत में जो नाम उसका हर इक इन्सान लेता है

जो नहीं संवेदना की रीत तेरे शहर में
व्यर्थ हैं फिर प्रीत के सब गीत तेरे शहर में

दोस्तों की भीड़ में हम ढूंढते ही रह गए
मिल न पाया कोई मन का मीत तेरे शहर में

स्वर मुखर है झूठ का सच मौन व्रतधारी हुआ
जाने क्यों हर व्यक्ति लगता क्रीत तेरे शहर में

गीतों की प्रतियोगिता में कौवे निर्णायक बने
है सुनिश्चित बेसुरों की जीत तेरे शहर में

झूठी मुस्कानों से आहत हो गया मेरा हृदय
मीठे शब्दों से भी हूँ भयभीत तेरे शहर में

उधर कल थे इधर वो अब खड़े हैं
कहें क्या उनको वो चिकने घड़े हैं

वो कल तक क्रान्ति के ही पक्षधर थे
मिली कुर्सी तो अब वो चुप पड़े हैं

सुना है चोर हैं शागिर्द उनके
अरे! इज़्ज़त से बोलो वो 'बड़े' हैं

अभी वो सो रहे हैं मत जगाओ
और उनके पी.ए. भी पीए पड़े हैं

उन्हें पूजो, न उनके ऐब देखो
वो सचमुच देवता से भी बड़े हैं

ऐसा कोई सवाल न पूछो
मेरे गाँव का हाल न पूछो

'होरी' दारू में डूबा है
'धनिया' है बेहाल न पूछो

हर मछली फंसती जाती है
किसने फेंका जाल न पूछो

सभी भेड़ियों ने पहनी है
क्यों बकरी की खाल न पूछो

मुखिया जी की बनी हवेली
कहाँ गई चौपाल न पूछो

कुछ उसूलों से जो दोस्ताना रहा
इसलिए उसका दुश्मन ज़माना रहा

दोस्ती आंधियों से यूँ रखनी पड़ी
मेरा तिनकों का है आशियाना रहा

हर कली लुट गई उस चमन में जहां
कुछ शरीफ़ों का ही आना-जाना रहा

वो समझते भी क्या चाल सय्याद की
पंछियों की नज़र में तो दाना रहा

छांव देता है अब भी थके-हारों को
गांव का वो जो पीपल पुराना रहा

विद्याशंकर मिश्र
'ऋषिवंश'

मूल नाम : विद्याशंकर मिश्र
जन्मतिथि : 1-12-1954, पंडितपुर (प्रतापगढ़)
शिक्षा : विज्ञान स्नातक
प्रकाशन : ग़ज़ल-संग्रह 'खुशबू' एवं कविता, उपन्यास, विधा की 5 पुस्तकें प्रकाशित।
सम्मान : अनेक संस्थाओं द्वारा सम्मानित।
सम्प्रति : वन अधिकारी (म.प्र.)
सम्पर्क : उत्तरायण, मंदिर वाला घर, डायवर्सन रोड, सिविल लाइंस, सतना (म.प्र.)
फोन : (07672) 227227
मो. : 09425470840

मुनासिब था तुम्हारे शहर से मेरा चले आना
तड़पती रातों का सुनसान कब्रिस्तान में गाना

तुम्हें ना माफ करते जो उन्हें मैं माफ क्या करता
सिलसिला फिर चला आता, न जी पाना न मर पाना

रोटियाँ सेंकते मजदूर चौगड्डे के कानों पर
वही बैंगन का भुरता और मोटी रोटियाँ खाना

दोगली नहीं फितरत हम बनावट कर नहीं पाते
जमीनी असलियत अपनी हवाई उनका तहख़ाना

वही तकलीफ़ें दिल की और वे आँसू भरे नग़मे
नहीं है जिंदगी सुर में न संगत में अफ़साना

तेरे वजूद के किस्से तो कई मिलते हैं
सुलगते पत्थरों पर परिन्दे टहलते हैं

बादलों पर सवार होके ना आया करना
खुली हवा में मनचले कई निकलते हैं

नूर की बूंद ज़माने से बहे जाती है
उसके जलवे में जमाने कई बदलते हैं

शाख पर पत्तियाँ निकलीं नया मौसम आया
सारे मौसम तो उसी की अदा में ढलते हैं

दूर पर्वत पे किसी देवता का डेरा है
जिसके आगोश में पत्थर के दिल पिघलते हैं

सपनों का सच समझ न आया
उतर चली सोने सी काया

धीरे-धीरे बदल गया सब
पर पागल मन बदल न पाया

खुशहाली के मौसम में भी
दुख ने अपना जाल बिछाया

चले जा रहे सब चुपके से
सब कुछ अपना हुआ पराया

कल तक हम थे सब कुछ जिनको
उन पर अब औरों का साया

बेचैनी का शोकगान हूँ
अपने मन से परेशान हूँ

सब कुछ भरा-भरा है लेकिन
सूखा ख़ाली आसमान हूँ

हवा बाँट जाती ख़ामोशी
तनहाई का बियावान हूँ

मौसम के आने जाने के
रस्ते की उजड़ी दुकान हूँ

कैसे-कैसे सजे तमाशे
लेकिन सबसे बदगुमान हूँ

देर हुई अब चलना है
सब नक़ली है छलना है

कहते कुछ, करते हैं कुछ
बचते हुए निकलना है

भाते नहीं सुनहरे बाग़
कब तक और टहलना है

शोहरत के ऊँचे झंडे
चढ़ना और फिसलना है

दुनिया का दस्तूर यही
इसको कहाँ बदलना है

नरेन्द्र त्यागी

जन्मतिथि : 1-3-1955, संभल (उ.प्र.)
शिक्षा : एम.ए. (हिन्दी)
प्रकाशन : धूप इतराने लगी (ग़ज़ल-संग्रह)
सम्मान/पुरस्कार: 'डॉ. कुंअर बेचैन काव्य-सम्मान एवं पुरस्कार समिति', ग़ाज़ियाबाद द्वारा सम्मनित।
सम्प्रति : ज़िला आपूर्ति कार्यालय, ग़ज़ियाबाद में कार्यरत।
सम्पर्क : बी-171, लोहिया नगर, ग़ाज़ियाबाद (उ.प्र.)
मो. - 9818694112

संघर्षों में जन्म हुआ है रान्बेहों में पले हुए हैं
हमको अब तक बुझ जाना था जाने कैसे जले हुए हैं

भटके हुए शब्द हैं इनको आती नहीं आरती करनी
मन्दिर तक कैसे पहुंचेंगे मयख़ाने में पले हुए हैं

मेरे मन के विश्वासों ने लूटा मुझे चांदनी बन कर
ग़ैरों से क्या करें शिकायत अपनों के ही छले हुए हैं

किसको पावन समझें जग में और अपावन किसे कहें हम
सब ही मिट्टी के पुतले हैं इक सांचे में ढले हुए हैं

जिनके अधरों पर रहता था हरदम मुस्कानों का पहरा
वो बच्चे भी अपने तन पर घोर निराशा मले हुए हैं

हमें प्यार के एवज़ में जो मिले हमेशा ही अपनों से
'त्यागी' अब ऐसा लगता है शाप सभी वो फले हुए हैं

ज़िंदगी से भाग मत पछताएगा
एक दिन तेरा समय भी आएगा

बस जहां तक होंगे मंज़िल के निशां
क़ाफ़िला अपना वहीं तक जाएगा

उम्र बादल की कोई होती नहीं
आज बरसेगा तो कल छंट जाएगा

हर ख़ुशी में अब जो तेरे साथ है
वक़्त पड़ने पर वही कतराएगा

यूं ही तिश्ना लब लिए बैठे रहो
मयक़दा चल कर यहीं आ जाएगा

रोकर गुज़ार दी कभी हंस कर गुज़ार दी
दो दिन की ज़िन्दगी थी ज़माने पे वार दी

शाख़ों से टूट कर के गिरेंगे ज़मीन पर
मौसम ने ये ख़बर बड़ी ही ख़ुशगवार दी

ऐ ज़िंदगी, मैं तेरा ही अहसानमन्द हूं
दी जब कभी भी तूने ग़ज़ब की ही मार दी

अरसा हुआ है शाम को मिलते नहीं हो तुम
हमने तुम्हें उस रोज़ क्या पुस्तक उधार दी

'त्यागी' कभी दुआओं का कायल नहीं रहा
सर पे चढ़ाई तो कभी ठोकर पे मार दी

यूं आदमी के ज़ुल्म का मारा है आदमी
फिर भी दुखों में एक सहारा है आदमी

जब तक कि उसके हाथ में पैसे का नूर है
सारे जहां की आंख का तारा है आदमी

यों तो हरेक चीज़ ही बानूर है मगर
पर उनमें भी, सच मानिए, न्यारा है आदमी

ठहरे हुए से एक समन्दर के बीच में
एक ज़ोर से बहता हुआ धारा है आदमी

दुनिया की ताक़तों से वो हारा नहीं कभी
हारा है गर तो ख़ुद से ही हारा है आदमी

मैं भूल नहीं सकता अहसान ज़माने के
कुछ ऐसे मिले मुझको वरदान ज़माने के

अब पास मेरे आकर धीरे से बताना तुम
मुझ पर ही लगे है क्यों अब कान ज़माने के

ज़िन्दा हूं जहां में भी, बस सोच के इतना ही
हैं और अभी बाक़ी अरमान ज़माने के

घर जब भी कभी मेरा लपटों से घिरा होगा
कुछ और हवा देंगे इंसान ज़माने के

'त्यागी' ने यहां देखा बदलाव बहुत ज़्यादा
अब रोज़ ही बिकते हैं ईमान ज़माने के

बाबा कानपुरी

मूल नाम : सन्तोष कुमार शर्मा

जन्मतिथि : 11-6-1955, ग्राम झूलपुर (रायबरेली)

शिक्षा : एम.ए. (भूगोल)

प्रकाशन : ग़ज़ल संग्रह 'छप्पर बोलता है' सहित तीन काव्य-संकलन प्रकाशित। अनेक पत्र-पत्रिकाओं में रचनाएं प्रकाशित।

सम्मान/पुरस्कार: अनेक संस्थाओं द्वारा सम्मानित।

सम्प्रति : दूरसंचार विभाग में कार्यरत।

सम्पर्क : ग्राम सदरपुर, सैक्टर-45, नौएडा (उ.प्र.)

फोन - 0120 2501616

मो. -9818217925

ज़माने भर की कुछ अनुपम कलाएं लाके रक्खी हैं
अजन्ता-औ-अलोरा की गुफ़ाएं लाके रक्खी हैं

जहां चुपचाप दरिया खा गया हो दर्द की लहरें
वहां पर हमने तूफ़ानी हवाएं लाके रक्खी हैं

खुशी को रेत पर ताज़ा घरोंदा तोड़ मत देना
किसी बच्चे ने अपनी भावनाएं लाके रक्खी हैं

हमें ये गर्व है हमने ज़माने को संवारा है
हमीं ने पूर्वजों की सभ्यताएं लाके रक्खी हैं

जो हमसे दूर रहते थे उन्हें नज़दीक लाने की
कई रचतात्मक संभावनाएं लाके रक्खी हैं

इसे मन्दिर कहो, मस्जिद कहो, गिरिजा कि गुरुद्वारा
इसी में हमने अपनी आस्थाएं लाके रक्खी हैं

रदीफ़ो-क़ाफ़िया लाएं कहां से ढूंढकर 'बाबा'
ग़ज़ल में हमने हिन्दी की विधाएं लाके रक्खी हैं

भाव क्या लगता है, इस बात को समझा जाए
आओ अब अपने ही हालात को समझा जाए

किसलिए बदले हैं और किसके लिए बदले हैं
अब ज़रा अपने ही हालात को समझा जाए

शहद पाने के लिए नीम के पत्तों में छुपे
आओ चलकर किसी छत्ते को ही छेड़ा जाए

घर के कोने में पड़ा है वो बड़ी मुद्दत से
वो दिया तुम जो जलाओ तो अंधेरा जाए

एक तख़्ती पे यहां लिखके लगा दो 'बाबा'
रास्ता चलते हुए फूल न तोड़ा जाए

छोटे से सिसकते हुए रोते हुए बच्चे
देखे हैं बहुत भीड़ में खोते हुए बच्चे

बस्ते में किताबों को संजोते हुए बच्चे
जाते हैं कहां बोझ को ढोते हुए बच्चे

बरसात के मौसम का मज़ा लूट रहे हैं
इक दूसरे को ख़ूब भिगोते हुए बच्चे

मासूम फ़रिश्तों की ये तस्वीर बने हैं
टूटी हुई इक खाट पे सोते हुए बच्चे

पूछे कोई क्यों कांप गए 'बाबा' के डर से
कीचड़ से सने पांव को धोते हुए बच्चे

ज़माने भर की इन अंगड़ाइयों में
बुराई छुप गई अच्छाइयों में

ये दीवारें उठीं तो हमने जाना
लड़ाई हो गई है भाइयों में

जली है कौन सी बस्ती बताओ
अजब सी बू है इन पुरवाइयों में

कभी रोते रहे हम भीड़ में भी
कभी हंसते रहे तन्हाइयों में

ज़रा तुम ग़ौर से देखो तो 'बाबा'
कई पर्वत छुपे हैं राइयों में

मैं दीपक हूं अकेला जल रहा हूं
अंधेरे गोद-लेकर चल रहा हूं

मैं दुःख के चाक पर गीली सी मिट्टी
कई हाथों से जब मैं ढल रहा हूं

मुझे लोगों ने इक संकेत समझा
मैं दरवाज़े की ज्यों सांकल रहा हूं

मेरी पीड़ा किसी ने भी न जानी
युगों से आज तक बेकल रहा हूं

कभी बरसा नहीं सूखी ज़मीं पर
मैं 'बाबा' ऐसा इक बादल रहा हूं

सुषमा अय्यर

जन्मतिथि : 9-7-1955, लखनऊ

शिक्षा : एम.डी. (गायनेकॉलाजि)

प्रकाशन : अनेक पत्र-पत्रिकाओं में हिन्दी, गुजराती, अंग्रेज़ी, रशियन भाषा में रचनाएं प्रकाशित।

सम्मान/पुरस्कार: राष्ट्रपति द्वारा पुरस्कृत (स्काडर गाईड के लिए)। अनेक संस्थाओं द्वारा सम्मानित/पुरस्कृत। सूरत महानगर पलिका की 'पथ दर्शक प्रतिभा' में स्थान प्राप्त।

सम्प्रति : अपने तीन निजी अस्पतालों में चिकित्सक।

सम्पर्क : हीलिंग हैंड्स हॉस्पिटल, सिटी लाईट रोड, सूरत, (गुजरात)
फोन. 0261-2655874, 2223227
मो. 9426104439

भटकती रही साथ लहरें हमारे
कभी इस किनारे कभी उस किनारे

लहू लाल इक सा सभी को मिला रे
मिटा भेद, सबको गले से लगा रे

उगे भी, ढले भी, दिवाकर के सँग हम
सुबह से सहर तक दिशाओं के मारे

ये क़िस्मत की है रात हिस्से हमारे
फ़लक में भरे थे हज़ारों सितारे

मुझे छोड़ कर तेरा परदेस जाना
सहूँगी मैं कैसे ये सावन फुहारे

हुनर पर तू अपने न अभिमान करना
सभी नाचते हैं उसी के इशारे

अभी मैं यहाँ हूँ, कहो तुम कहाँ हो
बुला लो हमें भी वहीं, तुम जहाँ हो

बिरह में न आए, न भादों, न सावन
मिलन के बिना ऋतु भी कैसे जवाँ हो

नदी के किनारे जहाँ तुम मिले थे
क़दम के निशां अब भी शायद वहाँ हो

शहर की घुटन छोड़ जाऊँ वहां मैं
जहां खेत, झिलमिल खुला आसमाँ हो

न ग़म कर अगर साथ छूटा सभी का
कि आगे सफ़र में नया कारवाँ हो

तेरी यादों का ख़जाना कम न था
लुट गए फिर भी हमे कुछ ग़म न था

बांह भर फिर उसने छोड़ा ना कभी
मौत जैसा बावफ़ा हमदम न था

बेख़बर आंखों से आंसू बह गए
फिर भी आंचल तो कहीं से नम न था

ज़िंदगी मौसम बदलती ही रही
साथ थे वैसा कभी मौसम न था

ग़म में तेरे जी गए घुट-घुट के हम
मर गए फिर भी कहीं मातम न था

अब शायद सब को अपनों से ही डर है
क्या जाने किसके हाथों में ख़ंजर है

सालों तक नफ़रत की चिंगारी न बुझी
उन की लपटों में जलता खुद का ही घर है

जैसा चाहा खेला उसने, पत्तों को
जिन हाथों में राजा, रानी, जोकर है

ज़्यादा क्या मांगा था तुमने जीवन से
क़िस्मत से फिर तुम को शिकवा क्यों कर है

अन्तर रख, पर भेद न रख अन्तर्मन में
होता हर अन्तर में काफ़ी अन्तर है

हमें भी हम-सफ़र रखना
मंज़िलों पर नज़र रखना

हवाएं तेज़ हों तब भी
किनारों पर सबर रखना

तू भूले न कभी हमको
तड़प में यूं असर रखना

कभी रस्ते अलग हों तो
कहीं नज़दीक डगर रखना

सितम बेहद गुज़ारो पर
जी सकूं इतनी कसर रखना

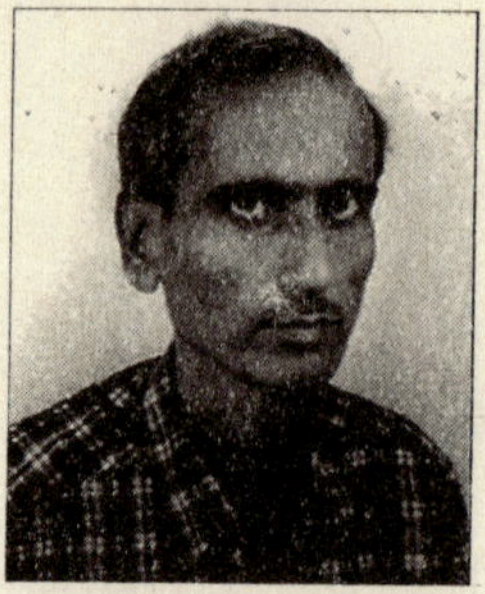

राघवेन्द्र शंकर शुक्ल

जन्मतिथि : 7-10-1955, पुरवा नगर (उन्नाव)
शिक्षा : एम.ए. (हिन्दी, अंग्रेज़ी), बी.एड.
प्रकाशन : अनेक पत्र-पत्रिकाओं में रचनाएं प्रकाशित।
सम्मान/पुरस्कार: 'निराला पुरस्कार (उन्नाव) सहित अनेक संस्थाओं द्वारा सम्मानित/पुरस्कृत।
सम्प्रति : प्रवक्ता अंग्रेज़ी (उन्नाव)
सम्पर्क : मौ. दलीगढ़, नगर-पुरवा (उन्नाव) उ.प्र.
फ़ोन 05142-220139

मुश्किलों में जो जिये जनता उसी का नाम है
ऐश करना, हुक्म देना हाकिमों का काम है

सींचने को क्या कहें पीने को भी पानी नहीं
साठ वर्षों बाद आज़ादी का ये परिणाम है

आम से चुनकर गए जो ख़ास के बनकर रहे
ख़ास समझा देते हैं जब आम से क्या काम है

जनता का धन खर्च होता है यहां पर इस तरह
साहबों और माननीयों को बहुत आराम है

क्षेत्र मजहब जातिवादी चक्करों में पड़के जो
वोट करते हैं उन्हें मिलता यही अंजाम है

पहले तो गोलमाल करते हैं
बाद में खुद सवाल करते हैं

देश कंगाल हो तो हो जाए
अपने को मालामाल करते हैं

जिस तरह काम उनका बन जाए
सिर्फ़ उतना ख़याल करते हैं

देखकर उनकी सारी करतूतें
देशवासी मलाल करते हैं

अब तो ये बात सब पे ज़ाहिर है
कितना क्या पांच साल करते हैं

साया जब भूख का घना होगा
कोई आतंकी तब बना होगा

दफ़्तरों का अज़ीब आलम है
काम प्रत्येक अधबना होगा

अस्पतालों में मरीज़ों के लिए
दवा की जगह झुनझुना होगा

थोड़ा जाकर क़रीब से देखें
आदमी स्वार्थ से सना होगा

आपको हक़ीक़त बताएगा
सामने जब भी आईना होगा

साथ धारा के जो भी बहता है
उसको संसार मुर्दा कहता है

मुझको युगधर्म नहीं समझाओ
मैं हूँ नासमझ कौन कहता है

सीखना है गुलाब से सीखो
जो कि कांटों के बीच रहता है

जिसने अपना ज़मीर मार दिया
वह न जीता है और न मरता है

ज़िन्दादिल तो उसी को कहते हैं
जो न अन्याय कभी सहता है

कौन कितना कहां जला होगा
इसका उत्तर नहीं मिला होगा

अब तो सच्चाई पे जो उड़ता है
लोग कहते हैं बावला होगा

भौंरे यूं ही नहीं भटकते हैं
कहीं पे कोई गुल खिला होगा

उसको दोज़ख़ में भी जगह है नहीं
जिसने विश्वास को छला होगा

हत्या करके जहां क़ातिल हो बरी
केस भारत में वो चला होगा

राकेश 'चक्र'

मूल नाम : राकेश कुमार गुप्ता

जन्मतिथि : 14-11-1955, साजाबाद-ताजपुर (अलीगढ़)

शिक्षा : एम.ए. (समाजशास्त्र), एल.एल.बी., साहित्यरत्न।

प्रकाशन : 'प्रेम की भाषा ही हिन्दुस्तान है' ग़ज़ल, गीतिका-संग्रह सहित बाल-गीत, बाल कथा, कविता, उपन्यास आदि विधाओं की लगभग 3 दर्जन पुस्तकें प्रकाशित।

सम्मान : अनेक संस्थाओं द्वारा सम्मानित।

सम्प्रति : उ.प्र. पुलिस विभाग में सेवारत।

सम्पर्क : (स्थायी) 90 बी, शिवपुरी, डबल फाटक, मुरादाबाद (उ.प्र.)

यादों की बारात लेकर आ गए तुम
तप्त तन को प्रेम में नहला गए तुम

कल निशा चिन्तन में आकर गात मेरा
चाँदनी की छाँव में सहला गए तुम

जब दिया अभिसार का तुमको निमंत्रण
ये लगा हमको कि कुछ शरमा गए तुम

तुमको मैंने सौंप दी यौवन की गागर
किन्तु अधरों की सुधा छलका गए तुम

आ गई जब मैं भुजाओं में सिमटकर
और फिर बादल-सा मुझ पर छा गए तुम

प्यास तब केवल बुझेगी ज़िन्दगी की
अब के सावन में अगर फिर आ गए तुम

झूठी कसमें खाते लोग
रिश्ते नहीं निभाते लोग

दर्द बाँटने तो क्या आते
दर्द नया दे जाते लोग

कौन है अपना कौन पराया
भूले रिश्ते नाते लोग

जो दुनिया में सच्चे-सीधे
उनकी हँसी उड़ाते लोग

सुनी 'चक्र' की मीठी बातें
मीठे ही बन जाते लोग

काश! ये समय यहीं ठहर जाए
'चक्र' की ज़िन्दगी सँवर जाए

वो जो प्यार बरसाए बादल-सा
ज़िन्दगी फूल-सी महक जाए

शाम होने को है, कहा शब ने
कह दो सूरज से वो अब घर जाए

जिसको उसने ही न अपनाया हो
वो भला आदमी किधर जाए

उसको दुनिया में कौन पूछेगा
जो तेरी नज़रों से उतर जाए

सिसकियों का स्वर घना हर ओर है
हर तरफ़ ही मौन में भी शोर है

ज़िन्दगी का बोझ ढो सकता नहीं
आदमी अब इस क़दर कमज़ोर है

इस तरह बदला है दुनिया का मिज़ाज
बादलों से बैर रखता मोर है

जब हमारी दृष्टि ही चोरी गई
किस तरह खोजें कहाँ फिर चोर है

ये बरस जाए तभी होना मगन
आसमां पर जो घटा घनघोर है

सुनहरी प्रभा से भरा है सवेरा
सदा स्वर्ण जैसा खरा है सवेरा

उदय के समय अर्थ जीवन का है ये
सदा शाम ढलते मरा है सवेरा

निशा व्यर्थ है तेरी पुरज़ोर साज़िश
तिमिर से कभी क्या डरा है सवेरा

ज़माने ने माँगी दुआ उसके हक़ में
कभी जब ग्रहण ने हरा है सवेरा

हुआ 'चक्र' नायक अँधेरा यहाँ अब
फ़क़त मंच का मसखरा है सवेरा

राजीव राय

जन्मतिथि : 7-1-1956

शिक्षा : स्नातक

प्रकाशन : ''सफल कैसे हों'', 'जज़्बात' (ग़ज़ल-संग्रह) प्रकाशित। पत्र-पत्रिकाओं में रचनाएं प्रकाशित।

सम्मान : 'मदनमोहन मालवीय पुरस्कार', 'फ़ैलो आफ़ सी.एम.एस. अवार्ड' सहित अनेक संस्थाओं द्वारा सम्मानित।

सम्प्रति : सहायता लेखाधिकारी, मण्डी परिषद, उ.प्र. लखनऊ।

सम्पर्क : 17/263 इन्दिरा नगर, लखनऊ 226016 उ.प्र.
मो. : 9415066371

इतना तो हुआ हासिल शहरों की रौशनी में
आँसू बदल गए हैं चुपचाप बेबसी में

मैं होश लिए कब तक दुनिया से निभाऊंगा
रहने दो मुझे तन्हा आज़ाद बेख़ुदी में

नाराज़ है ज़माना क़िस्मत भी है ख़फ़ा सी
होता है ये तमाशा क्यों यार ज़िन्दगी में

पाया है उस ख़ुदा को मैंने क़रीब अक्सर
मासूम से बच्चे की मासूम की हँसी में

सब कुछ लुटा के यारो मैंने ये राज़ जाना
हर शख़्स में ख़ुदा है कमियाँ हैं बस मुझी में

सारी रात भटकता है
चाँद-भी मेरे जैसा है

दुनिया से दिल ऊब गया
फिर भी इससे रिश्ता है

अक्सर ये महसूस हुआ
मैंने रब को देखा है

ये भी एक पहेली है
कौन किसी का अपना है

ज़ालिम की आँखें हैं नम
अच्छा जादू टोना है

ऐसा कौन दिवाना होगा
जैसा ये परवाना होगा

मरहम लेकर वो आया है
अब तो ज़ख़्म दिखाना होगा

ख़ुश रहना है गर दुनिया में
अश्कों को पी जाना होगा

जिसने तेरा साथस निभाया
वो कोई अन्जाना होगा

बेशक ये दुनिया है ज़ालिम
लेकिन उसको पाना होगा

ज़िन्दगी शोर-ओ-गुल मचाती है
मौत ख़ामोश चली आती है

तेरे आने की ख़बर सुनते ही
ये सबा गीत गुनगुनाती है

मेरी दुनिया से दुश्मनी क्या है
क्यों मेरा चैन वो चुराती है

इस जवानी के करिश्मे देखो
आग पानी में भी लगाती है

जब तलक कोई उसे पहचाने
ज़िन्दगी यूं ही गुज़र जाती है

ये जहाँ जिसके पास रहता है
वो ही अक्सर उदास रहता है

आदमी वो बुरा नहीं लेकिन
इश्क़ में बदहवास रहता है

दुश्मनों की मुझे तलाश नहीं
दिल-ए-नादां जो पास रहता है

उसने दुनिया को ख़रीदा लेकिन
दिल ही दिल में उदास रहता है

सर्द रातें वो भला क्या जानें
जिनके तन पे लिबास रहता है

ज.ल. राठौर 'प्रभाकर'

मूल नाम : झुन्नी लाल राठौर
जन्मतिथि : 1-2-1956, बांसा तारखेड़ा (म.प्र.)
शिक्षा : एम.एस-सी, बी.एड.
प्रकाशन : अनेक पत्र-पत्रिकाओं में रचनाएं प्रकाशित।
सम्मान/पुरस्कार: अनेक संस्थाओं द्वारा सम्मानित।
सम्प्रति : प्राचार्य, शास.उत्कृष्ट उ.मा. विद्यालय, बुढ़ार (शहडोल) म.प्र.
सम्पर्क : प्रांजलि भवन, एम.आई.जी.-1/30, दीनदयाल नगर, मकरोनिया, सागर (म.प्र.) 470004
फोन : 07582 262167
मो. - 9425182307, 9826944258

थीं गरजती हुईं बिजलियां रो पड़ीं
अब अमन-चैन की मुरलियां रो पड़ीं

संतुलनहीन जब ये हुई प्रकृति
तो बिना नीर के बदलियां रो पड़ीं

फूल पर फूलने कैक्टस जब लगी
पर्यटन कर रहीं तितलियां रो पड़ीं

जब मगरराज की फैल दहशत गई
शांत जल में पलीं मछलियां रो पड़ीं

नग्न नर्तन निरख न्याय-अन्याय का
विक्रमादित्य की पुतलियां रो पड़ीं

जब निरपराध को प्राप्त फांसी हुई
फंदे वाली सभी सुतलियां रो पड़ीं

गीत दरबार के जब क़लम ने लिखे
तो क़लमकार की उंगलियां रो पड़ीं

दमदार व्यक्ति है बमदार कम
आयतन अधिक है और भार कम

होता विफल है हर मोर्चे पर
वीरता अधिक है और वार कम

नई पीढ़ी को दे रहा जो फल
अम्लता अधिक है और क्षार कम

जनतंत्र तो भीड़तंत्र हो गया
शोर तो अधिक है और सार कम

व्यवस्था-विद्रोहियों की व्यथा
आग तो अधिक लेकिन अंगार कम

हो क़लम नुकीली किसी बाण की तरह
अन्याय-अंध काट दे कृपाण की तरह

असत्य के समुन्दर में डूब न जाए
सत्य हो नल-नील के पाषाण की तरह

ईमान अपमानित-निर्वासित न हो
एक सीता के अग्नि-प्रमाण की तरह

प्रतिभा व सफलता समानुपाती चलें
निर्णय न हों पहुंच-परिमाण की तरह

गीता को बाइबिल के भाव से पढ़ो
पढ़ो और कुरान को पुराण की तरह

कितनी त्रासद है ये त्रासदी
लहू में नहाती अब निर्मल नदी

सूरज बिखेरे अविरल अंधेरा
अंगारे उगलती शरद-कौमुदी

अणु-अणु कितना असहिष्णु हुआ
किसने है ओज़ोन परत छेद दी

दुःशासन तो प्रासंगिक रहा न
स्वयं वस्त्र कम कर रही द्रौपदी

आशा, उत्साह महक जाएंगे
'प्रभाकर' कोई गीत गाओ यदि

समझा था जिसको मैं जितना निकट है
वही शख़्स निकला अब उतना विकट है

रसमय है रसना व मधुरिम अधर हैं
अमिय आवरण में हलाहल का घट है

नेपथ्य में नित्य निंदा के स्वर हैं
यशोगान गाता हुआ श्वेत पट है

फूलों के मण्डप में कांटों का परिणय
कैक्टस ने ओढ़ा मखमली घूंघट है

कीचड़ से लथपथ लो जी मैं हो गया
समझकर गया था कि वह गंगा तट है

'फ़रमूद' इलाहाबादी

मूल नाम : फ़रमूद खान
जन्मतिथि : 10-2-1956, इलाहाबाद (उ.प्र.)
शिक्षा : इंजीनियर (इलैक्ट्रानिक्स)
प्रकाशन : अनेक पत्र-पत्रिकाओं में रचनाएं प्रकाशित।
सम्मान/पुरस्कार: अनेक संस्थाओं द्वारा सम्मानित।
सम्प्रति : दूरदर्शन, (इलाहाबाद) में कार्यरत।
सम्पर्क : 74/1, नया पुरा (बरेली) इलाहाबाद-211016 (उ.प्र.)

इस हुस्ने-बेमिसान पे ये सादगी तुम्हारी
शबनम में भीगे फूल सी है ताज़गी तुम्हारी

चमका है चँदनी मे बदन संगे मरमरी
इंसान क्या फ़रिश्तें करें बंदगी तुम्हारी

नाज़ुक सा जिस्म उस पे जवानी का ये वज़न
समझी नहीं खुदा ने भी लाचारगी तुम्हारी

बाहों में मेरी आओ तो ये सब तुम्हें मिलें
ये दिल जिगर तुम्हारे, मेरी ज़िंदगी तुम्हारी

तुमको मेरी क़सम है न होना ख़फ़ा कभी
जीते जी मार डालेगी नाराज़गी तुम्हारी

दिल का खिलौना समझा मगर सोचा है कभी
तकलीफ़ कितनी देती है ये दिल्लगी तुम्हारी

'फ़रमूद' हुस्न वालों की सोहबत से बाज़ आ
रुसवा करेगी तुझको ये आवरगी तुम्हारी

तड़पा के यूँ न जाओ तुम मेरे पास बैठो
करनी हैं मुझको तुमसे कुछ बातें ख़ास बैठो

आने में देर कर दी जाने की इतनी जल्दी
कब से लगा रखी थी मिलने की आस बैठो

चलती रही तुम्हारे ही इंतेज़ार में यह
न जाने किस घड़ी अब रुक जाए सांस बैठो

नाकाम हर दवा है और बे असर दुआ है
इक साथ ही तुम्हारा आता है रास बैठो

'फ़रमूद' ने मय मांगी तो वो बिगड़ के बोले
तरकीब से मिलेगी यह लो गिलास बैठो

फूल की ख़्वाहिश है तो कांटों पे चलना सीख लो
दूर करना है अंधेरों को तो जलना सीख लो

ज़िंदगी पे ग़म ही छा जाते हैं अक्सर दोस्तो
चाँद की मानिंद बादल से निकलना सीख लो

हर परेशानी से बचने का तरीक़ा है यही
मोम की मानिंद से हर सांचे में ढलना सीख लो

ज़ुल्म का फ़ौलाद की तरह् करो तुम सामना
बे कसो मज़लूम की ख़ातिर पिघलना सीख लो

हाथ पर क्यूं हाथ रखकर बैठे हो 'फ़रमूद' तुम
शोख़ लहरों की तरह् तुम भी मचलना सीख लो

लो हमने प्यार अपना क़ुर्बान कर दिया
जो मुश्किलें थीं उनको आसान कर दिया

अपनी ही ज़िद के हाथों बर्बाद हो गए हम
इस ज़िद ने हाय कितना नुक़सान कर दिया

नादान थे जो हमने उलफ़त के वास्ते
जज़्बात के हवाले ईमान कर दिया

दुनिया के हम न होते और न ही दीन के
हालात ने बचाकर एहसान कर दिया

'फ़रमूद' मान बैठे इस दिल की बात को हम
गुलशन था अच्छा ख़ासा वीरान कर दिया

जिसमें दम घुटता है वो दीवारो दर किस काम के
पुरसकूँ मोहौल न हो तो वह घर किस काम के

फल किसी के काम न आए न साया ही मिले
राहगीरों के लिए ऊंचे शजर किस काम के

वक़्त पड़ने पर कोई इमदाद को आया नहीं
दोस्त तो हमने बनाए उर्म भ्र किस काम के

जिस्म और जाँ के लिए है अहमियत इनकी मगर
प्यार ही जिन में न हो वो दिल जिगर किस काम के

चल पड़े 'फ़रमूद' हम तन्हा ही मंज़िल की तरफ़
राह में जो छोड़ दे वो हमसफ़र किस काम के

गोविंद कुमार 'गुंजन'

जन्मतिथि : 28-8-1956.
शिक्षा : एम.ए. अंग्रेज़ी साहित्य।
प्रकाशन : अनेक पत्र-पत्रिकाओं में रचनाएं प्रकाशित। कविता, निबंध, उपन्यास विधाओं की पुस्तकें प्रकाशित।
सम्मान : समांतर नवगीत अलंकरण, अखिल भारतीय अंतिका प्रसाद दिव्य प्रतिष्ठा पुरस्कार, निर्मल पुरस्कार।
सम्पर्क : उत्तरायण, 18, सौमित्र नगर, सुभाष स्कूल के पीछे, खंडवा (म.प्र.)

घर में खुद के ही उजाला हर कोई करता रहा
एक बिजली के बटन सा, मैं सदा दबता रहा

मोल कंगन का सुना तो बाप बूढ़ा रो पड़ा
कर्ज़ बेटी की जवानी की तरह बढ़ता रहा

पी रहा स्मैक कॉलेज की किताबें बेचकर
एक लड़का, बाप जिसके सामने डरता रहा

मैं समझता था कि उसको प्यार है मुझसे मगर
उसने सोचा वक़्त अच्छा इस तरह कटता रहा

सेज सूली की मिली 'गुंजन' चमन में फूल को
ज़ख्म बेशक था बहुत गहरा, मगर भरता रहा

धीरे धीरे बदल गया मन
जाने कैसे पिघल गया मन

आँखें उसको रही बुझाती
एक आग जो निगल गया मन

कितना उसे छुपाया दिल ने
पर आँखों से उगल गया मन

आज खिलौने की दुकान पर
फिर बच्चे-सा मचल गया मन

'गुंजन' ने बहकाया तो था
लेकिन गिर के सँभल गया मन

आख़िर हमने चश्मे-नम से
हाथ धो लिये दिल के ग़म से

मर जाएंगे बिना तुम्हारे
जी लेगें हम किसके दम से

दरिया की मछली को शबनम
क्या होगा अब इतने कम से

अकड़ रहे थे कितने पर्वत
बैठ गए रस्ते में धम से

चूम लिया उनके क़दमों को
पायल यह कहती है छम से

आइए अभिषेक जीवन का करें
प्रथम दर्शन आत्म दर्पन का करें

आज प्रतिमा से क्षमा मैं मांग लूं
आज से श्रृंगार निज मन का करें

सत्य सबके एक हैं, झूठ सबके एक
यज्ञ पहले भ्रम विसर्जन का करें

जो मिटाएगा, स्वयं मिट जाएगा
आप तो कुछ काम सर्जन का करें

आज उपवन में नहीं ये मौन अच्छा
चल भ्रमर कुछ काम 'गुंजन' का करें

इस सदी में प्यार की तुम बात करते हो
पैर से लंबे भला क्या हाथ करते हो

फूंक डालेगें तुम्हें ये चरस में, स्मैक में
इन दरिन्दों का भला क्यों साथ करते हो

अब भी तुमको ज़िंदगी का आइना दे दूं कोई
पत्थरों की तुम मगर बरसात करते हो

हर वेश के तुम साथ चेहरा भी बदलते हो नया
किस मुँह से मेरे सामने तुम बात करते हो

अधर पर गीत सपना आँख में लाओ कोई
क्यों अँधेरी चाँदनी ये रात करते हो

महेश शुक्ल

जन्मतिथि : 21-1-1957, अकोला
शिक्षा : बी.एस.सी.
प्रकाशन : ग़ज़ल संग्रह (तस्वीर हवाओं की)
सम्प्रति : एन.टी.सी. में अधिकारी।
सम्पर्क : तुलसी कुंज, आदर्श कालोनी, अकोला (महाराष्ट्र) 444004
मो. : 09423127737

वो मुझको मेरे अपने साए सा छल गया
शक्ल तो वही थी मगर क़द बदल गया

कीचड़ में गिरा था जो शख़्स भूल से यहाँ
वो गया तो हाथ में लेकर कँवल गया

हमसे तो बात हुई थी वो भूल से मगर
सारे ज़माने में वही दौर चल गया

निकल सका वही जो चला आँख मूँदकर
देखभाल कर जो चला वो फिसल गया

मशरिक से चला था जो अँधेरे से जूझने
मग़रिब पहुंच के वो भी अंधेरों से मिल गया

मोम की शमूआ की लौ के पास में आकर
फ़ौलाद का भी जिस्म मोम सा पिघल गया

रात भर रहा वो अँधेरे के भेस में
और सुबह को मेरे साए में ढल गया

उड़ने की तैयारी रख
पिंजरे से भी यारी रख

भीतर से तू भगवा ओढ़
बाहर दुनियादारी रख

विषदंशों से काम न ले
पर फुफकारें जारी रख

बाड़ भले हो कैक्टस की
अंदर से फुलवारी रख

हाथों से तकलीफ़ें बांट
होठों पर तू सॉरी रख

चल जाए सो रीत
हो जाए सो प्रीत

खो जाए सो स्वप्न
मिल जाए सो मीत

कान भरे सो शोर
हृदय भरे संगीत

उसका क्यों कर दुःख
गई बीत सो बीत

राज विजय का जान
मान हार को जीत

सिर्फ़ ख़ुद का पता नहीं मिलता
वर्ना दुनिया में क्या नहीं मिलता

ज़िंदगी सिर्फ एक मौका है
वो भी फिर दूसरा नहीं मिलता

जो मरासिम है ख़ुद से उससे फिर
कोई बनकर बुरा नहीं मिलता

मंज़िलें बस उसी को मिलती हैं
जिसको भी रहनुमा नहीं मिलता

ज़िंदगी भी अजब अदालत है
मौत तक फ़ैसला नहीं मिलता

अम्म बहुत ज़रूरी है
बड़ी सुखद मजबूरी है

घर न लगे जब घर तो समझो
अम्मा से कुछ दूरी है

एक टांग की उनकी मुरगी
अम्मा की मग़रूरी है

सारे दिखते आधे आधे
बस अम्मा ही पूरी है

जितने घाव लगा ले दुनिया
अम्मा बड़ी सबूरी है

किशन स्नेही

जन्मतिथि : 16-06-1957

शिक्षा : स्नातकोत्तर

प्रकाशन : गुंचा-ए-ग़ज़ल, विभिन्न पत्र-पत्रिकाओं में रचनाएं प्रकाशित

सम्प्रति : स्वतंत्र लेखन, सचिव साहित्यिक संस्था अनुराग एवं समाज सेवी संगठन राजस्थान यूटोपिया संस्थान एब्सट्रेक्ट चित्रकला।

सम्पर्क : मौहल्ला श्योपुरा, समीप रन्ती का कुंआ, अलवर (राज.)
मो. 9928459181

देखी है उसने ज़िन्दगी ज़्यादा क़रीब से
कैसी है ज़िन्दगी कोई पूछे ग़रीब से

हर शख़्स के बदन पर नीले दाग़ दिख रहे
लटके हुए हैं लोग शोषण की सलीब से

अनचाहे लोग आ जमे हैं कुर्सियों पे फिर
मिलते हैं ऐसे मसीहा कैसे नसीब से

कितने थे हम नादान इश्क़ में इसीलिये
ख़त पढ़ के रो दिये था मिला जो रक़ीब से

उनके शहर में कितना बदलाव आ गया
लोगों के चेहरे हो गए ज़्यादा अजीब से

कमज़र्फ़ लोग 'स्नेही' सहते हैं हादसे
बस्ती में गुण्डे घुस गए लेकिन अदीब से

ये बादल आसमां पे छा रहे हैं
आप क्यों इस तरह घबरा रहे हैं

अभी सरकार गांवों में गई है
शहर में गम ही ग़म गहरा रहे हैं

हिफ़ाज़त ख़ुद करो-पानी से अपनी
वतन के रहनुमा फ़रमा रहे हैं

जलाएं बिजलियां क्यों हम जलाएं
यही कहकर वे अग्नि ला रहे हैं

समर्पित भाव से मरना उचित है
हमारे राजनेता आ रहे हैं

चल पड़े जीवन वरण होने लगा
इस तरह पथ संचरण होने लगा

जल रहा था ज्योति देने के लिए
दीप क्यों तम की शरण होने लगा

रूप अमृत सा सभी को बांटते
किस लिये अब आवरण होने लगा

गीत के स्वर किस तरह समवेत थे
बेसुरा कैसे चरण होने लगा

बिखरती मुस्कान में थी ज़िन्दगी
विष बनी कैसे मरण होने लगा

जलाया दीप एक पंथ दिखाने के लिये
हवाएं दौड़ पड़ी उसको बुझाने के लिये

कहां यह एक नन्ही लौ दीये की कांपती सी
कहां तूफ़ान की ताक़त है मिटाने के लिये

सुना था रात पे सूरज की पकड़ बाक़ी है
निशा तैयार है रणक्षेत्र में जाने के लिये

मुझे अंधेरे रौशनी में फ़र्क क्यों करना
दोनों तैयार मिले घर लुटाने के लिये

आपके पैर अंधेरे में न ठोकर खाएं
रौशनी चाहिये ही राह बताने के लिये

आदमीयत हलाल करते हैं
लोग भी क्या कमाल करते हैं

अम्न है, चैन है बताते हैं
और ख़ुद गोलमाल करते हैं

अपने फ़न में हैं वो बड़े माहिर
सिर्फ़ अपना ख़याल करते हैं

कितनी मज़बूरियां हुईं पैदा
ज़िन्दगी से सवाल करते हैं

किसके ओठों पे तबस्सुम सा दिखा
लोग इसका मलाल करते हैं

देवेन्द्र आर्य

जन्मतिथि : 18-6-1957

शिक्षा : एम.ए.

प्रकाशन : 'ख़िलाफ़ जुल्म के', 'धूप सिर चढ़ने लगी', 'आग बीनती औरतें', 'किताब के बाहर', 'ख़्वाब-ख़्वाब खामोशी' प्रकाशित।

सम्मान : अनेक संस्थाओं द्वारा सम्मानित।

सम्प्रति : पूर्वोत्तर रेलवे में मुख्य वाणिज्य निरीक्षक।

सम्पर्क : ए-127, आवास-विकास कालोनी, शाहपुर, गोरखपुर 273006 (उ.प्र.)
फोन : (0551) 2284220

ख़त्म कब होगा मस्अला जाने
आपका अपना हौसला जाने

वो मुझे चाहने लगे हैं फिर
आने वाली है क्या बला जाने

छाछ क्यों फूँक-फूँक पीते हैं
यह तो बस दूध का जला जाने

उम्र या ख़ौफ़ या कि ख़ुद्दारी
दिन के बदले में क्या ढला जाने

वो ज़माना है अब कि बच्चा भी
आप अपना बुरा भला जाने

मौत एक क़ाफ़िया है उसके लिए
बाँध लेने की जो कला जाने

गो कि कोशिश तो ज़माने से रही
भूख शब्दों में समाने से रही

मौत चाहे तो उठा ले, वरना
ज़िन्दगी बोझ उठाने से रही

खुद तो सपनों में चले आते हो
और मैं याद भी आने से रही

तीरगी चाहे जला भी दे मगर
रौशनी शमूअ जलाने से रही

बच्चा रोने से अगर बाज़ आए
माँ उसे दूध पिलाने से रही

ज़िन्दगी करके मुल्तवी मैंने
मौत को दी शिकस्तगी मैंने

चाँदनी से गुलों प' नक़्क़ाशी
किसने की है भला, अजी मैंने

नुक्ताचीनी मेरे स्वभाव में थी
ढूँढ ली खुद में भी कमी मैंने

मेरा लहजा ख़मोशियों का था
बात अपनी तरह से की मैंने

जिस जगह बाँध लिख रहे थे लोग
उस जगह पर नदी लिखी मैंने

प्यास की आँख डबडबाई है
बावड़ी चल के पास आई है

इन्तिहा पर पहुँच गए तो लगा
हैसियत अपनी इब्तदाई है

कुछ असर ही नहीं शहादत का
ख़ून है या कि रौशनाई है

भूख से आती थी गुलामी, अब
धर्म के रास्ते से आई है

लोग बाज़ार हो गए जब से
मुफ़लिसी कर रही कमाई है

नदी से पाप धुलवाता मिलेगा
मिलेगा, कोई तो दाता मिलेगा

मैं आँसू हूँ, मोहब्बत हूँ, हया हूँ
हर एक दिल में मेरा खाता मिलेगा

कभी सच को खुरच कर देखना तुम
वहाँ एक झूठ इठलाता मिलेगा

जो खुल जाएँगी ख़ामोशी की गाँठें
हवा का आग से नाता मिलेगा

चुराने वाला होंठों से हँसी को
तराने प्यार के गाता मिलेगा

गणेश 'राज'

जन्मतिथि : 1-9-1957, नयागाँव, मुंगेर (बिहार)
प्रकाशन : देश की विभिन्न पत्र-पत्रिकाओं एवं काव्य संकलनों में रचनाएं प्रकाशित।
सम्मान : अनेक संस्थाओं द्वारा सम्मानित।
सम्प्रति : वरीय लिपिक, समाहरणालय, खगड़िया।
सम्पर्क : रेलवे पावर हाउस के उत्तर, कबीर नगर (सन्नी ग्रील के निकट), खगड़िया-851204 (बिहार)
फोन : 9430235797

क्यों सहर अब रात के ज़ेरे असर लगे
माजरा है क्या परेशाँ हर बशर लगे

हौसला चाहे नदी का हो उफ़ान पर
देखिये फिर भी किनारा बेख़बर लगे

आदमी वो है नहीं अब क़ाबिले-क़दर
जो पसीने से बराबर तर-ब-तर लगे

कोशिशें हैं क्या कि होगी रोशनी यहाँ
स्याह रातें ही सभी को जब सहर लगे

है सफ़र में साथ हासिल आपका तो क्यूँ
और भी मुश्किल ज़ियादा रह गुज़र लगे

भोर की जानिब से गर कोई इशारा देखते
किसलिए फिर स्याह रातों का नज़ारा देखते

हद से ज़्यादा मुश्किलों का यूँ न होता सामना
आँधियाँ उठती कभी वो इक किनारा देखते

पत्थरों को पूजने का जो चलाते सिलसिला
मोम से हम माँगते उनको सहारा देखते

भूख की साज़िश में शामिल हो ज़माना गर नहीं
हर किसी को प्यार से करते गुज़ारा देखते

थी कभी जिससे मुहब्बत की दहर में रोशनी
'राज' वो उगते हुए सूरज दुबारा देखत

नदी का किनारा लहर छोड़ जाएँ
ज़माने पे कुछ तो असर छोड़ जाएँ

न देंगे कभी हौसला टूटने हम
नये दौर को वह जिगर छोड़ जाएँ

अमन का रहे हर तरफ़ बोलबाला
मुहब्बत की ख़ातिर डगर छोड़ जाएँ

उगाएँ न सींचे कभी ख़ार दिल में
गुलों का चमन में बसर छोड़ जाएँ

मिला है हमें यार बेशक अँधेरा
जरा सा उजाला मगर छोड़ जाएँ

बोझ दिल पे हज़ार लगते हैं
हमसफ़र दर किनार लगते हैं

बेहयाई गले लगा ली है
पेरहन नागवार लगते हैं

है सभी को पसंद मनमानी
मशवरे अब बेकार लगते हैं

है ख़बर कौन सी नहीं उनको
जुर्म के राज़दार लगते हैं

थी कभी लौ जिसे डराती वो
आतिशों पे सवार लगते हैं

परे ख़ौफ़ से ज्यों डगर ही नहीं है
शरीफ़ों का जैसे बसर ही नहीं है

सुनाएँ किसे दर्द दिल का बताओ
ज़माने पे होता असर ही नहीं है

क़हर धूप का है बहुत ही मगर इक
मिले छाँव ऐसा शजर ही नहीं है

जहाँ अम्न करता बसर दौर वाले
कोई आज ऐसा शहर ही नहीं है

चले जा रहे हैं हमारे क़दम को
है मंज़िल कहाँ ये ख़बर ही नहीं है

चन्द्र प्रकाश शर्मा

जन्मतिथि : 3-10-1957, शेखूपुर (बुलन्दशहर)

शिक्षा : एम.ए. (हिन्दी) साहित्य रत्न, विद्युत अभियांत्रिकी।

प्रकाशन : पत्र-पत्रिकाओं में रचनाएं प्रकाशित। पटकथा व संवाद लेखन।

सम्मान : अनेक संस्थाओं द्वारा सम्मानित।

सम्प्रति : नौकरी।

सम्पर्क : 3238/226, सैक्टर-7, सी.जी.एस. कॉलोनी, एंटोभिल, मुम्बई-37
फोन : (022) 24034350 (नि.)
249115011 (कार्यालय)

अन्दर भी तू है बाहर भी तू है
तू हरदम जैसे मेरे रुबरु है

है ये जिस्म तुझसे निगेहबां तू मेरा
तू ही सांस मेरी दिल की आवाज़ तू है

दिल जन्नत, तुझी से खुशी तू जहाँ की
तू ही प्यार मेरा मेरी जान तू है

तेरे सिवा मेरा कुछ भी नहीं है
तू ही मेरी मंज़िल तू ही जुस्तजू है

तू ही दीन मेरा मैं दुनिया में तेरी
तू ही आस मेरी तू ही आबरू है

ज़मीं आसमाँ तू सारा जहाँ तू
हर सिम्त तेरी तू ही चारसू है

है हर शै तुझी से और हर शै में तू है
जिधर देखता हूँ उधर तू ही तू है

मिलेंगे या रहेंगे हम जुदा जाने
ख़ुदा की बात है, बस ख़ुदा जाने

कैसे हो जाएँ वक़्त के तेवर
कब बदल जाए ये फ़ज़ा जाने

किधर चलने लगे हवा कैसी
कहाँ बरस जाए ये घटा जाने

हवाले उसके है, क़श्ती हयात की
बात साहिल की अब नाख़ुदा जाने

झलक कर जाए कब वो दिल रोशन
ले आए कब असर किसकी दुआ जाने

दर्द जब दिल में उठे तो क्या करिए
दम जो सीने में घुटे तो क्या करिए

बहें जो अश्क तो पी जाएँ मग़र
धुँआँ आँखों से उठे तो क्या करिए

ज़रो-जमीन तो आती है चली जाती है
दौलते-दिल ही लुटे तो क्या करिए

हुनर इश्क़ बाँटने से बढ़ता है लेकिन
दिल ही टुकड़ों में बँटे तो क्या करिए

चोटियाँ आसमाँ को छूती है अक्सर
आसमाँ जब ज़मीं पे झुके तो क्या करिए

न मैं तुझसे दूर हूँ न तू मुझसे दूर है
आँखें फ़रेब खाएँ तो नज़र का कसूर है

ज़रो-ज़मीन, ज़िन्दगी, जिस्मो जाँ फ़ना
है ग़म ज़दा सब मगर ग़फ़लत गुरूर है

ढूँढा बहुत उसे मगर आया नहीं नज़र
दिल का नज़र का मेरा, किसका कुसूर है

पहले तो कभी ऐसी रंगी फ़ज़ा न थी
शामिल ज़रूर इसमें शबाबे-हुजूर है

समन्दर, ज़मीन, आसमाँ, सारे जहान में
हर सिम्त में चारों तरफ़ तेरा ही नूर है

तेरा-मेरा मिलन कोई समझेगा क्या
प्यार का ये चलन कोई समझेगा क्या

हर इबादत गुलों की शहादत से है
कैसे उजड़ा चमन कोई समझेगा क्या

सब हैं आशिक़ बहारे-ग़ज़ल के यहाँ
मेरे दिल की चुभन कोई समझेगा क्या

कैसे पहुंचा हूँ मैं मंज़िले-इश्क़ तक
रास्ते की थकन कोई समझेगा क्या

किसको पाया मैंने खो गया क्या मेरा
कैसे भीगे नयन कोई समझेगा क्या

निरंजना जैन

जन्मतिथि : 11-11-1957, बीना (म.प्र.)
शिक्षा : स्नातक (विज्ञान)
प्रकाशन : अनेक पत्र-पत्रिकाओं में रचनाएं प्रकाशित।
सम्मान/पुरस्कार: अनेक संस्थाओं द्वारा सम्मानित।
सम्प्रति : गृहणी, साहित्य लेखन।
सम्पर्क : पोस्ट आफ़िस के पास, बड़ा बाज़ार, सागर (म.प्र.) 470002
फ़ोन 07582-233140

ज़हरीली हैं आज फ़िज़ाएं, जंग नहीं अब और चाहिए
दिल में बढ़ें न और दरारें, इस पर थोड़ा ग़ौर चाहिए

बंजारा बस्ती है फिरती, कांधे पर सामान उठाए
लोग हुए जो घर से बेघर, उनको अपना ठौर चाहिए

कुम्हलाए सहमे बचपन पर पतझड़ की छाया देखी है
मुरझाते से इन फूलों को मुस्कानों का दौर चाहिए

सूख रही है प्यार की धरती, सहरा पैर पसार रहा
हर इक डाली-डाली कहती, हमको तो बस बौर चाहिए

लील रहा आतंकी अजगर, निर्दोषों मासूमों को
उसको नाथे ऐसा कोई, एक कन्हैया और चाहिए

डिगरी की फ़ाइलें रुकी हैं, भूख से है बाज़ार भरा
कुछ की चाह बहुत ज़्यादा है, कुछ को केवल कौर चाहिए

आंखों से आंसू न बहें अब, दहशत के मंज़र न दिखें
मिलजुल कर सब दुख को बांटें, जीवन में क्या और चाहिए

दर्द की बस्ती में आहों की गलियां हैं
मुरझाए गुल हैं सहमी सी कलियां हैं

हो गए हैं स्तब्ध किनारे पलकों के
तटबन्धों को लांघ के बहतीं नदियां हैं

फूला फिर आंगन में प्यारा गुलमोहर
संदेशा देने आई ये पतियां हैं

गीत कहानी लोरी नग़में कुछ ग़ज़लें
दिल के तहख़ाने में क़ैद ये बतियां हैं

नींद के पंछी लौट के आ पाएंगे कब
आह! खुले दर सी, ये मेरी अंखियां हैं

सच्चाई तो यहां पर पर्दे में रह रही है
फिरता है झूठ नंगा हर आंख यह कह रही है

मिल जाए जो सहज ही तो मोल क्या करोगे
चलते हुए मुसाफ़िर मंज़िल ये कह रही है

अब जुल्म और कितना सहना है इस ज़मी को
सदियों से आदमी के जुल्मों को सह रही है

कोशिश सहेजने की नाकाम हो गईं सब
ये देह की इमारत हर पल ही ढह रही है

कल ज़िंदगी जहां पर खुशियां मना रही थी
उस गुलसितां में जाकर अब मौत रह रही है

हीरों जड़ा किसी को हुई हार ज़िंदगी
होती किसी को तीर या तलवार ज़िंदगी

बच्चों के आंसुओं को कभी वो न सह सकी
बस इसलिए हुई है गुनहगार ज़िंदगी

कुछ बिन परों के उड़ने लगे आसमान में
कुछ को ज़मीन पे भी लगे भार ज़िंदगी

जज़्बात से वो खेलते मिल पाएंगें यहां
जिनकी नज़र में होती है व्यापार जिंदगी

जाऊं कहां मैं भाग के ग़म के जहान से
लाती उसी मुकाम पे हर बार ज़िंदगी

होती है भीड़ आज तो दूकान देखकर
जलते रहें जो जल रहे हैं शान देखकर

हिम्मत की दाद दीजिए घायल परिंदे की
पर तौलने लगा है जो तूफ़ान देखकर

खिलते थे गुल जहां पे चहकती थी बुलबुलें
दिल भर गया है बाग़ वो वीरान देखकर

सीने में आके गोलियां पैवस्त हो गईं
इमदाद उसने चाही थी इन्सान देखकर

श्रद्धा की बात है न समर्पण की बात है
सर को झुका रहे हैं सभी शान देखकर

डी. के. सचदेवा
'मुफ़लिस'

जन्मतिथि : 25-11-1957, पटियाला
शिक्षा : स्नातकोत्तर (मनोविज्ञान)
प्रकाशन : अनेक पत्र-पत्रिकाओं, संकलनों में रचनाएं प्रकाशित।
सम्मान/पुरस्कार: 'श्री मुकुन्द मुरारी स्मृति साहित्य माला' कानपुर सहित अनेक संसथाओं द्वारा सम्मानित।
सम्प्रति : बैंक कर्मी
सम्पर्क : म.नं. 614/33, शामनगर, लुधियाना (पंजाब) 14001
फ़ोन 0161-2441411
मो. 9872211411

यही डर था कि अब दुनिया कहेगी बेवफ़ा उसको
मुझे बेगानगी दे कर मिला तो क्या मिला उसको

कहां मर्ज़ी से अपनी जा सका बादल वो आवारा
वो बरसेगा जहां ले जाएगी पागल हवा उसको

कड़ी है धूप, राहों में बिछे हैं ख़ार भी लेकिन
वफ़ा उसने चुनी थी हर तरह चलना पड़ा उसको

पलट आया है फिर मौसम मेरे सजने संवरने का
नज़र आए जो वो, तो मैं बना लूं आईना उसको

अगर वो बेवफ़ा निकला तो समझूंगा मेरी क़िस्मत
अभी ज़ेर-ए-असर हूँ, कह दिया जाने वफ़ा उसको

कभी आए कोई कांधे पे उसके हाथ ही रख दे
ज़रा आंसू बहा लेगा, मिलेगा आसरा उसको

हज़ारों मिन्नते 'मुफ़लिस' ने की तक़दीर से लेकिन
न रास आई कभी कोई दवा, कोई दुआ उसको

दाता नाम कमाई दे
सांसों में सच्चाई दे

मेहनतकश लोगों को तू
मेहनत की भरपाई दे

शोरो-गुल में क़ैद हूँ मैं
अब थोड़ी तन्हाई दे

हर दिल में हो नाम तेरा
हर दिल को ज़ेबाई दे

'मुफ़लिस' को भी राह दिखा
अब अपनी अगुवाई दे

शौक दिल के पुराने हुए
हम तो गुज़रे ज़माने हुए

दूरियां और मजबूरियां
उम्र भर के ख़ज़ाने हुए

याद ने भी किनारा किया
ज़ख़्म भी अब पुराने हुए

भूल पाना तो मुमकिन न था
शाइरी के बहाने हुए

आज 'मुफ़लिस' तुम्हें क्या हुआ
ख़िल्वतों में ठिकाने हुए

ख़्वामख़्वाह सब की जुबानी हो गया
आप मैं अपनी कहानी हो गया

छू लिया उसने जो अपने होंठ से
ख़त मचल के ज़ाफ़रानी हो गया

आज अपने घर में ही जंचता नहीं
वो भी शायद शय पुरानी हो गया

रास आने ही लगा दिल को मेरे
ग़म तुम्हारा मेहरबानी हो गया

दास्ताने-ए-अहले-बज़्म-ए-शायरी
एक 'मुफ़लिस' की कहानी हो गया

मन में संकल्प लिए पांव बढ़ाओ तो सही
फल भी मिल जाएगा कर्तव्य निभाओ तो सही

सत्य की खोज है तो साथ चलेंगे रस्ते
दिल की दुनिया में कोई दीप जलाओ तो सही

दुश्मनी करना तो आसान है दुनिया वालो
बात तब है कि कोई दोस्त बनाओ तो सही

चाहे पथरीला है रस्ता मेरे घर का लेकिन
प्यार के फूल बिछा दूंगा तुम आओ तो सही

अब किसी तरह न दिल से निकाल पाओगे
कोशिशें कर भी लो 'मुफ़लिस' को भुलाओ तो सही

सुभाषिनी 'साहिल'

जन्मतिथि : 3-1-1958, दिल्ली

शिक्षा : प्रभाकर (हिन्दी)

प्रकाशन : ग़ज़ल संग्रह 'दर्दे-साहिल' प्रकाशनाधीन। अनके पत्र-पत्रिकाओं में रचनाएं प्रकाशित।

सम्मान : अनेक संस्थाओं द्वारा सम्मानित।

सम्प्रति : गृहणी, स्वतंत्र लेखन।

सम्पर्क : ए-1/100 छतरपुर एक्स्टेंशन,
नई दिल्ली-110072
मो. : 9313864235

परिंदों की तरह गर घोंसला अपना बनाती मैं
तो उसमें प्यार के मजबूत-से तिनके लगाती मैं

तुम्हारी बेवफ़ाई के अगर काँटे मुझे चुभते
चुभन को भूलकर उनकी, हमेशा मुस्कराती मैं

जहाँ नारे ही चिपके हों सभी के कान पर या रब
भला ये प्यार की ग़ज़लें, वहाँ कैसे सुनाती मैं

मुहब्बत ही है वो जादू जो चलता है हर इक दिल पर
तो इस नादान-से दिल को कहो कैसे बचाती मैं

किसी दिन आपका दीदार जी भर कर अगर करती
तो उस दिन को किसी त्यौहार के जैसा मनाती मैं

कभी गर बैठ कर 'साहिल' पे मुझसे गुफ़्तगू करते
हक़ीक़त इस समुंदर की तभी तुम को बताती मैं

करिश्मा फिर कोई अपना ही कर गया
हमारा आशियाँ फिर से बिखर गया

भटकता रास्तों पे छोड़कर हमें
हमारा राहबर जाने किधर गया

हमारे दाग़ दिखलाता था जो हमें
उसी दर्पण का अब पानी उतर गया

उड़े कैसे मुहब्बत का परिंदा जब
धुआँ माहौल में नफ़रत का भर गया

बता 'साहिल' हुआ क्या उस सफ़ीने का
कि जिसका नाखुदा भवँरों से डर गया

ठहर जाती है नदी भी प्यास मेरी देखकर
मौत रुक जाती है जैसे साँस आती देखकर

आज उनकी बज़्म से आया बुलावा जब हमें
रो पड़ा साकी-ए-दिल, महफ़िल बिखरती देखकर

पूछते हैं वो न जाने किसलिए मेरा पता
थक गईं आँखें मेरी तो राह उनकी देखकर

आसुँओं के जाम पीकर हो गया ऐसा नशा
हैं सभी हैरान अब मेरी खुमारी देखकर

वो जो तूफ़ां को हराकर लौट आईं शान से
खुश हुआ 'साहिल' बहुत वो नावें सारी देखकर

दोनों साहिल इक दूजे को देख रहे हैं
मगर कभी भी ये आपस में नहीं मिले हैं

प्यार हमारा उस सागर की किश्ती-सा है
जिसने अनगिन तूफ़ानों के वार सहे हैं

मिलें फ़रिश्ते शैतानों से नामुमकिन है
इनके मक़सद इन दोनों के बीच खड़े हैं

लाशों पर जो करें सियासत उनसे पूछो
क्या दंगों में उनके घर के लोग मरे हैं

सोच रहीं हूं मैं अब ग़ज़लें कहना छोडूं
वो अब 'साहिल' की बातों को कम सुनते हैं

गुज़ारी रात ये हमने सिमट उनके ख़यालों में
अँधेरों को बदल डाला सवेरे के उजालों में

हमें उम्मीद है उनसे वफ़ा की किस क़दर देखो
बिठा रक्खा है उनको ही मुहब्बत के शिवालों में

करें शिकवा भला किससे बहुत नादान-से हैं वो
फँसे बैठे हैं लेकिन अब सियासत के दलालों में

हमारे सामने है प्रश्न जब रोज़ी और रोटी का
भला उलझे रहें कैसे तुम्हारे ही सवालों में

करिश्मा वो करेंगे हम, ऐ! 'साहिल' देख लेना तू
हमारा ज़िक्र आएगा मुहब्बत की मिसालों में

शम्स वारसी

मूल नाम : अब्दुल शम्मी कुरैशी

जन्मतिथि : 7-3-1958, आबू रोड (राज.)

प्रकाशन : ग़ज़ल संग्रह 'नीला चाँद'। अनेक पत्र-पत्रिकाओं में रचनाएं प्रकाशित।

सम्मान/पुरस्कार : अनेक संस्थाओं द्वारा सम्मानित/पुरस्कृत

सम्पर्क : छोटी मस्जिद के पास, आबू रोड (राज.) 307026

ये ज़िंदगी भी क्या है ये चाहत की प्यास है
तितली के पर को देख के चिड़िया उदास है

उनके लबों की बात तो अपनी जगह मगर
मेहनत के फल में देख लो कितनी मिठास है

चाहते हैं लोग उसको भी कालिख़ से पोतना
जुगनू की तरह जिसका चमकता लिबास है

मेरे बदन पे देख के सरसों के खेत को
चेहरे पे उसके फैली जो कैसी कपास है

इन कच्ची केरियों को पकाया यूं धूप ने
रस जो टपक रहा है वो रस में खटास है

इन्सान खो चुका यहां जज़्बात का कुआं
सीने में दिल नहीं कोई खाली गिलास है

ऐ 'शम्स' उनके घर का तो रस्ता भी छोड़ दो
चांदी के पेड़ हैं वहां सोने की घास है

बस्ती बस्ती ज़ाले हैं
सड़कों पर घर वाले हैं

हत्यारा चौकन्ना है
नीन्दों में रखवाले हैं

बाहर पंछी बिन पर के
पिंजरे में पर वाले हैं

नन्हें मुन्हें ज़ेह्नों में
ख़ंजर चाकू भाले हैं

'शम्स' कहो तुम कैसे हो
हम तो गोरे काले हैं

अपना मख़मल जैसा रिश्ता
ख़ुशबू सन्दल जैसा रिश्ता

चांद मिले तो साथ मिले है
आंधी बादल जैसा रिश्ता

मेंहदी बन के कब रचता है
बहते काजल जैसा रिश्ता

बस्ती बस्ती ढूंढ रहा हूँ
जुगनू जंगल जैसा रिश्ता

इस दुनिया से 'शम्स' है अपना
पत्थर पागल जैसा रिश्ता

प्यार में हम जब से पागल हो गए
अपनी नज़रों से भी ओझल हो गए

जब से वो दरिया किनारे जा बसे
गांव के तालाब दलदल हो गए

इतनी आंखों ने भिगोया रात दिन
हम भी आख़िर एक जंगल हो गए

उनको सांपों के हवाले कर दिया
जिनको छूकर लोग सन्दल हो गए

अब यहां पर 'शम्स' के अशआर तो
बेसदा होंठों की हलचल हो गए

जब सामने आंखों के रस्ते भी नहीं होते
कुछ नक़्श हैं ऐसे जो धुंधले भी नहीं होते

ये नाम यहां लिखकर तुम भूल भी जाओगे
पर ज़ख़्म ये पेड़ों के अच्छे भी नहीं होते

शाहीं की उड़ानों के क़िस्से हैं ज़ुबानों पर
चिड़िया की थकानों के चर्चे भी नहीं होते

अब फ़ोन पे होते हैं सब काम जनाज़े के
माँ बाप की मय्यत में बच्चे भी नहीं होते

ऐ 'शम्स' ग़रीबों पर चिल्लाता नहीं मैं तो
शीशे के मकां अब तक चटखे भी नहीं होते

अक़ील नोमानी

जन्मतिथि : 19-5-1958, मौज़ा शुजाअतपुर (बरेली)
शिक्षा : बी.ए.
प्रकाशन : परवाज़ का मौसम, सरमाया (उर्दू) रहगुज़र (देवनागरी)
सम्मान/पुरस्कार: जौहर अवार्ड (रामपुर), साहित्य विभूति सम्मान (बरेली), ख़ानक़ाही अवार्ड
सम्प्रति : सरकारी सेवा
सम्पर्क : मीर गंज, ज़िला - बरेली 243504
फोन : 0581 2565305
मो. - 9412143718

रात चुप चुप है, हसीं है फिर भी
कुछ नहीं, कुछ भी नहीं है फिर भी

रोज़ सामान हैं बर्बादी के
शाद आबाद ज़मीं है फिर भी

जानते सब हैं कि मौत आएगी
मानता कोई नहीं है फिर भी

चाँदनी रात को सदियाँ गुज़रीं
याद इक माहजबीं है फिर भी

उससे मिलने का इरादा तो नहीं
उसके मिलने का यक़ीं है फिर भी

ज़िंदगी तुझको बहुत ज़ख़्म लगे
ख़ूबसूरत है हसीं है फिर भी

मुस्तहक़ हो के न हो ये दुनिया
मुस्तक़िल ज़ह्ननशीं है फिर भी

मैंने देखा तो नहीं है लेकिन
कोई मौजूद कहीं है फिर भी

फूल शाख़ों पे अधखिले से रहे
फिर भी जब तक रहे मज़े से रहे

देखकर इक चराग़ का अंजाम
मुद्दतों हम बुझे-बुझे से रहे

अब जहाँ चाहो तुम बरस जाओ
हम तो अब और भीगने से रहे

जाने कैसे नशे में थे कुछ लोग
उम्र भर दूर मयकदे से रहे

था सभी से अलग मिज़ाज अपना
फिर भी सबमें मिले-जुले से रहे

मिटा के ख़ुद को तुम्हें पाना चाहता हूँ मैं
हमेशा अपने ही काम आना चाहता हूँ मैं

अजीब धुन है कि मंज़िल मुझे तलाश करे
सो रास्ते से भटक जाना चाहता हूँ मैं

गुबार साफ़ करो आईने की आँखों से
कि साफ़ साफ़ नज़र आना चाहता हूँ मैं

तेरा मिज़ाज बहुत कुछ बदल गया लेकिन
वहाँ नहीं है जहाँ लाना चाहता हूँ मैं

ये मसअला भी है मेरी समझ के साथ 'अक़ील'
कि दूसरों को भी समझाना चाहता हूँ मैं

तेरी यादों से तेरे ग़म से वफ़ादारी की
बस यही एक दवा थी मेरी बीमारी की

ख़ुद हवा आई है चलकर तो चलो बुझ जाएं
इक तमन्ना ही निकल जाएगी बेचारी की

उम्र भर ज़ह्न रहा दिल की अमलदारी में
उम्र भर बात न की हमने समझदारी की

गुफ़्तगू अम्न की दोनों में फिर इकबार हुई
और इस बार भी दोनों ने अदाकारी की

कम नहीं जंग से पहले की ये उलझन भी 'अकील'
मेरे दुश्मन को ख़बर है मेरी तैयारी की

ज़ह्न में रखते हैं पहचान समझ लेते हैं
कश्तियां किसकी हैं तूफ़ान समझ लेते हैं

सिर्फ़ ले-दे के यही एक कमी है हम में
हम हर इक शख़्स को इंसान समझ लेते हैं

किसकी ताज़ीम को उठना है झिड़कना है किसे
इक नज़र देख के दरबान समझ लेते हैं

फ़र्ज़ है भाई की इमदाद मगर क्या कहिये
लोग इस फ़र्ज़ को एहसान समझ लेते हैं

मेरे अहबाब मेरी रूह के ज़ख़्मों को 'अक़ील'
अपनी तफ़रीह का सामान समझ लेते हैं

नरेन्द्र सिंह परिहार
'एकांत'

जन्मतिथि : 4-10-1958, करनाना (जालंधर)
शिक्षा : बी.ई. इलैक्ट्रानिक्स एवं टैलीकम्यूनिकेशन
प्रकाशन : चार काव्य संग्रह, दो व्यंग्य संग्रह, एक कहानी संग्रह एवं एक आलेख संग्रह।
सम्मान/पुरस्कार: अनेक संस्थाओं द्वारा सम्मानित एवं पुरस्कृत।
सम्प्रति : सम्पादक दिवान (त्रैमासिक), नागपुर
सम्पर्क : सी-004, उत्कर्ष अनुराधा सिविल लाइन्स, नागपुर, 440001
फ़ोन 2543423
मो. 9890078283

पांखडियों से जब-जब अपना पाला पड़ा है
तब-तब अधेरों पर भी अपने ताला पड़ा है

कैसे किसी को हम अब अपनी व्यथा सुनाएं
ज़िल्दों पर जब इतिहासों के जाला पड़ा है

प्यादों के सरहद में बन्दी हर एक मोहरा
शतरंजी चालों के पग में छाला पड़ा है

चीरहरण को नहीं ज़रूरत दुःशासन की
पग-पग पर फैशन का यहां रखवाला पड़ा है

सभ्यता के आडम्बर में कहां कहीं 'एकांत'
लिए क्रामना कान्हा की हर ग्वाला पड़ा है

बेपर्दा निकलें आप तो बर्फ़ पिघल जाता है
सियासत से वादी का हर फूल जल जाता है

मत पुकारो रब को अब आरती आज़ान में
जब ग़रीब का बच्चा अकेला निकल जाता है

हाथ पर फफोला देख कर वो समझ गया
इस इंसान के कुनबे को निवाला मिल जाता है

आंसुओं को रोक, न दिखा घाव अपने
आंखों का खौफ़ चेहरे पे मिल जाता है

चल पड़ी है हवाएं रिश्वत की खुले आम
'एकान्त' बेईमानी का यूं फूल खिल जाता है

छू न सकेगीं तुझे दुनिया की बलाएं
गर तू लेगा अपनों की पाकीज़ा दुआएं

इस वास्ते मैं बैठा तेरी दहलीज़ पर
शायद तेरी कुछ नेकियां मेरे काम आएं

है चाँद पूरे शवाब में उनके आंगन का
उतारती है अपने आप अपनी ही बलाएं

सुलगता है जिगर में छिपा प्यार अब
कोई जाकर मेरे हालात उन्हें बताएं

तू भी 'एकांत' मर जाएगा एक रोज़
गर तेरी यादें आ-आकर मुझे सताएं

गड़े मुर्दे अपने आंगन के उखाड़ो मत
बसी बस्तियों के निवाले छीन कर उजाड़ो मत

कभी तुम को उजालों से वास्ता न पड़ा हो तो
दहकती लाशों को जलने दो पछाड़ो मत

मान तेरा भी मिल जाएगा जो छूटा है कहीं
लिखी हुई इबादत को बेदर्दी से फोड़ो मत

वो शर्मिन्दा है आज के सियासी दावों पर
उस इन्सान को कुछ तो समझो लताड़ो मत

तोहमत लगे नाराज़ न हो तुम खुदा तो नहीं
'एकांत' अपनी तारीफ़ के पुलिन्दे झाड़ो मत

जिनके पास दिल है ये उनका सफ़र तो है
झूठ नफ़रत की किताबों में ये ख़बर तो है

इतने तेज़ चले थे हम के पता भी न चला
ठौर छूट गई है मगर सामने नज़र तो है

प्यासे हैं, ज़मीं ने भी साथ छोड़ दिया
मेरे पिछवाड़े पानी की एक नहर तो है

गर आदमी के दर्द से आपका रिश्ता न हो
भुलाकर लौटना देख अपना घर तो है

क्यों नहीं पा सकते मंज़िल दौड़ते-दौड़ते
पांव रेत पे है मगर नीचे एक लहर तो है

सुधीर कुशवाहा

जन्मतिथि : 01-03-1959, चंद्रहंसपुर सहसों (इटावा,उ.प्र.)

शिक्षा : एम.ए. (इतिहास, हिन्दी, अंग्रेजी), डिप्लोमा इन ह्यूमन राइट्स, बी.एड, एल.एल.बी.।

प्रकाशन : ग़ज़ल संग्रह 'आधी सदी तक' एवं 'पत्थर बोलते हैं'। पत्र-पत्रिकाओं व संकलनों में रचनाएं प्रकाशित। वर्तमान में voice weekly का सम्पादन।

सम्मान/पुरस्कार: अनेक संस्थाओं द्वारा सम्मानित/पुरस्कृत

सम्प्रति : शासकीय विद्यालय में प्रधानाध्यापक (म.प्र.)

सम्पर्क : 316, तानसेन नगर, ग्वालियर (म.प्र.) 474002
फ़ोन. 0751-5050131
मो. 9827225676

बेच डाले फूल खुशबू प्यार लोगों ने
प्यार को समझा नहीं बीमार लोगों ने

व्यक्त ऐसे भी किया आभार लोगों ने
दे दिया कांधा उसे भी चार लोगों ने

लोग तप करने गए थे जंगलों में भी
और तप समझा कभी घर-द्वार लोगों ने

प्यार का संदेश लेकर जब कलिंग निकला
खुद गिरा दी हाथ से तलवार लोगों ने

जातियों में, मज़हबों में बंट गए हम लोग
खींच ली कितनी बड़ी दीवार लोगों ने

ज़िंदगी ज़िंदगी नहीं लगती
सांस चलती हुई नहीं लगती

तेरी तस्वीर है निगाहों में
तुझसे अच्छी कोई नही लगती

जिसमें ठहरा हुआ दिखे पानी
वो नदी तो नदी नहीं लगती

मुझको अपने मुकाम पर यारो
दुश्मनी दोस्ती नहीं लगती

वो नहीं पास है मेरे लेकिन
दूर मुझको कभी नहीं लगती

अपनी मर्ज़ी से आ नहीं सकते
अपनी मर्ज़ी से जा नहीं सकते

हाल अपना बता नहीं सकते
चीरकर दिल दिखा नहीं सकते

ज़िस्म भ तू है जान भी तू ही
तुझको अब हम भुला नहीं सकते

तेरी खुशबू अभी भी आती है
लोग तुझको मिटा नहीं सकते

उसका चेहरा नहीं दिखे जिसमें
आईना वो सजा नहीं सकते

कौन कहता है कि दिन अच्छे नहीं आते
शाख़ पर क्या फिर नए पत्ते नहीं आते

भूख से टूटे हुए लोगों को अक्सर ही
दाल रोटी से अलग सपने नहीं आते

बेटियां पढ़ लिख के लायक हो गईं लेकिन
चल के खुद उनके लिए रिश्ते नहीं आते

बेटियां तो सच में अब भी आती जाती हैं
हो गए जब से बड़े, बेटे नहीं आते

काम से तो लग गए बच्चे सभी लेकिन
क्यों दवा के आज भी पैसे नहीं आते

क्या हुआ जो सर पे अपने छत नहीं है
हमको रोने की मगर आदत नहीं है

कौन सा नक्शा उठाकर आ गए हो
सच कहूँ मैं ये मेरा भारत नहीं है

वो अभावों में रहा भूखा हमेशा
जानता हूँ मैं कि उसका व्रत नहीं है

ज़िंदगी को सीधे-सीधे देखियेगा
इस गणित में दोस्तो औसत नहीं है

खुद मिलाएगा वो मुझसे हाथ इक दिन
दोस्त मुझसे जो अभी सहमत नहीं है

सादिका 'सहर'

मूल नाम : सादिका असलम नवाब

जन्मतिथि : 8-4-1959, गंटूर (आंध्रप्रदेश)

शिक्षा : एम.ए. (हिन्दी, उर्दू अंग्रेज़ी) डी.एच.ई. पी.एच.डी. (हिन्दी ग़ज़ल शिल्प)

प्रकाशन : अंगारों के फूल, पांव की जंज़ीर न देख, फूल से प्यारे जुगनू, पत्थरों का शहर सहित अनेक किताबें प्रकाशित।

सम्मान/पुरस्कार: अनेक संस्थाओं द्वारा सम्मानित/पुरस्कृत।

सम्प्रति : रीडर तथा हिंदी विभागाध्यक्ष।

सम्पर्क : फ़्लैट-2, प्रथम तल, मोहसिन मंज़िल, शास्त्रीनगर, खोपोली, जिला रायगढ़, महाराष्ट्र 410203

फोन : 02192 267054

मो. - 9422493868

अब किसको सुनाऊं मैं मसरूफ़ ज़माना है
बेताब मेरे दिल में चाहत का फ़साना है

ये कैसी मुसर्रत है, हैरां है ये दिल मेरा
आंखों में तो आंसू हैं होंठों पे तराना है

अहसान खुदा का है अब कुछ तो मिला हमको
यादें है तेरी दिल में जीने का बहाना है

रूदाद जुदाई की कहनी है चले आओ
कुछ हमको भी रोना है कुछ तुमको रुलाना है

ताबीर कहां जाने पाएँगे भला इसकी
आंखों में 'सहर' अपनी इक ख़्वाब सुहाना है

क्या कहा, क्यों कहा, ये कब सोचूं
लब-कुशाई के बाद अब सोचूं

क्या किया, क्यों किया, ये कब सोचूं
फ़ेल होने के बाद अब सोचूं

खुद-परस्ती की धूम देखी है
कोई मेरा है बेसबब सोचूं

तुमको पाना था क्यों नहीं पाया
क्यों यही बात रोज़ो-शब सोचूं

बेनियाज़े-उम्मीद दिल है 'सहर'
ज़िंदा रहने का कुछ सबब सोचूं

आंसू ये खुशी के हैं कि ग़म के हैं ख़बर क्या
कुछ तुमही बताओ तुम्हें आता है नज़र क्या

दिन काटने आते हैं हमें डसती हैं रातें
ऐसा तो इधर होता है, होता है उधर क्या

अब रक़्स किया करती है मौत आंखों के आगे
ऐसा भी सताता है कभी दर्दे-जिगर क्या

मक़्बूल दुआ होगी अगर जज़्बा है सादिक
रोने से भी आता है दुआओं में असर क्या

दिल डूब गया यादों के दरिया में 'सहर' आज
क्या जाने कहा करती है ये राह-गुज़र क्या

बँटे जब से धरर्मों में ज़ातों में लोग
उगलने लगे ज़हर बातों में लोग

मेरे सर पे पत्थर लगे किस तरह
अगर फूल लाए थे हाथों में लोग

मुझे क्या ख़बर कौन-सी आग है
झुलसते हैं क्यों सर्द रातों में लोग

दिलों में हसद के हैं काँटे कई
मगर फूल लाए हैं हाथों में लोग

सँभल कर चलो रास्ते में 'सहर'
यहां पर तो बैठे हैं घातों में लोग

ताअल्लुक से बहाना चाहती हूँ
उसे अपना बनाना चाहती हूँ

नहीं है शक वफ़ादारी पे उसकी
ज़रा सा आज़माना चाहती हूँ

मैं औरत हूँ ये फ़ितरत में है मेरी
मैं अपना घर बसाना चाहती हूँ

मैं संजीदा बहुत हालात से हूँ
मगर अब मुस्कराना चाहती हूँ

रिवायत से 'सहर' रिश्ता है मेरा
वही रिश्ता पुराना चाहती हूँ

राजवीर 'भारती'

मूल नाम : राजवीर सिंह सिकरवार
जन्मतिथि : 12-5-1959
शिक्षा : एम.ए., बी.एड., साहित्य रत्न
प्रकाशन : 'गीत प्रभा', 'द्वापर की क्षमाणी' प्रकाशित / कुछ अन्य पुस्तकें प्रकाशनाधीन / पत्र-पत्रिकाओं में रचनाएं प्रकाशित।
सम्मान/पुरस्कार : राष्ट्रभाषा प्रचार-प्रसार समिति मुरैना, 'श्रेष्ठ रचनाकार' - गुना, 'कवि सम्मान श्री' महाराष्ट्र सहित अनेक संस्थाओं द्वारा सम्मानित।
सम्प्रति : स्कूल संचालन, प्राचार्यपद पर कार्यरत।
सम्पर्क : 14/28, कवि कुटीर, जीन फील्ड, सबलगढ़ (मुरैना) म.प्र. 476229
फौन : 07536 252158

बरबादियों के दौर का कैसा जहान है
दहशत है हर गली में सूना मकान है

शहनाइयों की गूँज को , दो दिन भी न हुए
सिन्दूर की छाती पे, लहू का निशान है

वीरानियों के इश्क़ में, बाज़ार खो गया
ग्राहक के इन्तज़ार में, बैठी दुकान हैं

किलकारियों को ढूँढता आंचल का दूध है
कैसे उसूल रब तेरे, कैसा विधान है

रखना ख़याल 'भारती', दुनिया की दौड़ में
ऊँचाईयों के बाद में, आता ढलान है

गिनती जले हुओं की, पहुँची हज़ार में
नफ़रत की ऐसी आग लगी है बाज़ार में

नकदीकरण में चल रहा, बाज़ार जुल्म का
लेता नहीं इंसानियत, कोई उधार में

पीते रहे थे सामने, घर था ग़रीब का
सुबह को पी रहे थे, उसके उतार में

नीयत का बाँध टूटा, कारण था एक ही
मिट्टी लगा न पाई, हमने दरार में

छप्पर को उपने 'भारती' रखना सँभालकर
महलों के उड़ चुके हैं, कँगूरे बयार में

हज़ार ग़म भी भुलाए हैं, मुस्कराते हुए
तमाम उम्र बिताई है, ग़ज़ल गाते हुए

मिरे ही दोस्त मेरी, क़ब्र खोदने में रहे
हया न आई उन्हें, ये सितम ढाते हुए

मेरी मज़ार पे दो, फूल भी चढ़ा न सके
मेरा कफ़न ही बेच आए खिलखिलाते हुए

एक मैं हूँ कि उन्हें, आज भी भुला न सका
आप आए भी तो पाँव, डगमगाते हुए

मेरे नसीब को 'राजीव' से धोखे ही मिले
खुशी का दौर भी आया तो आज जाते हुए

जब से ग़म के अँधेरे हुए
बहुत ही कम सवेरे हुए

जब से मरहम लगाया गया
ज़ख़्म गहरे पे गहरे हुए

जब मुहब्बत भी होने लगी
आने-जाने पे पहरे हुए

दर्द की चीख़ सुनते नहीं
लोग कितने ये बहरे हुए

'भारती' तुम तो इंसान थे
क्यों दरिंदों से चेहरे हुए

कुछ लोग ये कहते हैं, पीने में क्या मज़ा है
फिर ग़म को भुलाने की, आख़िर में दवा क्या है

खुलते हैं भरम सारे, इक जाम के पीने से
मिटते हैं गिले-शिकवे, फिर इसमें बुरा क्या हैं

दुश्मन भी इसे पीकर, दिलदार-सा दिखता है
वो झूम के कहता है, रंजिश में क्या रखा है

मैख़ाने की गलियों में, बस प्यार बरसता है
काबा और काशी में, ज़ख़्मों के सिवा क्या है

'राजीव' से पूछोगे, कह देगा यही हँसकर
बोतल में ज़माना है, दुनिया में रखा क्या है

शिव कुमार 'पराग'

जन्मतिथि : 3-7-1959, दिघार (उ.प्र.)

प्रकाशन : ग़ज़ल-संग्रह 'देख सको तो देखो' सहित दोहा, मुक्त छन्द, गीत विधा पर पुस्तकें तथा भोजपुरी कविताओं का संग्रह भी प्रकाशित। अनेक पत्र-पत्रिकाओं में रचनाएं प्रकाशित।

सम्मान/पुरस्कार: अनेक संस्थाओं द्वारा सम्मानित।

सम्प्रति : 'अभिनव क़दम' (पत्रिका) के सम्पादन से सम्बध्द।

सम्पर्क : सी-27/117, जगतगंज, वाराणसी (उ.प्र.)
मो. - 9415694361

नीली-पीली रेखाओं के जाल हमारी आँखों में
देख सको तो देखो सूखे ताल हमारी आँखों में

कपड़े-लत्ते के, रोजी-रोटी के जटिल सवाल लिए
बैठ गया है फिर आकर बेताल हमारी आँखों में

विजय-तिलक के लिए इंद्र का माथा है स्वीकार करो
हम दधीचि के वंशज हैं, कंकाल हमारी आँखों में

नारों, वादों, सपनों, सूखे होठों की टकराहट से
आते रहते हैं अक्सर भूचाल हमारी आँखों में

अबकी फ़सल हमारी होगी, अबकी खेत हमारा है
कहते-कहते बीत गया हर साल हमारी आँखों में

सूखा, बाढ़, अकाल चंद लोगों के लिए खुशी के दिन
माफ़ी, राहतकोष, जाँच, पड़ताल हमारी आँखों में

लोग अक्सर बदलते रहते हैं
वक़्त के साथ चलते रहते हैं

क्यों उजाला हमें नहीं मिलता
चाँद-सूरज निकलते रहते हैं

काठ के हम नहीं बने साहब
हममें सपने मचलते रहते हैं

हारकर बैठ नहीं सकते हम
हम तो गिरते-सँभलते रहते हैं

एक न एक दिन तो उठ खड़े होंगे
हम जो भीतर उबलते रहते हैं

तिनका-तिनका जुटाके लाती रही
ज़िंदगी घोंसला बनाती रही

पाँव मेरे फिसल गए होते
मेरी कविता मुझे बचाती रही

अबकी बासन्ती हवाओं से भी
एक बारूदी गंध आती रही

जब भी गिरने लगा तो दौड़ पड़ी
मेरी कविता मुझे उठाती रही

झिलमिलाती-सी एक लौ है यह
आँधियों को सबक़ सिखाती रही

भूख से बच्चे मेरे अकुला गए
चाँद को रोटी समझकर खा गए

स्वागतम् के पोस्टर दिखने लगे
लग रहा है शहर में हम आ गए

आस्तीनें कल अचानक हँस पड़ीं
हम ठगे से रह गए, घबरा गए

रस्सियों पर टंगे नट की आँख में
याचना के स्वर मुझे उलझा गए

कटते-कटते रात आख़िर कट गई
चलते-चलते हम सवेरा पा गए

जब हक़ीक़त से तुम्हारा सामना हो जाएगा
देख लेना, ख़ुशनुमा सपना हवा हो जाएगा

राह तेरे सामने कोई नहीं तो क्या हुआ
जब चलेंगे पाँव तो खुद रास्ता हो जाएगा

तू बहुत भोला है, थोड़ी दुनियादारी सीख ले
वर्ना तेरे साथ कोई हादसा हो जाएगा

जिनसे हों नज़दीकियाँ, उनसे किसी दिन सच कहो
एक पल में कोस भर का फ़ासला हो जाएगा

तू चला जाएगा तेरी नेकियाँ रह जाएंगी
जब कभी चर्चा चलेगी, तू नया हो जाएगा

कलीम अंसारी
'आनन्द'

जन्मतिथि : 11-10-1959 (फ़ैज़ाबाद)
शिक्षा : एम.ए. (हिन्दी), कहानी लेखन डिप्लोमा
प्रकाशन : 'फुलवारी', 'प्रश्नोत्तर' एवं 'पहेलियों की बहार' (स्वलिखित)। 'दीवाने ग़ालिब', 'मीर की शायरी', 'ज़ौक़ की शायरी', 'मोमिन की शायरी', 'इक़बाल की शायरी', 'पाकिस्तानी शायरी', 'आतिश की शायरी' तथा अन्य विषयों पर 40 पुस्तकें (सम्पादित)। 'उस्ताद शायरों के कलाम' एवं 'गुलिस्ताने अदब' शीघ्र प्रकाशित।
सम्मान : 'फुलवारी' को शकुंतला सिरोठिया पुरस्कार सहित अनेक संस्थाओं द्वारा सम्मानित।
सम्प्रति : पत्रकारिता एवं प्रकाशन क्षेत्र से सम्बद्ध।
सम्पर्क : एन-521, मंगोलपुरी, नई दिल्ली
मो. : 9891575559

अभी से दिल बहुत घबरा रहा है
न जाने कैसा मौसम आ रहा है

सितारों में मची है खलबली सी
कोई सूरज निकलने जा रहा है

मेरे हाथों में जब आया है पत्थर
मुझे वो आईना दिखला रहा है

ज़मी में आग जो बोई गयी थी
वो शोला बन के नभ पर छा रहा है

अंधेरे मुंह छिपाकर जा रहे हैं
अज़ां का वक़्त शायद आ रहा है

यूं खुशी से खुशी नहीं आई
ज़िन्दगी भर हंसी नहीं आई

फ़ाइलों में ही जल रहे हैं बल्ब
गांव तक रोशनी नहीं आई

खेत-खलिहान सब हुए ख़ाली
क़र्ज़ में फिर कमी नहीं आई

घर को छोड़े हुए बरस बीता
एक चिट्ठी अभी नहीं आई

रुख़ हवा का बदल गया है मगर
आंसुओं में नमी नहीं आई

तुम्हें तो इंतज़ार करना है
वक़्त को शर्मसार करना है

मंज़िलों पर टिकी है मेरी नज़र
हर समंदर को पार करना है

लौट आए हैं फिर खुशी के दिन
ग़म का अब क्या शुमार करना है

पेड़-पौधे सभी हैं मुरझाए
उस ख़िज़ां को बहार करना है

ज़िन्दगी ऐसे मोड़ पर पहुंची
न नक़द, न उधार करना है

किसी से वह कभी मिलता नहीं था
कि उसके चेहरे पे चेहरा नहीं था

बहुत ऊँचा था, हां, उस पेड़ का क़द
मगर आकाश को छूता नहीं था

सभी थे अजनबी उस घर में लेकिन
कोई गूंगा, कोई बहरा नहीं था

खुश्क थीं पत्तियां खुद ही झड़ गईं
पतझड़ों पर भी भरोसा नहीं था

बताओ किस तरफ़ मैं वार करता
हवाओं का कहीं चेहरा नहीं था

धूप का कुछ असर नहीं होता
गरचे सूरज का डर नहीं होता

आप क्यों कर हवा में उड़ते हैं
क्या परिन्दों के पर नहीं होता

पत्थरों से जो हम बने होते
कांच का ये शहर नहीं होता

मान लूं कैसे मैं उन्हें नादां
आईना किसके घर नहीं होता

तुम किसी मोड़ पर नहीं मिलना
मुझसे अंधा सफ़र नहीं होता

बी.आर.विप्लवी

जन्मतिथि : 15.12.1959

शिक्षा : बैचलर ऑफ़ इंजीनियरिंग (इलैक्ट्रॉनिक्स), आई.आर.एस.एस.ई.

प्रकाशन : ग़ज़ल-संग्रह 'तश्नगी का रास्ता' एवं 'सुबह की उम्मीद'। पत्र-पत्रिकाओं में रचनाएं प्रकाशित।

सम्मान/पुरस्कार : रोटरी क्लब, बरेली मंडल द्वारा साहित्यिक सम्मान एवं अनेक संस्थाओं द्वारा पुरस्कृत/सम्मानित।

सम्प्रति : उप मुख्य सिगनल एवं दूरसंचार इंजीनियर के पद पर कार्यरत।

सम्पर्क : 1-ए, ट्रांज़िट हाउस, पूर्वोत्तर रेल, विवेकानन्द मार्ग, लखनऊ (उ.प्र.)
फ़ोन 0522-2621447
मो. 9415321758

दहेज़ों के लिए जब लौट कर बारात जाती है
तो सारे शह्र में इक बाप की औक़ात जाती है

फ़िदा होता है जिस पे आदमी कुर्बान होता है
कहां दौलत, ये हरजाई किसी के साथ जाती है

करूं तेरे हवाले ख़ुद को तेरा दर नहीं छोडूं
जो तेरी ख़ाके-पा हो उसकी कब औक़ात जाती है

यहाँ ख़ूबी-ख़राबी की कसौटी कुछ अलग ही है
यहाँ तो आदमी से पहले उसकी ज़ात जाती है

परस्तिश करने वालो तुम मुझे इन्सां ही रहने दो
ख़ुदा बनने में मेरी बन्दगी की बात जाती है

यह दुनिया खेल ग़म का है, ख़ुशी तो 'विप्लवी' अक्सर
किसी का हाथ छोड़े है, किसी के साथ जाती है

उसका अहदे वफ़ा मज़हका सा लगे
जितनी खाए क़सम उतना झूठा लगे

इस ज़माने में सच ऐसा ज़िन्दा लगे
आंधियों से दिया कोई लड़ता लगे

यक-ब-यक बज़्म में रोशनी हो गई
फिर हवा से नकाब उनका उट्ठा लगे

कोई अब तक न पढ़ पाया उसका लिखा
हर्फ़े तक़दीर पानी पे लिक्खा लगे

'विप्लवी' आप जिसके भरोसे पे हैं
झूठ के साथ वो भी बिका सा लगे

ये कौन हवाओं में ज़हर घोल रहा है
सब जानते हैं, कोई नहीं बोल रहा है

बाज़ार की शर्तों पे ही ले जाएगा शायद
वो आँखों ही आँखों में मुझे तोल रहा है

मर्दो की नज़र में तो वो कलयुग हो कि सतयुग
औरत के हसीं जिस्म का भूगोल रहा है

तू ही न समझ पाए कमी तेरी है वरना
दरवेश की सूरत में ख़ुदा बोल रहा है

जो ख़ुदा को बचा ले गया दुनिया की हवस से
इस दौर में वो शख़्स ही अनमोल रहा है

पतंगों की उड़ानों को यहीं पर मात होती है
कटी डोरी तो अवारा हवा के साथ होती है

उसे अच्छी नहीं लगती है दौलत और शोहरत भी
कि जिसके पास सच्चे प्यार की सौग़ात होती है

हवेली में रहे, कच्चे मकानों को नहीं देखा
उन्हें क्या ज्ञान, कैसी धूप और बरसात होती है

जो प्यासा ही नहीं उसको पता क्या मोल पानी का
ये ग़म भी ज़िंदगी की क़ीमती सौग़ात होती है

ये पहचाने हुए अश्ज़ार भी आसेब लगते हैं
कभी जब 'विप्लवी' राहे-सफ़र में रात होती है

मुझे वह इस तरह से तोलता है
मेरी क़ीमत घटाकर बोलता है

मुझे तो ज़हर भी अमृत लगे है
वो कानों में अजब रस घोलता है

वो जब भी बोलता है झूठ मुझसे
तो पूरा दम लगाकर बोलता है

मैं अपनी ही नज़र से बच रहा हूँ
न जाने कौन ऐसे खोलता है

ज़ुबाँ काटी, तआर्रुफ़ यूँ कराया
वो कानों में अजब रस घोलता है

अंजना संधीर

जन्मतिथि : 1-1-1960, रूड़की (उ.प्र.)
शिक्षा : एम.ए., पी.एच.डी.
प्रकाशन : ग़ज़ल संग्रह 'बारिशों का मौसम' (हिन्दी), धूप छांव और आंगन व 'मौजे-सहर' (उर्दू)। 'तुम मेरे पापा जैसे नहीं हो' काव्य-संग्रह। अनेक पत्र-पत्रिकाओं व संकलनों में रचनाएं प्रकाशित। प्रकाशनाधीन-'अहमदाबाद से अमरीका' (संस्मरण)
सम्मान/पुरस्कार: जर्सी सिटी के मेयर द्वारा सम्मानित, अदिति शिखर सम्मान (ग़ाज़ियाबाद), साहित्य भूषण, काव्य-श्री (कवि सभा, दिल्ली) सहित देश-विदेश की अनेक संस्थाओं द्वारा सम्मानित/पुरस्कृत।
सम्प्रति : अमरीका में हिन्दी प्राध्यापक
सम्पर्क : एल-104, शिलालेख सोसायटी शाहीबाग, अहमदाबाद-380004
फोनः 079-25625970

तकते-तकते राह तेरी बरसात गुज़र गई सजना
सोने जैसे दिन चांदी सी रात, गुज़र गई सजना

दूर-दूर दीपक जलते हैं दिल में जले अंधेरा
कैसे मीठे सपनों की बारात गुज़र गई सजना

तू भी मुझ को याद करे वो दिन थे कितने प्यारे
खुशियों के वो दिन फूलों की बात गुज़र गई सजना

बाग़ों में झूले हंसते हैं बाज़ारों में खुशियां
अपनी तो वो खुशी जो तेरे साथ गुज़र गई सजना

किस बैरन ने रोका तुझ को कहां किया विश्राम
भीड़ भरी दुनिया की हर सौग़ात गुज़र गई सजना

खेतों ने पोशाक पहन ली, पेड़ हुए हैं धानी
तेरा दिल ना बदला और बरसात गुज़र गई सजना

धूप निकली है तितलियां आईं
गुन्चा-ओ-गुल पे शोख़ियां आईं

तुझ को जब से उदास देखा है
मेरी आंखों में बदलियां आईं

आज फिर उसने मुझ को याद किया
आज फिर मुझको हिचकियां आईं

जब से उसने कहा मुझे अपना
याद भूली कहानियां आईं

ज़ुल्म की आग में झुलसाने को
कितनी सीता की बेटियां आईं

ख़याल उस का हर इक लम्हा मन में रहता है
वो शमअ् बन के मेरी अंजुमन में रहता है

कभी दिमाग़ में रहता है ख़्वाब की मानिंद
कभी वो चांद की सूरत गगन में रहता है

वो बह रहा है मेरे जिस्म में लहू बन कर
वो आग बन के मेरे तन बदन में रहता है

मैं तेरे पास हूँ परदेस में हूँ खुश भी हूँ
मगर ख़याल तो हर दम वतन में रहता है

ये बात सच है चमन से निकल के प्यार मिला
मगर वो फूल जो खिल कर चमन में रहता है

होंठ चुप हैं निगाह बोले है
आंख सब दिल के राज़ खोले है

उस का दुश्मन ज़माना हो ले है
आज कल जो ज़बान खोले है

आईना देख लीजिए साहब
आईना साफ़-साफ़ बोले है

मुझ को महसूस अब ये होता है
मेरी सोचों में तू ही बोले है

हम हों, तुम हो कि बूटा-बूटा हो
'मीर' ही की ज़बान बोले है

निकले गुलशन से तो गुलशन को बहुत याद किया
धूप को छांव को आंगन को बहुत याद किया

घर जो छोड़ा तो हर इक चीज़ निगाहों में रही
दर को दीवार को दर्पन को बहुत याद किया

ज़िक्र छेड़ा कभी सखियों ने जो झूलों का यहां
मैंने परदेस में सावन को बहुत याद किया

तुझ को भी याद सताती है मेरी क्या मालूम
मैंने भाई तेरी दुल्हन को बहुत याद किया

उसके साए में मुझे चैन से नींद आती थी
आज माँ मैंने तेरे दामन को बहुत याद किया

मलिक ज़ादा जावेद

जन्मतिथि : 1-1-1960

शिक्षा : बी.लिब; एम.ए. (उर्दू)

प्रकाशन : ख़न्दर में चिराग़ (उर्दू), धूप में आईना (हिन्दी); पत्र-पत्रिकाओं में रचनाएं प्रकाशित।

सम्मान : 'कुंवर महेन्द्र सिंह बेदी एवार्ड' सहित अनेक संस्थाओं द्वारा सम्मानित/पुरस्कृत

सम्प्रति : सरकारी सेवा (उ.प्र.)

सम्पर्क : 30-डी, नील गिरी, ब्लॉक-सी-72, सैक्टर-34, नौयडा (उ.प्र.)
फोन : (0120) 2504954
मो. : 09312439228

उसका चेह्रा उगा है गमले में
फूल ताज़ा खिला है गमले में

झूमता हूँ गैं घर के आंगन में
वो अभी तक पड़ा है गमले में

धूप और छाँव के तवाजुन से
एक पौधा हरा है गमले में

बारिशों की अज़ीयतों से शज़र
सर नगूं हो गया है गमले में

जब से अपनों ने शफ़कतें बख़्शीं
मेरा क़द बढ़ गया है गमले में

बारिशें अब तो बाज़ आ जाएँ
पेड़ डूबा हुआ है गमले में

रंग-ओ-रौशन नया सा इक मंज़र
हम को क्या-क्या मिला है गमले में

जागती है, कभी वह सोती है
कैमरे की भी आँख होती है

इन मकानों के फैले जगंल मे
दिन मे सुनते हैं रात होती है

सोच कर रोज़ मै उतरता हूँ
तह में सागर के आज मोती है

मेरी हिजरत बहुत ज़माने से
अपने कुनबे का बोझ ढोती है

उसकी ख़्वाहिश का दायरा महदूद
वो तो गमले मे ख़्वाब बोती है

घर में कोई कमी हुई महसूस
हर तरफ़ ख़ामुशी हुई महसूस

देख कर उसको ग़ैर के साथ
ज़िन्दगी अजनबी हुई महसूस

उसके चेहरे पे मुद्दतों के बाद
आज फिर चांदनी हुई महसूस

सर पे उसने जो रख लिया आंचल
वो मुझे कुछ बड़ी हुई महसूस

उगते सूरज को देख कर मुझको
किस क़दर ताज़गी हुई महसूस

उसकी जुबां पर ख़ंजर है
वो इंसान क़लन्दर है

धीमें से दरवाज़ा खोल
गहरी नींद में बिस्तर है

हँसते हैं दीवारो-दर
ग़ुर्बत घर के अन्दर है

कर लूंगा उसको तस्लीम
जो भी मुझको बेहतर है

उस से दूर रहो 'जावेद'
मोम का वो इक पैकर है

उसके चेहरे पे रोशनी कम है
ऐसा लगता है ज़िन्दगी कम है

ख़ाक हो जाते हैं हरे मंज़र
घर की मिट्टी में कुछ नमी कम है

सूरतें हो गई हैं आवारा
आइनों में भी ताज़गी कम है

खिड़कियाँ खोल दो हवा आए
आज कमरे में दिलकशी कम है

उसकी ग़ज़लें अजीब है 'जावेद'
फ़िक्र सच्ची है शायरी कम है

नरेश कात्यायन

जन्मतिथि : 5-1-1960
शिक्षा : विद्या वाचस्पति
प्रकाशन : ग़ज़ल-संग्रह 'लिख हथेली पे मेरा नाम' सहित एक खण्ड काव्य, एक गीत-संग्रह प्रकाशित।
सम्मान : उ.प्र. हिन्दी संस्थान, राज्य कर्मचारी साहित्य संस्थान सहित देश-विदेश की अनेक संस्थाओं द्वारा सम्मानित।
सम्प्रति : विधानसभा सचिवालय, उ.प्र. में सेवा।
सम्पर्क : 201, राजकीय कालोनी, सैक्टर-21, इन्दिरा पुरम, लखनऊ-16 (उ.प्र.)
मो. : 9335964244

चले आओ तुम्हारी सल्तनत तुमको दिखानी है
हमारा दिल तुम्हारी चाहतों की राजधानी है

तुम्हारे बिन यहाँ तुलसी के पते हो गए पीले
तुम्हारे बिन यहाँ कुम्हला रही अब रातरानी है

हमारे भाग्य ने फिर खिल-खिला कर के कहा हमसे
जिसे तुम प्यार कहते हो पुरानी सी कहानी है

किसी ऋषि की सुता के हाथ अपनी चाहतें देकर
कोई दुष्यन्त ही इस बार खो बैठा निशानी है

तुम्हारी प्रीति की धरती हमारे प्यार के निर्झर
तुम्हारे साथ मिलकर इक नई गंगा बहानी है

हज़ारों साल से जिसके लिए तड़पे अधर मेरे
तुम्हारी वह ग़ज़ल अब इस ज़माने को सुनानी है

बहुत चाहा मगर सब कुछ ग़ज़ल में कह नहीं पाया
ज़रूरी बात तो अधरों को अधरों से बतानी है

कैसे कह दूँ कि सिफ़र हाथ में है
तेरी यादों का गुहर हाथ में है

ज़िंदगी जितना तेरा साथ रहा
सिर्फ़ उतना ही सफ़र हाथ में है

याद आती हैं अपनी परवाज़ें
और टूटा हुआ पर हाथ में है

क्या हथेली पे लकीरें होना
तेरा होना न अगर हाथ में है

दस्त बस्ता खड़ी है ताबीरें
चंद सपनों का नगर हाथ में है

चलो कुछ देर अपने-अपने अरमानों में चलते हैं
ये दुनिया देख ली है, अब बियाबानों में चलते हैं

ये हैं विश्वास के सिक्के, इन्हें रखना हिफ़ाज़त से
कहाँ ये आजकल दुनिया की दूकानों में चलते हैं

हमें रुसवा नहीं करना, हम ऐसे रिन्द हैं साक़ी
हमारे नाम इस बस्ती के मैखानों में चलते हैं

ये हैं इन्सान जो भीतर ही भीतर खाक़ हो जाते,
ये किस्से आजकल शम्मा-ओ-परवानों में चलते हैं

मेरा शायर मेरी हर आरजू को लफ़्ज़ देता है
वगरना दर्द तो इस दिल के तहख़ानों में चलते हैं

सनम भी चश्मेतर होने लगा है
इबादत का असर होने लगा है

करिश्मा जो मुहब्बत का इधर था
वही जादू उधर होने लगा है

अजब सा दर्द है जो मेरे दिल में
न होता था, मगर होने लगा है

शरीके ज़िंदगी तो हो न पाया
शरीके रहगुज़र होने लगा है

मेरा दिल एक खंडहर सा पड़ा था
वो आया है तो घर होने लगा है

शंऊरे-ज़िंदगी आता नहीं है
कोई आकर के समझाता नहीं है

तू इतना भा गई है मेरे दिल को
ये मेरा दिल मुझे भाता नहीं है

हरेक लम्हा है तेरी आरजू का
तू मुझमें क्यों समा जाता नहीं है

नदी की प्यास में पागल समुन्दर
बहुत मचला है उफनाता नहीं है

बहुत गाता था दिल बेताबियों को
मिला है तूं तो ये गाता नहीं है

पूनम 'कौसर'

मूल नाम : पूनम मल्होत्रा

जन्मतिथि : 24-02-1960, जालन्धर

शिक्षा : बी.एस.सी., एल.एल.बी

प्रकाशन : अनेक पत्र-पत्रिकाओं व संकलनों में रचनाएं प्रकाशित।

सम्मान/पुरस्कार: सारस्वत सम्मान (हिन्दी साहित्य सम्मेलन, प्रयाग), मानद उपाधि भारत भूषण-2005, राष्ट्रीय राजभाषा पीठ, इलाहाबाद) सहित अनेक संस्थाओं द्वारा सम्मानित/पुरस्कृत।

सम्प्रति : बैंक में सर्विस

सम्पर्क : 72, ग्रीन फील्ड, पक्खोवाल रोड, लुधियाना, (पंजाब) 141001
मो. 9815775894

तुम्हारे चाहने वालों में जब मेरा शुमार आया
यह दिल का दर्द भी मेहमान बनकर बार-बार आया

ग़ज़ल तो आंसुओं में डूब कर भी ख़ूबसूरत थी
मगर डूबी जिगर के ख़ूं में जब, कैसा निखार आया

वो कल जो मर गया तेरी गली में इक मुसाफ़िर था
जो दिल का बोझ थक कर तेरे कूचे में उतार आया

वो तीर-अंदाज़ भी न था, मगर उसने चलाया जो
नहीं चूका कोई हर तीर मेरे दिल के पार आया

मेरी आंखों पे 'कौसर' था असर बारिश के मौसम का
ख़बर तक ही न हो पाई कि जब रंगे-बहार आया

तेज़ धारों की बात करता है
फिर किनारों की बात करता है

जुगनुओं को पकड़ के मुट्ठी में
अब सितारों की बात करता है

अश्क पलकों से तो संभलते नहीं
किन किनारों की बात करता है

जब से गुज़रा है मेरे गुलशन से
सिर्फ़ ख़ारों की बात करता है

वो जो था राज़दार 'कौसर' का
इश्तिहारों की बात करता है

पहुंचेगी अब निगाह मेरी आसमान तक
चलके रहेगा तीर जो आया कमान तक

इस एहतिमाम से वो मुझे क़त्ल कर गया
मैं जां-ब-लब थी फिर भी न खोली ज़ुबान तक

बस हस्बे-आदत उस पे ऐतबार कर लिया
दम भर को भी न आया था वहम-ओ-गुमान तक

उसके नगर में आके न काबे में फिर गई
उसकी गली के शोर में भूली अज़ान तक

गुज़री तमाम उम्र घर के इंतिख़ाब में
तक़दीर देखिए कि न पाया मकान तक

तू अगर मेह्रबान हो जाए
यह ज़मी आसमान हो जाए

बेक़रारी कुछ उनकी और बढ़े
काश! मुश्किल में जान हो जाए

बात होंठों की कौन सुनता है
जब नज़र ही ज़ुबान हो जाए

हम जो तारीफ़ करते रहते हैं
क्यों न उनको गुमान हो जाए

मेरी मइय्यत पे आओगे 'कौसर'
हाय! यह इत्मिनान हो जाए

तोड़ कर हद को पार आए क्यों
मेरे घर में बहार आए क्यों

दोस्त जब हैं तो जान लेने को
दुश्मनों की क़तार आए क्यों

सारी बाज़ी थी अपने हाथों में
जीत कर खेल हार आए क्यों

मेरे सर पे तो शायरी का जुनूं
मेरे दिल को करार आए क्यों

उनकी पहचान थी यही 'कौसर'
वो मुखौटा उतार आए क्यों

जावेद अकरम

मूल नाम : जावेद अकरम फ़ारुक़ी
जन्मतिथि : 1-6-1960, अमरोहा
शिक्षा : एम.ए. उर्दू, अंग्रेज़ी, इतिहास
प्रकाशन : नीम तराशीदा सनम, कर्बे-अना, नारियल के दरख़्तों की परछाईयाँ, दरिया बहता जाता है, बूये-यासमन, स्पन्दन।
सम्मान : बाबा फ़रीदी अवार्ड, सद्भावना अवार्ड, माजिद मैमोरियल सोसाईटी अवार्ड, बिहार उर्दू अकादमी व यू.पी. उर्दू अकादमी अवार्ड।
सम्प्रति : केन्द्रीय विद्यालय में कार्यरत।
सम्पर्क : बी/8, स्टाफ क्वाटर्स, के.वी.नं. 2, चकेरी, कानपुर (उ.प्र.)
फोन : (01512) 2453339

मुस्कुराने में वक़्त लगता है
ग़म भुलाने में वक़्त लगता है

घर तो दुनिया उजाड़ देती है
घर बसाने में वक़्त लगता है

सारी दुनिया पड़ी है बसने को
दिल लगाने में वक़्त लगता है

आबो-दाना तो है मुक़द्दर मे
आबो-दाने में वक़्त लगता है

हम अना को मना तो लें 'जावेद'
सर झुकाने में वक़्त लगता है

कई घर बदले इक घर देखने में
गँवा दीं आँखें मंज़र देखने में

जो अपना है वही अपना नहीं है
यही आता है अक्सर देखने में

मियाँ जी! हाथ धो बैठोगे दिल से
किसी को आँख भर कर देखने में

बहुत गहरी हैं सुनते हैं वो आँखें
हरज क्या है उतर कर देखने में

वो आँखें कोई जादू जानती हैं
ख़सारा है पलट कर देखने में

जब तक यार सलामत हैं
सारे वार सलामत हैं

क्या बीमार सलामत हैं
हाँ सरकार! सलामत हैं

शहरे वफ़ा में हम जैसे
बस दो चार सलामत हैं

आग लगाकर बस्ती में
इज़्ज़दार सलामत हैं

इन हालात में भी 'जावेद'
आख़िकार सलामत हैं

उसकी खुशियों में खुद को ढलने दिया
हमने उसका चराग़ जलने दिया

जब तक उससे निभी, निभाते रहे
दोस्त था ज़हर भी उगलने दिया

गुफ़्तगू उसकी तल्ख़ थी फिर भी
सिलसिला गुफ़्तगू का चलने दिया

रूक गए एक मोड़ पर हम भी
उसको भी रास्ता बदलने दिया

वज़अदारी इसी में थी 'जावेद'
गिर गया था, उसे संभलने दिया

तुमसे बिछड़कर जाऊँ क्या
जीते जी मर जाऊँ क्या

तुम तो मेरा साया हो
साये से डर जाऊँ क्या

फूल खिलाकर होंटों पर
आँखें तर कर जाऊँ क्या

शर्त लगी है छूने की
तुम को छुकर जाऊँ क्या

सदा लगाने फिर 'जावेद'
अपने दर पर जाऊँ क्या

अमित 'चितवन'

जन्मतिथि : 17-7-1960, ग्वालियर
शिक्षा : स्नातक
प्रकाशन : ग़ज़ल-संग्रह की तैयारी है।
सम्मान : कई संस्थाओं द्वारा सम्मानित।
सम्प्रति : मिलिट्री इन्जीनियर सर्विस (ग्वा.)
सम्पर्क : पी-2/2, रेसीडेन्सी लाइन, रेसीडेन्सी मुरार, ग्वालियर-474005
मो. : 094257-42070

बैठे-बैठे सपने देखा करता है
दीवाना है, कुछ भी सोचा करता है

जो कुछ कहना-सुनना है, वो कह सुन ले
कल क्या होगा, कौन भरोसा करता है

बेशक तेरा अपना साया है लेकिन
जो अपना है, वो ही धोखा करता है

उसने हमको सिखलाई दुनियादारी
वो धोखे देता है, अच्छा करता है

सारी बातें मुझसे बाबरता लेकिन
नाम-पता वो अपना लिक्खा करता है

पंछी चाहे जितना ऊँचा जाए 'अमित'
इस धरती पे लौट के आया करता है

रहज़न हैं आप याकि हैं रहबर समझ लिया
सूरत से हमने आपकी पढ़कर समझ लिया

अपना बनाके तुमने जो ठुकरा दिया तो क्या
तुमको तो हमने अपना मुक़द्दर समझ लिया

मौसम की वादियों में जो लहराई उनकी ज़ुल्फ़
हमने उसी को प्यार का मन्ज़र समझ लिया

वो शख़्स क्या है उसको समझना मुहाल था
लेकिन उसे तो हमने बराबर समझ लिया

क्यों मेरे दिल को आपने समझा नहीं है दिल
क्यों मेरे दिल को आपने पत्थर समझ लिया

मैं गुज़रा हूं जिस वक़्त तेरी गली से
तो पाया है मौसम सुहाना तभी से

मेरी ज़िन्दगी तो तुम्हीं से है रोशन
मेरी हर खुशी है तुम्हारी ख़ुशी से

जो अपने थे उन्होंने दुख ही दिया है
मिला सुख हमेशा हमें अजनबी से

मुहब्बत की बातें तो करते हैं सब ही
मुहब्बत नहीं है किसी को किसी से

अमित अब मशीनों का युग आ गया है
बहुत दूर है आदमी ज़िन्दगी से

दोस्त जबसे मेरे बेख़बर हो गए
फिर तो दुश्मन मेरे हमसफ़र हो गए

ज़िन्दगी जब हमारी हुई कामयाब
लोग जलने लगे हम निडर हो गए

आसमां अब मेरे आगे कुछ भी नहीं
मैं तो उड़ने लगा मेरे पर हो गए

अब मेरे पास मेरा नहीं कुछ रहा
चाहने वाले भी किस क़दर हो गए

सच किसी के लिए मैंने क्यों कह दिया
सारे इल्ज़ाम ही मेरे सर हो गए

ख़ामोशी हटाने की शुरुआत कीजिए
तन्हा जो मिले हो तो कोई बात कीजिए

समझे कोई कुछ भी न करें इसका ख़्याल आप
है प्यार तो फिर प्यार की बरसात कीजिए

है धूप कड़ी रात अभी दूर बहुत है
बिख़रा के घनी ज़ुल्फ़ों को अब रात कीजिए

जलती हुई दुनिया को जलाने में मज़ा है
अच्छा है कि रोज़ाना मुलाक़ात कीजिए

मिलने पे है पाबंदी तो फिर आप 'अमित' से
आंखों से इशारों में ही कुछ बात कीजिए

कमलेश द्विवेदी

जन्मतिथि : 25-8-1960, कानपुर
शिक्षा : एम.कॉम., एल.एल.बी.
प्रकाशन : पत्र-पत्रिकाओं में रचनाएं प्रकाशित।
सम्मान : अनेक संस्थाओं द्वारा सम्मानित।
सम्प्रति : एडवोकेट
सम्पर्क : 119/427, दर्शनपुरवा, कानपुर-208092
फोन : (0512) 2297428
मो. : 9415474674

चल अंधियारे से टकराने, मैं चलता हूं तू भी चल
द्वारे-द्वारे दीप जलाने मैं चलता हूं तू भी चल

इस माटी से मां का रिश्ता मेरा भी है तेरा भी
इस माटी का क़र्ज़ चुकाने, मैं चलता हूं तू भी चल

अनबन में जो बनवा दी थी हमने अपने आंगन में
आज वही दीवार गिराने, मैं चलता हूं तू भी चल

इक-इक मिलकर दो होते हैं लेकिन हम ग्यारह होंगे
सबको यह एहसास कराने, मैं चलता हूं तू भी चल

जो ईश्वर मंदिर में रहता वो ही रहता मस्जिद में
मंदिर-मस्जिद शीश झुकाने, मैं चलता हूं तू भी चल

टुकड़ों में तस्वीर वतन की आज दिखाई देती है
एक नई तस्वीर बनाने, मैं चलता हूं तू भी चल

रिश्तों की तलवार खड़ी है हम दोनों के बीच
माँ कितनी लाचार खड़ी है हम दोनों के बीच

यह तो वक़्त बताएगा अब क्या पाएगा कौन
जीत खड़ी है हार खड़ी है हम दोनों के बीच

काश न आए कोई मुसीबत ऐसी आगे और
जैसी अबकी बार खड़ी है हम दोनों के बीच

खोद रहा है क्यों तू खाई मेरे भाई आज
पहले ही दीवार खड़ी है हम दोनों के बीच

अपना झगड़ा तो खुद ही निपटा लेंगे हम लोग
यह दुनिया बेकार खड़ी है हम दोनों के बीच

समन्दर में कश्ती है तूफ़ान भी है
मगर पार करने का अरमान भी है

बना जब से दौलत की दुनिया का मालिक
वो खुश भी बहुत है परेशान भी है

जिसे मैं अभी तक समझता था पत्थर
लगा आज उसमें दिलो जान भी है

ये राहे वफ़ा है मगर फिक्र मत कर
ये मुश्किल भी है और आसान भी है

जिसे तूने समझा है बस फर्ज़ अपना
मेरे दोस्त मुझपे वो एहसान भी है

जो संजीदा होता है वो ज़्यादातर चुप रहता है
नदियाँ शोर मचाया करती पर सागर चुप रहता है

सारा घर कुछ कहता है तो वे चुप होकर सुनते हैं
जब वे कुछ कहते हैं तो फिर सारा घर चुप रहता है

झूठा और फ़रेबी चीखा-चिल्लाया करता है पर
जो होता है सीधा-सच्चा वो अक्सर चुप रहता है

रहवर चाहे तो क्या रहज़न लूट किसी को पाएगा
रहज़न मनमानी कर लेता जब रहबर चुप रहता है

ताजमहल या लालक़िला हो एक कहानी कहते सब
कोई फिर कैसे कह सकता कि पत्थर चुप रहता है

मेरा दिल दीवाना गाए
गाए प्रेम-तराना गाए

साथ शमा के जलते-जलते
जाने क्या परवाना गाए

तुम बिन रोता है वीराना
आ जाओ वीराना गाए

जो-जो रास रचाए उसने
वृन्दावन-बरसाना गाए

मेरी ग़ज़लें ऐसी ग़ज़लें
मेरे साथ ज़माना गाए

विजय कुमार

जन्मतिथि : 19-10-1960, दिल्ली

शिक्षा : एम.बी.बी.एस, डी.सी.एच, एम.डी. (पैथोलोजी)

प्रकाशन : ग़ज़ल-संग्रह 'फ़ासले', 'कभी-कभी' और 'साथिया' सहित एक कहानी-संग्रह प्रकाशित व पुरस्कृत।

सम्मान/पुरस्कार: अनेक संस्थाओं द्वारा सम्मानित।

सम्प्रति : अचार्य श्री भिक्षु अस्पताल में कार्यरत।

सम्पर्क : ई-166, शास्त्री नगर, दिल्ली 110052
फोन - 011 23641899
मो. - 9811082715

इक बावफ़ा की चाह में फिरता रहा हूँ मैं
नाकाम आरज़ू पे ही शरमा रहा हूँ मैं

वादों पे तेरे फिर से मुझे हो गया यक़ीन
क्या क्या फ़रेब ख़ुद को दिए जा रहा हूँ मैं

होशो-ख़िरद को आज मेरे हो गया है क्या
हर इक से दिल की बात कहे जा रहा हूँ मैं

जो हमसफ़र था आज वो पहचानता नहीं
अपनी वफ़ा का खूब सिला पा रहा हूँ मैं

जुल्मो-सितम पे उसके मैं देता हूँ अब दुआ
ज़ालिम को इस तरह से भी तड़पा रहा हूँ मैं

इख़्लास बन्दगी से ही लेता रहा हूँ काम
किस-किस ख़ता की आज सज़ा पा रहा हूँ मैं

इस ज़िंदगी की राह में जो कुछ मिला मुझे
सब ढाल कर अशआर में लौटा रहा हूँ मैं

तुम को हम ही से मुहब्बत किस लिए
सारी दुनिया से अदावत किस लिए

गर मुहब्बत आप की बेख़ौफ़ है
फिर दिखाने की अदावत किस लिए

अब सितम सहने की आदत हो गई
अब हुई हम पर इनायत किस लिए

आदमी की जब कोई क़ीमत नहीं
फिर बुतों की भी इबादत किस लिए

फ़र्ज़ ही अपना निभाए जा 'कुमार'
हर घड़ी लब पर शिकायत किस लिए

आता है तेरे प्यार का पैग़ाम आज भी
ढलती है तेरे नाम से हर शाम आज भी

है सब की आरज़ू कि कोई हमसफ़र मिले
फिर भी है इश्क़ किसलिए बदनाम आज भी

उठता है दर्द सीने में आंखे है अश्कबार
होता है आशिक़ी में ये अन्जाम आज भी

जिसको तलब हो नाम की हासिल किया करे
रहता हूँ सब के दरमियां गुमनाम आज भी

मख़्सूस काम से तुझे भेजा गया 'कुमार'
होता है बारहा मुझे इल्हाम आज भी

देख कर मुझको मुस्कराता है
क्यूं मेरा हौसला बढ़ाता है

कब गवारा है उसको रुसवाई
ज़ख़्म सारे कहां दिखाता है

क्या पता वो कहां तलक पहुंचे
आज बच्चा जो डगमगाता है

आंधियां ले उड़ी है रानाई
इक दिया फिर भी टिमटिमाता है

अपने जज़्बात पर ग़ज़ल कह कर
आग सीने की वो बुझाता है

ख़ूबसूरत है समा और बेख़ुदी छाई हुई
रात का आलम है या है ज़ुल्फ़ लहराई हुई

आइने की ख़ैर हो अब हुस्न है जलवा फ़रोश
जैसे कोई नाज़नी हो ख़ुद से शरमाई हुई

प्यार में मदहोश होकर यूँ लगा मुझको गले
पेड़ से लिपटे यूँ कोई शाख़ बल खाई हुई

मेरे नग़्मात यूँ तो हैं मुझे बेहद अजीज़
पुरअसर है वो ग़ज़ल जो आप की गाई हुई

दिल की बातें कौन समझे किस को है दिल का ख़याल
सारी दुनिया से यूँ कोई शय हो ठुकराई हुई

अनिल कुमार गौड़

जन्मतिथि : 19-12-1960, कानपुर

शिक्षा : एम.ए. (हिन्दी)

प्रकाशन : ग़ज़ल-संग्रह 'जलता हुआ मकान'। पत्र-पत्रिकाओं में रंचनाएं प्रकाशित।

सम्प्रति : व्यवसाय।

सम्पर्क : गौड़ निवास, भगवतीगंज, बलरामपुर (गोण्डा), उ.प्र.-271201
फोन : (05263) 232337
मो. : 9839753962

अपनी ही लाश अपने ही कंधों पे डाल के
हम लोग चल रहे हैं बहुत देख-भाल के

हमको भी मिल गए हैं समस्याओं के निदान
हर रोज़ बहुत सारी समस्याएँ टाल के

ख़ुशफ़हमियों में खोए हुए हैं मेरे हुज़ूर
साबुन की एक टिकिया समन्दर में डाल के

होली में हमने सिर्फ़ किया होलिका दहन
सन्दर्भ बहुत कम ही मिले हैं गुलाल के

हर पाँखुरी सहेज लो दिल की किताब में
टूटा हुआ गुलाब हूं रखना सँभाल के

आज मौसम कमाल करते हैं
पेड़ भी अब सवाल करते हैं

पाँखुरी-पाँखुरी उदासी है
आप कैसी सँभाल करते हैं

ज़िन्दगी के बुझे-बुझे चेहरे
मुस्कराना मुहाल करते हैं

वक़्त मरहम कभी नहीं होता
काम बस अंतराल करते हैं

चुप रहो तो कहेंगे 'गूँगा है'
बोल दो तो 'वबाल करते हैं'

कौन जाने रात है या भोर है
शोर है बस अजनबी सा शोर है

मार्ग-दर्शक भी भ्रमित हैं आजकल
रास्ता इस ओर या उस ओर है

पसलियाँ ही श्वास ले पातीं यहाँ
ज़िन्दगी उफ़ किस क़दर कमज़ोर है

रेत लेकर हाथ से यूँ छोड़िये
देखिये बहती हवा किस ओर है

उड़ न जाए आँधियों में चन्द्रमा
अब हवाओं में बड़ा ही जोर है

हम अधूरी प्यास लेकर सो गए
तृप्ति का इतिहास लेकर सो गए

एक सूखी-सी नदी के दर्द को
हम हृदय के पास लेकर सो गए

खो गए सुन्दर सुहाने पल कहीं
याद का मधुमास लेकर सो गए

अनकही ही रह गई कोई कथा
अनकहा संत्रास लेकर सो गए

रह नहीं पाए किसी करवट मगर
नींद के आभास लेकर सो गए

नील नभ और मानसर देखा
जब भी आँखों में झाँककर देखा

उनसे पूछा जो अपने बारे में
मुस्कराकर इधर-उधर देखा

उसने देखा था एक पल हँसकर
हमने मुड़-मुड़, ठहर-ठहर देखा

धड़कनें थम गईं थीं क्षण भर को
इस तरह उसने भर नज़र देखा

रूप हर बार हो गया नूतन
मौन देखा, कभी मुखर देखा

सुरेन्द्र विक्रम

जन्मतिथि : 1-1-1961, बरोखर (इलाहाबाद)

शिक्षा : एम.ए. हिन्दी, पी.एच.डी.

प्रकाशन : अनेक पत्र-पत्रिकाओं में रचनाएं प्रकाशित। बाल साहित्य में लगभग एक दर्जन पुस्तकें प्रकाशित।

सम्मान/पुरस्कार: उ.प्र. हिन्दी संस्थान, लखनऊ एवं रामपुर (छ.ग.) से सृजन सहित अनेक संस्थाओं द्वारा सम्मानित।

सम्प्रति : रीडर, एवं विभागाध्यक्ष (हिन्दी) लखनऊ, क्रिश्चियन पी.जी.कालेज, लखनऊ

सम्पर्क : सी 1245, एम.आई.जी. (दुर्गा पार्क) राजा जी पुरम, लखनऊ (उ.प्र.) 226017
फोन : 0522 2416530
मो - 9450355390, 9450018397

करें किस पर भरोसा हम यहाँ जब सब बवाली हैं
दीवाली क्या मनाएं हम कि दोनों हाथ ख़ाली हैं

चमन वीरान है वीरानगी बढ़ती ही जाएगी
न होगा देश का उद्धार जब तक नोट जाली हैं

जो कहते थे अकड़कर स्वंय को इस देश का दीपक
बुझे हैं शर्म से वे दीप औ' सूरत छुपा ली है

किया करते थे जो तारीफ अपने यार की यारो
मगर अब यार ने ही यार की टोपी उछाली है

सुना था लक्ष्मी आएंगी चलकर पास में उनके
ख़बर है लक्ष्मी ने टांग खुद अपनी कटा ली है

अब गाँव से शहर की ओर आ रहे हैं लोग मनचाहे रेत के महल बना रहे हैं लोग	हमने सुनी हैं इश्क़ की औ' प्यार की ग़ज़लें कुछ बेवफ़ा की और कुछ दीदार की ग़ज़लें
यादों के घरौंदे तो अपने आप ढह गए बहुमंज़िली इमारतें दिखा रहे हैं लोग	लोगों की तिजारत सही पत्थर भी खाए हैं चर्चा में रही खूब, ऐसे यार की ग़ज़लें
सुनते थे यार शहर में इंसाफ़ है बिकता क़ानून के शिकंजों से घबरा रहे हैं लोग	परवान जो चढ़ी कभी चढ़ती गई ऊपर चढ़ते ही चढ़ते बन गई, मीनार की ग़ज़लें
जिस ख़ौफ़नाक मृत्यु से दहशत में थे सभी उस मृत्यु को हँसकर गले लगा रहे हैं लोग	बिजली गिरी कि आशियाँ ही जल गया लेकिन तूफ़ान में भी बच गई, दो चार की ग़ज़लें
अपने तो सदा अपने हैं अपने ही रहेंगे अब ग़ैर को भी अपना ही बता रहे हैं लोग	कल भी न थे, न आज हैं हम वक़्त के क़ैदी यूँ ही चलेंगी शौक से रफ़्तार की ग़ज़लें

फ़ख़्र था जिनको कभी अपने नसीबों पर आज वे ही टंग रहे हैं खुद सलीबों पर	तुमको दिल की बात बताना अच्छा लगता है सुख-दुख दोनों साथ निभाना अच्छा लगता है
ये वतन के रहनुमां हैं वोट पर ज़िन्दा और खाते हैं तरस यूँ ही ग़रीबों पर	अगर हौसले हों बुलंद मंशा कुछ पाने की तब तूफ़ानों से टकराना अच्छा लगता है
जिनकी सांसों ने वतन को ज़िंदगी दी है मौत भी कुर्बान है ऐसे हबीबों पर	सुबह शाम चलकर धरती की दूरी जो नापे ऐसे सूरज पर इतराना अच्छा लगता है
काट डाले हैं जिन्होंने पर परिंदों के खुद खुदा नाराज़ है उन बदनसीबों पर	कितने साथी बीच राह में मिलकर बिछुड़ गए कितनों की यादों में जाना अच्छा लगता है
क्या अज़ब है जो दिलों में दूरियाँ करते दिल लुटाए जा रहे हैं उन रक़ीबों पर	क्षितिज नहीं है धरा-गगन की केवल परछाई मन में उसका त्रिभुज बनाना अच्छा लगता है

अजय 'अज्ञात'

जन्मतिथि : 24-3-1961
शिक्षा : पोस्ट डिप्लोमा इन मेकेनिकल इंजिनियरिंग
प्रकाशन : ग़ज़ल-नज़्म संग्रह—'जुस्तजू' सहित लगभग एक दर्जन पुस्तकें प्रकाशित। पत्र-पत्रिकाओं में रचनाएं प्रकाशित।
सम्मान : अनेक संस्थाओं द्वारा सम्मानित।
सम्प्रति : एन.टी.पी.सी. बदरपुर में अभियन्ता।
सम्पर्क : म.नं. 37, सेक्टर-31, फरीदाबाद (हरि.)
मो. : 9868395720, 9810561782

जिसने सबकी प्यास बुझाई, पीने का अधिकार उसे
जिसने मरना सीख लिया है, जीने का अधिकार उसे

क़लमकारिता करने वाले क्या-क्या सीख नहीं देते
खुद जो पहले कर दिखलाए कहने का अधिकार उसे

माटी से ना प्यार जिसे वो बोझ देश पे बना हुआ
वतन की ख़ातिर मिटना जाने, रहने का अधिकार उसे

सुख के जो आधीन हुआ हो मंज़िल उसे नहीं मिलती
जिसने आलस त्याग दिया हो, पाने का अधिकार उसे

यूं तो सोने चांदी से भी लोग सजाते हैं तन को
जिसने गुण आभूषण पहने, सजने का अधिकार उसे

तुम ऐसी रीत चला देना
घर-घर में दीप जला देना

है कठिन हँसाना ही जग में
आसां है बहुत, रुला देना

खुद को मैं भूल चुका लेकिन
मुश्किल है तुम्हें भुला देना

इक बार मोहब्बत से देखो
बेशक फिर ज़हर पिला देना

मैं वफ़ा निभाता जाऊंगा
जो चाहे मुझे सिला देना

पोशाक आदमी की पहचान नहीं है
जिसमें गुरूर है वो इंसान नहीं है

जिस डाल पे बैठा हो उसे ही काट दे
इतना आज कोई भी, नादान नहीं है

पत्थर वो ही उठाए अपने हाथ में
जिसके खिलाफ़ कोई फ़रमान नहीं हैं

धोखा मिला है अक्सर उसको जहान में
खोटे खरे की जिसको पहचान नहीं है

'अज्ञात' बात थी कुछ उस पहले प्यार में
दिल से उसे भुलाना, आसान नहीं है

सीने में हैं दर्द मगर मुस्काता हूं
लेकिन दिल से गीत प्यार के गाता हूं

सब हैं मुझसे दूर मुझे अफ़सोस नहीं
तुझसे दूरी सहन नहीं कर पाता हूं

सबके मन की बात अधर पर रहती है
अपने दिल की बात नहीं कह पाता हूं

पहले ज़र्रे से भी घबरा जाता था
लेकिन अब पर्वत से टकरा जाता हूं

शर्म बेच खाई है जिसने कौड़ी में
सच कहता हूं उससे मैं शरमाता हूं

ग़म में भी तुम मुस्कराना सीख लो
दिल से अपना दिल मिलाना सीख लो

स्वप्न सब साकार होंगे एक दिन
ख़्वाब पलकों पर सजाना सीख लो

भूलकर निज-हित को यारो एक पल
काम औरों के भी आना सीख लो

लांघ जाओ नफ़रतों की खाईयां
पुल मोहब्बत के बनाना सीख लो

मौत का मत ख़ौफ़ खाना तुम कभी
ज़िंदगी का गीत गाना सीख लो

मुकेश चतुर्वेदी 'समीर'

जन्मतिथि : 30-6-1961, सागर (म.प्र.)
शिक्षा : डिप्लोमा इन सिविल इंजीनियरिंग।
प्रकाशन : अनेक पत्र-पत्रिकाओं व संकलनों में रचनाएं प्रकाशित।
सम्मान : भारतीय विद्या भवन, मुम्बई सहित अनेक संस्थाओं द्वारा सम्मानित/पुरस्कृत।
सम्प्रति : उप अभियंता, म.प्र. जल संसाधन।
सम्पर्क : 267/128स/4,छोटी देवी, बाईसा मुहाल, नरयावली नाका वार्ड, सागर (म.प्र.) 470002
फोन : (07582) 249774, 236982
मो. : 9926359533

ज़मीं पे आसमां जैसा खड़ा इक तूर देखा है
खुदा को तो नहीं देखा खुदा का नूर देखा है

जिसे न भर सका अब तक बदलते वक़्त का मरहम
गुलों से जिस्म पर हमने खिला नासूर देखा है

हमें हर राह रहज़न और रहबर ने भी लूटा है
क़यामत को खड़ा हमने ज़रा सा दूर देखा है

बहुत ही सौंधी लगती है, हमें ईमान की रोटी
ख़ज़ाने पे यूं कारूं के, खड़ा मजदूर देखा है

वफ़ा की खुशबू उठती है कहां जुहरा जमालों से
हसीनों को 'समीर' अक्सर बहुत मग़रूर देखा है

शहादत के सभी चेहरे, चलन भी मुस्कराते हैं
दयानतदार दर दहलीज़ें, सहन भी मुस्कराते हैं

ज़ुबानें तेज़ चलती हैं, नयन भी मुस्कुराते हैं
हमारी मौत के सामां, कफ़न भी मुस्कराते हैं

परिन्दा दूर जाकर के, शज़र पर बैठता है जब
गुलिस्ताँ खुल के हँसते हैं, चमन भी मुस्कराते हैं

हज़ारों हाथों से लिख दूँ, करोड़ों दास्तानों को
ज़िगर के जलते लोहू से, जेह्न भी मुस्कराते हैं

कोई तो देख लेता है, हमें अब भी मुहब्बत से
ज़माने भर से पाकर हम, जलन भी मुस्कराते हैं

जुल्मो-सितम अवाम पे बरपा न कीजिए
इंसानियत के नाम को रुसवा न कीजिए

इक दिन ये फूल बन के लुटाएँगी रंगो-बू
कलियों को अपने हाथों से मसला न कीजिए

चुभने लगेंगे आपको ये ख़ार की तरहा
अश्कों को अपनी आँखों में रोका न कीजिए

अहले-चमन गुलों की हिफ़ाज़त न कर सके
वादों का उनके कोई भरोसा न कीजिए

ऐसा न हो कि ख़ाक में मिल जाए आबरू
सर इस तरहा ग़ुरूर से ऊँचा न कीजिए

कुछ सबक हो तो कहें, बेसबब न पूछिये
उस गुज़िश्ता दौर के, मंज़र वो अब न पूछिये

दोस्ती है बदमज़ाक़ी, बेसलीक़ा लोग हैं
दुश्मनी में जो रहे, तौरो-तरब न पूछिये

ला पिला दे साक़िया, आज फिर घटिया शराब
किस तरहा से रोक रक्खी, है तलब न पूछिये

न दिखा इठला के अपना, रंगी बदन और पैरहन
हम फटेहालों से ये, फैशन अजब न पूछिये

क्या पता 'कलकी' 'समीर' होगी सहर फिर किस तरह
पूछिये अब की, अभी की, 'कलकी' शब न पूछिये

बेकारियों का चार-सू अंबार चले है
मक्कारियों से आजकल सरकार चले है

खोलूं तो सिक्कों की झनक गूंजे है इसमें
ताजिर के इशारों पे अख़बार चले है

ये तबीबी, ये तिजारत, ये सियासत, ये अदीब
इस दौर की हर शय कुछ बीमार चले है

फिलहाल आपसे ये मुलाकात बहुत है
तसव्वुर में यूं तो रोज़ ही दीदार चले है

महफ़िल में हमको आपकी होता है ये गुमां
कलियों के साथ साथ कोई ख़ार चले है

रामदयाल मेहरा

जन्मतिथि : 1-1-1962
शिक्षा : साहिस रत्न।
प्रकाशन : चार राजस्थानी भाषा के काव्य-संग्रह।
सम्प्रति : राजस्थान साहित्य अकादमी में सेवारत।
सम्पर्क : राजस्थान साहित्य अकादमी, सेक्टर-4,
हिरण मगरी, उदयपुर-313002
फोन : (0294) - 2461717 (का.)
मो. : 09413275790

आ पलकों पर पग धर आजा
धीरे धीरे भीतर आजा

रीत कबीरा की भावे तो
महल अटारी तज कर आजा

आंखों-आंखों में पी लूंगा
मनघट पर ले गागर आजा

सूखी नदिया फिर से मचले
सज धज कर तू तट पर आजा

मरुथल फिर से महक उठे ये
काली बदली बनकर आजा

बाहर रस्ता नहीं मिले तो
घट के भीतर है घर आजा

नज़र उतारे नज़र लगावे
'रामदयाल' नज़र भर आजा

ना मैंने तुमसे धन चाहा
केवल निर्मल सा मन चाहा

चाहत बनी रहे चितवन में
इसीलिए तो दर्शन चाहा

भू का ताप मिटाने को ही
हर दम मैंने सावन चाहा

ऐसी चाहत भी क्या चाहत
ग़ैरों से अपनापन चाहा

नवसृजन नवरस के ख़ातिर
'रामदयाल' ने जीवन चाहा

जब मन आए ख़त तब लिखना
पर चाहत का मतलब लिखना

राजी नाराजी सब लिखना
आंखें भरी लबालब लिखना

सारा गगन तुम्हे दे दूंगा
उड़ने की चाहत जब लिखना

तेरी मेरी नाहक बातें
तुम कब सीखे ये सब लिखना

जीवन दर्शन हो जाएगा
'रामदयाल' सीख रब लिखना

तुमने केवल बातें की हैं
हमने तो वो रातें जी हैं

कहना मुश्किल सहना मुश्किल
ऐसी ऐसी घातें पी हैं

हर दम सर आंखों पर रखा
फिर भी तुमने लातें दी हैं

निज स्वारथ साधन की ख़ातिर
हमको कितनी जातें दी हैं

'रामदयाल' ने हरदम जग की
सेवा आते जाते की है

पहले ही आंधी के डर से
वो नहीं निकले अपने घर से

किस विधि अपना बचे आशियां
जतन पूछते रहे डगर से

थक कर चकनाचूर हुआ मन
फिर भी नहीं घबराए सफ़र से

थी जिनके नीचे शीतलता
वो ही आज अगन सा बरसे

प्यासे होठों की ही ख़ातिर
हमने पाले वैर मगर से

वशिष्ठ अनूप

जन्मतिथि : 1-1-1962
शिक्षा : एम.ए., पी.एच.डी, डी.लिट्.
प्रकाशन : 'रोशनी खतरे में है' ग़ज़ल संग्रह सहित कविता संग्रह, अलोचना, गीत, कहानी, समीक्षाएं, अनेक पत्र-पत्रिकाओं में प्रकाशित।
सम्मान/पुरस्कार: अनेक संस्थाओं द्वारा सम्मानित।
सम्प्रति : अध्यक्ष (हिन्दी विभाग) राजा श्रीकृष्ण दत्त स्नातकोत्तर महाविद्यालय, जौनपुर
फ़ोन 05462-243039
मो. 9415895812

कुछ सकुचाना कुछ घबराना अच्छा लगता है
तेरा हंसना फिर शरमाना अच्छा लगता है

शब्दों में सामर्थ्य कहां जो दिल की बात कहें
आंखों-आंखों में बतियाना अच्छा लगता है

मोटी-मोटी पोथी पढ़कर थक जाने के बाद
मन के पृष्ठों को दुहराना अच्छा लगता है

पकवानों की खुशबू में रंगों की मस्ती में
दुश्मन को भी गले लगाना अच्छा लगता है

फास्ट फूड और चमक दमक वाले इस युग में
अम्मा के हाथों का खाना अच्छा लगता है

अक्षत, चंदन, मंत्र, पुष्प, नैवेद्य, अग्नि, कुमकुम
ख़्वाबों में भांवरें लगाना अच्छा लगता है

खुश्बू का बन्धन फूलों का पहरा लगता है
तुम रहती हो तब यह घर भी अच्छा लगता है

गन्ध तुम्हारे तन की फैली है हर ओर यहां
बिना तुम्हारे हर पल अग्नि परीक्षा लगता है

वक़्त जो पहले पंख लगाकर फरफर उड़ता था
कई दिनों से अब वह ठहरा ठहरा लगता है

एक रंग चढ़ गया है जब से कोरे काग़ज़ पर
दुनिया का हर इक रंग तब से कच्चा लगता है

बिखरी बिखरी हैं सब चीज़ें हर सूं यहां वहां
बिन घरनी यह घर भूतों का डेरा लगता है

ओस की बूंद नहीं हैं कि बिखर जाएंगे
प्यार के फूल हैं हर रुत में मुस्कराएंगे

हरेक शय में तुम्हें हम ही नज़र आएंगे
झुकी निगाह तो हम दिल में उतर जाएंगे

एक खुशबू की डोर बंध गयी है सांसों में
उसे पकड़ के तेरे पास चले आएंगे

मिटा दो शौक से हमको मगर ये याद रहे
हम इसके बाद तुम्हें याद बहुत आएंगे

कटते पेड़ों से लिपटकर कहा परिन्दों ने
तुम्हारे बाद कहां हम पनाह पाएंगें

फूल से चेहरे भोले-भाले अच्छे लगते हैं
बच्चों के मासूम इरादे अच्छे लगते हैं

कुछ मजबूरी होती है कुछ फ़ितरत होती है
कभी कभी कुछ झूठे वादे अच्छे लगते हैं

तेरी नज़ाकत तेरी नफ़ासत कोई बात नहीं
सुन्दर फूलों के संग कांटे अच्छे लगते हैं

हानि लाभ इस धन्धे में कुछ अर्थ नहीं रखते
प्यार में मिलने वाले घाटे अच्छे लगते हैं

शोर भरे इस जीवन के एकांकी लम्हों में
खुद से बतियाते सन्नाटे अच्छे लगते हैं

कोई खुशबू का दरीचा-सा खुला है शायद
वो मेरे घर की तरफ़ आज चला है शायद

तमाम ग़म उदासियां हुईं हैं छूमन्तर
कोई बच्चा मेरी यादों में हंसा है शायद

अब किसी बात पर नाराज़ ही नहीं होती
फिर किसी बात पर वो मुझसे ख़फ़ा है शायद

धड़कनें तेज़ बहुत तेज़ हुई जाती हैं
मेरा ही नाम लिफ़ाफ़े पे लिखा है शायद

चलूं मिल लूं न जाने क्या वो कहने वाला है
वक़्त आकर मेरी चौखट पे रुका है शायद

मुजाहिद फ़राज़

मूल नाम : सय्यद मुजाहिद अली

जन्मतिथि : 1-3-1962

शिक्षा : बी.एस-सी., बी.यू.एम.एस., एम.ए. (उर्दू)।

प्रकाशन : 'बर्फ़ तपती है' ग़ज़लों एवं नज़्मों पर आधारित प्रकाशनाधीन। पत्र-पत्रिकाओं में रचनाएं प्रकाशित।

सम्मान : प्रतिभा प्रकाशन रामपुरा द्वारा सम्मानित।।

सम्प्रति : चिकित्सक, सदस्य उ.प्र. उर्दू अकादमी।

सम्पर्क : 107/सी-6 असालतपुरा, मुरादाबाद, उ.प्र.

फोन : (0591) 2321481

मो. : 9997259025

यूँ तेरी याद का दरवाज़ा खुला रात गए
एक-एक लम्हा क़यामत सा कटा रात गए

दिन तो फिर दिन है बहरहाल गुज़र जाता है
हिज्र में होती है नासाज़ फ़ज़ा रात गए

किस की साँसों से महकती है फ़ज़ा कमरे की
किस ने आकर मुझे ख़्वाबों में छुआ रात गए

सारे दुश्वार मराहिल से गुज़र जाता हूँ
माँ मेरे वास्ते करती है दुआ रात गए

जिस्म बिस्तर पे, नज़र दर पे, तमन्ना दिल में,
रात यूँ गुज़री कि याद आया ख़ुदा रात गए

याद उस की मेरी तन्हाई मिटाने को 'फ़राज़'
आई पहने हुए फूलों की क़बा रात गए

सिलसिला लफ़्ज़ों की सौग़ात का भी टूट गया
राब्ता ख़त से मुलाक़ात का भी टूट गया

माँ की आग़ोश में उल्फ़त की रवानी पाकर
बाँध ठहरे हुए जज़्बात का भी टूट गया

रात के माथे पे सूरज ने सहर लिख दी है
आसरा उससे मुलाक़ात का भी टूट गया

आ गया कैसे वह अब अपनी अना से बाहर
क्या हिसार आज मेरी ज़ात का भी टूट गया

आज अख़बार की ख़बरें भी हैं मशकूक 'फ़राज़'
आईना सूरत-ए-हालात का भी टूट गया

बीच समन्दर रहता हूँ
लेकिन फिर भी प्यासा हूँ

अपने बच्चों की नज़रों में
मैं दो दिन का बच्चा हूँ

ज़ुल्म सहूँ खामोश रहूँ
क्या मैं एक फ़रिश्ता हूँ

सदियाँ पढ़कर दुनिया की
लम्हे इसके समझा हूँ

ख़ूशबू लेकर चाहत की
बस्ती-बस्ती फिरता हूँ

शुक्र यह भी बहुत खुदा का है
एक झोंका अभी हवा का है

दोस्त नज़रें झुकाए बैठे हैं
ज़िक्र शायद मेरी वफ़ा का है

तेज़ आँधीं में भी मैं रौशन हूँ
यह करिश्मा किसी दुआ का है

ज़ुल्म को ज़ुल्म ही कहूँगा मैं
लाख रस्ता यह करबला का है

सब जिसे ज़हर जानते थे 'फ़राज़'
आज मौसम उसी हवा का है

उम्र भर साथ रहा जिसके मैं साया बनकर
उसकी आँखों में खटकता रहा काँटा बनकर

कभी जुगनू, कभी शबनम, कभी शोला बनकर
ज़िन्दगी जीता हूँ हर रोज़ मैं क्या-क्या बनकर

लाख दुनिया से रखूँ दूर मगर इस दिल में
ख़्वाहिशें रोज़ जनम लेती हैं दुनिया बनकर

जी नहीं सकता मैं औरों की तरह, और मुझे
लोग जीने नहीं देते हैं फ़रिश्ता बनकर

ज़ख़्म-ए-दिल ज़माने को दिखाओ न 'फ़राज़'
वरना रह जाओगे दुनिया में तमाशा बनकर

हसीब सोज़

जन्मतिथि : 5-3-1962
शिक्षा : एम.ए. (उर्दू)
प्रकाशन : उर्दू पत्रिका 'लम्हे लम्हे' का सम्पादन। पत्र-पत्रिकाओं में रचनाएं प्रकाशित।
सम्मान : अनेक संस्थाओं द्वारा सम्मानित।
सम्प्रति : सम्पादन, 'लम्हे लम्हे' (उर्दू पत्रिका)
सम्पर्क : पो. अलापुर, बदायूं (उ.प्र.)
फोन : (05831) 277667
मो. : 9319558021

हमारे दोस्तों में कोई दुश्मन हो भी सकता है
ये अंग्रेज़ी दबाएं हैं रियक्शन हो भी सकता है

किसी माथे पे हर दम एक ही लेबल नहीं रहता
भिखारी चंद हफ़्तों में महाजन हो भी सकता है

सियासत नक़ली नोटों की तरह धोखे से चलती है
जिसे रहबर समझते हो वह रहज़न हो भी सकता है

मेरे बच्चो कहाँ तक बाप के कांधों पे बैठोगे
किसी दिन फ़ेल इस गाड़ी का इंजन हो भी सकता है

कभी चश्मा हटाकर देख आँखों से तआसुब का
तेरे दामन से उजला मेरा दामन हो भी सकता है

तअल्लुक़ात की क़ीमत चुकाता रहता हूं
मैं उसके झूठ पे भी मुस्कराता रहता हूं

मगर ग़रीब की बातों को कौन सुनता है
मैं बादशाह था सबको बताता रहता हूं

ये और बात कि तनहाइयों में रोता हूं
मगर मैं बच्चों को अपने हंसाता रहता हूं

तमाम कोशिशें करता हूं जीत जाने की
मैं दुश्मनों को भी घर पे बुलाता रहता हूं

ये रोज़-रोज़ की अहबाब से मुलाक़ातें
मैं आप क़ीमतें अपनी गिराता रहता हूं

इतनी सी बात थी जो समंदर को खल गई
काग़ज़ की नाव कैसे भवंर से निकल गई

पहले ये पीलापन तो नहीं था गुलाब में
लगता है अब के गमले की मिट्टी बदल गई

फिर पूरे तीस दिन की रियायत मिली उसे
फिर मेरी बात अगले महीने पे टल गई

उतना बचा हूँ जितना तिरे हाफ़ज़े में हूँ
वरना मेरी कहानी मेरे साथ जल गई

दिल ने मुझे मुआफ़ अभी तक नहीं किया
दुनिया की राय दूसरे दिन ही बदल गई

फ़र्क़ महसूस न हो इतने अनाड़ी भी नहीं
लेकिन इक बात थी जो बात बिगाड़ी भी नहीं

कौन शो केस में रक्खेगा सजाकर हमको
अब हमारा तो ख़रीदार कबाड़ी भी नहीं

मैं तेरे शहरे निगाराँ को भुला दूँ कैसे
धूल कपड़ों पे जमी है अभी झाड़ी भी नहीं

खुश्क दो आँखें बहुत देर से रक्खी है यहाँ
और अब आने को बाक़ी कोई गाड़ी भी नहीं

वक़्त ने थोप दिया हम पे बुढ़ापा वरना
कल के बच्चे हैं अभी चेहरे पे दाढ़ी भी नहीं

मैं तेरे क़द के बराबर अगर नहीं होता
किसी सफ़र में भी तू हमसफ़र नहीं होता

मिज़ाज एक-सा होता है सब अमीरों का
कोई भी ज़हर हो मीठा मगर नहीं होता

रगें दिमाग़ की सब पेट में उतर आईं
ग़रीब लोगों में कोई हुनर नहीं होता

बहुत ज़रूरी हैं बीवी भी और बच्चे भी
कि सिर्फ़ ईंटों से तामीर घर नहीं होता

तमाम शह्‌र ने काग़ज़ के घर बनाए हैं
सुनो! कि जश्ने-चिराग़ां इधर नहीं होता

नमिता राकेश

जन्मतिथि : 9-3-1962

शिक्षा : एम.ए. (अंग्रेज़ी, इतिहास), बी.एड., पी. जी. डिप्लोमा (पत्रकारिता)।

प्रकाशन : ग़ज़ल-संग्रह 'नदी आवाज़ देती है' प्रकाशनाधीन। काव्य की अनेक विधाओं की पांच पुस्तकें प्रकाशित। पांच वर्षों तक 'परिक्रमा' का सम्पादन। पत्र-पत्रिकाओं में रचनाएं प्रकाशित।

सम्मान : साहित्यकार संसद द्वारा 'राष्ट्रीय शिखर सम्मान' सहित अनेक संस्थाओं द्वारा सम्मानित।

सम्पर्क : 779, सेक्टर-16, फरीदाबाद (हरियाणा)
मो. : 9810280592

दुनिया बहुत हसीन है ख़ुद को बदल के देख
यानी अना की क़ैद से बाहर निकल के देख

जिस दिन से मुफ़लिसी ने मेरे घर का रुख़ किया
मिलते हैं किस तरह सभी तेवर बदल के देख

बादल के कान में कहा चुपके से हवा ने
क़ीमत है तेरी क्या, ज़रा सहरा में चल के देख

बच्चों के बाप ने कहा बच्चों की मां से सुन
खुलने लगे हैं बच्चों के पर हल्के-हल्के देख

जिस ग़म ने जलाया है मेरे दिल को रात दिन
उस ग़म की आग में कभी तू भी तो जल के देख

चेहरे पे पुरसुकून सी मुस्कान के लिए
मैंने सजाए ख़्वाब भी मेहमान के लिए

रंजिश हमारे बीच की हो जाए जिससे ख़त्म
फिर से मिलें हम ऐसे ही अरमान के लिए

अर्ज़ी दिए हुए तो ज़माना गुज़र गया
हम मुन्तज़िर हैं आपके फ़रमान के लिए

भंवरा तो दिन के ढलते ही खुद क़ैद हो गया
अच्छा लगा था सौदा ये रसपान के लिए

बदनामी ज़िंदगी से रहे दूर, इसलिए
कुछ अच्छे काम कीजिए सम्मान के लिए

उसकी आँखों की काजल यह कहता है
उसकी आँखों में एक सपना रहता है

बरसों बाद लिखा है उसको मैंने ख़त
पढ़कर उसको देखो वो क्या कहता है

मिलना, मिल कर रोज़ बिछड़ जाने का ग़म
मुझको है मालूम वो अब तक सहता है

क़द्रों को महफ़ूज़ करो तो कर लो तुम
वरना कुछ दिन बाद महल ये ढहता है

सारे पंछी उड़ गए लेकिन अभी तलक
एक परिन्दा है जो पेड़ पे रहता है

मैंने मुट्ठी में खुशबू को क़ैद किया है
तेरे ख़यालों के आहू को क़ैद किया है

प्यास सताएगी क्यों मुझको मैंने दिल में
तेरी मुहब्बत की एक जू को क़ैद किया है

फैलेगा अंधियारा तो कुछ काम आएगा
सोच के ये मैंने जुगनू को क़ैद किया है

होश उड़ाता था जो जज़्बा मेरे दिल के
मैंने भी उस बेक़ाबू को क़ैद किया है

दौलत ही 'नमिता' सब कुछ इस दुनिया में
लेकिन किसने बाज़ार को क़ैद किया है

अंजाम मेरे हाथ है आगाज़ करके देख
तू कांपते लबों से ही आवाज़ करके देख

माना कि पर कटे हैं इरादे बुलन्द कर
मंज़िल तुझे मिलेगी तू परवाज़ करके देख

वो कितना राज़दार है इसका हो इंकशाफ़
इक बार उसको ख़्वाब में हमराज़ करके देख

ता देर दोस्तों से नहीं दुश्मनी भली
तू अपने दोस्तों का भी ऐज़ाज़ करके देख

चलती है जब हवाएं तो बुझते हैं कुछ चिराग़
'नमिता' तू इस ख़याल को मुमताज़ करके देख

पुष्पा 'सुमन'

जन्मतिथि : 1-5-1962

शिक्षा : एम.ए. (दर्शन)

प्रकाशन : 'साथ-साथ चलने दो' (गीत ग़ज़ल संग्रह)।

सम्मान : उ.प्र. हिंदी संस्थान एवं कई संस्थाओं द्वारा सम्मानित।

सम्प्रति : स्वतंत्र लेखन, गृह कार्य।

सम्पर्क : 201, राजकीय कालोनी, सैक्टर-21, इन्दिरा नगर, लखनऊ-16 (उ.प्र.)

मो. : 9236041850

शे'र को आँसुओं में ढलने दो
एक ग़म इस ग़ज़ल में पलने दो

रात भर की उमर मिली इसको
जैसे चाहे चराग़ जलने दो

लोग चेहरे नहीं बदल पाए
अब इन्हें आइने बदलने दो

तुम न निकलो शहर की सड़कों पर
हादसा टल रहा है टलने दो

प्यार का बुत भी हम बना लेंगे
पहले पत्थर को तो पिघलने दो

ज़िंदगी रास्ता बना लेगी
नफ़रतों के पहाड़ गलने दो

मुझको तुम हमसफ़र नहीं कहना
बस अपने साथ-साथ चलने दो

स्वप्न के फल ज़रूर कड़वे हैं
'पुष्पा' इनको चमन में फलने दो

प्यार की कोई कोयल, जब चहक के गाती है
आसमां से ओलों के, तब ईमान पाती है

देवता है या दानव, इसको क्या ख़बर होगी
प्यार की नदी सी दुल्हन, घर पिया के जाती है

और से शिकायत क्या, जबकि एक औरत ही
बेरहम हो औरत की अर्थियाँ सजाती है

कुछ वफ़ा के वादे हैं कुछ सफ़र की क़समें हैं
यूँ नहीं कहीं सरिता, सिन्धु में समाती है

शब्द-शब्द में तुझको मैंने बांध रक्खा है
मेरी हर ग़ज़ल 'पुष्पा' तुझको गुनगुनाती है

जब भी गगन से आती हैं बरसात की बूँदें
पाज़ेब खनखनाती हैं बरसात की बूँदें

फूलों के होंठ चूमके कलियों को प्यार कर
कुछ और सँवर जाती है बरसात की बूँदें

कागज़ की नाव के लिये लाई हैं समन्दर
बच्चों को बहुत आती हैं बरसात की बूँदें

पहले ही जलाता था हमें आँख का पानी
यह और भी जलाती हैं बरसात की बूँदें

'पुष्पा' की सहेली है जो मिलती है झूम के
आँखों से छलछलाती हैं बरसात की बूँदें

फूलों की नुमाइश है, ख़ारों का तमाशा है
सीनों में अंधेरा है, आँखों में कुहासा है

बीमार सी बस्ती में, जलते हुए घर भी हैं
इस अहले-गुलिस्ताँ में हर ओर धुँआ सा है

अहसास का पानी है, इस रेत के दरिया में
हर मौसम प्यासा है, हर बादल प्यासा है

फ़नकार के सीने में, दम तोड़ रहे फ़न हैं
अब सिर्फ सियासत का, हर ओर तमाशा है

कुछ राग के शब्दों से कुछ आग के लफ़्ज़ों से
'पुष्पा' हमने अपने, गीतों को तराशा है

दिन ज़िन्दगी के यूँ ही गुज़रते चले गए
सांसों में आप मेरी उतरते चले गए

मैंने तो खुले-आम किया प्यार को कुबूल
तुम करके मगर प्यार मुकरते चले गए

सौ ज़ख़्म भी खाए हैं कि हँसते रहे हैं हम
कुछ अश्क थे जो यूँ ही बिखरते चले गए

आँखों में इन्तज़ार था सपनों में उदासी
बेले के फूल जूड़े से झरते चले गए

उनको न कोई दोष दे न बेवफ़ा कहे
'पुष्पा' के शे'र जिनको अखरते चले गए

हसनैन रज़ा

जन्मतिथि : 1-7-1962, चंदौसी, उ.प्र.
शिक्षा : बी.ए.
प्रकाशन : पत्र-पत्रिकाओं में रचनाएं प्रकाशित
सम्मान/पुरस्कार: अनेक संस्थाओं द्वारा सम्मानित
सम्प्रति : निजी व्यवसाय
सम्पर्क : एच-79 ए, दिलशाद गार्डन, दिल्ली-110095
मो.- 9990032449

मिलेगा तुझ को भी मौक़ा चलन बदलने का
सँभल भी जा कि अभी वक़्त है सँभलने का

ये ठीक है कि तेरे रास्ते जुदा हैं मगर
नहीं हुआ है अभी वक़्त तन्हा चलने का

वो फुरसतों के शहर-ख़्वाब हो गए लेकिन
कुंआरी आँख में सपनों को हक़ है पलने का

अमल में हो अगर पाकीज़गी तो बेहतर है
न सिर्फ़ तस्बियों से और काम चलने का

अगर तू देखना चाहे सुबह की पहली किरन
कर इन्तज़ार भी थोड़ा-सा शब के ढलने का

ऐसे-वैसे जैसे-तैसे कैसे-कैसे लोग हैं
दूसरों को ज़ख़्म देकर मुस्कुराते लोग हैं

होश में बेहोशियाँ बेहोशियों में जोश है
फिर किसी माकूल वज़ह के बहाने लोग हैं

आदमी की बस्तियों में बेठिकाने लोग हैं
और इबादतगाह में रब के दिवाने लोग हैं

ज़िंदगी के फ़लसफ़े जमकर सुनाते लोग हैं
फिर उन्हीं को रौंदकर दुनिया बनाते लोग हैं

सूरतों पर सूरते हैं सूरतों में लोग हैं
गिरगिटों को मात देने में लगे कुछ लोग हैं

काश हमको भी कोई चाहने वाला होता
हाथ में जाम नहीं मुँह में निवाला होता

मेरे अहसास को महसूस किया होता अगर
तेरी तहरीर में मेरा भी हवाला होता

इन अँधेरों में खुद मेरी भी रज़ामन्दी है
वरना सूरज की शुआओं को न टाला होता

साँस लेने को ये माहौल भी अच्छा था मगर
दिल की आग़ोश में जज़्बों को न पाला होता

टूटकर तू न बिखर जाए अँधेरों में 'रज़ा'
लड़खड़ाते हुए क़दमों को सँभाला होता

ज़िंदगी भर हम तो अपने इम्तेहाँ देते रहे
फेल अक्सर और कभी हम पास भी होते रहे

आँसुओं की रोशनाई और मुक़दर की क़लम
पढ़के खुद अपनी कहानी खुद पे ही रोते रहे

इख़्तेलाफ़ातों की धरती, थी भी उपजाऊ बहुत
अपने-अपने मशग़लों के बीज सब बोते रहे

थी सनमख़ाने में सच्चे दिल की हमको भी तलाश
ख़्वा कि जो पाया किए थे उसको भी खोते रहे

थे बहुत ही रहमदिल मासूम मेरे हमनवाँ
क़त्ल करके वो मेरा बेइन्तिहा रोते रहे

रोज़मर्रा की ज़रूरत से जो रिश्ता बन गया
मैं कभी उल्लू कभी उल्लू का पट्ठा बन गया

दाल सब्जी तेल चावल सब हुए सर पर सवार
जान का दुश्मन मेरी, आटे का कट्टा बन गया

घर बनाने के लिए कुछ ईंट जोड़ी थी मगर
घर मेरा घर के लिए ईंटों का भट्टा बन गया

मैंने क्रिकेट के लिए इक शर्त रख दी यार से
बोला थानेदार, चल अब जेल, सट्टा बन गया

एक हसरत के लिए भटकी जो मेरी आत्मा
दिल मेरा फिर इस तरह भूतों का अड्डा बन गया

मोहम्मद आज़म

जन्मतिथि : 1-1-1963, आमडारी (बलिया)
शिक्षा : बी.यू.एम.एस.
प्रकाशन : हिंदी/उर्दू पत्रिकाओं में ग़ज़लों का प्रकाशन।
सम्मान : अनेक संस्थाओं द्वारा सम्मानित।
सम्प्रति : मध्य प्रदेश शासन के अधीन यूनानी चिकित्सा अधिकारी के पद पर आसीन।
सम्पर्क : यूनानी शिफ़ाख़ाना भवन, पुरानी निज़ामत रोड क़स्बा, सीहोर (म.प्र.) 466001
मो. : 9827531331, 9993490296

मैं अपने दर्दो-ग़म में कुछ कमी महसूस करता हूँ
मेरे बच्चे हों खुश तो मैं खुशी महसूस करता हूँ

मैं रस्मन मुस्कराता हूँ जुदा होता हूँ जब उस से
मगर आँखों में अपनी कुछ नमी महसूस करता हूँ

किसी के काम आने पर, किसी का ग़म बंटाने पर
सुकूं महसूस करता हूँ, खुशी महसूस करता हूँ

मज़ा देने लगी है शिद्दते-रंजो-अलम मुझको
कराहों में भी अब तो नग़्मगी महसूस करता हूँ

ख़ज़ाना 'मीर' ओ 'ग़ालिब' के सुख़न का देखता हूं जब
मैं अपनी शाइरी में मुफ़्लिसी महसूस करता हूँ

जुनूने शौक़ में 'आज़म' हुईं नादानियां ऐसी
जिन्हें अब सोच कर शर्मिन्दगी महसूस करता हूँ

मानिंद अजनबी के मेरी ज़िंदगी रही
बस दूर-दूर से ही मुझे ताकती रही

नाकामियों ने मुझ को दिया है यही सबक़
अपनी ही कोशिशों में कहीं कुछ कमी रही

बेटे की नींद में न कहीं आए कुछ ख़लल
सिरहाने बैठे-बैठे ही माँ जागती रही

इक आरज़ू भी दिल की मुकम्मल न हो सकी
इसकी कमी रही, कभी उसकी कभी रही

तनख़्वाह जो बढ़ी तो गिरानी भी बढ़ गई
'आज़म' यूं तंगदस्ती हमारी बनी रही

सांस दर सांस दिक़्क़तें कितनी
एक जान और आफ़तें कितनी

कितने मज़हब हैं मिल्लतें कितनी
इन से फैली हैं नफ़रतें कितनी

अब न पहचान पाएंगे ख़ुद को
हो गईं बिछड़े मुद्दतें कितनी

तेरी सूरत हसीन है लेकिन
इसके पीछे हैं सूरतें कितनी

इश्क़ इक आग है मगर 'आज़म'
हैं जहन्नुम में जन्नतें कितनी

मुझ से जो मिलते रहे अच्छी तरह
दे गए धोखे मुझे अच्छी तरह

मेरा मक़सद है सफ़र मंज़िल नहीं
जानते हैं रास्ते अच्छी तरह

अब भी क़ायम हैं दिलों के फ़ासले
साथ बस रहते रहे अच्छी तरह

ख़त्म उसके तब हुए हम पर सितम
ख़ाक में जब मिल गए अच्छी तरह

अह्ले फ़न से पूछ 'आज़म' का पता
जानते हैं वह उसे अच्छी तरह

बराए-सुखन हम ने लिक्खा बहुत है
पसंद आए इक शे'र, इतना बहुत है

नहीं ज़ह्र की थैली इंसां के मुंह में
ज़बां से मगर वह उगलता बहुत है

अजब हाल में महफ़िलें हैं अदब की
सुख़न कम, हुनर कम, तमाशा बहुत है

हो मंदिर की मस्जिद कि हो वह कलीसा
इबादत में भी अब दिखावा बहुत है

नहीं कुछ पता 'आज़म' इंसां है कैसा
बतौर एक शाइर वह अच्छा बहुत है

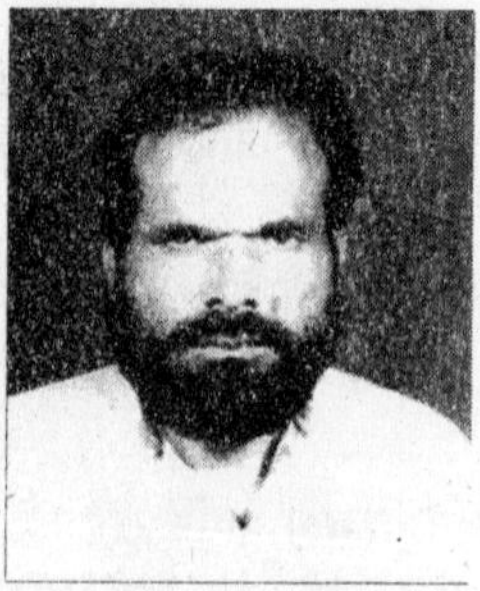

'सैफ़' टोंकी

मूल नाम : सैफुर्रहमान ख़ान
जन्मतिथि : 2.2.1963, टोंक
शिक्षा : अदीब कामिल, साहित्य रत्न
प्रकाशन : अनेक पत्र-पत्रिकाओं में रचनाएं प्रकाशित।
सम्मान/पुरस्कार: अनेक संस्थाओं द्वारा सम्मानित।
सम्प्रति : दस्तकारी
सम्पर्क : द्वारा डॉ. सग़ीर 'शाद' शीतला माता मंदिर, पो. छबड़ा (बारां), राज. 325220
फ़ोन 07452 223241
मो. 9928768981

ख़यालों में नए अल्फ़ाज़ के पैकर बनाता हूँ
मैं काग़ज़ के सिपाही काटकर लश्कर बनाता हूँ

गो मैं इन्सानियत के भेस में आकर बनाता हूँ
जिसे हैवानियत कहते हैं वो मंज़र बनाता हूँ

नई तहज़ीब और तामीर के सांचों में रख-रख कर
मैं अपने बदतरीं किरदार को बेहृतर बनाता हूँ,

दरो-दीवार बद अमनी व नफ़रतें संवरने पर
मुहब्बत की इमारत अम्न के मिम्बर बनाता हूँ

करूं क्या 'सैफ़' इन हालात के बढ़ते दबावों से
कभी अच्छे कभी बिगड़े हुए तेवर बनाता हूँ

ख़ंजर की तरह क़ल्बो-जिगर काट रहा है
लहजा तेरा रिश्तों का असर काट रहा है

राहों में किसी के हैं उजाले ही उजाले
और कोई अंधेरों का सफ़र काट रहा है

चेहरे पे ज़िया ज़र्फ़ के अहसास की लेकर
गुरबत में कोई शामो-सहर काट रहा है

सैय्याद की फ़ितरत तो कोई देखे क़फ़स में
बेजान परिन्दों के भी पर काट रहा है

जिस शाख़ पे रखता रहा बुनयादे-नशेमन
ऐ 'सैफ़' वही शाख़े-शजर काट रहा है

हमने ऐसे भी देखे बहुत हैं
जो ग़रीबों पे हंसते बहुत हैं

आज भी ऐसे अच्छे बहुत हैं
जो गुनाहों से डरते बहुत हैं

जिन घरों में है सब्रो-तहम्मुल
उन घरों में फ़रिश्ते बहुत हैं

पास दरिया के है कोई प्यासा
और दरिया पे पहरे बहुत हैं

'सैफ़' आगे क़दम तो बढ़ाओ
शौक़े-मंज़िल के रस्ते बहुत हैं

मौअतबार शौरीदा सरसा मौअतबर कोई न था
मासिवाए क़ैसे सेहरा शोहरावर कोई न था

आप मानें या न मानें अज़्मगाहे इश्क़ में
पा-बा-चोलां के सिवा सीना सिपर कोई न था

रात भर मोती लुटाए चश्मे नरगिस ने मगर
शोमीए क़िस्मत चमन में दीदावर कोई न था

इक ख़ता की जो सज़ा थी वो भुगतने के लिए
मैं अकेला ही चला था हमसफ़र कोई न था

कहने को ऐ 'सैफ़' दीवाने थे दुनिया में बहुत
दार पर देखा जो मैंने दार पर कोई न था

आगे बढ़े हुए सदा अपने क़दम रहे
गो रास्ते में सैकड़ों ही पैचो-ख़म रहे

धुन में तरक़्क़ियात की बढ़ते रहे सदा
आवाज़ देते पीछे ये दैरो-हरम रहे

अब बेवफ़ा क्यूं आपने ठहरा दिया हमें
जबके हर आड़े वक़्त के साथी ही हम रहे

वादों पे एतबार यूँ कब तक करें भला
कब तक सरे नयाज़ तेरे दर पे ख़म रहे

ऐ 'सैफ़' फ़स्ले-गुल की महरबानियां रहें
शबनम के साथ हमभी तो बा-चश्मे-नम रहे

संगीता नाथ

जन्मतिथि : 3-2-1963, औरंगाबाद (बिहार)
शिक्षा : स्नातकोत्तर (हिन्दी साहित्य), पी.एच-डी.
प्रकाशन : 'प्रश्नचिन्ह', कविता-संग्रह। पत्र-पत्रिकाओं में रचनाओं का प्रकाशन।
सम्मान : विद्यावती कोकिल सम्मान, सहित अनेक संस्थाओं द्वारा सम्मानित।
सम्प्रति : व्याख्याता, गुरूनानक कॉलेज, धनबाद एवं स्वतंत्र लेखन।
सम्पर्क : 'स्नेह—संगीत' भवतारीणि पथ, मनईटांड, धनबाद—826 001 (झारखण्ड)
फोन : (0326) 2304002
मो. : 09431168918

बाँट के ग़म-मिली जो ख़ुशी देखिये
तप रही रेत सी ज़िन्दगी देखिये

मौन है आस्मां ठहरा-ठहरा मगर
बादलों में मची खलबली देखिये

है हवा गर्म यूं कि खुली छत पे भी
जिस्म पिघला रही चाँदनी देखिये

बाग़बाँओं ने खुद जब से रौंदा चमन
तब से काफ़िर बनी हर कली देखिये

रात के साए में छुप के पलती थी जो
खो गई वो सुबह शबनमी देखिये

जाने क्या बात है नज़ारों में
शबनम भी तप रही शरारों में

यूं तो पतझड़ का दूर है मौसम
पर है उजड़ा चमन बहारों में

घर कहां है ज़मीं पे सपनों का
गुम गया वो तो ईंट गारों में

सांस लेना भी अब हुआ मुश्किल
हम शामिल हुए बीमारों में

आओ 'संगीत' अब चलो शायद
दिल भी पाए आराम ख़ारों में

बिखरे हुए पन्नों की किताब बनाकर
बस भूली-बिसरी यादों को ख़्वाब बनाकर

सवाल-दर-सवाल से हम जूझते रहे
सवाल को सवाल का जबाव बनाकर

न थी जहां मयस्सर जो धूप भी हमें
ओढ़ ली हमने छांव को नकाब बना कर

प्यास कम न हुई अश्क पीते रहे
खारे पानी को हम शराब बनाकर

बुत को पूजा कभी ना ही सज़्दा किया
बुतपरस्ती को हमने हिजाब बनाकर

ख़िजा के दौर में मौसम जो न ठहरा होता
किसी गुलाब पे कांटों का न पहरा होता

दिखाता चाँद जो हर रात चांदनी अपनी
तो अंधेरों का भी साथ यूं न गहरा होता

ज़ख़्म नासूर न बनता मेरे दिल का शायद
मेरी नज़र में तुम्हारा जो न चेह्रा होता

मौजे-उम्मीद भी साहिल के क़रीब आ जाती
बाद तूफ़ां के समन्दर जो न ठहरा होता

झूठा वादा ही किया होता अगर मिलने का
छाया चाहत की सहर पे यूं न कोहरा होता

काश! उसकी बात पहले मान ली होती
इस क़दर न उसने मेरी जान जी होती

वक़्त की फ़ुरकत में बस तौलती पर रह गई
वरना उम्मीदों की इक उड़ान ली होती

सुर्ख़ियों में छपने की उम्मीद जो न पालते
जंग हमने ज़िन्दगी से ठान ली होती

सच यहां कोई यक़ीं करता नहीं
गप्प कोरी सबने उसकी मान ली होती

गोद में लेकर सुबह सो गया होता रवि
दिवा ने स्याह-चादर तान ली होती

अनिल चौधरी 'अनिल'

जन्मतिथि : 16-3-1963, दौलतपुर (मुजफ़्फ़रनगर)
शिक्षा : स्नातक
प्रकाशन : अनेक पत्रिकाओं/संकलनों में रचनाएं प्रकाशित।
सम्मान/पुरस्कार: ग़ज़ल-संग्रह 'मुट्ठी भर धूम' प्रकाशित। अनेक संस्थाओं द्वारा सम्मानित।
सम्प्रति : चिकित्सक
सम्पर्क : निकट हरिहर मन्दिर, खत्रीयान, बिजनौर (उ.प्र.)

मैं इक सुनसान सहरा हूं बता मांगूं तो क्या मांगूं
नहीं बारिश मुक़द्दर में घटा मागूं तो क्या मांगूं

किसी राही ने बांधे हों जो खुद ही पांव में पत्थर
मैं उसके वास्ते कोई दुआ मोंगूं तो क्या मांगूं

झुलसना है मुझे तो जून की लम्बी दुपहरी में
तेरे आंचल की अब ठंडी हवा मांगूं तो क्या मांगूं

सलीबों के नगर तक आ गया हूं खोज में तेरी
यहां अब मौत से बढ़कर सज़ा मांगूं तो क्या मांगूं

मुहब्बत की ये बीमारी है चारागर न समझेंगे
मुझे बीमार रहना है दवा मांगूं तो क्या मांगूं

दिल की गिरह अब ढीली होने वाली है
फिर से शाम नशीली होने वाली है

कब तक सूखे सावन साथ निभाएंगे
सोच की मिट्टी गीली होने वाली है

तेज़ हवाओं के हाथों में ख़ंजर है
धूप भी अब बर्फ़ीली होने वाली है

सड़कों पर आवारा बादल उतरे हैं
मौसम में तब्दीली होने वाली है

रेंगता मौसम, सब्ज़ हावाएं, ज़र्द फ़ज़ा
आज की शब ज़हरीली होने वाली है

मैं भी पागल था कैसा तमाशा रहा
धूप चुल्लू में भर-भर के पीता रहा

पत्थरों का नगर है ये मालूम था
सब्ज़ ख़्वाबों में फिर भी बहलता रहा

सच की परछाईं से दूर भागा किया
कल्पनाओं के मेले में खोया रहा

पांव के नीचे उनके ही धरती न थी
अपने क़दमों पे जिनको भरोसा रहा

कौन रक्खे रहा हाथ सर पर मेरे
इस भरी धूप में किसका साया रहा

चेहरे पे ज़िंदगी के उजाला दिखाई दे
लेकिन दिलों के बीच अंधेरा दिखाई दे

फैला हूं जब से ज़ात की सीमाएं तोड़कर
ग़ैरों का ज़ख़्म भी मुझे अपना दिखाई दे

जो शख़्स अपने आप में महफ़िल से कम न था
वो शख़्स भी हुजूम में तन्हा दिखाई दे

हर रात जाग-जाग के कटती है हिज्र में
पल भर को नींद आए तो सपना दिखाई दे

मंज़र सब उनके हाथ ही रुख़सत हुए 'अनिल'
अब रोशनी, न धूप, न साया दिखाई दे

दिल का चैन दिए बैठा हूं
क्या क्या दर्द लिए बैठा हूं

कोई दिल का हाल न जाने
अपने होंठ सिए बैठा हूं

किस बदली की आस में जाने
अपनी प्यास लिए बैठा हूं

मेरे पास बचा ही क्या है
दिल तक यार दिए बैठा हूं

मुझको खुशियों से क्या लेना
ग़म का ज़हर पिए बैठा हूं

ममता किरण

मूल नाम : ममता वाजपेयी

जन्मतिथि : 9-4-1963, कानपुर (उ.प्र.)

शिक्षा : एम.ए. (आर्थशास्त्र)

प्रकाशन : अनेक पत्र-पत्रिकाओं, संकलनों में रचनाएं प्रकाशित।

सम्मान/पुरस्कार: अनेक संस्थाओं द्वारा सम्मानित।

सम्प्रति : पत्रकार, स्वतंत्र लेखन

सम्पर्क : के. 210, सरोजनी नगर, नई दिल्ली-110023
फ़ोन 011 24676963
मो. - 9891384919

कोई आंसू बहाता है, कोई खुशियां मनाता है
ये सारा खेल उसका है, वही सबको नचाता है

बहुत से ख़्वाब लेकर के, वो आया इस शहर में था
मगर दो जून की रोटी, बमुश्किल ही जुटाता है

घड़ी संकट की हो या फिर किसी के मुंतज़िर हों हम
ये मन भी खूब है, रह-रह के उम्मीदें बंधाता है

मेरी दुनिया में है कुछ इस तरह से उसका आना भी
घटा सावन की या खुशबू का झोंका जैसे आता है

बहे कोई हवा पर उसने जो सीखा बुजुर्गों से
उन्हीं रस्मों रिवाजों को, अभी तक वो निभाता है

किसी को ताज मिलता है, किसी को मौत मिलती है
ये देखें, प्यार में मेरा मुक़द्दर क्या दिखाता है

खुदकुशी करना बहुत आसान है
जी के दिखला तब कहूँ इंसान है

सारी दुनिया चाहे जो कहती रहे
मैं जिसे पूजूं वही भगवान है

चंद नियमों में न बंध पाएगी
ज़िंदगी की हर डगर अनजान है

टिक नहीं पाएगा कोई सच यहां
झूठ ने जारी किया फ़रमान है

भीगा मौसम कह गया ये कान में
क्यूं गली दिल की तेरी वीरान है

हवा डोली है मन भीगा हुआ है
मेरी सांसों में तू महका हुआ है

उसूलों में वो यूं जकड़ा हुआ है
कि अपने आप में सिमटा हुआ है

लिखा फिर रख दिया जिस ख़त को हमने
अधूरा ख़त यूं ही छूटा हुआ है

बिगाड़ा था जो तुमने रेत का घर
घरौंदा आज तक बिखरा हुआ है

भुलाना चाहती थी जिसको दिल से
वो दिल में आज तक ठहरा हुआ है

आज मंज़र थे कुछ पुराने से
याद वो आ गए बहाने से

जो ख़ुदा से मिला क़ुबूल रहा
कोई शिकवा नहीं ज़माने से

मैं नहीं ख़्वाब हूँ हक़ीकत हूँ
ये बता दो मेरे दीवाने से

चाहे जितना वो रूठ लें मुझसे
मान ही जाएंगे मनाने से

घर में आएगा जब नया बच्चा
घर हंसेगा इसी बहाने से

सब बेटे बहुओं की टोली आई है
कई बरस में ऐसी होली आई है

हमने तो हिल-मिलकर रहना चाहा था
क्या कीजे उस पार से गोली आई है

शहरी आपाधापी में अक्सर हमको
याद गांव की हंसी ठिठोली आई है

जब से मेरे जीवन में तुम आए हो
खुशियों से भर मेरी झोली आई है

सुन पोतों की बातें सोचे दादी मां
नए दौर में कैसी बोली आई है

साजिद प्रेमी

जन्मतिथि : 12-5-1963, भोपाल (म.प्र.)

शिक्षा : बी.ए. (कला), एम.ए. (चित्र कला)

प्रकाशन : ग़ज़ल-संग्रह 'अक्स', सहित अनेक पत्रिकाओं/ संकलनों में रचनाएं प्रकाशित।

सम्मान/पुरस्कार: 'राइटर्स वेलफ़ेयर सोसायटी' भोपाल सहित अनेक संस्थाओं द्वारा सम्मानित।

सम्प्रति : बहुकला केन्द्र भारत भवन न्यास, भोपाल में कार्यरत।

सम्पर्क : म.नं. - 42 गिन्नौरी, भोपाल-462001 (म.प्र.)
फ़ोन - (0755) 2530801
मो. - 9827668027

पत्थर पे जो खिला है कँवल दे रहा हूँ मैं
इक्कीसवीं सदी को ग़ज़ल दे रहा हूँ मैं

अशआर मेरे प्यास बुझाएंगे आपकी
बहती नदी का आप को जल दे रहा हूँ मैं

दूंगा उसे मैं सिर्फ़ अमलतास भेंट में
शत्रु को दुश्मनी का बदल दे रहा हूँ मैं

आकर गिरेगा खुद ही ज़िलालत की गोद में
आकाश को घमंड है थल दे रहा हूँ मैं

उलझी मिरी हयात सँवर जाएगी कभी
लेकिन किसी की ज़ुल्फ़ को बल दे रहा हूँ मैं

सर सब्ज़ होगा पेड़ जहां पर रहे नमी
उम्मीद सीचने पे ही बल दे रहा हूँ मैं

नफ़रत अगर करोगे तो नफ़रत ही पाओगे
'साजिद' तिरे सवाल का हल दे रहा हूँ मैं

दुनिया में पाक ज़ात ने सब कुछ रचा तो है
विश्वास कह रहा है खुदा था खुदा तो है

मानो अगर तो एक निशानी हे प्यार की
वर्ना जनाब ताजमहल मक़बरा तो है

पहला हुआ था क़त्ल जो भाई से भाई का
दुनिया में दुश्मनी का यही सिलसिला तो है

मादा ने नर की चोंच पे अपनी रज़ा रखी
नायक तेरे नसीब में ये नायिका तो है

'साजिद' अलग ही रंग में अपनी ग़ज़ल को रंग
काला, सफ़ेद, लाल, गुलाबी, हरा तो है

कोई हल तो निकाल सोचे क्या
बात कर रख सवाल सोचे क्या

पत्थरों को उधर से आने दो
ज़ुल्म का है ज़वाल सोचे क्या

क्यूं बनाया गया है पेड़ों को
फूल फल पत्ती छाल सोचे क्या

उस के गालों पे है सहर उजली
ज़ुल्फ शब की मिसाल सोचे क्या

क़ैद से तू निकाल ले खुद को
धन प्रेमी हे जाल सोचे क्या

नई रदीफ़ नया क़ाफ़िया निकाले कौन
ग़ज़ल का रूप नई सोच से उजाले कौन

सदा अभाव की चादर से तन को ढकता हूँ
मुझे उड़ाएगा कमख़ाब के दुशाले कौन

किया सवाल ये शहर से भूख ने इक दिन
कमा के लाएगा सब्ज़ी नमक मसाले कौन

पिता का फ़र्ज़ है बच्चों की परवरिश करना
हुआ हो बाप जो बूढ़ा उसे संभाले कौन

दुकाँ सजाई है 'साजिद' फ़रेब की तुमने
समर ख़रीद के ले जाएगा दग़ाले कौन

दिल बहलता नहीं पहेली से
इक सहेली कहे सहेली से

नाम साजन का सिर्फ़ उभरेगा
जब मिलेगी हिना हथेली से

सातवें आसमान तक पहुंची
चीख़ जब-जब उठी हवेली से

लेके आएगी जाम अमृत का
रखना उम्मीद तू विषैली से

अपनी शैली नई बना 'साजिद'
तुझ को शोहरत मिलेगी शैली से

जन्मतिथि : 21-10-1963, नवां शहर (पंजाब)
शिक्षा : बी.काम.
प्रकाशन : अनेक पत्र-पत्रिकाओं में रचनाएं प्रकाशित।
सम्मान/पुरस्कार: अनेक संस्थाओं द्वारा सम्मानित।
सम्प्रति : ओरिएण्टल इंश्योरेंस में कार्यरत।
सम्पर्क : 523, सै.-5, पुष्प विहार,
नई दिल्ली 110017

देश दीपक

तुम्हारी याद का दिल को सहारा है
नहीं तो कौन दुनिया में हमारा है

ख़ुशी कोई नहीं है इस मुक़द्दर में
इन्हीं अश्कों पे अब मेरा गुज़ारा हैं

नज़र उठकर नज़र मायूस लौटी है
सितारों में कहाँ अपना सितारा है

कहीं पतवार छूटी है, कहीं कश्ती
नज़र से दूर मेरा ही किनारा है

चले आओ तुम्हारी राह तकते हैं
वही तक़लीफ़ इस दिल को दुबारा है

हाल-बेहाल-सा कर गए
आइना देखकर डर गए

आस बेआस करके मेरी
नाम पागल मेरा धर गए

जान-बेजान-सी हो गई
दिल के अरमान सब मर गए

ज़ख़्म दिल को दिए हैं बहुत
आँख में अश्क भी भर गए

फिर ख़िज़ाँ लौट आई इधर
सब सुमन शाख़ से झर गए

मुहब्बत हो शराफ़त हो
न रिश्तों में तिजारत हो

सलीक़े से चले दुनिया
अदब में भी नज़ाकत हो

निहारो प्यार से गुलशन
किसी से क्यों अदावत हो

ज़मीर अपना हो शीशे-सा
लबों पे भी सदाक़त हो

नज़र बद खुद फिसल जाए
न कोई भी क़यामत हो

दरिया दिली दिखाइये
सबको गले लगाइये

काँटों से मिल चुके बहुत
फूलों से अब मिलाइये

कीचड़ पड़ी है हर तरफ़
दामन ज़रा बचाइये

इन्सान कोई शै नहीं
क़ीमत नहीं लगाइये

खुद पे भी डालिए नज़र
तब आइना दिखाइये

प्यार का यूं वो सिला देते हैं
ख़ून के अश्क पिला देते हैं

सोचते हैं जो भी तदबीर नई
ख़ाक में उसको मिला देते हैं

मंज़िले-राह न मिलने देंगे
वो यक़ीं इसका दिला देते हैं

बन्द कलियों पे नज़र डालें तो
बन्द कलियों को खिला देते हैं

तू कहे या न कहे उल्फ़त में कुछ
हाथ रुख़सत को हिला देते हैं

श्याम लाल साहू

जन्मतिथि : 22-4-1964
शिक्षा : एम.ए. (हिन्दी)
प्रकाशन : अनेक पत्रिकाओं/संकलनों में रचनाएं प्रकाशित।
सम्मान/पुरस्कार: अनेक संस्थाओं द्वारा सम्मानित।
सम्प्रति : भिलाई इस्पात संयंत्र के परिवहन एवं डीजल संगठन विभाग में कार्यरत।
सम्पर्क : ग्राम—भरर, जिला—दुर्ग (छ.ग.)
मो.- 9827929593

मेरे बाग़ बग़ीचे में जब तक हरियाली रहती है
आना-जाना लोगों का तब तक खुशहाली रहती है

जब तक मेरे ताल-तलैया भरे लबालब रहते हैं
नभ मंडल में तब तक मेघा भी पनियाली रहती है

वे आते हैं देख-रेख को अपने उन परनालों को
सही सलामत नगर निगम की जब तक नाली रहती है

लेबल लगा मिलेगा ऊपर सौ फीसदी असली का
जांच-परख कर देखने पर अंदर से जाली रहती है

अंदर-बाहर इज़्ज़त रहती है तब इक नारी की
जब तक प्रियतम पास रहते सिर की लाली रहती है

जब तक वो खाता रहता है भरपूर दुआएं देता है
फाके की बारी में मुख में गाली ही गाली रहती है

ज़र्रा-जर्रा बिका हुआ है किसको अपना माने हम
घर से भी बेदख़ल हुए हैं कहां पे तम्बू ताने हम

फन फैलाए वे मिलते हैं कुण्डी मारे आंगन में
जब भी पहुंचे उन के द्वारे जाने या अनजाने हम

धूप-छांव के खेल वहां भी चलते हैं ये तब जाना
नीचे पुल के धोखे में जब पहुंच गए तहख़ाने हम

अपनी जेबों की कड़की से बसा न पाए खुद का घर
शान से जाते हैं लेकिन महलों में रंग जमाने हम

भटक गए हैं बच्चे सारे इस जग की अंधिआरी में
पगडंडी में निकल पड़े हैं उन को दीप दिखाने

गूंगे बहरे भी बोलेंगे
औ' कच्चा चिट्ठा खोलेंगे

पत्ते जम जाएंगे भू पर
और तने हवा में डोलेंगे

बोली भूल कौव्वे अपनी
कानों में मिश्री घोलेंगे

परदे सारे उठ जाएंगे
जब सारी आंखें धो लेंगे

कहावत औ' बदल जाएगा
दरवेश सभी एक हो लेंगे

अधरों में तू प्यास जगाकर
कूएं को भी पाट दिया कर

हमको टेढ़ी राह दिखाकर
उसमें कांटे बिछा दिया कर

अच्छे-अच्छे ख़्वाब दिखाकर
मेरा सब कुछ लूट लिया कर

अपना सारा ध्यान बंटाकर
रोटी भी तू छीन लिया कर

पाप तेरे सब धुल जाएंगे
तू गंगा स्नान किया कर

समय सदी से करे अपीलें
इस युग के बचपन को लीलें

कुछ भी होता हो देखो मत
सब अपने होंठो को सी लें

इस बस्ती के हर मातम पर
खाएं ख़ूब बताशे-खीलें

वो रोते हैं हमको क्या है
हम तो हंसी खुशी से जी लें

हम तो खुश हैं मस्त हवा में
नहीं चाहिए कोई तब्दीलें

मिर्ज़ा मौहम्मद आरिफ़

जन्मतिथि : 17.6.1964, दिल्ली
शिक्षा : स्नातक
प्रकाशन : अनेक साहित्यिक, सांस्कृतिक पुस्तकों की स्क्रिप्ट-डायलॉग लेखन।
सम्प्रति : सवतंत्र लेखन, सम्पादन।
सम्पर्क : सी-141, रेजीडेंसीयल काम्प्लैक्स, मिण्टो रोड, नई दिल्ली-110002
फोन- 011- 23230055
मो.- 9811320055

या वो जल्वानुमा नहीं होता
या मुझे होश सा नहीं होता

लाख आसूदा-ए तमन्ना हो
दिल किसी का भरा नहीं होता

थक चुकी है ज़ुबान कह-कह कर
अब बयां मुद्दआ नहीं होता

दिल जो मिल जाता, एक फ़रिश्ते को
उसने क्या-क्या, किया नहीं होता

इश्क़ बनता न एक जुर्म कभी
अगर छुपा कर नहीं किया होता

शीशा-ए-दिल कसीफ़ है वरना
अक्स कोई बुरा नहीं होता

अब चलो मौत से करें यारी
जिसका वादा ख़ता नहीं होता

मैकशी एक अदा ख़राब सही
रिंद 'आरिफ़' बुरा नहीं होता

ऐन ख़्वाहिश है तुम्हें अपना बनाकर देखूं
आज एक फूल तमन्ना का खिला कर देखूं

गुलशने-ज़ख़्मे जिगर यूं भी खिला कर देखूं
आ तुझे आज कलेजे से लगा कर देखूं

देखना यह है किसे मेरा ख़याल आता है
हाले-दिल आज सरे-बज़्म सुना कर देखूं

किस के सर जाएगा इल्ज़ाम तुम्हीं बतला दो
मैं भी दामन को अगर अपने बचा कर देखूं

आज के दौर ने क़दरें जो बदल दीं 'आरिफ़'
किस भरोसे पे उन्हें अपना बना कर देखूं

बेख़ुदी लेके चली आई है मयख़ाने तक
तशनगी ख़ुद ही पहुंच जाएगी पैमाने तक

सैंकड़ों रंग गए, आ के मेरे चेहरे पर
तेरे रुख़सार पर सुर्ख़िये हया आने तक

एक तमाशा न वना मुझको ज़माने भर में
झोली भर दे तु मेरी, हाथ के फैलाने तक

जानता सब है मगर फिर भी रवादारी में
इश्क़ करता है यक़ीन, हुस्न के बहकाने तक

तीरगी चाहे, उजालों की पनाहें 'आरिफ़'
बढ़ता जाता है धुंआ शम्मा के जल जाने तक

अक्सर हदे-वहशत से आगे जो निकल जाए
फरमाईये कैसे वो दीवाना सँभल जाए

इस तरह नज़ारा कर ऐ चश्मे-तमाशाई
पर्दे का रहे पर्दा, अरमां भी निकल जाए

वो रिंद मुबारक है मयख़ाना-ए-हस्ती में
सौ बार गिरे, गिर कर, हर बार सँभल जाए

ये तुमने मेरे दिल का, क्या हाल बनाया है
आओ तो बहल जाए, जाओ तो मचल जाए

'आरिफ़' की यही हसरत, आरिफ़ का यही अरमां
मारूफ़ के क़दमों में, ये जान निकल जाए

तुम्हारे दम से, मेरे दम में दम है
सहारा ये भला जीने को कम है

किये हैं ढेर पैमानों के हमने
बहुत सोचा है जब तोड़ी क़सम है

ये क्यों मिलती हैं इतनी सजदागाहें
तेरा क्या हर जगह नक़्शे-क़दम है

नहीं मिटती कभी उनकी हिकायत
के जिनके हाथ में ज़िन्दा क़लम है

ना 'आरिफ़' उससे उम्मीदे-करम रख
ख़ुदा हो जाए कैसे, जो सनम है

अख़्तर अज़ीज़

मूल नाम : मुहम्मद मसूद अख़्तर
जन्मतिथि : 25-6-1964, इलाहाबाद (उ.प्र.)
शिक्षा : हाई स्कूल, अदीब कामिल, मुअल्लिम
प्रकाशन : दस्तख़त (ग़ज़ल संग्रह) सुब्ह-ए-मदीना तैबा की शाम (नातिया संग्रह); रैन बसेरा (हिन्दी में शीघ्र प्रकाशन); पत्र-पत्रिकाओं में रचनाएं प्रकाशित, सह सम्पादन में तहशीर, (उर्दू त्रैमासिक)।
सम्मान : भारतीय परिषद एवं अनेक संस्थाओं द्वारा सम्मानित।
सम्प्रति : आभूषण विक्रेता (पाज़ेब ज्वेलर्स)
सम्पर्क : सैक्रेट्री अंजुमन तहज़ीब-ए-नौ,
127, दोन्दीपुर, इलाहाबाद-यूपी. 211003

मेरा खुलूरा तो बाहर निकल के बैठता है
फ़रेब खाता है फिर हाथ मल में बैठता है

हर इक मक़ाम पे चेहरा बदल के बैठता है
वह बात करते हुए क्यों सँभल के बैठता है

ये इत्तेफ़ाक़ नहीं धूप छाँव का है खेल
हवा के रुख़ पे दिया भी उछल के बैठता है

उसे है शौक़ कि बन जाए वह भी आईना
तो आइने पे पड़ी ख़ाक मल के बैठता है

अभी तो रोया है कुछ देर में वह चुप होगा
गुबार कोई भी हो हल्के हल्के बैठता है

ज़रा सा छलकेगा 'अख़्तर' उसे छलकने दो
कटोरा दूध का अक्सर उबल के बैठता है

हर क़दम पर है बे-डगर दुनिया
फिर भी लगती है मोअतबर दुनिया

उनसे होती मसालेहत अपनी
बीच में आ गई मगर दुनिया

सर चढ़ेगा क़लन्दरी का नशा
दिल से देखो उतार कर दुनिया

सीधा रस्ता दिखाई क्या देगा
आगे पीछे इधर-उधर दुनिया

इनसे मिलिये तो उनसे मत मिलिये
दे गई कैसा-कैसा डर दुनिया

दुश्मनों ने कस लिया है दोस्ती के जाल में
अब मरासिम आ गए हैं बेबसी के जाल में

मछलियाँ बेख़ौफ़ साहिल के क़रीब आने लगीं
आदमी उलझा हुआ है आदमी के जाल में

हमसे दरिया की रवानी हमसे सहरा में नमी
और हमीं जकड़े रहे तश्नालबी के जाल में

होठ सूखे, आँख पथराई, बदन पर कुछ निशान
बेटियाँ अब क़ैद हैं सौदागरी के जाल में

सिर्फ़ धुंधलाई लकीरों के सिवा कुछ भी नहीं
हम भी 'अख़्तर' आ गए बेचेहरगी के जाल में

जब शोर से हम बीमार हुए
तन्हाई के पहरेदार हुए

वैसे तो हैं शाख़े-गुल की तरह
हाँ कभी-कभी तलवार हुए

जब तेरे दिल को जीत लिया
तब सात समुन्दर पार हुए

ये किसके लहू की सुर्ख़ी से
रंगीन कई अख़बार हुए

ये अम्न के पंछी 'अख़्तर' क्यों
दहशत के अलमबरदार हुए

लम्हा लम्हा कितना भारी होता है
जब लहजा तेरा अग़यारी होता है

नेकी करके खूब नुमाईश करते हैं
जज़्बा अब कितना अख़बारी होता है

भूख लगे तो हम पानी पी लेते हैं
रहना-सहना हाँ मेयारी होता है

जिसके सीने में पोशीदा हों आँसू
उस पत्थर से चश्मा जारी होता है

जैसे भी हो 'अख़्तर' समय के साथ चलो
वक़्त ही दानी वक़्त भिखारी होता है

विनीत चौहान

जन्मतिथि : 20.7.1964, अलवर (राज.)
शिक्षा : बी.एस.सी., बी.एड.
प्रकाशन : अग्नि मंथन, स्वर अहसासों के, विनय कैसेट (नीमच)
सम्मान/पुरस्कार: राष्ट्र चारण (खरगोन, म.प्र.) शिक्षक कवि सम्मान, दिल्ली सहित अनेक संस्थाओं द्वारा सम्मानित/पुरस्कृत
सम्प्रति : व्याख्याता (रसायन शास्त्र)
सम्पर्क : 67, केशव नगर, अलवर (राज.)
फोन. 0144-2332899
मो.- 9414016168

कभी सूरज, कभी चन्दा, कभी तारा देखूं
मेरी नन्हीं-सी परी तुझमें मैं क्या-क्या देखूं

जब भी जाती है तू स्कूल को बस्ता लेकर
जाते रिक्शे का बड़ी देर नज़ारा देखूं

खेलते देखता हूँ बच्चों के संग जब भी तुझे
कभी हिरणी, कभी तितली, कभी चिड़िया देखूं

जब भी गुज़रा हूँ खिलौनों की दुकानों से मैं
कभी बन्दर, कभी घोड़ा, कभी गुड़िया देखूं

जब भी गिरते हैं तेरी आंख से आंसू, उनमें
कभी शबनम, कभी मोती, कभी पारा देखूं

जब भी परदेस को जाता हूँ मेरी प्यारी 'परी'
दिल ये कहता है तुझे मुड़के दुबारा देखूं

सारी उम्र नदी से पानी मांगा है
कितना अचरज फिर भी सागर प्यासा है

इतनी सी ही उलझन में जो टूट गया
साथी तेरा दिल तो बहुत ज़रा-सा है

हर दुख को अपना मेहमान बनाते हैं
अपना उनसे रिश्ता अच्छा-ख़ासा है

तुम हो जैसे बन्द किताब प्रकाशक की
मेरा पाठक जीवन बहुत खुला-सा है

मुझको उसका चेहरा अब तक याद रहा
भूल गया वो जिसका नाम भला-सा है

हमने तो जान देके भी वादा निभा दिया
तुमने वही पुराना बहाना बना दिया

रोए न मेरी मौत पे, इसका गिला नहीं
मय्यत पे तुमने आके फ़साना बना दिया

तुम तो बिछड़ते वक़्त मुझे कुछ न कह सके
गो हाले-दिल तुम्हारी नज़र ने बता दिया

हमने बचाया तुमको ज़माने के क़हर से
तुमने हमें ही अपना निशाना बना दिया

पूछो न शायरी ने हमें क्या दिया 'विनीत'
हंसकर दुखों को सहना इसी ने सिखा दिया

स्याह रातों की वो सर्दियां
बन्द होती हुई खिड़कियां

रात भर वो सिसकते रहे
हमको आती रही हिचकियां

राह मैंने तकी उम्र भर
उसने भेजी नहीं चिट्ठियां

न्याय मिलने की उम्मीद में
हम लगाते रहे अर्जियां

अब नज़र क्या उठाएं 'विनीत'
कस रहे हैं सभी फब्तियां

मेरी वफ़ा का आपने कैसा सिला दिया
हर एक ख़्वाब मिट्टी में मेरा मिला दिया

मैं आंधियों में भी रहा, पत्ता नहीं हिला
तुमने सितम किए तो मेरा दिल हिला दिया

मैं मर गया ही होता तुम्हारे बिना सनम
दीदार देके तुमने तो मुझको जिला दिया

अपने किए सितम तो तुम्हें याद तक नहीं
मेरी ज़रा-सी बात पे अम्बर हिला दिया

मैं क्या सुनाऊं प्यार की तुमको ग़ज़ल 'विनीत'
मुझको किसी ने ग़म का हलाहल पिला दिया

महेश गुप्ता

जन्मतिथि : 8-8-1964, जामनगर (गुजरात)

शिक्षा : एम.ए. (हिन्दी, दर्शन शास्त्र), एल.एल.बी.

प्रकाशन : 'प्यास के तट' प्रकाशित।

सम्मान : अनेक संस्थाओं द्वारा सम्मानित।

सम्प्रति : राजभाषा अधिकारी, स्टेट बैंक ऑफ सौराष्ट्र बड़ोदरा (गुजरात)

सम्पर्क : एस.बी.एस. कॉमर्स सैण्टर, सयाजीगंज, बड़ोदरा (गुजरात) 390020
मो. : 9427316551

फूल खिलने को तमाशा न बना
दिल की है बात, फ़साना न बना

नीम कड़वा है कभी छांव भी चख
सिर्फ़ लकड़ी का खिलौना न बना

जो नहीं ठहरे वही खुशबू है
अपने जज़्बों को ख़ज़ाना न बना

गीत कोयल का बन, बिखर जा तू
सिर्फ़ तिनकों पे घरौंदा न बना

एक चादर सा तना है ये गगन
ओढ़ ले प्यार से, ताना न बना

प्यार का फ़लसफ़ा सुहाना है
फिर भी लगता ये क्यूँ पुराना है

आज कुछ भी समझ नहीं आता
कौन सा मेरा आशियाना है

मुस्कराते हैं जहाँ पत्थर भी
मेरी बस्ती, मेरा ठिकाना है

चार लम्हे मिले हैं जी तो लूँ
ख़ैर फिर तो सभी गँवाना है

लोग कहते हैं बड़ा मुश्किल है
फिर भी साँसों को आज़माना है

आस्मानों पे उजाला ही नहीं
चाँद को हमने सँभाला ही नहीं

प्यार में जी भी सकें, मुमकिन है
रोग हमने तो ये पाला ही नहीं

हमको इंसान की ख़ुशबू भी दो
चाहिये हमको शिवाला ही नहीं

डूबती साँसें बचे भी कैसे
पास में तैरने वाला ही नहीं

फ़ासले ख़त्म भी हो सकते थे
लफ़्ज़ एक मुँह से निकाला ही नहीं

मेरे लफ़्ज़ों को सँवारा मैंने
अपने माज़ी को दुलारा मैंने

प्यार के गीत के हैं ज़ख़्म हरे
सुर ये छेड़ा है दुबारा मैंने

मैं ही बेगाना मेरी महफ़िल में
ख़ूब देखा ये नज़ारा मैंने

दौड़ता जाऊँ उफ़क़ की जानिब
बारहा मुझको पुकारा मैंने

मेरे भीतर का है इंसान अलग
साथ छोड़ा क्यों हमारा मैंने

सर से पा तक पिघलने लगा आदमी
चन्द साँचों में ढलने लगा आदमी

यार के पेड़ की छाँव भाई नहीं
अपने घर में ही जलने लगा आदमी

एक गुलशन था रिश्तों का महका हुआ
कैसे-कैसे कुचलने लगा आदमी

दोनों हाथों बटोरी है कुदरत की बू
पल में सदियाँ खुरचने लगा आदमी

कोई जाने नहीं इसका इम्काँ मगर
कहके देखो सँभलने लगा आदमी

दिनेश मालवीय

जन्मतिथि : 10-11-1964, छिन्दवाड़ा
शिक्षा : बी.कॉम.
प्रकाशन : पत्रिका फ़नकार में कुछ ग़ज़लें प्रकाशित।
सम्प्रति : व्यवसाय
सम्पर्क : पुराना नागपुर नाका, नागपुर रोड, छिन्दवाड़ा (म.प्र.)
फोन : (07162) 246565

बचा लो बुझते चराग़ों की ज़िन्दगी फिर से
तभी तो होगी अंधेरो में रोशनी फिर से

बुझेगी क्या, मेरे होठों की, तिश्नगी फिर से
मिली है मुझको ये सूखी हुई नदी फिर से

जो रहनुमा थे वो, तो बन गए हैं अब रहज़न
करेंगे क्या वो ज़माने की रहबरी फिर से

झुलस गई है ज़रा धूप में, कली लेकिन
जो शाम होगी तो आएगी ताज़गी फिर से

शजर को अश्कों से सींचा है, इन परिंदों ने
ये शाख़ देखना हो जाएगी हरी फिर से

पास भी तो किनारा नहीं है
मौज का भी सहारा नहीं है

नाखुदा क्या बचाएगा कश्ती
क्यों खुदा को पुकारा नहीं है

भीड़ तो अपनों की है, यक़ीनन
पर कोई भी हमारा नहीं है

तैरता है, जो आंखों में-मेरी
दर्द का तो शिकारा नहीं है

जिससे मिलता हो दिल को सुकूं
वो नज़र में नज़ारा नहीं है

कभी झांककर दिल के अंदर तो देखो
उठे कैसे उसमें-बवंडर तो देखो

वह खुद ही है, प्यासा समंदर तो देखो
ज़रा बेबसी का ये, मंज़र तो देखो

सिकंदर नहीं कोई, अब इस जहां में
हुआ वक़्त ही, अब सिकंदर तो देखो

दुआएं परिंदे भी, देंगे यक़ीनन
कहीं एक पौधा लगाकर तो देखो

दुआ के लिये तो, जरा हाथ अपने
कभी उसके दर पे, उठाकर तो देखो

साज़िशे जब हों, आस्मानों की
ख़ैर फिर क्या हो आशियानों की

शंख की गूंज उठ रही है, इधर
हैं सदाएं उधर अज़ानों की

आ उतर के कभी तो धरती पर
हो गई हद तेरे बहानों की

वो परिंदा क़फ़स में, है लेकिन
दिल में है, आरजू उड़ानों की

कोई दीदार की नहीं सूरत
बंद है, खिड़कियां मकानों की

मिल के दिल प्यार में, यूं एक हुए हैं अब तक
सिलसिले धड़कनों से उनकी जुड़े हैं अब तक

जिन सितारों ने कभी टूट के नाता-तोड़ा
चांद को ऐसे सितारों से गिले हैं अब तक

जल के बुझना तो मुक़द्दर था चराग़ों का फिर
बेवज़ह क्यों वो हवाओं से लड़े हैं अब तक

जिसके साए में वो मिलते थे, उसी बरगद के
सीने पर नाम, तो दोनों के लिखे हैं अब तक

शाइरों में न गिनो, मुझको अभी से यारो
चंद अशआर ही तो मैंने कहे हैं अब तक

रश्मि सानन

जन्मतिथि : 21-2-1965, नई दिल्ली

शिक्षा : बी.ए. (अंग्रेजी लिट.)

प्रकाशन : विभिन्न पत्र पत्रिकाओं में ग़ज़लें प्रकाशित।

सम्मान : अनेक संस्थाओं द्वारा सम्मानित

सम्प्रति : भारत के नियंत्रक महालेखापरीक्षक के कार्यालय में कार्यरत

सम्पर्क : 601, सैक्टर-16, फरीदाबाद, हरियाणा
मो. : 9868450650

उम्र के दौर में ढलते रहे तन्हा तन्हा
ठोकरें खा के संभलते रहे तन्हा तन्हा

किसी हमदर्द ने कब छांव नवाज़ी हमको
बारहा धूप में जलते रहे तन्हा तन्हा

न किसी से गिला न कोई शिकायत हमको
अपनी उलझन लिए चलते रहे तन्हा तन्हा

अजनबी बनके भी जीने का हुनर सीख लिया
अपनी पहचान बदलते रहे तन्हा तन्हा

दिल के अरमान शबे-हिज्र मेरी आंखों में
अश्क बन-बन के निकलते रहे तन्हा तन्हा

दिल तेरे नाम किया रूह भी तुझको दी रहनू
खोखले तन को ही छलते रहे तन्हा तन्हा

हमने खुद जलके ज़माने को उजाले बख़्शे
शम्मअ की तरहा पिघलते रहे तन्हा तन्हा

दामन खूब भिगोया तूने
ऐसा भी क्या खोया तूने

जो है जन्म-मरण में उलझा
बंधन वही संजोया तूने

घर का हर रिश्ता बाख़ूबी
माला बीच पिरोया तूने

पछतावा शायद कोई था
आंसू से जो धोया तूने

मृगतृष्णा में उलझे-उलझे
सब पाया फिर खोया तूने

जब तक दम है चलता चल
साथ में सपने बुनता चल

करना बस अपने दिल की
हंसकर सबकी सुनता चल

मंज़िल भी मिल जाएगी
कोशिश अपनी करता चल

कुन्दन जैसा निखरेगा
प्यार के आखर पढ़ता चल

मत उड़ना इक दम ऊंचा
इक-इक सीढ़ी चढता चल

कौन दुआ है रंग लाई
क़िस्मत खुलकर मुस्काई

किस्सा दिल की हालत का
कहते हैं आखर ढाई

लड़ते आज कचहरी में
जो कल थे भाई भाई

सूने घर में बच्चे ने
खोई खुशी भी लौटाई

छोड़ो रोना क़िस्मत का
मेहनत हरदम रंग लाई

इक सुबह आई नई जो गुज़रा इक दिन सो गया
फिर नई उम्मीद के संग राज़ीनामा हो गया

टूटता बनता भटकता ही रहा वो उम्र भर
ख़्वाब अदना सा मेरा था भीड़ में ही खो गया

नेमतें इस ज़िन्दगी की कल मेरे दामन में थी
चांद कल थक हार कर पहलू में मेरे सो गया

एक गहरी ख़ामुशी में सिसकियां उभरी अभी
कौन था जो क़ब्र मेरी आंसुओं से धो गया

कौन रोकेगा उसे हां नाम जिसका वक़्त है
छूट कर हाथों से पल बस ये गया और वो गया

लक्ष्मी कांत

जन्मतिथि : 1-3-1965, कूराडीह (प्रतापगढ़) उ़ प्र
शिक्षा : एम.ए. (मध्यकालीन इतिहास)
प्रकाशन : अनेक पत्र-पत्रिकाओं में रचनाएं प्रकाशित।
सम्मान/पुरस्कार: स्थानीय गोष्ठियों एवं संस्थाओं द्वारा सम्मानित।
सम्प्रति : असिस्टेंट कमिश्नर (उ.न्या. कार्य) व्यापार-कर
सम्पर्क : 11/187/1, इन्दिरा नगर, लखनऊ (उ.प्र.)
मो. 9415570824

दर्द सीने में दबे थे होंठ मुस्काते रहे
हम किसी की जुस्तजू में ठोकरें खाते रहे

बादलों की गोद में जब सो रही थी चांदनी
कुछ उजाले भी धुंधलकों में नज़र आते रहे

वो चला आएगा इक दिन तोड़ के सब बन्दिशें
इस तरह से रोज़ ही हम दिल को समझाते रहे

एक ख़ाली घर है यारो! शायराना दिल मेरा
लोग मेहमाँ की तरह आते रहे, जाते रह

अब भले ही वो हमें बेगाना कहता है मगर
दौर इक ऐसा भी था जब हम उसे भाते रहे

भेजते थे हम उन्हें भी मौसमी फूलों के हार
जो हमारी राह में बस शूल बिखराते रहे

जिसकी हसरत ने हमें यूं खुद से गाफ़िल कर दिया
बेख़ुदी में हम उसे ही सामने पाते रहे

रोम-रोम में सुलग रही है चिंगारी
अंग-अंग जैसे कोई पत्थर भारी

हरे-भरे थे बाग़, नज़ारे थे दिलकश
दांव-पेंच से उजड़ चुकी है फुलवारी

खोज रहा था मैं ग़ैरों में अपनापन
सिखा रहे थे लोग मुझे दुनियादारी

पूछ रहा था मुझसे कल कोई पागल
सौ सच पर भी एक झूठ क्यों है भारी

अब तो मैं भी गुमसुम बैठा सोच रहा
क्यों गुनाह-सी बन जाती है ग़मख़्वारी

हम तो ज़हर के घूंट ही पीते चले गए
जब उनके हक़ में सारे नतीजे चले गए

जाना था जहां हमको मुक़द्दर संवारने
पहले ही उनके भाई-भतीजे चले गए

हम भी यहाँ पे टूट के बिखरें हैं बारहा
लेकिन दिलों की बाज़ियां जीते चले गए

क़ातिल उन्हीं के साथ लगाते हैं क़हक़हे
मुजरिम की है तलाश जो कहते चले गए

चलिए हम आज तोड़ दें रिश्ते लिहाज़ के
जिन-जिन में था ख़ुलूस वे रिश्ते चले गए

जलती ज़मीन हो या हसीं मानसून हो
हो कुछ भी मगर दर्दे-दिल को सकून हो

मैं आप की महफ़िल में आ गया हूँ इस तरह
जैसे किसी अख़बार में इक कार्टून हो

टूटेगा ये तिलिस्म भी ज़रूर एक दिन
गर आपकी रगों में भी गर्म खून हो

ये सूरतें भी बदलेंगी, देखेगा आइना
बस हौसला काफ़ी नहीं कुछ जुनून हो

होती नहीं हताश कभी ज़िंदगी मेरी
हों मौसमी हवाएं या टाईफून हो

क्या सच ने कर दिया हमें लाचार बोलिए
क्यों शान से चलते हैं गुनहगार बोलिए

जो अम्न के ख़िलाफ़ और हामी हैं जुर्म के
बेहतर है आप उनको ख़बरदार बोलिए

वे कुछ बड़ों के भाई-भतीजे हैं ख़ास हैं
उनको करेगा कौन गिरफ़्तार बोलिए

उकता गया हूँ आपके नीरस बयान से
कुछ तो हुज़ूर आज असरदार बोलिए

जिसकी हैं आस्तीं पे तुम्हारे लहू के दाग़
फिर भी वो शहर का हुआ सरदार बोलिए

नुज़हत अंजुम

जन्मतिथि : 1-9-1965, लखनऊ
शिक्षा : एम.ए. (संस्कृत), बी.एड., पीएच-डी.
प्रकाशन : पत्र-पत्रिकाओं में रचनाएं प्रकाशित। ग़ज़ल-संग्रह प्रकाशनाधीन।
सम्मान : अनेक संस्थाओं द्वारा सम्मानित।
सम्प्रति : अध्यापन।
सम्पर्क : 79, धम्माल, गोरखपुर-273001 (यू.पी.)
मो. : 9839604481, 9415314601, 9335661980, 9920354504

तेरी जुस्तजू, तेरी आरज़ू, तेरी ख़्वाहिशों की पनाह में
मेरे वास्ते कड़ी धूप भी, बनी चाँदनी तेरी चाह में

तेरी याद ने किया वो असर, न रही ख़बर कि मैं हूँ किधर
कभी रुक गई कभी चल पड़ी, कभी खो गई तेरी राह में

मेरे दिल को जिसकी तलाश थी, वही मुझको मिल न सका कभी
कभी अश्क बन के मैं ढल गई, कभी जज़्ब हो गई आह में

बड़ी मुख़्तसर है ये ज़िन्दगी, यही ज़िन्दगी है तवील भी
कोई यादे-हक़ में गुज़ार दे, कोई सिर्फ़ शौक़े-गुनाह में

मैं शरीक अहले-हुनर में हूँ, सो मोहब्बतों के सफ़र में हूँ
मेरी शायरी मेरी ज़िन्दगी, है ज़माने भर की निगाह में

मेरा इंकेसार भी कुछ नहीं, मेरा इफ़्तेख़ार भी कुछ नहीं
है मेरा खुदा मैं खुदा की हूँ, न फ़क़ीर में हूँ न शाह में

जब तेरी याद मेरे दिल में उतर जाती है
एक खुशबू सी फ़ज़ाओं में बिखर जाती है

जी में आता है तेरा नाम पुकारूँ लेकिन
जाते-जाते मेरी आवाज़ ठहर जाती है

याद आ जाता है मंज़र जो बिछड़ जाने का
एक लम्हे को क़यामत सी गुज़र जाती है

ये मेरा दिल था जो डूबा तो उभर ही न सका
वर्ना डूबी हुई कश्ती भी उभर जाती है

शर्त इतनी है कोई प्यार से छू ले 'नुज़हत'
ज़ुल्फ़ क्या चीज़ है तक़दीर संवर जाती है

क़र्ज़ ग़म का चुकाना पड़ा है
रो के भी मुस्कराना पड़ा है

इक खुदा के न आगे झुके तो
हर जगह सर झुकाना पड़ा है

तुझको अपना बनाने की ख़ातिर
सब को अपना बनाना पड़ा है

क्या बताएं कि किन मुश्किलों में
ज़िन्दगी को निभाना पड़ा है

संग दिल जो है मशहूर 'नुज़हत'
शे'र उनको सुनाना पड़ा है

जब भी हम नेक काम करते हैं
लोग जीना हराम करते हैं

चार दिन का क़याम है फिर भी
किस क़दर एहतेमाम करते हैं

कौन मुख़लिस है इस ज़माने में
लोग रस्मन सलाम करते हैं

आके हर रोज़ दिल के आँगन में
कुछ परिन्दे क़याम करते हैं

बात क्या है के आजकल 'नुज़हत'
सब तेरा एहतेराम करते हैं

जीने का मेरे फिर कोई अरमान नहीं है
होंठों पे अगर आपके मुस्कान नहीं है

वो शख़्स चला है मेरी पहचान मिटाने
जिस शख़्स की अपनी कोई पहचान नहीं है

बस तेरी नवाज़िश है कि ज़िन्दा हूँ मैं वर्ना
इस दौर में जीना कोई आसान नहीं है

मुद्दत से तरसतीं हैं मेरी खुश्क ज़मीनें
बारिश का मगर आज भी इम्कान नहीं हैं

हालात से अपने तू हरासां न हो 'नुज़हत'
है कौन जो दुनिया में परेशान नहीं है

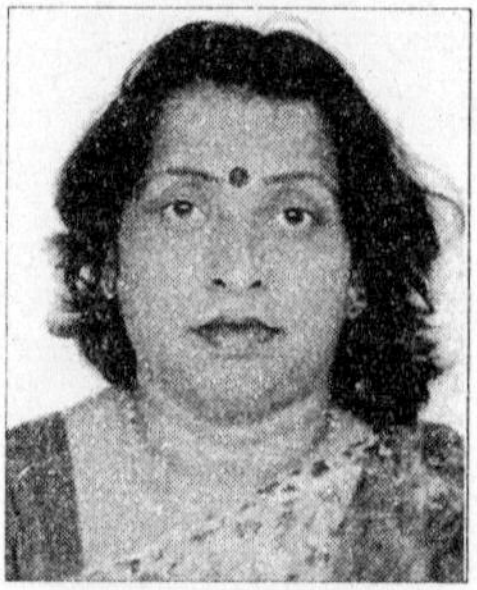

सुषमा भण्डारी

जन्मतिथि : 4-10-1965, दिल्ली

शिक्षा : एम.ए. (हिन्दी), बी.एड. एन.टी.टी.

प्रकाशन : चंदा मामा, मेरा हिन्दुस्तान, गुनगुनाते रहें, शिक्षा एक गहना, सुनो कहानी माहिया तेरे लिए, क्षणिकाएं, दोहावली।

सम्मान/पुरस्कार: उत्कृष्ट अध्यापिका 2005 सहित अनेक संस्थाओं द्वारा सम्मानित/पुरस्कृत।

सम्प्रति : अध्यापन

सम्पर्क : परिजात अपार्टमेंट, सैक्टर-4, द्वारका, प्लॉट नं. 28, फ़्लैट नं. ए 27, नई दिल्ली 100075
मो. - 9810152263

मंज़िल की अब तलाश है और मैं सफ़र में हूँ
तू मेरे आस-पास है और मैं सफ़र में हूँ

कट जाएगा रस्ता मेरा कठिनाइयों के बीच
अब इक नया उल्लास है और मैं सफ़र में हूँ

सांचा नहीं जो ढल सकूं मैं एक रूप में
मेरा खुला आकाश है और मैं सफ़र में हूँ

हां-हां प्रभात है नहीं बस दोपहर है ये
मेरे लबों पे प्यास है और मैं सफ़र में हूँ

'सुषमा' चले चलो यही जीवन का सार है
मुझको सभी आभास है और मैं सफ़र में हूँ

आदर्शों पर चलता है
पागल है क्यों जलता है

अंधियारों का दोस्त रहा
उजियारों को खलता है

देख रहे हैं सब उसको
किस सांचे में ढलता है

ज़ख़्म मेरा नासूर बना
मोम सरीखा गलता है

'सुषमा' क्या विश्वास करूं
सारा आलम छलता है

सच कहा तो पत्थरों से दी सज़ा
क्या यही है ज़िंदगी का आईना

दिल मेरे से खेलकर न जाइए
दिल मेरा नाजुक बहुत है कांच-सा

अपने दिल में आप गर देते जगह
क्या बिगड़ जाता बताओ आपका

गुलशनों का है नहीं नामो-निशां
दूर तक मंज़र है रेगिस्तान का

झेलती 'सुषमा' रही है हर समय
हादसा- दर - हादसा- दर - हादसा

याद के पंछी लुभाने आ गए
आज फिर हमको सताने आ गए

आईने ने दी सदा जब भी उन्हें
पत्थरों को क्यों उठाने आ गए

दुश्मनों को कामयाबी जब मिली
आंख के आंसू गिराने आ गए

जब संभलने को हुए हम कुछ यहां
लोग फिर हमको गिराने आ गए

आज 'सुषमा' आख़िरी पल ही सही
रस्म अपनी वो निभाने आ गए

प्यार ऐसे सभी पर लुटाती हूँ मैं
जीत की बाजियां हार जाती हूँ मैं

थाम लेती हूँ पतवार मैं आस की
खुद को तूफ़ान में जब भी पाती हूँ मैं

ख़्वाहिशों के नगर अब तुझे अलविदा
अपनी दुनिया नई इक बसाती हूँ मैं

टूट जाते हैं टांके मेरे ज़ख़्म के
इश्तिहारों में जब भी समाती हूँ मैं

पी गए सब उसे मुफ़्त मय की तरह
ख़ाली प्याले सा 'सुषमा' को पाती हूँ मैं

दिनेश मन्ज़र

मूल नाम : दिनेश कुमार
जन्मतिथि : 10-10-1965, दिल्ली
शिक्षा : स्नातक (राजनीति शास्त्र विशेष)
प्रकाशन : काव्य संकलन 'शब्द-शब्द मोती' व पत्र-पत्रिकाओं में रचनाएं प्रकाशित।
सम्मान : ग़ज़ल एवं कविता (ग़ज़ल-संग्रह 'चाँद के गाँव में' शीघ्र प्रकाश्य)।
सम्प्रति : वित्त मंत्रालय में सहायक लेखा अधिकारी, वर्तमान में भारतीय सांस्कृतिक सम्बंध परिषद नई दिल्ली में प्रतिनियुक्ति पर।
सम्पर्क : WZ-528 (E-128), साध नगर, पालम कालोनी नई दिल्ली 110045
फोन : 64571610
मो. : 9968484961

वो मुझको याद करके मुद्दतों तड़पे हैं, रोए हैं
मुझे फिर ओढ़कर, मुझको बिछौना करके सोए हैं

गुनहगारों की बस्ती ने फ़रिश्ता जानकर हमको
कभी सौंपे हैं गुलदस्ते, कभी कांटे चुभोए हैं

जहाँ सिक्कों की धुन पर हर किसी को नाचते देखा
वहीं पर छुप के कोने में मेरे अरमान रोए हैं

कहाँ तक साथ दोगे तुम ये सोचो और तुम जानो
तुम्हारे साथ जीने के हसीं सपने संजोए हैं

जगाना मत हमें ऐ चाँद, तारो! आस्मां वालो
मिली थी संगदिल दुनिया, बड़ी मुश्किल से सोए हैं

इस क़दर बेचैनियाँ बढ़ जाएंगी, सोचा न था
यूं तेरी यादें हमें तड़पाएंगी, सोचा न था

नाम तेरा और मेरा हो जाएगा यक्सां यहाँ
और फिर रातें विरह की आएंगी, सोचा न था

महफ़िलों में भी मैं खुद को पाऊँगा तनहा कभी
ख़िलवतें इतनी मुझे भा जाएंगी, सोचा न था

रात-दिन तेरे ख़यालों की डगर से आएंगे
बदलियाँ यादों की ऐसे छाएँगी, सोचा न था

ग़ैर के पहलू में देखूँगा मचलते मैं तुझे
आस की कलियाँ मेरी मर जाएंगी, सोचा न था

कौन हूँ मैं मुझको अपनी सुध न आई आज फिर
रूप ने तेरे नई बिजली गिराई आज फिर

दौरे-गर्दिश में जो तेरी याद आई आज फिर
मुझमें राहे-ज़िन्दगी भी मुस्कराई आज फिर

ख़्वाब थी, क्या रंग था क्या शै थी जाने ज़िन्दगी
बाद मुद्दत के वो हँसकर जगमगाई आज फिर

उसने इस मासूमियत से फिर किया वादा वफ़ा
याद मैं करता हूँ अपनी बेवफ़ाई आज फिर

दूर मुझसे उसने अपनी ज़िन्दगी के ग़म रखे
मन तेरा रखने को वो नज़दीक आई आज फिर

मुहब्बत के लिए हमने हज़ारों ग़म उठाए हैं
बड़ी मुश्किल से हम इस शोख़ की महफ़िल में आए हैं

मेरी बेताबियों की इंतहा का है नशा साक़ी
जो मरे साथ ही खुद जाम छलके, लड़खड़ाए हैं

तेरी आवाज़ सुनने को भी हम तरसा किये जानां
तेरी ख़ातिर यूं हमने रोज़मर्रा गीत गाए हैं

झलक मिल जाए तेरी और दिल थोड़ा सुकूं पा ले
इसी धुन में तो हमने सब हसीं मंज़र गंवाए हैं

बहुत रुसवाइयाँ, तानाकशी, तनहाइयाँ सहकर
शरीके-ज़िन्दगी की ज़िन्दगी में हम समाए हैं

याद आती रही, याद जाती रही
बेख़ुदी में ख़ुदी मुस्कुराती रही

मैं अँधेरे बनों में भटकता रहा
तू मुंडेरों पे दीपक जलाती रही

सांझ की सुरमई-सांवरी देह से
तेरी सांसों की खुशबू-सी आती रही

ये अधर, मेरे चुम्बन, मेरी चाहतें
रुत हथेली पे अपनी रचाती रही

क्या बताऊँ है किसमें वफ़ा की कमी
ज़िन्दगी भर वफ़ा आज़माती रही

बद्र वास्ती

मूल नाम : सैयद बदरुल हसन वास्ती
जन्मतिथि : 31-1-1966, भोपाल (म.प्र.)
शिक्षा : एम.ए. (उर्दू), अदीब कामिल।
प्रकाशन : अनेक पत्रिकाओं में रचनाएं प्रकाशित।
सम्मान/पुरस्कार: अनेक संस्थाओं द्वारा सम्मानित।
सम्प्रति : पत्रकारिता, स्वतंत्र लेखन।
सम्पर्क : 1254, चौकी इमामवाड़ा रोड, भोपाल–462001
फोन - 0755 2546393
मो. - 9977311008

चलते चलते सुस्ताने में थोड़ी देर बहुत लगती है
उसके घर तक जाने में थोड़ी देर बहुत लगती है

कुछ लोगों ने इतनी पी ली जैसे यहीं रह जाएंगे
दुनिया जैसे मयख़ाने में थोड़ी देर बहुत लगती है

इज़्ज़त दौलत, शोहरत, मंसब, हासिल तो होते हैं लेकिन
सब कुछ अपना हो जाने में थोड़ी देर बहुत लगती है

ख़ाकी पुतला अपनी छबि पे इतराता रहता है क्यों
मिट्टी घुल के बह जाने में थोड़ी देर बहुत लगती है

वक़्त का साया जिसके सर पर ठीक समय आ जाए उसको
उसको अपनी हस्ती मनवाने में थेड़ी देर बहुत लगती है

रात तो ख़ुद ही ढल जाएगी और सवेरा भी आएगा
जाने क्यों फिर अंजाने में थोड़ी देर बहुत लगती है

मेले में जाते हो तो 'बद्र' पता भी ले कर जाना
सूरज पीला हो जाने में थोड़ी देर बहुत लगती है

रोशनी हम नज़र नहीं होती
हर किरन राहबर नहीं होती

दोस्ती टूटकर तो होती है
दोस्ती सोचकर नहीं होती

तेरे जाने के बाद यह जाना
ज़िंदगी उम्र भर नहीं होती

प्यार की ज़िंदगी सुहानी है
ये सुना था मगर नहीं होती

'बद्र' ये भी खुदा की रहमत है
आगही सबके घर नहीं होती

भला इंसान तन्हा रो रहा है
सरे, बाज़ार सबकुछ हो रहा है

हलफ़ किसने उठाया है वफ़ा का
ये रोना शह्र सारा रो रहा है

वो अपनी आस्तीं के दाग़ छुपा कर
हमारे ही लहू से धो रहा है

बनाकर सल्तनत का तुमको वारिस
हर इक मज़दूर किस्मत ढो रहा है

उजाले आज निकलें या किसी दिन
अभी तो 'बद्र' सूरज बो रहा है

अँधेरा तुमको तुमसे हार देगा
उजाला मुंह पे थप्पड़ मार देगा

हमारे हम से इक खिड़की खुलेगी
तुम्हारा 'मैं', नई दीवार देगा

तुम्हें महंगी पड़ेगी जी हजूरी
मुझे आसानियां इनकार देगा

परिंदे खेत जंगल कह रहे हैं
दिया है जिसने वो हर बार देगा

अभी तो 'बद्र' तेरी इब्तिदा है
बहुत आलम तुझे तो प्यार देगा

वो जब देगा जो कुछ देगा, देगा अपने वालों को
वैसे भी कुछ मिलता कब है धूप में तपने वालों को

दीन धरम महफ़ूज़ हैं लेकिन तस्वीरों जुज़्दानों में
वक़्त पड़े तो ले आते हैं माला जपने वालों को

ख़्वाबों की बारिश तो सारे ज़ख़्म हरे कर देती है
नींद कहां से आएगी फिर भीगे सपने वालों को

अख़बारों की सूर्ख़ी बनना सबके बस की बात नहीं
ऊंचा मोल चुकाना पड़ता है रोज़ के छपने वालों का

जाने कैसे ऐसे वैसे आगे बढ़ते जाते हैं
पास से जा कर किसने देखा 'बद्र' पनपने वालों को

विवेक 'निर्मल'

मूल नाम : विवेक कुमार
जन्मतिथि : 30-4-1966
शिक्षा : स्नातक, आई.जी.डी. (मुंबई) एल.एल.बी.
प्रकाशन : अनेक पत्र-पत्रिकाओं में रचनाएं प्रकाशित। 'प्रमार्थ' (त्रैमासिक) सम्पादन, संस्कृत स्मारिका (प्रबंध सम्पादक), 'आकार' पत्रिका के संपादन में सहयोग।
सम्मान/पुरस्कार: अनेक संस्थाओं द्वारा सम्मानित।
सम्प्रति : व्यापार एवं सहारा इण्डिया परिवार प्रतिनिधि।
सम्पर्क : बी एस—17/18, दीनदयाल नगर-1, मुरादाबाद (उ.प्र.)
फोन : 0591 2452370 (नि.)
2459165 (का.)

चाह में बेटे की जिसको बेटियां मिलने लगीं
प्यार के बदले में उसको झिड़कियां मिलने लगीं

ज़िंदगी का गीत हो कैसे मुकम्मल दोस्तो
गीत के हर छन्द में जब ख़ामियां मिलने लगीं

खुशबुओं का शहर जब आने लगा नज़दीक तो
रास्ते में खूबसूरत तितलियां मिलने लगीं

ज़लज़लों में जाति मज़हब के सभी कुछ ढह गया
हर तरफ़ उजड़ी हुई कुछ बस्तियां मिलने लगीं

इस तरह भारी पड़ी कुछ ज़िंदगी पर हसरतें
दुख के पंखों से लटकती रस्सियां मिलनें लगीं

प्यार में घात भी होगी हमें मालूम न था
बेसबब बात भी होगी हमें मालूम न था

हम उजालों में सदा रहने के आदी ही रहे
बाद में रात भी होगी हमें मालूम न था

हमने इन्सान में इन्सान को ढूंढा है सदा
उसकी कुछ जात भी होगी हमें मालूम न था

हार और जीत तो हर खेल का हिस्सा है मगर
जीत में मात भी होगी हमें मालूम न था

वंदना मान के 'निर्मल' जिसे गाया हमनें
वो कभी मात भी होगी हमें मालूम न था

तूने जब पुकारा मुझे
ज़िंदगी ने संवारा मुझे

बात दो चार पल की न कर
उम्र भर दे सहारा मुझे

जब भी रिश्तों की महफ़िल सजी
सबने माना तुम्हारा मुझे

एक परछाई बन ज़िंदगी
कर रही थी इशारा मुझे

भूल जाऊं न मंज़िल कहीं
तू बचा ले खुदारा मुझे

हौसला कर ले ज़रा सचमुच सबल है ज़िंदगी
रुख़ हवा का मोड़ दे तू फिर सफल है ज़िंदगी

इन्द्र धनुषी रंग में लिपटी हुई खिलती हुई
होंठ पर आई हुई मीठी ग़ज़ल है ज़िंदगी

स्वाद कड़वा है मगर तासीर मीठी है बहुत
ये किसी मज़दूर के माथे का जल है ज़िंदगी

ज़िंदगी को वक़्त के पारे ने यूं समझा दिया
भार लगती है मगर फिर भी तरल है ज़िंदगी

नील कंठी लग रहा है हर बशर इस दौर का
घूंट बनकर कंठ में अटकी गरल है ज़िंदगी

हँसता और हँसाता चल
मानव धर्म निभाता चल

करके अच्छे काम यहीं
सबके मन को भाता चल

मंदिर, मस्जिद, गुरुद्वारा
सबको शीश नवाता चल

जब-जब घबराए दिल
गीत नया फिर गाता चल

ये दुनिया है एक सराय
मन को ये समझाता चल

नौशाब 'सुहैल' दतियावी

मूल नाम : काज़ी नौशाब उद्दीन अहमद
जन्मतिथि : 26.10.1967
शिक्षा : एम.ए.साहित्य, अदीब माहिर, अदीब कामिल, वैद्य विशारद।
प्रकाशन : दर्द-ए-हयात। फ़िशार-ए-कर्व (प्रकाशनाधीन)
सम्मान/पुरस्कार: 'दर्पण ग़ज़ल श्री, ग़ज़ल रत्न, वागार्थ भूषण सहित अनेक संस्थाओं द्वारा सम्मानित/पुरस्कृत।
सम्प्रति : प्राइवेट प्रैक्टिस (यूनानी हकीम)
सम्पर्क : सुहैल मंज़िल, 61/13 तलैया मौहल्ला दतिया (म.प्र.)
फ़ोन. 07522-236455

पहले किसी का था न कोई अब किसी का है
यह वाक़या तो दोस्तो हर गुज़री सदी का है

हमने तो अपना ग़म जो सुनाना शुरू किया
तुम हँस दिये ये कौन सा मौका हँसी का है

फूलों के बदले राह में कांटे बिछा दिये
क्यूं मान लें ये काम किसी अजनबी का है

मैं क्या बताऊं आप ही पढ़ लें निगाह से
चेहरे पर लिखा हाल मेरी बेबसी का है

मैं खुद ही जल रहा हूँ सरे-राह देख लो
कब मुझको इंतज़ार किसी रोशनी का है

कहीं बुझा न दे 'सुहैल' उसे बेरहम हवा
मस्जिद की है अजान ये दिया आरती का है

न इधर देखिये न उधर देखिये
टूटे हुए परिन्दा के यह पर देखिये

सच बोलने पर यह कैसा इनाम
कि हाथों में लोगों के पत्थर देखिये

क़त्ल करके बन गया वो मुजरिम
न चेहरे पर उसके कोई डर देखिये

मिटा ले थकन आ मेरी छांव में
कह रहा है यह बूढ़ा शजर देखिये

मेरी सूरत पे न जाओ तुम ऐ 'सुहैल'
देखना है तो मेरा बस हुनर देखिये

रात भर ख़्वाबों में आता कौन है
यूं मेरी नींदे उड़ाता कौन है

आज तक मैं जान पाया ही नहीं
आपकी नज़रों में अच्छा कौन है

एक ही रब के हैं जब बंदे सभी
फिर यहां अपना पराया कौन है

नेकियों के रास्ते तो हैं बहुत
ये बताओ इन पर चलता कौन है

बांटने किससे चले हो ग़म 'सुहैल'
इस शहर में आज अपना कौन है

वो इस तरह दान करना चाहता है
जैसे कोई एहसान करना चाहता है

छीनकर मुझसे वो मेरी मुहब्बत
मुझे ही हैरान करना चाहता है

सैय्याद तोड़कर परिन्दे के परों को
क्यूं उसे बेजान करना चाहता है

वो कदीम दुश्मनी दिल से भुलाकर
जदीद जान पहचान करना चाहता है

हैरत अंगेज़ काम हैं सारे कुदरत के
'सुहैल' अब उसे इंसान करना चाहता है

यहां जो भी ग़रीब है प्यारे
मेरी नज़रों के क़रीब है प्यारे

वो जो हाथों में लिये है ख़ंजर
वो ही अपना हबीब है प्यारे

क़त्ल करने को है आमादा
शायद उसका रक़ीब है प्यारे

सच्चाई लिखता है इस दौर में
कोई ऊंचा अदीब है प्यारे

सारे जहां को चलता है साथ लेकर
यह 'सुहैल' भी अजीब है प्यारे

सत्येन्द्र सेंगर

जन्मतिथि : 24-1-1968, रीवा

शिक्षा : एम.कॉम., एस.ए.(समाज शास्त्र) एल.एल.बी.

प्रकाशन : संवेदना के स्वर (ग़ज़ल-संग्रह) सहित अनेक विधाओं की आधा दर्जन पुस्तकें प्रकाशित। अनेक पत्र-पत्रिकाओं में रचनाएं प्रकाशित। अनेक पत्रिकाओं का समय समय पर संपादन।

सम्मान : इफको द्वारा ''उदीप्तमान् नव प्रतिभा'' सहित अनेक संस्थाओं द्वारा सम्मानित।

सम्प्रति : 1992 से वकालत के पेशे में संलग्न। 1993 से आकाशवाणी रीवा में आकस्मिक उद्‌घोषक के रूप में संबद्ध।

सम्पर्क : मॉडल स्कूल के सामने, वि. वि. मार्ग,
रीवा (म.प्र.) 486001
फोन : (07662) 251446
मो. : 9425186565

लड़ाते हैं ज़बानों को, यहाँ वाले वहाँ वाले
जलाते आशियानों को, यहाँ वाले वहाँ वाले

नहीं उर्दू, नहीं हिन्दी, हमारी बोलियाँ ख़ालिस
लगाते हैं दुकानों को, यहाँ वाले वहाँ वाले

महज़ लिखने के अंतर से कहाँ है फ़र्क जीने में
सुनाते फ़र्क कानों को, यहाँ वाले वहाँ वाले

भले साँझे हमारे ग़म भले आँखें हो सबकी नम
दिखाते आसमानों को, यहाँ वाले वहाँ वाले

वही उल्फ़त, वही नफ़रत, वही उम्मीद का दामन
रुलाते पर सयानों को, यहाँ वाले वहाँ वाले

रहनुमाओं की अदा है कौन जाने
देश को क्या क्या बदा है कौन जाने

कर्ज़ तो बेशक 'अजन्मे' पर लदा है
और सर क्या-क्या लदा है कौन जाने

है तरक्की के लिये ये दौड़ ज़ाहिर
स्वार्थ सब ढाँका मुंदा है कौन जाने

अब नहीं अरदास की सुनवाई होती
कलयुगी अपना खुदा है कौन जाने

कल वो अपनी बात पे क़ायम रहेगा
सामने ही मैकदा है कौन जाने

जबसे तूफ़ान में डाल दी कश्तियाँ
रात भर जागती ही रहीं बस्तियाँ

जिनके वादों पे हम डूबने को चले
रहनुमा वो सभी कर रहे मस्तियाँ

फिर नई साज़िशें फिर नई ख़्वाहिशें
राजधानी में फिर जुड़ रहीं हस्तियाँ

ख़ून से फिर सनी न्यूज़ अख़बार की
फिर अंधेरों ने की कुछ नई नस्तियाँ

जागते ही रहो है समय ये बुरा
ये ख़तरनाक हैं रात की गश्तियाँ

ज़िन्दगी का हिसाब, उफ़ तौबा
ग़म हुआ आफ़ताब, उफ़ तौबा

तुमसे मिलने के बाद क्या कह दें
ख़्वाब दर आए ख़्वाब, उफ़ तौबा

बच सकेंगे? सदी के फ़ैशन से
तन पे कपड़े जनाब, उफ़ तौबा

हाथ सबके लहू-लुहान हुए
कंटकों में गुलाब, उफ़ तौबा

जो कि बदमाशियों में शामिल थे
वो ही देंगे ख़िताब, उफ़ तौबा

भोर का सम्मान होगा एक दिन
तू हमारे नाम होगा एक दिन

कर रहा जो साज़िशें रातों से मिल
शख़्स वो बदनाम होगा एक दिन

है अगर वहशत सियासत ग़म न कर
इसका भी अंजाम होगा एक दिन

डर के मत तू छोड़ना जीना सखे
प्रेम ही सरनाम होगा एक दिन

जिन घरों से आ रही है आंधियाँ
अम्न का पैग़ाम होगा एक दिन

मोईनुद्दीन 'शाहीन'

जन्मतिथि : 2-2-1968, अजमेर
शिक्षा : एम.ए. (हिन्दी, उर्दू) पी.एच.डी. उर्दू
प्रकाशन : दस पुस्तकें प्रकाशित
सम्मान/पुरस्कार:अनेक संस्थाओं द्वारा सम्मानित।
सम्प्रति : विभागाध्यक्ष (उर्दू), स्नातकोत्तर
सम्पर्क : राजकीय डूंगर महाविद्यालय, बीकानेर
(राज.) 334001
फोन. 0151 2528236
मो.- 9413940070

तबाही नहीं है तो फिर और क्या है
अदब चन्द सिक्कों में बिकने लगा है

ये आंगन का सन्नाटा बतला रहा है
मुज़क्कर-मुअन्नस में झगड़ा हुआ है

ज़हानत जहालत को पनपा रही है
तदब्बुर मुदब्बिर से रूठा हुआ है

मिलाते हैं हर रोज़ हम हाथ लेकिन
दिलों में अभी तक वही फ़ासला है

चलन कैसा बिगड़ा है शे'र-ओ-सुख़न का
तरन्नुम तसव्वुर पे ग़ालिब हुआ है

सियासत सक़ाफ़त की दुश्मन बनी है
अरे ओ ज़माने तुझे कुछ पता है

ब'ज़ाहिर ये रस्म-ए-सुबुकदोशी है पर
ब'बातिन नए दौर की इब्तिदा है

क़लम सफ़्फ़ाक होता जा रहा है
बहुत बेबाक होता जा रहा है

हक़ीक़त रूनुमा होने लगी है
लबादा चाक होता जा रहा है

हमें दा'वा था जिसकी कमसिनी का
वो अब चालाक होता जा रहा है

हवाएँ ले गयीं पानी उड़ा कर
समन्दर ख़ाक होता जा रहा है

गुलिस्तान-ए-अदब अफ़सोस 'शाहीं'
ख़स-ओ-ख़ाशाक होता जा रहा है

तमद्दुन की दुहाई दे रहा है
मगर झूठी गवाही दे रहा है

बहुत ज़्यादा सफ़ाई दे रहा है
मुझे ख़दशा दिखाई दे रहा है

मुझे दर्दे जुदाई दे रहा है
अमानत क्यूँ पराई दे रहा है

इलाही ख़ैर हो इंसानियत की
दग़ा भाई को भाई दे रहा है

चटानों की तहों मे आज किसका
ये फिर रोना सुनाई दे रहा है

आन बाक़ी न शान बाक़ी है
सिर्फ़ टूटा मकान बाक़ी है

थम गया सिलसिला मसाफ़त का
पर अभी तक थकान बाक़ी है

मुन्तहिन बारहा ये कहता है
आख़िरी इम्तिहान बाक़ी है

साइबाँ मेरा छीनने वाले
सर पे ये आसमान बाक़ी है

ज़ख़्म तो भर गया मगर 'शाहीं'
हल्का-हल्का निशान बाक़ी है

सदा साहिल पे जब तूफ़ान देगा
ख़ुदा रहमत की चादर तान देगा

सितारों के जहाँ में वो बसा है
मिरे होठों को जो मुस्कान देगा

उसे हम ज़िंदगी का दर्स देंगे
हमें जो मौत का सामान देगा

ख़ुदा-ए-पाक ही देता है सबको
भला इंसाँ को क्या इन्सान देगा

वो दिन कब आएगा अल्लाह जब तू
मुझे सबसे अलग पहचान देगा

चेतन आनंद

जन्मतिथि : 5-6-1968
शिक्षा : बी.कॉम., एम.ए. (हिन्दी), बी.एड.
प्रकाशन : अल्फाज़ के पंछी, माँ, तथा एक अन्य गीत संकलन। अनेक पत्र-पत्रिकाओं में रचनाएं प्रकाशित।
सम्मान/पुरस्कार: अनेक राष्ट्रीय एवं अंतर्राष्ट्रीस संस्थाओं द्वारा सम्मानित।
सम्प्रति : संवाददाता, दैनिक हिन्दुस्तान।
सम्पर्क : 426/एस-1, शालीमार गार्डन-1, साहिबाबाद।
फोन : 0120 404381, 2404382
मो : 9310726460

अजब अनहोनियां हैं फिर, अंधेरों की अदालत में
उजाले धुन रहे हैं सिर, अंधेरों की अदालत में

पुजारी ने बदल डाले धरम के अर्थ जिस दिन से
सिसकता है कोई मंदिर, अंधेरों की अदालत में

सवेरा बांटने के जुर्म में पकड़ा गया जो कल
वो सूरज आज है हाज़िर, अंधेरों की अदालत में

जो डटकर सामना करता रहा दीपक वो सुनते हैं
वकीलों से गया है घिर, अंधेरों की अदालत में

सुना है फिर कहीं पर रोशनी की द्रौपदी 'चेतन'
घसीटी ही गई आख़िर, अंधेरों की अदालत में

मैंने देखो आज नए अंदाज़ के पंछी छोड़े हैं
ख़ामोशी के फ़लक में कुछ आवाज़ के पंछी छोड़े हैं

चहकेंगे अब छत, आंगन, गलियारे और कोना-कोना
मैंने तेरे घर के अंदर साज़ के पंछी छोड़े हैं

अब इनकी क़िस्मत है चाहे जितनी दूर तलक जाएं
मैंने कोरे काग़ज़ पर अल्फ़ाज़ के पंछी छोड़े हैं

वापिस लौटके आ जाएंगे ऐसा सोच रहे हैं जो
उनसे मत कहना हमने परवाज़ के पंछी छोड़े हैं

चंद बुज़ुर्ग ये बोले मुझसे इन्हें हिफाज़त से रखना
हमने आंधी के रस्ते आग़ाज़ के पंछी छोड़े हैं

पसोपेश में हूँ ये क्या बात निकली
जिसे दिन कहा था वही रात निकली

न दूल्हा, न बाजे, न ढोलक, न गाने
मेरे घर से कैसी ये बारात निकली

समंदर ने क्या कह दिया बादलों से
जो धरती को छूने ये बरसात निकली

उसे मिल गईं शोहरतें मुझसे पहले
ये किसके हुनर की करामात निकली

मिले वो, न देखा, न बोले, न बैठे
हमारी ये कैसी मुलाक़ात निकली

इस प्यार में जो इतनी तासीर नहीं होती
ये अश्क नहीं होते ये पीर नहीं होती

ख़त तुझको लिखूं भी तो ख़त कैसे लिखूं तुझको
अल्फ़ाज़ तो होते हैं तासीर नहीं होती

हम भी न लेते आकाश में अपना घर
मेहनत से अगर पहले तक़दीर नहीं होती

अल्फ़ाज़ ही होते हैं शमशीर सरीखे सुन
अल्फ़ाज़ के हाथों में शमशीर नहीं होती

सब लोग समस्याएं मिलजुल के जो हल करते
माहौल की ये हालत गम्भीर नहीं होती

जो नफ़रत का जज़्बा दिलों में रहेगा
यक़ीनन ज़हन मुश्किलों में रहेगा

जिसे गंध मिट्टी की महसूस होगी
गुलों की वही महफ़िलों में रहेगा

जिसे मानते थे मसीहा हम अपना
पता क्या था वो क़ातिलों में रहेगा

जो धारों में है पास आने की चाहत
वो जज़्बा कहां साहिलों में रहेगा

करें लाख जद्दोजहद ज़िंदगी भर
मेरा ज़िक्र नाक़ाबिलों में रहेगा

ईश्वर चन्द्र त्रिपाठी

जन्मतिथि : 2-7-1968

शिक्षा : एम.ए. (हिन्दी), एम.एड, पी.एच.डी.

प्रकाशन : 'तुम भी इसी शहर में, हम भी इसी शहर में' ग़ज़ल-संग्रह सहित दो भोजपुरी खंड काव्य एवं एक मुक्तक संग्रह प्रकाशित। अनेक पत्र-पत्रिकाओं में रचनाएं प्रकाशित।

सम्मान/पुरस्कार: उ.प्र. हिन्दी संस्थान, लखनऊ द्वारा सर्जना पुरस्कार, विश्व भोजपुरी सम्मेलन में महामहिम राज्यपाल (उ.प्र.) द्वारा सार स्वत सम्मान।

सम्प्रति : श्री दुर्गा पी.जी. कालेज में अध्यापन।

सम्पर्क : प्रवक्ता बी.एड. विभाग, श्री दुर्गाजी पी.जी. कालेज, चण्डेश्वर,आज़मगढ़ (उ.प्र.)

हँस-हँस के याद करके भुलाए गए हैं हम
कैसे बताएं कितना सताए गए हैं हेम

कुदरत का करिश्मा है कि हम सामने खड़े
वरना हज़ार बार मिटाए गए हैं हम

अपनों ने मुझे बेचा है ग़ैरों ने ख़रीदा
हर रोज़ ख़जाने से चुराए गए हैं हम

मत ज़िंदगी के जश्न की तस्वीर खींचिये
मुस्काना जब भी चाहा, रुलाए गए हैं हम

ऐसे चिराग़ जिसमें कि बाती न तेल है
तूफ़ान में बेख़ौफ़ जलाए गए हैं हम

श्मशान पर जब आँख खुली तो समझ गए
करने के लिये क़त्ल जिलाए गए हैं हम

कफ़न बंधा मैंने इक सेहरा देख लिया
असली चेहरा, नक़ली चेहरा देख लिया

घर की दीवारों के जब से कान हुए
इंसानों को गूंगा-बहरा देख लिया

मिट्टी के कारिन्दे सोने के ख़ंजर
आंखों के पहरों पे पहरा देख लिया

घूंघट में ज्वालामुखियाँ, लहरों में लपटें
दिल को सागर से भी गहरा देख लिया

तुम भी मेरे साथ चढ़ोगे सूली पर
मैंने भी क्या ख़्वाब सुनहरा देख लिया

रेत का घर है जहां, तू इसे अपना न समझ
आदमी, आदमी है, इसको खिलौना न समझ

सबकी तस्वीर सजाए कि निहारे तुमको
ये मेरी आंख है तूं इसको आईना न समझ

बेज़बां पुतले तेरी ज़्यादती कहें न कहें
आह तो निकलेगी ही तूं इन्हें गूंगा न समझ

बाढ़ आई है किनारे भी साथ छोड़ गए
बगल में मौत खड़ी है, मुझे तन्हा न समझ

भोजपत्रो पे लिखे मन्त्र सी तेरी आँखें
इसे बाज़ार में बिकता हुआ सौदा न समझ

अपनी तन्हाई में भी रहता कभी तनहा नहीं
लोग जैसा सोचते हैं, ग़म मेरा वैसा नहीं

इक तुम्हीं तो थे हमारी ज़िंदगी में और क्या
छोड़कर जाने से पहले क्या इसे सोचा नहीं

घुप्प अंधेरे में दम निकलेगा लो अच्छा हुआ
अपनी बरबादी का मंज़र देखना अच्छा नहीं

हर तरफ़ कांटे ही कांटे उग गए दीवार पर
सहने-गुलशन में कोई भी फूल का पौधा नहीं

तुम हमारा मौत से परिचय करा देते अगर
कल से इस दुनिया में कोई दूसरा मरता नहीं

उसके ख़याल गुज़रे जब मेरी गली से आज
हमने कई सवाल किये ज़िंदगी से आज

जलते हुए साहिल पर बादल झुलस रहे हैं
लपटें निकल रही हैं, जैसे नदी से आज

अपनी तलाश करके इस भीड़ में जहां की
फिर पूछने लगा हूँ खुद को किसी से आज

इक पंखुड़ी गुलाब की खिलने से रह गई
मुंह फेर कर चला गया वो बेरुख़ी से आज

कोई भी मिलने आए तो कह दीजिए इस वक़्त
मशगूल हूँ मैं मशविरे से इस सदी से आज

वीरेन्द्र खरे 'अकेला'

जन्मतिथि : 18-8-1968, छतरपुर (म.प्र.)

शिक्षा : एम.ए. (इतिहास), बी.एड.

प्रकाशन : अनेक पत्रिकाओं/संकलनों में रचनाएं प्रकाशित। दो ग़ज़ल संग्रह 'शेष बची चौथाई रात' एवं 'सुब्ह की दस्तक प्रकाशित'।

सम्मान/पुरस्कार: 'अभियान' जबलपुर द्वारा 'महादेव प्रसाद सामी' 'हिन्दी भूषण' सहित अनेक संस्थाओं द्वारा सम्मानित।

सम्प्रति : अध्यापन।

सम्पर्क : छत्रसाल नगर के पीछे, पन्ना रोड, छतरपुर (म.प्र.) 471001
फोन - (07682) 246619
मो. - 9981585601

कहाँ खुश देख पाती है किसी को भी कभी दुनिया
सुकूँ में देख कर हमको न कर ले ख़ुदकुशी दुनिगा

ख़ता मुझसे जो हो जाए नज़र-अंदाज़ कर देना
कभी मत रूठ जाना तुम तुम्हीं से है मेरी दुनिया

मिला है राम को वनवास यीशू को मिली सूली
हुई है आज तक किसकी सगी ये मतलबी दुनिया

जो पैसा हो तो सब अपने न हो तो सब पराए हैं
ज़रा सी उम्र में ही मैंने यारो देख ली दुनिया

न हँसने दे, न रोने दे, न जीने दे, न मरने दे,
करें तो क्या करें क्या चाहती है सरफिरी दुनिया

'अकेला' छोड़ दे हक़ बात पे अड़ने की ये आदत
सर आँखों पर बिठा लेगी तुझे भी आज की दुनिया

ये घातों पर घातें देखो
क़िस्मत की सौग़ातें देखो

दिन अंधियारों में डूबे हैं
उजली-उजली रातें देखो

धरती को जन्नत कर देंगे
मक्कारों की बातें देखो

सौ-सौ ख़्वाबों को पाले हैं
आँखों की औक़ातें देखो

ग़ज़लें, मुक्तक, गीत, रुबाई
दर्दों की सौग़ातें देखो

सूर्य से भी पार पाना चाहता है
इक दिया विस्तार पाना चाहता है

किस क़दर है सुस्त सरकारी मुलाज़िम
रोज़ ही इतवार पाना चाहता है

अम्न की चाहत यहाँ है हर किसी को
हर कोई तलवार पाना चाहता है

मैं तेरी ख़ातिर उपस्थित हो गया हूं
और क्या उपहार पाना चाहता है

जिसका मिल पाना असम्भव है 'अकेला'
दिल वही हर बार पाना चाहता है

कोई मंज़र नज़र को भाता नहीं
तेरा चेहरा भी याद आता नहीं

क्या हसीं ख़्वाब बीच में टूटा
काश कुछ देर तू जगाता नहीं

रिश्ते आते कहाँ हैं उसके लिए
लड़का अच्छा है पर कमाता नहीं

मयकशी कब की छोड़ बैठा हूँ
पीने-पाने से दर्द जाता नहीं

बात 'अकेला' की और है वरना
दर्द में कोई गुनगुनाता नहीं

तबीयत हमारी है भारी सुबह से
कि याद आ गई है तुम्हारी सुबह से

नहीं थी जो चीनी तो कल ही बताती
करेगा न बनिया उधारी सुबह से

बता दे कि हम ख़ुद ही सोए थे भूखे
खड़ा अपने द्वारे भिखारी सुबह से

न उसकी हमारी अदावत पे जाओ
हुआ रात झगड़ा तो यारी सुबह से

परिंदों की दहशत है वाजिब 'अकेला'
खड़े हर तरफ़ हैं शिकारी सुबह से

कविता 'किरण'

जन्मतिथि : 17-9-1968, उज्जैन

शिक्षा : एम.कॉम., डी.आर. लिट्ट

प्रकाशन : ग़ज़ल-संग्रह 'दर्द का सफ़र' और 'तुम्ही कुछ कहो ना' सहित अनेक विधाओं की लगभग एक दर्जन पुस्तकें प्रकाशित।

सम्मान : सिक्किम के मुख्यमंत्री श्री पवन चामलिंग द्वारा सम्मानित; टेपा सम्मान, उज्जैन; रोटरी क्लब, गेंगटोक सहित अनेक संस्थाओं द्वारा सम्मानित।

सम्प्रति : स्वतंत्र लेखन।

सम्पर्क : नेहरू कॉलोनी, फालना स्टेशन-306116, जिला-पाली (राज.)
मो. : 09414523730, 09829317780

कहने को तो दोनों ही दो जिस्म मगर इक जान रहे
लेकिन वो हमसे हम उनसे जीवन भर अनजान रहे

एक ही छत के नीचे थी दोनों की दुनिया अलग-अलग
अपने ही घर में बरसों तक बनकर के मेहमान रहे

नहीं पता था उन्हें हमारा हमको उनकी ख़बर न थी
इक दूजे की ख़ातिर केवल जीने का सामान रहे

तन्हा-तन्हा खुद में जीना और खुद में ही मर जाना
अनजाने में इक दूजे का करते बस नुकसान रहे

मन में लादा मौन साध इक अनचाहे रिश्ते का बोझ
ना निगला ना उगला उसको करते बस विषपान रहे

जिंदगी को इक नया-सा मोड़ दे
अपनी कश्ती को भंवर में छोड़ दे

हौंसले की इक नई तहरीर लिख
ख़ौफ़ की सारी हदों को तोड़ दे

फिर किसी इज़हार को स्वीकार कर
इक नए रिश्ते से रिश्ता जोड़ दे

जिसका हासिल हार है बस हार है
क्यूं भला जीवन को ऐसी होड़ दे

ज़िंदगी के मसअलों को ऐ 'किरण'
दे कोई भी हल मगर बेजोड़ दे

ज़ुल्फ जब खुलके बिखरती है मेरे शाने पर
बिजलियां टूटके गिरती हैं इस ज़माने पर

हुस्न ने खाई क़सम है नहीं पिघलने की
इश्क़ आमादा है इस बर्फ़ को गलाने पर

ताक़ में बैठे हैं इंसान और फ़रिश्ते भी
सबकी नज़रें हैं टिकी रूप के खज़ाने पर

मुंतज़िर हैं ये नज़ारे, नज़र मिला लूँ पर
शर्म का बोझ है पलकों के शामियाने पर

लोग समझे कि 'किरण' तू है कोई मयख़ाना
कोई जाता ही नहीं अब शराबखाने पर

अबके तनखा दे दो सारी बाबूजी
अबके रख लो लाज हमारी बाबूजी

इक तो मार ग़रीबी की लाचारी है
उस पे टी बी की बीमारी बाबूजी

भूखे बच्चों का मुरझाया चेहरा देख
चलती दिल पे रोज़ कटारी बाबूजी

आधा पेट काट ले जाता है बनिया
खाके आधा पेट गुज़ारी बाबूजी

पीढ़ी-पीढ़ी खप गई ब्याज चुकाने में
फिर भी क़ायम रही उधारी बाबूजी

किसी की जुदाई का ग़म ही नहीं
कोई हमसफ़र हमक़दम ही नहीं

उलझ जाए न दिल कोई इसलिये
रखे मैंने ज़ुल्फ़ों में ख़म ही नहीं

मुहब्बत की दुश्वारियां वो जहां
पड़े उस जगह पे क़दम ही नहीं

सताए जिसे टूट जाने का डर
कभी खाई ऐसी क़सम ही नहीं

निभाना 'किरण' है निभा लो अभी
हमें लेना अगला जनम ही नहीं

रचना शुक्ला

जन्मतिथि : 19-11-1968, शाहजहाँपुर उ.प्र.

शिक्षा : बी.ए. (ऑनर्स), एम.ए. (हिन्दी साहित्य)

प्रकाशन : रचनाएं पत्र-पत्रिकाओं में प्रकाशित। विगत कई वर्षों से 'खनक' मासिक पत्रिका का सम्पादन।

सम्मान : नवयुवक सांस्कृतिक समिति, रायल बार एसोसियेशन, सहित अनेक संस्थाओं द्वारा सम्मानित। 'अमृता प्रीतम' सम्मान।

सम्प्रति : लेखन एवं सम्पादन

सम्पर्क : ई-3/574, विनीत खण्ड, गोमती नगर, लखनऊ (उ.प्र.)
फोन : 9839323126

क्या कहें किसका नाम है औरत
दर्द का इन्तक़ाम है औरत

देश आज़ाद, आप भी आज़ाद
और अब तक ग़ुलाम है औरत

आज भी आदमी की नज़रों में
घर गृहस्थी का काम है औरत

चन्द अय्याश मयकशों के लिए
एक रंगीन शाम है औरत

कौन जाने ये किसकी 'रचना' है
और किसका कलाम है औरत

फिर तुम्हें कुछ आज कहना चाहते हैं
हम तुम्हारे पास रहना चाहते हैं

जी लिया सुख चैन का जीवन बहुत
फिर कोई दुख-दर्द सहना चाहते हैं

बादलों में, बिजलियों में शोर है
चाँद सा ख़ामोश गहना चाहते हैं

बंधनों को छोड़ दो ढीला ज़रा
हम हवा के साथ बहना चाहते हैं

पत्थरों सा सख़्त मन 'रचना' हुआ
खण्डहरों सा आज ढहना चाहते हैं

खुद को खुद ही संवार कर देखो
अक़्स अपना निहार कर देखो

जब सहारे की ज़रूरत हो तो
खुद को, खुद ही पुकार कर देखो

जो हुआ, सो हुआ भुला दो सब
बोझ सारे उतार कर देखो

प्यार से बढ़के नशा क्या होगा
आदतों में शुमार कर देखो

याद आए कभी अगर 'रचना'
आइने को उतार कर देखो

आरज़ू ही अगर नहीं होती
ज़िन्दगी दर-ब-दर नहीं होती

उसको चाहा तो क्या पता था हमें
चाहतों पर गुज़र नहीं होती

तुम मिले तो ये दिल ने मान लिया
हर दुआ बे-असर नहीं होती

अब न पूछे कोई पता उसका
दिल्लगी उम्र भर नहीं होती

अपना चेह्रा भी एक किताब हुआ
यूँ ही 'रचना' अमर नहीं होती

लोग चाँद पर बसने की तैयारी में हैं
हम तो अब भी अपनी चार दिवारी में हैं

सीमाओं पर कुछ शहीद हो रहे देशहित
और यहाँ कुछ गद्दी पर ग़द्दारी में हैं

कहीं 'रौशनी' मर्यादा पर जान लुटाती
कुछ परियाँ फैशन की मारामारी में हैं

तुम्हें तख़्त है दिया, पलट भी सकते हैं हम
जुड़े हुए ये हाथ, नहीं लाचारी में हैं

काग़ज़ रंगने से भी है इतिहास बदलते
'रचना' हम लफ़्ज़ों की दावेदारी में हैं

मंजुश्री 'प्रीति'

मूल नाम : मंजु श्रीवास्तव
जन्मतिथि : 21-11-1968
शिक्षा : बी.ए.
प्रकाशन : पत्र-पत्रिकाओं में रचनाएं प्रकाशित।
सम्प्रति : गृहणी, स्वतंत्र लेखन।
सम्पर्क : डी.एस.10, निराला नगर, लखनऊ
पिन कोड-226207
फोन : (0512)-2582682
मो. : 9415478757

ज़िन्दगी प्यार की इक सज़ा तो नहीं
मेरी चाहत किसी से जुदा तो नहीं

मेरे बस में जो था मैंने वो कर दिया
एक इंसान हूँ कोई ख़ुदा तो नहीं

इसके पहले कि उँगली उठे ग़ैर पर
देख लेना कहीं आईना तो नहीं

सोचना चाहिए अब तो हर एक को
सर पे कोई किसी के बला तो नहीं

बात सुनिये, समझिये हक़ीक़त है क्या
देखियेगा कहीं ये हवा तो नहीं

'प्रीति' के हौसले पस्त कर दे कोई
ऐसा मैंने अभी तक सुना तो नहीं

आशियाना अब नया कोई बसाना चाहिए
चाहतें महफ़ूज़ हों ऐसा ख़ज़ाना चाहिए

आँधियाँ जिनकी बनेंगी खुद यहाँ पर सरपरस्त
ऐसे तूफ़ाँ को यहाँ फिर से उठाना चाहिए

बेगुनाहों को यहाँ गुमराह कर पाएं न वो
आईना सच्चाई का जबरन दिखाना चाहिए

हम नहीं गुमराह, गुमराहे-वतन वो लोग हैं
दोस्तो दुश्मन का अब परचम हटाना चाहिए

वरना गद्दारे-वतन अब बेच देंगे देश को
'प्रीति' अपने भी यहाँ तेवर दिखाना चाहिए

रोना रोते हो क्यूं बेबसी का
कोई होता नहीं है किसी का

ज़िन्दगी जंग है लड़ते रहिए
मत इरादा करें खुदकुशी का

खुद हँसो और हमें भी हँसाओ
है तक़ाज़ा यही ज़िन्दगी का

प्यार है आग का एक दरिया
खेल समझो नहीं ये हँसी का

जो अँधेरों में है 'प्रीति' उनको
आसरा है तेरी रौशनी का

स्वाँग, मस्ती व हुड़दंग हुलारे लिए
दिल धड़कता है अब ये तुम्हारे लिए

सात रंगों में लिपटी हुई है फ़िज़ा
बह रही हैं हवाएं बहारे लिए

तेरी महफ़िल में मैं भी चली आई हूँ
इक तेरे प्यार के ही सहारे लिए

देख करके ज़मीं की सुहानी छटा
चाँद आया ज़मी पर सितारे लिए

'प्रीति' नादान, अल्हड़ व मासूम सी
ख़्वाब आँखों में है कितने सारे लिए

प्यार भरपूर कर लिया मैंने
खुद को मशहूर कर लिया मैंने

ऐ सितमगर तेरी अमानत हूँ
ये भी मंजूर कर लिया मैंने

मेरी साँसों में धुन सी बजती है
दिल को सन्तूर कर लिया मैंने

आसमाँ के सभी सितारों का
रंग सिन्दूर कर लिया मैंने

'प्रीति' तू ही मेरी इबादत है
ऐसा दस्तूर कर लिया मैंने

सूर्य प्रकाश अष्ठाना
'सूरज'

जन्मतिथि : 10-10-1969, भोपाल (म.प्र.)
शिक्षा : एम.ए., एल.एल.बी., ए.वी.आर., एस. आई., एफ.ए., एल.एस.जी.डी.
प्रकाशन : पत्र-पत्रिकाओं व संकलनों में रचनाएँ प्रकाशित।
सम्मान : विभिन्न संस्थाओं द्वारा सम्मानित।
सम्प्रति : नॉन मेडिकल असिस्टेन्ट (कुष्ठ) स्वास्थ्य विभाग, भोपाल (म.प्र.)
सम्पर्क : 31, गली नं. 1, चटाईपुरा, बुधवारा, भोपाल-462001 (म.प्र.)
फोन : (0755) 2736833
मो. : 9826991866

अब समझ में कुछ नहीं आता किधर जाएँगे हम
नफ़रतों के दरमियां रहकर तो मर जाएँगे हम

हम अकेले कब है अपने साथ है सारा बतन
कारवां तो बन ही जाएगा जिधर जाएँगे हम

डर गए गहराई से तो मंज़िलें खो जाएँगी
बीच गहरे पानियों में बस उतर जाएँगे हम

दर्द सहकर सब्र का, हर इम्तिहां के वास्ते
अश्क कहते हैं कि पलकों पर ठहर जाएँगे हम

रौशनी जो इल्म की थोड़ी सी मिल जाए अगर
कितना ही धुँधला हो आईना सँवर जाएँगे हम

धू[illegible] का रिश्ता मेरे आंगन से रुख़सत हो गया
मि[illegible]तें 'सूरज' से करने अब किधर जाएँगे हम

रात भर आपकी याद आती रही
दिन चढ़े भी हमें जो सताती रही

फूल जैसा बदन हो गया आपका
कोई खुश्बू-सी भीतर समाती रही

दीप उम्मीद का जलता-बुझता रहा
दिल में तू ही मेरे झिलमिलाती रही

जिस तमन्ना से हम तुमको देखा किए
उम्र भर वो तमन्ना रुलाती रही

दर्दे-दिल को मेरे बाँटने के लिए
ज़िन्दगी कोई क़िस्सा सुनाती रही

ज़िन्दगी मेहरबान है तो क्या
मौत इक इम्तिहान है तो क्या

भूल जा ज़ख़्म मेरे ऐ दोस्त
ये तेरा योगदान है तो क्या

कह नहीं सकता बात मौक़े पर
फिर भी मुंह में ज़बान है तो क्या

हूँ लपेटे ग़मों की चादर मैं
तू अगर शादमान है तो क्या

ज़ख़्म तो भर गया है अब 'मसिरा'
पीठ पर यूँ निशान है तो क्या

ज़िन्दगी की बहार हो तुम तो
सूने दिल का क़रार हो तुम तो

हम भी कुछ बेक़रार हैं माना
पर बहुत बेक़रार हो तुम तो

दुश्मनों पर किया है ज़ाहिर क्यों
कहने को राज़दार हो तुम तो

क्यों पड़े ज़र्द वक़्त से पहले
फ़स्ले-लालो-बहार हो तुम तो

हम पे क्यों वार बैठे दिल अपना
हाय! क्या होशियार हो तुम तो

चाहतों के कुतर दे पर चाहे
जी उठूंगा मैं, तू अगर चाहे

ग़म ही मिल जाएँ इश्क़ में जिसको
फिर वो खुशियों का क्यों नगर चाहे

मैं तो चाहूँगा उम्रभर तुझको
चाहे तू उसको उम्र भर चाहे

जानता हूँ तेरी वफ़ादारी
क्यों तुझे दिल ये हमसफ़र चाहे

यार तेरा कफ़न में लिपटा है
देखना तुझको इक नज़र चाहे

राना लिधौरी

मूल नाम : राजीव नामदेव 'राना लिधोरी'

जन्मतिथि : 15-6-1972, लिधौरा

शक्षा : बी.एस.सी. (कृषि), एम.ए.(हिन्दी) पी.जी.डी.सी.पी.ए. (कम्प्यूटर)

प्रकाशन : कविता संग्रह 'अर्चना' प्रकाशित। अनेक पत्र-पत्रिकाओं में रचनाएं प्रकाशित। अनेक पत्रिकाओं व काव्य संकलनों का उपसंपादन। ग़ज़ल संग्रह 'प्यार के फूल' सहित लगभग 10 पुस्तकें प्रकाशन की प्रतीक्षा में।

सम्मान/पुरस्कार:'देवकी नन्दन महेश्वरी स्मृति सम्मान' भोपाल सहित देश भर की दर्जनों संस्थाओं द्वारा सम्मानित/पुरस्कृत।

सम्प्रति : अध्यक्ष-म.प्र. लेखक संघ के संस्थापक

सम्पर्क : नई चर्च के पास, शिवनगर कॉलोनी,
टीकमगढ़ (म.प्र.) 472001
फोन : 07683 242529
मो. - 9893520965

हमने सच्चाई को होते हुये बंजर देखा
गर्दने-हक़ पे ही चलता हुआ ख़ंजर देखा

ख़ौफ़ से सहमा हुआ ग़मज़दा शहर देखा
ज़ालिमों का बड़ा जब हर तरफ़ क़हर देखा

जिसको नफ़रत थी ऐ दोस्त हमारे दिल से
अपने ख़्वाबों में उसे हमने बराबर देखा

मिल गया मांगने वाले को दिल से जो चाहा
हमने तो नेक दुआओं में ये असर देखा

उड़ गई नींद भी 'राना' की चैन दिल का गया
जब किसी शोख़ ने बाज़ार में हँस कर देखा

फँस गए दिल को आज़माने में
कब मिटे हैं ग़म शराबख़ाने में

इश्क़ की आग लगी इक पल में
ज़िंदगी खप गई बुझाने में

सारी दुनिया बुरी नहीं यारो
अच्छे इन्सां भी हैं ज़माने में

जिसको सारे जहान में ढूंढा
वो मिला दिल के आशियाने में

ऐसा रूठा वो अपने 'राना' से
ज़िंदगी कट गयी मनाने में

चुपके से मेरे दिल को सदा दे गया कोई
नज़रों से ही पयामे-वफ़ा दे गया कोई

मुरझा गया था दिल का चमन सख़्त धूप में
बरसात बनके रंग हरा दे गया कोई

ऐ दोस्त तेरी याद ही जीने का सहारा
तारीकियों में मुझको ज़िया दे गया कोई

हर वक़्त खुमारी सी है हर पल है बेख़ुदी
मुझको ये जागने की सज़ा दे गया कोई

'राना' नसीब मुझ पे हुआ मेह्रबान तो
उम्मीद से भी ज़्यादा मज़ा दे गया कोई

बेवफ़ा तुझको मैं बेशक नज़र आता हूँ
दुश्मनों के भी मगर दिल में उतर जाता हूँ

दूर कितना भी रहूँ फ़ासले कितने हों मगर
दिल के नज़दीक हमेशा मैं तुझे पाता हूँ

आँख से बहने नहीं देता हूँ आँसू बनकर
ग़म की दौलत को मैं सीने में छिपा आता हूँ

याद जब आती है उस शख़्स की तन्हाई में
दिल को अपने मैं उदासी से घिरा पाता हूँ

ग़ैरों के बल पे सूरज न बनूंगा 'राना'
दीप हूँ मैं तो अंधेरे में टिमटिमाता हूँ

नफ़रत में रक्खा क्या है ज़रा प्यार तो कर
हमारे दिल को मेरे यार बेकरार तो कर

ख़मोशी नहीं अच्छी कुछ इज़हार तो कर
हमसे नहीं है प्यार तो इंकार तो कर

मेहनत से बहुत कुछ तुम्हें मिल जाएगा
हक़ छीना किसी ने तेरा इक़रार तो कर

किसी का वक़्त हमेशा नहीं रहता यकसां
क़िस्मत जो बदले मालिक इन्तज़ार तो कर

क़बूल कर लेगा 'राना' वो तेरे दिल की दुआ
तू उसके नाम ग़ज़ल के भी कुछ अशआर तो कर

नसीमा 'निशा'

जन्मतिथि : 9-9-1972, वाराणसी (उ.प्र.)

शिक्षा : एम.ए. (हिन्दी), पी-एच.डी., बी.एड.

प्रकाशन : अनेक पत्र-पत्रिकाओं में रचनाएं प्रकाशित। 'कारवां', 'प्रगति' पत्रिका में सम्पादन व सहयोग।

सम्मान : काव्य शिरोमणि पुरस्कार, जबलपुर सहित अनेक संस्थाओं द्वारा सम्मानित/पुरस्कृत।

सम्प्रति : अध्यापन कार्य

सम्पर्क : 784/15, कालका माता रोड, पहाड़ा, उदयपुर (राज.) 313001
मो. : 9828012130, 9314485050

कहाँ ज़िन्दगी की दुआ माँगते हैं
जुदा होके उनसे, कज़ा माँगते हैं

रहें हम किसी पर न इक बोझ बनकर
न कुछ और इसके सिवा माँगते हैं

तिजारत नहीं है हमारी मुहब्बत
वफ़ा का न हम कुछ सिला माँगते हैं

सफ़र ज़िन्दगी का तो लगता है मुश्किल
कोई हमसफ़र ऐ खुदा माँगते हैं

किये टुकड़े-टुकड़े 'निशा' जिसने दिल के
उसी की खुशी बारहा माँगते हैं

ये बच्चे हमारे सयाने हुए हैं
ख़याल अब हमारे पुराने हुए हैं

वो नानी, वो दादी के क़िस्से पुराने
सभी भूले बिसरे फ़साने हुए हैं

कहाँ है वो ममता भरी छाँव तुम पे
कहाँ अब तुम्हारे ठिकाने हुए हैं

कब आओगे नूरे-नज़र मेरे आगे
तुम्हें देखे अब तो ज़माने हुए हैं

कभी साथ धड़के 'निशा' दिल हमारे
तो फिर कैसे हम यूँ बेगाने हुए हैं

मेरा दिल यूँ न दुखाने की कोई बात करो
प्यार में यूँ न सताने की कोई बात करो

ले उड़ा सूए-फ़लक प्यार तुम्हारा मुझ को
आसमां से न गिराने की कोई बात करो

मेरे हाथों की लकीरों में बसे हो जानम
तुम न यूँ उनको मिटाने की कोई बात करो

किस ने देखें हैं यहाँ यार मेरे सातों जनम
इसी जनम में निभाने की कोई बात करो

तुम को चाहा है, फ़क़त, तुम को चाहेगी 'निशा'
भूलने की, न भुलाने की कोई बात करो

ऐ ख़ुदा, ऐ ख़ुदा, ऐ ख़ुदा
हर बशर रो रहा, ऐ ख़ुदा

हर तरफ़ आज दुश्वारियाँ
वक़्त क्या आ गया ऐ ख़ुदा

है दुआ वो सदा ख़ुश रहे
कर मुझे ग़म अता ऐ ख़ुदा

मरते-मरते रही जुस्तजू
उसका जलवा दिखा ऐ ख़ुदा

कर रही है 'निशा' ये दुआ
दूर रख हर बला ऐ ख़ुदा

नदी की धार, समन्दर, लहर किनारों ने
लगाया पार, हमेशा ही तेज़ धारों ने

सभी को रौशनी मिलती है आसमाँ से
हमें तो अँधेरा ही बख़्शा है चाँद तारों ने

असीर हौसला उड़ने का दे रहे लेकिन,
हमारे पंख काट दिए हैं हमारे सहारों ने

किसे करें शिकायत कि आइना अपना
किया है चूर-चूर ख़ुद अपने प्यारों ने

'निशा' ख़िज़ा ने हमारा ज़रूर साथ दिया
फ़रेब तो बारहा हमको दिया बहारों ने

आसमां बेगम

जन्मतिथि : 7-3-1773, वाराणसी
प्रकाशन : अनेक पत्रिकाओं में रचनाएं प्रकाशित।
सम्मान : अनेक संस्थाओं द्वारा सम्मानित।
सम्प्रति : अध्यापन।
सम्पर्क : 784/15 कालका माता रोड, पहाड़ा, उदयपुर (राजस्थान)
फोन : 9460573737

ये दिल आइना है आज़माकर तो देखो
मोहब्बत से इसको सजाकर तो देखो

है आसां ज़माने को देना नसीहत
कभी खुद पे पत्थर उठाकर तो देखो

दिखाते हैं जो आइना दूसरों को
उन्हें उनकी सूरत दिखाकर तो देखो

अगर हो न कोई जहाँ में तुम्हारा
खुदा से ज़रा लौ लगाकर तो देखो

हमेशा किया अपने घर को ही रौशन
ग़रीबों का चूल्हा जलाकर तो देखो

अगर इश्क़ में इन्तेहा तक गए हो
कोई ताज फिर से बनाकर तो देखो

खुदा सबके दिल में खुदा की क़सम हैं
इबादत में खुद को भुलाकर तो देखो

आहटों पर तेरे आने का गुमां होता है
दिल की धड़कनों का दर्द जवां होता है

तू रहे ना रहे साथ मगर ऐ हमदम
घर के हर कोने में तेरा ही निशां होता है

दर्द दिल का मेरे कुछ और भी बढ़ जाता है
रूठ के मुझसे कभी तू जो वहां होता है

रुसवा होके भी ना भूली हूँ तेरी उल्फ़त को
हाले जज़्बा मेरी आखों से अयां होता है

ग़म की तासीर से आ जाते हैं आँसू 'असमां'
रहके ख़ामोश भी अफ़साना बयां होता है

दर्द भी मुस्करा के छुपा लेते हैं
ज़िन्दगी इस तरह बिता लेते हैं

दूर रहना ही नहीं दूरी है सुन
प्यार हम दिल से निभा लेते हैं

डर के दुनिया में ना जीना कभी
डरने वालों को ही लोग डरा लेते हैं

बेटियाँ फूल सी नाजुक है चमन की
लोग फिर कैसे उन्हें जला लेते हैं

काँटे भी जो दामन से लगाए यहाँ
'आसमां' वो ही फूल खिला लेते है

दिल लगाने की सज़ा क्या खूब पाई है
देख ले मेरे मौला तेरी दुहाई है

जिस जगह पर मिले हम दोनों कभी
आज भी उस जगह आशनाई है

दास्तां किसको ये सुनाएं बता दे
इसमें भी तो मेरी रुसवाई है

अब मुक़द्दर से क्या करें गिला
जब लिखा था तेरी जुदाई है

दोस्ती क्या है प्यार कुछ भी नहीं
अब तो बस रस्म ही निभाई है

जब-जब हाथ बढ़ाते हैं
ख़ाली ही रह जाते हैं

दूर से दरिया आए नज़र
प्यासे मगर रह जाते हैं

उनसे मिलने जाना है
सोचते ही रह जाते हैं

वो मेरा हमदर्द भी है
इसलिए ग़म सह जाते हैं

कौन है अपना कौन है ग़ैर
उलझन में रह जाते हैं

मीनाक्षी जिजीविषा

जन्मतिथि : 19-5-1973, हिसार
शिक्षा : स्नात्तकोत्तर (हिन्दी, अंग्रेज़ी)
प्रकाशन : दिल के मौसम व पलकों पर रखे स्वप्नफूल (एकल काव्य-संग्रह) सहित अनेक संयुक्त काव्य-संकलनों एवं पत्र-पत्रिकाओं में रचनाएं प्रकाशित।
सम्मान/पुरस्कार: 'राष्ट्रीय-प्रतिभा, भारती रत्न', 'निराला एवं सुभद्रा कुमारी चौहान सम्मान' सहित अनेक संस्थाओं द्वारा सम्मानित।
सम्प्रति : भा.जीवन बीमा निगम में कार्यरत
सम्पर्क : माध्व कुन्ज 892, से.-10, हाऊसिंग बोर्ड कॉलोनी फ़रीदाबाद, हरियाणा।
मो. 9868097468

राग द्वेष की सीमाओं को, हरपल घटते-बढ़ते देखा
मैंने अपने भीतर अक्सर, खुद को जीते मरते देखा

माया कंचन मृग सी आकर सम्मोहित कर जाती है
लक्ष्मण रेखाओं से मन को, बाहर आते जाते देखा

नश्वर है ये काया कहकर, भूल गए हम भी हैं नश्वर
अपनी ही परछाई से पर, जग वालों को डरते देखा

रूप रंग और खुश्बू लेकर, रोज बहारें आती हैं
मैंने दामन को पर मित्रो, काँटों में क्यूं फंसते देखा

एक रहस्य हो तो मैं समझूं 'जिजीविषा' खुद से यूं बोली
आंखों में एक सपना फिर भी, धीरे-धीरे पलते देखा

जब कविता में ढलते आंसू
हीरे-मोती बनते आंसू

डोली विदा हुई है लेकिन
साथ-साथ हैं चलते आंसू

जो शब्दों में नहीं कह सके
उन सबको हैं कहते आंसू

सारा आलम रो पड़ता है
जब आंखों में रुकते आंसू

'जिजीविषा' हर रूप में हमको
आते-जाते मिलते आंसू

हसीं चेहरों के ग़म कौन यहां देखेगा
हंसते फूलों के ज़ख़्म कौन यहां देखेगा

वार गैरों का है सबकी नज़र में लेकिन
आह! अपनों के सितम कौन यहां देखेगा

बुलंदियों की तरफ़ देखके सब हैरान हैं
राह के पेचो-ख़म कौन यहां देखेगा

जो भी मिलता है नया ख़्वाब दिखा देता है
कैसे बढ़ते हैं भरम कौन यहां देखेगा

आप मिल जाते तो कुछ बात बन जाती
और अब कितने जनम कौन यहां देखेगा

अपनी क़िस्मत को संवारा जाए
ज़िंदगी तुझको पुकारा जाए

जाए अब जो भी हमारा जाए
क़र्ज़ सांसों का उतारा जाए

पहले आवाज़ लगा लूं खुद को
दोस्त! फिर तुझको पुकारा जाए

रास्ते बंद हुए हैं सारे मुझपे
किस तरफ दर्द का मारा जाए

टूट कर मेरी तरह से देखो
सिम्त किसको ये सितारा जाए

बेशक अपना दुख मत कह
लेकिन यूं भी चुप मत रह

कौन भला कहता है तुझसे
दरिया बन कर यूं मत बह

ज़ख़्म तेरे कहते हैं तुझसे
जुल्म किसी के यूं मत सह

आग उगल दे शब्दों में
भीतर भीतर यूं मत दह

आप सहारा बन अपना
बांह किसी की भी मत गह

उत्कर्ष 'ग़ाफ़िल'

जन्मतिथि : 2-6-1973, हमीरपुर (उ.प्र.)
शिक्षा : एम.ए.,एल.एल.बी.
प्रकाशन : ग़ज़ल-संग्रह 'आईना तस्वीर का' एवं 'साये'। अनेक पत्र-पत्रिकाओं में रचनाएं प्रकाशित।
सम्मान/पुरस्कार: अनेक संस्थाओं द्वारा सम्मानित।
सम्प्रति : अधिवक्ता
सम्पर्क : देव-शक्ति, के.एफ.-130, नया कविनगर, ग़ाज़ियाबाद (उ.प्र.)
फोन - 0120 2755558
मो. - 9810735253

लेकर तुम्हारा नाम ग़ज़ल कह रहा हूं मैं
पहुंचे मेरा सलाम ग़ज़ल कह रहा हूं मैं

ढलने लगी है शाम ग़ज़ल कह रहा हूं मैं
मौसम का अहतराम ग़ज़ल कह रहा हूं मैं

वो चाँद है कि कोई सितारा ज़मीन पर
उतरा है ज़ेरे-बाम ग़ज़ल कह रहा हूं मैं

ये हौसला भी देख वफ़ा के महाज़ पर
दिल आ गया है काम ग़ज़ल कह रहा हूं मैं

'ग़ाफ़िल' ये इन्तहा-ए-ख़मोशी बहुत हुई
अब साज़े-दिल को थाम ग़ज़ल कह रहा हूं मैं

बिखरती शाम के गेसू संवार आए हम
लो आज वक़्त का क़र्ज़ा उतार आए हम

जो आज मुड़ के ज़रा देखा तो पता ये चला
कि एक उम्र का वक़्फ़ा गुज़ार आए हम

अब और दिल के सिवा अपने पास कुछ भी नहीं
वो एक बाज़ी जो खेली थी हार आए हम

लहू से अपने तेरा आशियां सजाएंगे
कभी जो साथ में लेकर बहार आए हम

ख़ुदा को छोड़िये 'ग़ाफ़िल' ख़ुदा-ख़ुदा न रहा
ख़ुदी से ख़ौफ़ था, सो ख़ुद को मार आए हम

तुझे देखता हूं यहां से वहां तक
कि बस तू ही तू है ज़मीं-आस्मां तक

ये तहज़ीबे-उल्फ़त का ही तो है जादू
जो आती नहीं बात दिल की ज़ुबां तक

न जुगनू है कोई, न कोई दिया है
यही राह जाती है मेरे मकां तक

बड़ा ख़ुश्क मौसम है दिल की गली का
ज़रा साथ दीजेगा आबे-रवां तक

उन्हें आज भी याद आता है 'ग़ाफ़िल'
भुलाए से भूलेगा कोई कहां तक

मैं अपना पता शामो-सहर ढूंढ रहा हूं
अख़बार में ख़ुद अपनी ख़बर ढूंढ रहा हूं

बस जिन्से-वफ़ा, अहले-नज़र ढूंढ रहा हूं
कहते हैं जिसे दिल वो गुहर ढूंढ रहा हूं

जो मांगना था मांग लिया हाथ उठाकर
अब अपनी तमन्नाओं का घर ढूंढ रहा हूं

महफ़िल में ग़ज़ल उसको सुनाना है मुझे भी
जिस शे'र का हो उस पे असर, ढूंढ रहा हूं

मेयार मुहब्बत का मेरी है यही 'ग़ाफ़िल'
हर ऐब में यारो के हुनर ढूंढ रहा हूं

ख़ुद अपने ही वजूद को हमने जिया नहीं
कहने को जी रहे हैं मगर कुछ पता नहीं

इससे बड़ा बताए कोई हादसा है क्या
मंज़िल तो जानता हूं मगर रास्ता नहीं

मैं कौन हूं वो मुझसे यही पूछता रहा
शायद वो आईनों में कभी देखता नहीं

तस्लीम कर रहा हूं सरे-बज़्म आज मैं
मुझमें तेरा वक़ार, तेरा हौसला नहीं

'ग़ाफ़िल' तमाम शह्र को रफ़्तार खा गई
कोई किसी के वास्ते अब सोचता नहीं

अरुण तिवारी 'अंजान'

जन्मतिथि : 31-8-1973
शिक्षा : एम.ए. (हिन्दी साहित्य)
प्रकाशन : पत्र-पत्रिकाओं में रचनाएं प्रकाशित। 'ज़ख़्म जो तुमने दिये' (गीत-ग़ज़ल संग्रह)।
सम्मान : अनेक संस्थाओं द्वारा सम्मानित।
सम्प्रति : पुलिस विभाग में कार्यरत
सम्पर्क : द्वारका नगर, पहली गली, सिवनी-480661 (म.प्र.)
फोन : (07692) 225291
मो. : 9424717958

झूठे आँसू बहा रहे हैं, आग लगाकर मुखिया जी
खुश कर देंगे दुनिया को फिर, आग बुझाकर, मुखिया जी

बिजली, पानी और नौकरी, देने की बातें करते
रहते हैं भोली जनता को, यूं बहलाकर, मुखिया जी

नारी का आदर करते हैं, देवी का अवतार कहें
करें मौज-मस्ती बंगले में, उन्हें नचाकर, मुखिया जी

चोर-उचक्कों से छनती है, सब के सब उनके अपने
चाहे जिसकी खाल खींच दें, घर में जाकर मुखिया जी

इतने काले काम किये हैं, काजल लजा रहा खुद पर
चलते हैं, देखो तो, फिर भी, क्या इतराकर, मुखिया जी

जिस वक़्त मेरे सामने आता है आईना
सुनता है मेरी, अपनी सुनाता है आईना

सबको ही अपने सामने करता है बेनकाब
लेकिन न राज़ अपना बताता है आईना

नज़रों से दूसरों की बचा ले गए तो क्या
कब झुर्रियाँ किसी की छुपाता है आईना

पीछे से वार करता है दुश्मन अगर कभी
हर बार मेरी जान बचाता है आईना

'अनजान' चूर होके भी कहता नहीं है झूठ
सच बात कहना मुझको सिखाता है आईना

कितने चक्कर लगवाओगे बाबू जी
झूठे वादे दोहराओगे बाबू जी

सपने सारे मिट्टी में मिल जाते हैं
कितनी रातें जगवाओगे बाबू जी

आते हैं कितनी उम्मीदें लेकर हम
इक दिन तुम हक़ दिलवाओगे बाबू जी

बच्चे कहां अब, वो तो बड़े हैं सब के सब
क्या दोगे, क्या मंगवाओगे बाबू जी

मुनिया की गुल्लक भी ख़ाली की हमने
खाल भी अब क्या खिंचवाओगे बाबू जी

आँख का काजल चुरा लेती है दुनिया
काम ऐसे भी बना लेती है दुनिया

हश्र बरपा करके रख देती है यूं भी
राई का पर्वत बना लेती है दुनिया

बेठिकाना उसके दिल की बुस्अतें हैं
सब को अपने में समा लेती है दुनिया

एक की बातें बता कर दूसरों को
कौन-सा सुख है जो पा लेती है दुनिया

जानती है सच मगर कहती नहीं कुछ
आदमी का यूं मज़ा लेती है दुनिया

मंदिर की है लड़ाई या मस्ज़िद की जंग है
बहते हुए लहू का मगर एक रंग है

इस मारकाट, ख़ून-ख़राबे को देखकर
चेहरों से उनके उड़ता नहीं कुछ भी रंग है

हम रोज़ खोजते हैं नई जानकारियां
कितना हुआ विकास मगर सोच तंग है

अल्ला कोई पुकारे, जपें राम-नाम हम
मंज़िल है एक सबकी, अलग सबका ढंग है

पथराव, आग, क़त्ल, मिटा देना आबरू
ये न्याय मांगने का यहां कैसा ढंग है

ललित धानावत

जन्मतिथि : 6.12.1973
शिक्षा : एम.ए. (इतिहास, लोक प्रशासन)
प्रकाशन : अनेक पत्र-पत्रिकाओं में रचनाएं प्रकाशित।
सम्मान/पुरस्कार: अनेक संस्थाओं द्वारा सम्मानित।
सम्प्रति : अध्यापन
सम्पर्क : बलूची का कुआं, सड़क नं.-2, अलवर, (राज.) 301 001
फोन : 0144 2343486
मो. - 9828553486

मुझको केवल एक सहारा
तेरा नाम खुदा से प्यारा

देख रही हैरत से दुनिया
कितना अद्भुत नूर तुम्हारा

तेरी मेरी राह देखते
नदिया,कश्ती और किनारा

हरदम आंखों में रहता है
तेरी ख़ातिर स्वप्न कुंवारा

चलते-चलते ठहर गया मैं
किसने मुझको 'ललित' पुकारा

ऐसा हो आगाज़ नहीं
थके हुए अल्फाज़ नहीं

मुझे भरोसा खुद पर है
मैं तेरा मोहताज नहीं

घुट-घुट करके मैं जीऊं
ये मेरा अन्दाज़ नहीं

जीवन मेरा खुली किताब
इसमें कोई राज़ नहीं

नग़मा हो खुद्दारी का
टूटे दिल का साज़ नहीं

दिल ये मुहब्बत कर बैठा
किसकी सोहबत कर बैठा

चाँद मिरे आगोश में हो
कैसी हसरत कर बैठा

जिसका है बस काम जफ़ा
उससे उल्फ़त कर बैठा

ये बस्ती है बहरों की
किससे शिकायत कर बैठा

'ललित' दिवाना हो ही गया
आज बग़ावत कर बैठा

इन आँखों में रखना है
तू जो मेरा अपना है

मंज़िल उनको मिलती है
जिनको अनथक चलना हे

खुदा नहीं मिलता है, रे
फिर भी उसको रटना है

राह कटीली पथरीली
पांव सँभलकर रखना है

क़िस्मत मेरी सूरज सी
मुझको तो बस चलना है

ये दुनिया कुछ ख़ास नहीं
मुझको आई रास नहीं

सिवा तुम्हारी यादों के
कुछ भी मेरे पास नहीं

मारा-मारा फिरता हूँ
तेरी कोई आस नहीं

तू ही क़ातिल है मेरा
ये मुझको विश्वास नहीं

'ललित' बगावत कर बैठा
मृत उसके अहसास नहीं

सुनीता रैना

जन्मतिथि : 13-5-1974 , पुलगांव (कश्मीर)
शिक्षा : बी.एस.सी., पी.जी.इन आई.आर.पी.एम., मास्टर इन कम्प्यूटर साइंस।
प्रकाशन : पत्र-पत्रिकाओं में रचनाएं प्रकाशित।
सम्मान : अनेक संस्थाओं द्वारा सम्मानित।
सम्प्रति : प्राइवेट कं. में कार्यरत।
सम्पर्क : 389, सैक्टर-30-33, इन्द्रप्रस्थ कॉलोनी, फरीदाबाद (हरियाणा)
फोन : (0129) 2258954
मो. : 9818634999

ग़म का सागर कब कैसे दिन-रात बिताता रहता है
क्या जाने कब हंसता है, कब अश्क बहाता रहता है

किस कारण दरिया का पानी शोर मचाता रहता है
रस्ता चलती लहरों को आपस में लड़ाता रहता है

सागर जाने कितने दरियाओं को अब तक लील चुका
फिर भी लहरों को अपनी गोदी में खिलाता रहता है

दरिया हर पल मस्त है मौजों ही के शोर-शराबे में
और समन्दर कश्ती को सीने से लगाता रहता है

अब तो सागर भी 'रैना' अपनी मर्यादा भूल गया
जो उस की पूजा करते, उन को ही मिटाता रहता है

घुमा फिरा कर बता रहा है
असली मक़सद छिपा रहा है

खोट नहीं जो तेरे मन में
फिर क्यों नज़रें चुरा रहा है

मेरी आँखों का तारा था
वो जो आँखें दिखा रहा है

तुम जो मेरे साथ नहीं हो
अंजाना डर सता रहा है

सदियों से सूरज 'रैना' को
अपनी ताक़त दिखा रहा है

कोई अपना होता काश
सपना सच्चा होता काश

उसने बात अधूरी की
क़िस्सा पूरा होता काश

तुझको पाने का रस्ता
सीधा-सादा होता काश

महलों का वो शहज़ादा
ऐसा वैसा होता काश

जैसे 'रैना' तनहा है
वो भी तन्हा होता काश

रोज़ नया ही मंज़र देखा
धरती देखी अम्बर देखा

चैन हमारा भी लौट आया
उनको ख़ुद से कमतर देखा

उठना, गिरना और सँभलना
बच्चों में कुछ बेहतर देखा

धोखा, मक्कारी, बदनीयत
खेल यही जीवन भर देखा

जो मुखड़ा नक़ली था 'रैना'
वो मुखड़ा ही क्यों कर देखा

ज़िन्दगी कैसे गुज़रती है बताएं किस तरह
जान लेवा हादसे दिल से भुलाएं किस तरह

बस्तियां सारी ही, अरमानों की तूफ़ां ले गया
सोचते हैं अब नई बस्ती बसाएं किस तरह

फूल आख़िर फूल थे, मुरझा गए सब शाम तक
ज़िन्दगी का फिर से गुलदस्ता सजाएं किस तरह

आ ही जाएगा इन्हें नग़मे बनाना भी मगर
दर्द ये है ग़म के शोलों को दबाएं किस तरह

दिल-जिगर छलनी है 'रैना' ग़म के बादल चार सू
ख़ौफ़ के मंज़र वो यादों से मिटाएं किस तरह

सोहन सलिल

मूल नाम : सोहन प्रसाद परोहा
जन्मतिथि : 8-11-1974, बरघाट (सिवनी,म.प्र.)
शिक्षा : स्नातक
प्रकाशन : अनेक पत्र-पत्रिकाओं में रचनाएं प्रकाशित।
सम्मान/पुरस्कार: संस्कार धानी संगीत गौरव (जबलपुर), कला श्री सम्मान (हिन्दी सांस्कृतिक परिषद खमरिया जबलबुर)
सम्प्रति : आयुध निर्माणी खमरिया जबलपुर में कार्यरत।
सम्पर्क : 1899, डिफेन्स कालोनी, साउथ सिविल लाइन, जबलपुर (म.प्र.)
मो. - 9827349242

हो गया दरपेश क्या मंज़र नज़र के सामने
खेत सब सूखे पड़े हैं इक नहर के सामने

क्या यही संवेदनाओं का शहर है बोलिये
बेहया तालाब हंसता जलते घर के सामने

जिसके साए में ग़मों की धूप से बचते रहे
क्यूं खड़े लेकर कुल्हाड़ी उस शजर के सामने

पांव ने ही हौसलों का साथ छोड़ा हर दफ़ा
वर्ना मंज़िल साफ़ दिखती थी नज़र के सामने

ख़्वाबे-गफ़लत से उठे अब हड़बड़ा कर हम 'सलिल'
जब कज़ा धरने पे बैठी अपने घर के सामने

ग़म का इक दीवान बहुत था
जीने का सामान बहुत था

मैं उससे बच कर ही गुज़रा
जो रस्ता आसान बहुत था

मंज़िल थी क़दमों के नीचे
पर उससे अंजान बहुत था

छल प्रपंच की हाजत क्या थी
दिल मेरा नादान बहुत था

झूठ का दामन छोड़ दिया है
वर्ना जग में मान बहुत था

हमारे पांव तो साए में ग़म के चलते हैं
हमारे वास्ते मौसम कहां बदलते हैं

हमें पता है ये ताबीर तक न पहुचेंगे
हमारी आँख में ऐसे भी ख़्वाब पलते हैं

अजीब शहर है औ' लोग भी अजीब यहां
कि छू के ओस को कहते हैं हाथ जलते हैं

उन्हीं के दिल में दहकते हैं खूब शोले भी
ज़रा सी बात पे जो बर्फ़ से पिघलते हैं

ये हादसों का नगर है 'सलिल' सँभल के
हवा के रुख़ के साथ लोग भी बदलते हैं

झुलसे हुए वो धूप से परछाइयों के दोस्त
याद आ रहे हैं आज फिर तन्हाइयों के दोस्त

इक दिन बसेगी अपनी भी दुनिया ये सोचकर
मंडप से परे बैठे हैं शहनाइयों के दोस्त

शुहरत की बुलंदी पे मेरा हश्र देख कर
खुद आ गए ज़मीन पर ऊचाईयों के दोस्त

देते हैं सबक आज भी कुदरत के ये मंज़र
हैं ऊंचे देवदार ही इन खाइयों के दोस्त

साहिल पे 'सलिल' ने जो चार अश्क बहाए
मोती बटोरने लगे गहराइयों के दोस्त

शब्द मेरे सार्थक होने लगे हैं
ज़िंदगी के अर्थ जब खोने लगे हैं

सैर दुनिया की किये, अब थक गए हैं
लो! पखेरू प्राण के सोने लगे हैं

उम्र खो दी घर बनाने में जिन्होंने
उनके हाथों घर के बस कोने लगे हैं

फिर कटाई हाथ आएगी दुखों की
फिर फ़सल सपनों की हम बोने लगे हैं

हम बदलते जग 'सलिल' पर लग रहा है
अपनी क़िस्मत पे कई टोने लगे हैं

अभिलाष सक्सैना

जन्मतिथि : 26-9-1975, ग्वालियर

शिक्षा : बी.एससी., एम.ए., पी.जी.डी.सी.ए., इ-कॉमर्स

प्रकाशन : विभिन्न पत्रिकाओं, संकलनों में रचनाएं प्रकाशित।

सम्प्रति : डायरेक्टर "ऑप्शन कम्प्यूटर कोचिंग सेंटर"; डायरेक्टर "सुरभि इनफो" "कम्पलीट वेब सॉल्युशन"।

सम्पर्क : "कला कुटीर", कॉटे साहब का बाग, शब्द प्रताप आश्रम रोड़, ग्वालियर-12 मध्य प्रदेश

फोन : 0751-2482510

मो. : 9826244048

जिंदगी में यूं तो हर एक साल आई छुट्टियां
इस बार रिश्ते प्यार के संग साथ लाई छुट्टियां

प्यार ही बस प्यार जीवन में सदा मुमकिन नहीं
प्यार के इजहार में तकरार लाई छुट्टियां

सर्दी ने छुट्टी मनाई तप गए धरती गगन
एक नया इकरार कर पतझार लाई छुट्टियां

जब अकेले न कटीं 'अभिलाष' से ये छुट्टियां
बरखा की पाती छपा अख़बार लाई छुट्टियां

आँख से टपके और पानी हो गए
सारे बंधन परेशानी हो गए

अश्क कोई पोछने आता नहीं
रिश्ते सारे बे-ईमानी हो गए

दर्द यारों ने कभी बांटा नहीं
घाव के संग्रह कहानी हो गए

हादसों से डर रहे 'अभिलाष' क्यों
हादसे जब ज़िंदगानी हो गए

नेह ने आलिंगन किया जब घृणा को
गिले शिकवे पानी-पानी हो गए

गीत मेरे न तुम गुनगुनाया करो
लोग जल जाएंगे न जलाया करो

नाम अंतर में चाहे पुकारो मेरा
सब के सम्मुख अधर पे न लाया करो

स्वप्न को दृष्टि लग जाए न स्वप्न की
स्वप्न सखियों को न तुम सुनाया करो

आचरण देखकर न चटखने लगे
देख दर्पण को न यूं लजाया करो

डाकिए का न विश्वास 'अभिलाष' को
तुम हवाओं से पाती पठाया करो

मैं तुम्हारा हूँ क्या, तुम मेरे कौन हो
प्रश्न नाजुक-सा है, और तुम मौन हो

प्रश्न का हल न खोजो, नए प्रश्न में
आचरण है मुखर, और तुम मौन हो

फूल ने गंध को कर समर्पण दिया
हर कली है विकल, और तुम मौन हो

वर्तिका पर है आसक्त, उन्मत्त शलभ
यज्ञ है प्रज्ञ पर और तुम मौन हो

चाँदनी चाँद को अंक में कस रही
ये समन्वय सुखद, और तुम मौन हो

तुम्हारे लोचन ललित ललाम
धीर धरे नहिं मन अविराम

श्रद्धा-प्रीति, प्रतीत बाबरी
तन-मन मेरे गुलाम

लोक लाज कुछ छांड़ि के पास
तुम प्रियतम गुलफाम

दुःख पीड़ा भक्ति-आसक्ति
कर दी तेरे नाम

कब तक अर्धविराम जिंदगी
लिख दो पूर्ण विराम

जन्मतिथि : 26-1-1976, स्योहारा (बिजनौर), उ.प्र.

प्रकाशन : पत्र-पत्रिकाओं में रचनाएं प्रकाशित।

सम्मान : अनेक संस्थाओं द्वारा सम्मानित।

सम्प्रति : निजी कारोबार।

सम्पर्क : मौ. मियां बूलनशाह, स्यौहारा, (बिजनौर)
उ.प्र. 246746
मो. : 09719251506, 09897419311
मो. : 9968447881 (दिल्ली)

शमीमुल क़ादरी स्योहारवी

प्यार अगर निभाना है इस तरह निभाना है
शाम होते आना है सुबह होते जाना है

पहली जैसी दिल में क्यूँ चुलबुली नहीं होती
हालाँके मेरा उनसे अब भी दोस्ताना है

चाहे मस्जिदें ढाओ चाहे मक़बरे तोड़ो
आपकी हुकुमत है आपका ज़माना है

आए हो बहुत दिन में थोड़ी देर तो ठहरो
आपकी जुबाँ पर तो सिर्फ़ जाना-जाना है

आग के समन्दर में आज कल 'शमीम' अपना
दाद दिजीए मुझको मेरा आशियाना है

प्यार मेरा नाम लेकर बोलते हैं
मुसलसल और मुक़र्रर बोलते हैं

किया ईजाद जिसने आईने को
उसी को हम सिकन्दर बोलते हैं

जिसे हासिल सुकूते बेपनाह है
उसी को हम समन्दर बोलते हैं

जो कल मरहूने एहसाँ थे हमारे
वही अब सर पे चढ़कर बोलते हैं

बुजुर्गों से सुना है हमने अपने
'शमीम' इंसा के जौहर बोलते हैं

जब नज़र उठ के उनकी मचल जाएगी
मेरी दुनिया-ए-हस्ती बदल जाएगी

मैं न कहता था पहले ही क्या आप से
साफ़गोई मेरी उनके खल जाएगी

मेरे दुश्मननुमा दोस्तो एक दिन
यह मुख़ालिफ़ घड़ी सर से टल जाएगी

मैं मरीज़े-मुहब्बत हूँ हालत मेरी
खुद सँभलते सँभलते सँभल जाएगी

ऐ 'शमीम' आप बिल्कुल न घबराईये
एक शम्मा बुझी एक जल जाएगी

इजाज़त हो तो में कुछ अर्ज़ कर दूँ
तुम्हारी मांग में सिन्दूर भर दूँ

अगर कुछ बस चले मेरा किसी दिन
मसर्रत से तेरे दामन को भर दूँ

तुम्हीं पर इन्हिसारे ज़िंदगी है
तुम्हें कैसे में दिल से दूर कर दूँ

गुबार आलूद है जब मेरा दिल खुद
तुम्हारे दिल को कैसे साफ़ कर दूँ

यह मन्शा है 'शमीम' अब दोस्तों का
नशेमन को जला कर ख़ाक कर दूँ

मुझे मेरे सपनों का संसार दे दो
जो महके हमेशा वह गुलज़ार दे दो

वतन पर करे जो दिलो जाँ निछावर
वतन को कोई ऐसा दिलदार दे दो

छपें सुर्खियां जिसमें अमनो-अमाँ की
मुझे ऐसा अनमोल अख़बार दे दो

तुम्हें खे के दिखलाऊँ कश्ती वतन की
मेरे हाथ में लाओ पतवार दे दो

शमीमे-ग़ज़ल ख़ुवाँ को इक बार अपने
जवाँ हौसला अज़्मो-किरदार दे दो

मृत्युंजय 'साधक'

जन्मतिथि : 3-5-1976 हतवा (देवरिया) (उ.प्र.)।
शिक्षा : बी.एससी. (जीव वि.) पत्रकारिता।
प्रकाशन : पत्र-पत्रिकाओं में रचनाएं प्रकाशित।
सम्मान : अनेक संस्थाओं द्वारा सम्मानित।
सम्पर्क : ई-66/67 गाँधी विहार, निकट मुखर्जी नगर बांध, दिल्ली-110009
मो. : 09818023563.

हर हृदय में इक कसकती पीर हूँ
जोड़ दे सबको वही ज़ंजीर हूँ

तोड़ कर दिल को अचानक चल दिये
पूछते हो? किसलिये गम्भीर हूँ

क्या करोगे जानकर तुम ये भला
अपने हाथों ही लिखी तक़दीर हूँ

मैं नहीं शामिल सितारों में मगर
सुबह की हँसती हुई तस्वीर हूँ

नाम मेरा है मुहब्बत दोस्तो
मन के काग़ज़ पर लिखी तहरीर हूँ

डर संशय बेचैनी क्या है
हर दिल में पुश्तैनी क्या है

ख़ूनों के सौदागर पूछें
साखी शबद रमैनी क्या है

नदियां सबकी आँखों में हैं
गंग यमुन तिरवेनी क्या है

सब तो उसके ही बंदे हैं
हिन्दू-मुस्लिम जैनी क्या है

दिल को दिल से मिल जाने दो
आरी चाकू छैनी क्या है

कौन जाने कौन सा पल आख़िरी हो जाएगा
चल रहा जो भीड़ में वो कब कहाँ खो जाएगा

चोर, डाकू, रहज़नों के हौसले बढ़ जाएंगे
घर का पहरेदार गर पहरे पे ही सो जाएगा

राह पर काँटो की इक चलता हुआ शायर हूँ मैं
मेरे जैसा दुख सहेगा साथ में जो जाएगा

घौंसले में बैठी चिड़िया सोचती है रात भर
क्या बिना दाने के ही चूजा मेरा सो जाएगा

चल रहा कैसा समय है आजकल 'साधक' सुनो
जो कहेगा बात सच्ची वो कहीं खो जाएगा

विष बुझी मुस्कराहट नहीं चाहिये
प्यार में ही मिलावट नहीं चाहिये

देह तो खुद ही चंदन की इक डाल है
उस पे कोई सजावट नहीं चाहिये

हो सके तो दिलों में उजाले भरें
व्यर्थ की जगमगाहट नहीं चाहिये

बेटियों का हरिक ख़त हो खुशियों भरा
आँसुओं की लिखावट नहीं चाहिये

अब बताएं ज़रा उनकी 'साधक' ख़बर
झूठ की सुगबुगाहट नहीं चाहिये

इक ख़ुशी भी कहाँ सलामत है
ज़िन्दगी मौत की अमानत है

तुम रहे हो सदा बहारों में
दर्द की भी गली में स्वागत है

तेरी सूरत से है नज़र बांधी
कर रही वो तेरी हिफ़ाज़त है

प्यार का ख़त लगा लिया माथे
और कहने लगे इबादत है

रोशनी से पुरानी यारी थी
अब तो 'साधक' वहाँ अदावत है

बैजनाथ शर्मा 'मिण्टू'

जन्मतिथि : 5-3-1977, मेहत्रावां (बिहार)
शिक्षा : बी.ए., बी.एड.
प्रकाशन : अनेक पत्र-पत्रिकाओं में रचनाएं प्रकाशित।
सम्मान/पुरस्कार: अनेक संस्थाओं द्वारा सम्मानित।
सम्प्रति : अध्यापक, पी.जी.सवाणी इंगलिश स्कूल, सूरत
सम्पर्क : ए-26, ईश्वर लीला पार्क, जामफलवाड़ी, रामोल रोड, सी.टी.एम. अहमदाबाद-382449

लबों पर रख हंसी हरदम, अगर ग़म को भुलाना है
दिखा मत दर्दे-दिल अपना बहुत ज़ालिम ज़माना है

तेरा ग़म तेरा अपना है, न जग समझा न समझेगा
तू अपने पास रख इसको कि ये तेरा ख़ज़ाना है

हमेशा दोस्ती का दम भरा करता है उसको भी
मुसीबत और गर्दिश में कभी तो आज़माना है

नजूमी हाथ की रेखाएं पढ़कर मुझसे यूँ बोला
पुजारी है तू क़िस्मत का कि दिल तेरा दिवाना है

कभी मायूस मत होना भले कुटिया में रहना हो
बचाती धूप से तुझको वो तेरा आशियाना है

हो के मुझसे तू ऐसे ख़फ़ा ज़िंदगी
जा बसी है कहां तू बता ज़िंदगी

जग को ठुकरा दिया मैंने तेरे लिए
कर न पाई तू मुझसे वफ़ा ज़िंदगी

तेरी सूरत ही थी मेरा दर्पण सदा
तू मिले फिर सजूं इक दफ़ा ज़िंदगी

तू हंसाती भी है और रुलाती भी है
तू दिखाती है क्या-क्या अदा ज़िंदगी

पहले इतना बता क्या है मेरी ख़ता
फिर जो चाहे तू देना सज़ा ज़िंदगी

ज़ख़्म पर शब्दों का मरहम वो लगाने आ गए
आग ख़ुद पहले लगाई अब बुझाने आ गए

नफ़रतों के बीज ही बोया किए जो आज तक
भाई-चारे का सबक़ लो वे सिखाने आ गए

कारनामे आपके ये क़ाबिले-तारीफ़ हैं
वोट का जब वक़्त आया सिर झुकाने आ गए

इस चमन के मालियों की नस्ल में ही खोट है
बाग़ जो सरसब्ज़ था मेरा जलाने आ गए

हमने आसन पर निगहबाँ के बिठाया था जिन्हें
वे हमीं पर आज क्यूं ख़ंजर चलाने आ गए

आते है कहां लौट के जाने वाले
कोशिश नहीं कर मुझको बुलाने वाले

ज़ख़्मों को तबस्सुम में छिपा ले वर्ना
नासूर बना देंगे ज़माने वाले

रोएगा सरेआम यक़ीनन तू भी
मज़लूम को नाहक यूँ रुलाने वाले

तेरे भी दिल-जान जलेंगे इक दिन
तू सोच ले बस्ती को जलाने वाले

लाखों यहां मिलते हैं रुलाने के लिए
अब तक न मिले लोग हंसाने वाले

नया कोई सपना सजाकर तो देखो
परायों को अपना बनाकर तो देखो

लगेगी ये दुनिया तुम्हें ख़ूबसूरत
ज़रा दिल से नफ़रत भुलाकर तो देखो

सफलता मिलेगी तुम्हें भी यक़ीनन
क़दम अपने तुम भी बढ़ाकर तो देखो

करोगे जहाँ को भी सूरज-सा रौशन
तुम अपने को पहले तपाकर तो देखो

ये राहे-मुहब्बत है पुरख़ार यारो
यहाँ फूल फिर भी सजाकर तो देखो

'ज़िया' ज़मीर

जन्मतिथि : 7-7-1977, सहारनपुर (उ.प्र.)
शिक्षा : एम.एस-सी., एल-एल.बी.
प्रकाशन : पत्रिकाओं में रचचनाएं प्रकाशित।
सम्मान : अनेक संस्थाओं द्वारा सम्मानित।
सम्प्रति : अधिवक्ता (आयकर, व्यापार कर)
सम्पर्क : ई-13/1, लक्ष्मी विहार, हिमगिरि, कॉलोनी, कांठ रोड, मुरादाबाद-244001 एवं निकट ज़ैड बुक डिपो, चौकी हसन खां, मुरादाबाद-244001
मो. : 09319053181

कब तलक दिल को पायमाल करें
इश्क़ के सिलसिले बहाल करें

आप थोड़ा सा हौसला दे दें
आप से हम कोई सवाल करें

ऐसा रिश्ता कोई बने उनसे
हम न जाएँ तो वो मलाल करें

क्या करें उन ग़ज़ल-आंखों का
दिल तो कहता है देखभाल करें

जब तुम्हें ही कोई ख़याल नहीं
अपना हम कब तलक ख़याल करें

छोड़िये कब तलक दुआ मांगें
छोड़िए कब तलक मलाल करें

फिर 'ज़िया' उसको टूट कर चाहें
फिर से ज़िंदा कोई मिसाल करें

दर्द है ग़म है और मलाल सा है
साल कुछ यह भी पिछले साल सा है

सोचता हूँ जवाब दूँ कोई
उसकी आंखों में कुछ सवाल सा है

दिल ये कहता है खुद संभल जाओ
थामने वाला बेख़याल सा है

ख़्वाब आंखों में चुभ रहे हैं क्या?
तेरी आंखों का रंग लाल सा है

फिर किसी दिन उसे सताएँगे
आज वो शोख़ कुछ निढाल सा है

सूना-सूना है यह नगर कैसा
तेरे जाने का है असर कैसा

दुश्मनों का नहीं ख़ौफ़ मगर
दोस्तों का लगा है डर कैसा

चारागर कुछ तो दिल का हाल बता
यह बता दर्द है उधर कैसा

मेरी पल-पल ख़बर जो रखता था
हो गया मुझसे बेख़बर कैसा

पेड़ सारा चमक रहा है 'ज़िया'
चांद बैठा है शाख़ पर कैसा

उदासी हमको करके दान सारी
वो हमसे ले गया मुस्कान सारी

वो अक्सर देखता है ऐसे मुझको
कि जैसे खींच लेगा जान सारी

थी इक चिड़िया हुई वो जबसे रुख़सत
हवेली हो गई वीरान सारी

कटे सर फ़ौजियों के जंग में, और
बड़ाई ले गया सुल्तान सारी

'ज़िया' वो नाम पर चौंका जो मेरे
यह दुनिया रह गयी हैरान सारी

अब तो आते हैं सभी दिल को दुखाने वाले
जाने किस राह गए नाज़ उठाने वाले

कर्ब उनका कि जो फुटपाथ पे करते हैं बसर
क्या समझ पाएँगे ये राजघराने वाले

पार करता नहीं अब आग का दरिया कोई
थे कोई और जो थे डूब के जाने वाले

तू भी मिलता है तो मतलब से ही अब मिलता है
लग गए तुझको भी सब रोग ज़माने वाले

अब वो बेलौस मुहब्बत कहां मिलती हैं 'ज़िया'
लोग मिलते ही नहीं अब वो पुराने वाले

'पुरु' मालव

मूल नाम : पुरुषोत्तम प्रसाद ढोडरिया

जन्मतिथि : 5-9-1977, दीगोद खालसा

शिक्षा : एम.ए. (हिन्दी), बी.एड., डिप्लोमा (उर्दू यू.सी.सी.)

प्रकाशन : अनेक पत्र-पत्रिकाओं में रचनाएं प्रकाशित।

सम्मान/पुरस्कार: हरि ठाकुर समृति सम्मान, सृजन संगी अलंकरण आदि।

सम्प्रति : शिक्षा विभाग (राज.) में कार्यरत

सम्पर्क : ग्राम-पो.—दीगोद खालसा, तहसील-छीपा बड़ोद (बारां) राजस्थान-325221

मो. 9829723149

उनसे यूं जुदा होकर फिर क़रीब आने में
देर लगती है आख़िर फ़ासले मिटाने में

कितनी देर लगती है आसमां झुकाने में
लोग-बाग माहिर है उंगलियां उठाने में

किस तरह भला उसने ये जहां बना डाला
दम निकल गया मेरा अपना घर बनाने में

आजमा के तो देखूं एक बार उसको भी
जो यक़ीन रखता है सबको आज़माने में

तेरे सामने सारा 'रोम' जल गया 'नीरो'
तू लगा रहा केवल बांसुरी बजाने में

मुश्क़िलों से घबरा कर राह में न रुक जाना
ये तो काम आती हैं हौसला बढ़ाने में

दिन सुहाने बचपन के रूठ जाएंगे इक दिन
इल्म ये कहां था 'पुरु' मुझको उस ज़माने में

मेरे मन की उलझनों को जानता कोई नहीं
एक मैं हमराज़ अपना दूसरा कोई नहीं

कब कहां किस हाल में किस ओर जाए क्या पता
ज़िंदगी का तयशुदा तो रास्ता कोई नहीं

अनुसरण कैसे करूं मैं उनका जो आगे गए
आस्मां की राह में तो नक़्शे-पा कोई नहीं

बेसबब उड़ते ही रहना है मुक़द्दर क्या करूं
मन के पंछी का जहां में घोंसला कोई नहीं

मुंतज़िर है सब यहां 'पुरु' फ़ैसला कोई करे
झूठ क्या है सच है क्या पहचानता कोई नहीं

भीगी पलकें करती बतियां
किसके ग़म में रोती अखियां

प्रेम, दया, दुख, करुणा, नेकी
कितनी ही मुझमें है कमियां

मेरे घर आंसू हंसते हैं
तेरे घर रोती हैं खुशियां

भूखे कामी इस मौसम ने
रोंदी जाने कितनी कलियां

यौवन की रह में आकर 'पुरु'
भूल गए बचपन की गलियां

कहते हैं आंसू मोतियों से कम नहीं होते
नायाब ही रहते जो दिल में ग़म नहीं होते

हमको ही जीने का शऊर आया नहीं वरना
कुल चार दिन भी ज़िंदगी के कम नहीं होते

यूं ज़िंदगी होती तो होती ज़िंदगी कैसी
खुशियां ही खुशियां होती जिसमें ग़म नहीं होते

औरों की पीड़ा देख कर अक्सर बहे नैना
इक मेरे ही ग़म में कभी पुरनम नहीं होते

मुद्दत से 'पुरु' बाहम रहे दिल पर रवां हैं हम
पर फ़ासले जो दरमियां है कम नही होते

ग़म अगर दिल को मिला होता नहीं
ज़िंदगी में कुछ मज़ा होता नहीं

ज़ीस्त की रह में है दिल तन्हा तो क्या
हर सफ़र में क़ाफ़िला होता नहीं

हम सदा हालात को क्यों दोष दें
क्या कभी इन्सां बुरा होता नहीं

मैं हमेशा साथ रहता हूँ तेरे
तू कभी मुझसे जुदा होता नहीं

सबकी आंखे 'पुरु' कहां होती हैं नम
हर किसी दिल में ख़ुदा होता नहीं

नागेन्द्र अनुज

मूल नाम : नागेन्द्र मणि मिश्र
जन्मतिथि : 1-10-1977, डमापुर, लालगंज (अझारा)
शिक्षा : एम.ए. (हिन्दी), आई.डी.जी.(मुम्बई)
प्रकाशन : ग़ज़ल-संग्रह 'तहत में' प्रकाशनाधीन। अनेक पत्र-पत्रिकाओं में रचनाएं प्रकाशित।
सम्मान/पुरस्कार : अनेक संस्थाओं द्वारा पुरस्कृत/सम्मानित
सम्प्रति : कला अध्यापक, प्रतापगढ़
सम्पर्क : पी.आई.एन. - 2 आर्ट्स, लालगंज, प्रतापगढ़—230132
मो. - 9838423099

क्यूँ इतना अँधेरा है, उजालों के इर्दगिर्द
ख़ामोश हैं जवाब, सवालों के इर्दगिर्द

मस्जिद के इर्दगिर्द जो कल घूम रहे थे
आते हैं अब नज़र वो शिवालों के इर्दगिर्द

कुछ बात है ज़रूर कि दिखने लगे हैं फिर
महलों के लोग झोपड़ी वालों के इर्दगिर्द

मुफ़लिस को चैन से नहीं मिलती है रोटियाँ
सौ आफ़तें खड़ी हैं निवालों के इर्दगिर्द

यूँ वक़्त ले रहा है मुसाफ़िर का इम्तेहान
कांटे गड़े हैं पाँव के छालों के इर्दगिर्द

भला हो गया फिर बुरा होते होते
टला और इक हादसा होते होते

मुक़द्दर ने फिर साथ मेरा निभाया
वो खुश हो गई है ख़फ़ा होते होते

उजागर हुई उसकी फिर एक ख़ामी
वो फिर रह गया देवता होते होते

मुक़दमें की फ़ाइल जहाँ की तहाँ है
मिटीं पीढ़ियाँ फ़ैसला होते होते

मेरा हौसला ही तो था और क्या था
मैं मंज़िल हुआ रास्ता होते होते

उसके एक इशारे पर
डूबी नाव किनारे पर

जीवन-पथ आसान नहीं
कौन चले अंगारे पर

तीर चलाया मौसम ने
फिर पंछी बेचारे पर

बस्ती ख़ाक न हो जाए
रखना नज़र शरारे पर

'अनुज' अकेला दीपक ही
भारी है अँधियारे पर

मुश्किलों से बराबर लड़ा देखिये
इस मुसाफ़िर का भी हौसला देखिये

तुमने पत्थर उछाला हँसी-खेल में
टुकड़े-टुकड़े हुआ आईना देखिये

डालिए इक नज़र अपने दामन पे भी
दूसरों का गिरेबान क्या देखिये

ख़्वाब क्या-क्या न उसने दिखाए मगर
हो गए सारे वादे हवा देखिये

अब तो कश्ती है तूफ़ाँ के आगोश में
वक़्त करता है क्या फ़ैसला देखिये

ज़िंदगी का फ़लसफ़ा समझा रहा है
इक परिन्दा क़ैद में भी गा रहा है

ख़्वाहिशें लम्बी रही हैं मुद्दतों से
मुद्दतों से आदमी छोटा रहा है

मुश्किलें ही मुश्किलें हैं हर क़दम पर
कारवाँ आगे ही बढ़ता जा रहा है

फूल खिल सकते नहीं गुलशन में उसके
पंछियों पर ज़ुल्म वो ढाता जा रहा है

अश्क कब सूखे, लबों पर कब हँसी थी
सब तुम्हारी आँख का धोखा रहा है

सारिका त्यागी

जन्मतिथि : 3-5-1979, दिल्ली
शिक्षा : स्नातकोत्तर (जर्नलिज्म)
प्रकाशन : पत्र-पत्रिकाओं में रचनाएं प्रकाशित।
सम्प्रति : अध्ययनरत (एम.बी.ए.)।
सम्पर्क : आर ज़ैड/जे ब्लॉक, 38, ओल्ड रोशनपुरा, नज़फगढ़, नई दिल्ली-110043
मो. : 9891749773

उनको एहसास कराने की ज़रूरत क्या है
दिल की हर बात बताने की ज़रूरत क्या है

वो हैं अंजान तो अंजान बने रहने दो
उनसे पहचान बढ़ाने की ज़रूरत क्या है

वो मसीहा तो नहीं हम ग़मों के मारों का
है कहाँ ज़ख़्म दिखाने की ज़रूरत क्या है

है मुहब्बत नहीं मोहताज किसी बंधन की
इसको दुल्हन सा सजाने की ज़रूरत क्या है

हम तो खुद प्यार के भूखे हैं चले आएंगे
आपको जाल बिछाने की ज़रूरत क्या है

कड़वा भी मीठा लगता है
रोग कोई दिल का लगता है

तुम जो तसव्वुर में आते हो
झूठा भी सच्चा लगता है

उससे क्या रिश्ता है मेरा
कैसे कह दूं क्या लगता है

जब तुम छत पर आ जाते हो
चांद बहुत फीका लगता है

तुम्हें सोचकर चांद को देखूं
माथे का टीका लगता है

हाय सब दाव पर लगा बैठी
जो भी था पास वो गँवा बैठी

बोलियाँ हाट में थी उल्फ़त की
कितने सस्ते में आज़मा बैठी

देख अब किस तरह पिघलती हूँ
इश्क़ की आग मैं लगा बैठी

अब ख़रीदार की हुकूमत है
प्यार की सल्तनत लुटा बैठी

अब तो बेख़ौफ़ होके जीती हूँ
मैं नज़र मौत से मिला बैठी

तेरे हर वार पर खरी उतरी
मेरी क़िस्मत मगर नहीं संवरी

बात उसने जो की सरे-महफ़िल
थी तो दिल कश मगर बहुत अखरी

आइना जब यक़ीन का टूटा
वो उधर, और मैं इधर बिखरी

भीड़ के बावजूद तन्हा सी
ज़िन्दगी रेल की तरह गुज़री

जिसमें हर पल तेरा बसेरा था
दिल की वीरान है वही नगरी

भरोसा कर लिया है फिर किसी पर
ये अहसां कर दिया है ज़िन्दगी पर

शराबी हो गए जज़्बात मेरे
नशा सा छा रहा है मौसिकी पर

ज़माना दरमियां था दो दिलों के
मगर इल्ज़ाम आया आशिक़ी पर

उन्हें फिर क्या ग़रज़ थी शोखियों से
निगाहें जा टिकीं जब सादगी पर

कोई तो बात है जो आदमी को
नहीं होता भरोसा आदमी पर

उद्दीप्त दत्त गौड़
'शाख़'

जन्मतिथि : 1-9-1980, वृन्दावन (उ.प्र.)

शिक्षा : बी.टैक. कम्प्यूटर्स

प्रकाशन : अनेक पत्र-पत्रिकाओं में रचनाएं प्रकाशित।

सम्मान/पुरस्कार: अनेक संस्थाओं द्वारा सम्मानित।

सम्प्रति : टी.वी. सीरियल लेखन-निर्देशक, एड. फिल्म निर्माण-निर्देशन।

सम्पर्क : ए-25, ए.डी.ए. बैंक कालोनी, पाला रोड़, अलीगढ़, (उ.प्र)
मो. 09758711008
09920096266

मुझ पर अभी रहा है कुछ आपका बक़ाया
शायद तभी रहा है ये राबिता बक़ाया

इस तरह से न कीजे, बातों को ख़त्म अपनी
रह जाने दो लबों पे, इक सिलसिला बक़ाया

तुम कब मिलोगे मुझको, कब दूरियां घटेंगी
तुम पास में हो, पर है, इक फ़ासिला बक़ाया

मुझको नसीहतों से दूरी भली लगी है
रह जाने दो जहां में, इक सिरफिरा बक़ाया

जब भी कुरेद कर के देखा है खुद को मैंने
मुझमें कहीं मिला है इक दूसरा बक़ाया

ग़म को उदासियों को आंसू चुकाए दिन भर
दिन से उधार दूना है रात का बक़ाया

क्या बताऐं कहाँ पे जाना है
कैसी मंज़िल कहाँ ठिकाना है

यूँ बताने को सब बताया है
देखिए और क्या छुपाना है

बात करना भी एक फ़न ही है
आपकी गुफ़्मगू से जाना है

जिसको पाना था खो गया वो ही
सबको पाना भी कोई पाना है

'शाख़' इस दिल के बंद कमरे में
एक बीता हुआ ज़माना है

अगर वो संगदिल है तो उसे क्या ख़ून, पानी क्या
जिसे परवा नहीं उसके लिए अश्क़ों के मानी क्या

किसी चेहरे को देखो सब पे इक मौसम है पतझर का
तुम्हारी ज़िंदगानी क्या, हमारी ज़िंदगानी क्या

जहाँ पर ख़ून, बम, बंदूक, लाशें, चीख़, दह्शत है
वही कश्मीर है जन्नत? पहाड़ों भर की रानी क्या

सभी कुछ बेच आया ज़िंदगी के हाट में जाकर
जवानी, बचपना, यादें, बुज़ुर्गों की निशानी क्या

हमें जब जिस्म मिलता है तो गिनकर सासें मिलती हैं
हमें मरना है इक दिन तो, बुढ़ापा क्या, जवानी क्या

तुम्हारे साथ का सपना बहुत है
तुम्हारा बस यही कहना बहुत है

कई यादें रहेंगी साथ मेरे
तेरे पहलू में इक लम्हा बहुत है

समन्दर, झील, नदिया सब तुम्हारे
मेरे हिस्से में इक क़तरा बहुत है

तुझे देखा नहीं मैं ने कभी, पर
तेरी आवाज़ को सोचा बहुत है

वो मेरे साथ रहकर ख़ुश नहीं था
किसी के साथ है इतना बहुत है

दो आँसू पलकों पर आकर ऐसे ठहरे हैं
जैसे दो सीपों में कोरे मोती रक्खे हैं

लम्हे थे वो भी, जब उसको मांगा करते थे
वो बीते भी, मुद्दत बीती, ये भी लम्हे हैं

मौसम का आना-जाना तो तय है पहले से
लोगों को भी देखा, सारे मौसम जैसे हैं

किसने आकर मेरे सोए ख़्वाबों को चूमा
दिल के दीवाने आंगन में गुल से खिलते हैं

कुछ तो अपनी मजबूरी ही रोके थी हमको
फिर कुछ तेरी रुस्वाई के डर से बैठे हैं

अनुराग शुक्ला 'अगम'

जन्मतिथि : 10-12-1980, उन्नाव (उ.प्र.)
शिक्षा : स्नातक
प्रकाशन : पहली बार इसी पुस्तक में
सम्प्रति : अध्ययनरत।
सम्पर्क : 1275, वकीलपुरा, गली गुलियान (निकट जामा मस्जिद) दिल्ली 110006
फोन - 011 23241479

सभी अपनों से मिले प्यार, ज़रूरी तो नहीं
कोई दुश्मन ही करे वार, ज़रूरी तो नहीं

छोड़ दू कैसे उमीदों के हसीं दामन को
मुझे हर बार मिले हार, ज़रूरी तो नहीं

ज़िंदगी बाग़ है दुख दर्द लगे मौसम से
सदा बागों में हो बहार, ज़रूरी तो नहीं

बात करने के लिए और भी बहाने हैं
गिरे किताब ही हर बार, ज़रूरी तो नहीं

हुई थी देर मुझे ये भी ठीक है लेकिन
किया हो उसने इंतज़ार, ज़रूरी तो नहीं

मैंने मांगा, न दिया फिर भी मिला मुझको तो
तुम्हें भी दर्द मिले यार, ज़रूरी तो नहीं

वो जो हंसते हैं 'अगम' मेरे डूब जाने पर
उनकी कश्ती लगेगी पार, ज़रूरी तो नहीं

क्या कहें किस तरह हम गुज़र कर रहे
ग़म के साए में कब से बसर कर रहे

रूप सादा ही तेरा ये प्यारा लगे
तुझको क्या है ज़रूरत संवर कर रहे

काम कोई उसूलों से हट कर कभी
हम भी करते नहीं थे, मगर कर रहे

लाख करके जतन भी ये जुड़ता नहीं
घर जो टूटे कोई तो बिखर कर रहे

गीत ऐसा 'अगम' सुन के झूमे जहां
शे'र ऐसा हो दिल में उतर कर रहे

ऐसा नहीं है कि हमें पीना नहीं आया
कभी साक़ी नहीं आया कभी मीना नहीं आया

आई नहीं थी उनके चेहरे पे गर शिकन
माथे पे हमारे भी पसीना नहीं आया

हीरे मिले मोती मिले पारस भी मिल गया
फिर ज़िंदगी में तुझ सा नगीना नहीं आया

कह कर गए थे फिर मिलेंगे अगले महीने
सालों के बाद भी वो महीना नहीं आया

दुनिया में 'अगम' क्या कहें ऐसे भी लोग हैं
मुद्दत से जी रहे हैं जीना नहीं आया

तुम क्या जानो यार, तुम्हें मालूम नहीं
क्या होता है प्यार, तुम्हें मालूम नहीं

वो पत्थर के हैं उनसे चाहत की बातें
करनी हैं बेकार, तुम्हें मालूम नहीं

सात सुरों के संगम से ज्यादा मीठी है
पायल की झंकार, तुम्हें मालूम नहीं

और हसीं लगने लगते हो तुम मुझको
जब करते हो तकरार, तुम्हें मालूम नहीं

किसी और से वो बोले कि यार 'अगम' के
शे'रों में है धार तुम्हें मालूम नहीं

दर्द में लिपटी ये आहें हर तरफ़
मर्मभेदी ये कराहें हर तरफ़

सारे सपने आंसू बन कर बह गए
रो रही है भावनाएं हर तरफ़

ज़िंदा रहना कितना मुश्किल हो गया
आदमी को यातनाएं हर तरफ़

कोई भी दामन भला कैसे बचे
हर तरफ़ भूखी निगाहें हर तरफ़

ऐ 'अगम' हम तो वफ़ा ढूंढा किए
पर मिली हमको जफ़ाएं हर तरफ़

सूर्य नारायण 'शूर'

जन्मतिथि : 19-4-1981, कूंची (इलाहाबाद)
शिक्षा : एम.ए. (अध्ययनरत)
प्रकाशन : विभिन्न पत्र-पत्रिकाओं में गीत, ग़ज़ल, कविताएं, लेख प्रकाशित
सम्मान/पुरस्कार: कविवर मैथिली शरण गुप्त सम्मान सहित अनेक सम्मान/पुरस्कार प्राप्त
सम्प्रति : स्वतंत्र लेखन
सम्पर्क : गांव कूंची, पो - टेमई का पूरा, तहसील - मेजा (इलाहबाद) 2123021

आज पैसे में देखो है क्या आदमी
देखता अपना हर पल नफ़ा आदमी

स्वार्थ के हाथों ऐसा बिका आदमी
कि गया भूल करना भला आदमी

दोस्त दुश्मन मुझे सब बराबर लगे
दोस्त था क़त्ल जो कर गया आदमी

जग में शायद ही हो कोई निःस्वार्थी
स्वार्थ में क्यूंकि पल बढ़ रहा आदमी

चापलूसी औ मक्कारी क्या चीज़ है
'शूर' बतला रहा आज का आदमी

वक़्त गर क़ाफ़िर न होता
तो दुखी दिल फिर न होता

पास होती रोटियां तो
भीख पर मुण्हसिर न होता

पेट भरता तन भी ढकता
नक्सली मन फिर न होता

पास तुम आते नहीं तो
ग़म मेरा ज़ाहिर न होता

'शूर' होते साथ न तो
ये नज़ारा फिर न होता

पूछता हूँ क्यूं ग़रीबों को सताया जा रहा है
बेदख़ल करके उन्हें घर से निकाला जा रहा है

कौन प्रश्नों का सही उत्तर मुझे दिलवाएगा
बेकसूरों को बताओ क्यूं रुलाया जा रहा है

खुश नहीं मजदूर मजदूरी से अपने आज कल
क्यूं नहीं इस बात को मुद्दा बनाया जा रहा है

बात घर की आज सड़कों तक चली आई है क्यूं
क्यूं बड़े से आज छोटे को लड़ाया जा रहा है

मान और सम्मान का जैसे ज़माना जा चुका है
देखकर अनुमान दुनिया को लगाया जा रहा है

बताना भी मुश्किल छुपाना भी मुश्किल
अजब कशमकश में जड़ा है मेरा दिल

मेरे दिल को जब से मुहब्बत हुई है
सुबह शाम दरिया में दिखता है साहिल

नहीं राह दिखती किधर से भी कोई
कहां जाऊं किस राह पे होगी मंज़िल

कयामत में भी ये मुहब्बत न हो कम
करेंगे मुहब्बत को हम इतने क़ाबिल

बताने की उनको ज़रूरत ही क्या है
मैं क़ातिल हूँ या नाम मेरा है क़ातिल

अब संभलने की क्षमता नहीं रह गई
आज मुझसे मेरी ज़िन्दगी कह गई

सामने ही मेरे आज अपनी मेरी
ज़िन्दगी सबसे मुश्किल बड़ी सह गई

खून से अपने सींचा था जिस खेत को
आज उस खेत की सब फ़सल ढह गई

मैं रवायत से दुनिया के अन्जान था
दोस्ती तो गई दुश्मनी रह गई

लोगों क़िस्मत तो देखो ज़रा 'शूर' की
रूह प्यासी रही ज़िन्दगी बह गई

विनीत 'यावर'

जन्मतिथि : 10-8-1981
शिक्षा : बी-एस.सी.
प्रकाशन : पत्र-पत्रिकाओं/संकलनों में ग़ज़लें प्रकाशित।
सम्पर्क : विक्रम स्कूल लघेरा, कटनी (म.प्र.) -483504
फोन : (07622) 226189
मो. : 9301087850

नहीं दिल ये टूटा किसी के बयाँ से
शिकायत करूँ क्या किसी आस्माँ से

ये अश्आर मेरे ही दिल के हैं टुकड़े
लिया कुछ न मैंने यहाँ से वहाँ से

ये फ़ितरत है उनकी परेशाँ है दुनिया
वो है मेहरबाँ तो कभी बदगुमाँ से

नहीं इतनी आसाँ वफ़ा की ये रातें
सभी को गुज़रना पड़ा इम्तिहाँ से

ये हैं फ़ासले ज़िंदगी के तुम्हें मैं
दिखाई न दूँगा तुम्हारे मकाँ से

ये मैं जानता हूँ जो खोया है 'यावर'
उसे ढूँढ लाऊँ तो लाऊँ कहाँ से

नदी, परबत के सीने से बही है
मुहब्बत रफ़्ता-रफ़्ता हो रही है

ज़िरद वालो बयाँ मेरा सही है
सितारा रोशनी जो दे वही है

कली क्या फूल और क्या है शबनम
हक़ीक़त ज़िंदगी की और ही है

वो कब जागे उसे कब होश आए
जवानी नींद मीठी सो रही है

नहीं है आईना ये आईना वो
नहीं मैं इसमें कोई और ही है

ये मुमकिन नहीं है कि पलटूँ ज़ुबाँ से
है निकला हुआ तीर जैसे कमाँ से

नहीं चाहता कोई इन्साफ़ करना
मसाइल का हल कोई निकले कहाँ से

बनाते हैं घर लोग मेह्नत से अपनी
जलूँ किसलिये क्यों किसी के मकाँ से

ये मैं जानता हूँ ये सब जानते हैं
ग़रीबी का उठता धुआँ है कहाँ से

भुलाए हुए इस जहाँ को हैं 'यावर'
दिखाई हमेशा दिये शादमाँ से

काम ये रोज़ का है कर लूँ मैं
तेरे कूचे से फिर गुज़र लूँ मैं

लम्हा-लम्हा सिमट बिखर लूँ मैं
फिर तेरा इन्तज़ार कर लूँ मैं

धूप है साए में न आए नज़र
कोई साया जहाँ ठहर लूँ मैं

तू है जाने बहार रंग तेरे
रुक ज़रा ज़िंदगी में भर लूँ मैं

जी नहीं मानता है ऐ 'यावर'
क्यों न फिर उनसे प्यार कर लूँ मैं

कोई उम्मीद-सी अगर होती
ग़म के मारों की भी सहर होती

क्या सबब है कसक ये कैसी है
ज़िंदगी क्यों नहीं बसर होती

तू न होता तो कुछ नहीं होता
शाम होती कहाँ सहर होती

लाख पर्दों में तू छिपा होता
देख लेते अगर नज़र होती

राज़े-दिल क्यों छिपाते हम 'यावर'
दुनिया इतनी जो मौ'तबर होता

विश्वेश्वर 'श्योकंद'

जन्मतिथि : 4-11-1982, सुदकैन कलां

शिक्षा : स्नातक

प्रकाशन : अनेक पत्र-पत्रिकाओं में रचनाएं प्रकाशित।

सम्मान/पुरस्कार: अनेक संस्थाओं द्वारा सम्मानित।

सम्प्रति : पठन-पाठन।

सम्पर्क : गांव व डाकघर - सुदकैन कलां, जिला - जीन्द (हरियाणा) 126115

फोन : 01684 277650

मो. - 9416777634

नई हर राह लोगों को दिखाने की ज़रूरत है
हर इक गुमराह को रस्ता बताने की ज़रूरत है

मुहब्बत में है ना काफ़ी जुनूने-शौक ये अपना
इसे सहराओं की अब ख़ाक उड़ाने की ज़रूरत है

सरासर नूर हो तुम तो उजाला फैल जाएगा
हसीं रुख़ से तुम्हें पर्दा हटाने की ज़रूरत है

सियासी लोग हम को रोज़ काले दिन दिखाते हैं
अब उन को दिन ही में तारे दिखाने की ज़रूरत है

न आए ज़ख़्म फूलों को न कोई शोखियां लूटे
चमन से ख़ार ज़ारों को हटाने की ज़रूरत है

मसर्रत दी मुझे जिसने भरा है रंग जीवन में
उसे ताज़ीम से दिल में बसाने की ज़रूरत है

न उतरे रंग चेहरों के न खुशियां दूर हो दिल की
जहां से हर बशर का ग़म मिटाने की ज़रूरत है

जहां नफ़रत का दरिया बह रहा है अब तो ऐ 'विश्वेश'
मुहब्बत की वहां गंगा बहाने की ज़रूरत है

मुझे भी आज़माओ तो
कभी अपना बनाओ तो

लगा है कब हमारा दिल
तुम्हारे बिन बताओ तो

मिला जो नग्मगी का फ़न
ज़माने को रिझाओ तो

बहुत नाशाद लगते हो
हुआ क्या है बताओ तो

हमें 'विश्वेश' मंज़िल की
दिशा वाजिब दिखाओ तो

मैं दिल में झांकता हूँ तो खुशी मालूम होती है
कहीं तारीकियों में रौशनी मालूम होती है

पुराना ज़ख़्म इक पल में ही कैसे भर गया यारो
कि अब मुझ से किसी की दोस्ती मालूम होती है

कभी अमराईयों में जो महकते खिलखिलाते थे
उन्हीं फूलों की आंखों में नमी मालूम होती है

मिरा उसकी नज़र से यूँ अचानक ही उतर जाना
वज़ाहत कुछ नहीं की बेबसी मालूम होती है

अदावत में मुहब्बत की किरन तुझको नज़र आई
ये तो 'विश्वेश' तेरी सादगी मालूम होती है

शादमां सारा नगर हो, ये ज़रूरी तो नहीं
दुख भरा हर गांव घर हो, ये ज़रूरी तो नहीं

आंख में आंसू नहीं दिल रो रहा है रंज से
रंज से हर आंख तर हो, ये ज़रूरी तो नहीं

मर मिटा कोई किसी के सांवले से रूप पर
यार अपना सीमबर हो, ये ज़रूरी तो नहीं

तीरगी भी साथ होगी ज़िंदगी की राह में
चांदनी ही हमसफ़र हो, ये ज़रूरी तो नहीं

तू बढ़ा अपने क़दम 'विश्वेश' मंज़िल की तरफ़
तेरी मंज़िल मील भर हो, ये ज़रूरी तो नहीं

यूँ ही तन्हा गुज़ारी है अभी तक ज़िंदगी मैंने
मगर छोड़ी नहीं चाहत कभी भी आपकी मैंने

चरागों को बुझाने जब चली आई कोई आंधी
था मेरा हौसला उनकी बचा ली रौशनी मैंने

जरा सी इक ख़ता पर लोग हैं कितने ख़फ़ा मुझसे
चुरा ली थी कहीं से चन्द लम्हों की खुशी मैंने

समन्दर सा उमड़ आया उसी पल आँख में मेरी
जब उस की आँख में देखी अज़ब सी बेबसी मैंने

रवां था पास ही दरिया वो फिर भी दूर था मुझ से
बहुत नज़दीक से महसूस की है तिश्नगी मैंने

मुकेश त्रिपाठी

जन्मतिथि : 1-1-1984
शिक्षा : एम.एस-सी. (गणित), बी.एड.।
प्रकाशन : पत्र-पत्रिकाओं में रचनाएं प्रकाशित।
सम्मान : अनेक संस्थाओं द्वारा सम्मानित।
सम्प्रति : निजी कोचिंग क्लास संचालक।
सम्पर्क : विक्रम स्कूल गली, ए. सी. सी. रोड, लखेरा, कटनी-483504 (म.प्र.)
मो. : 9981880816

बन्द कमरे में चटकती चूड़ियों तक ले चलो
बिक रही है जो तुम उसकी सिसकियों तक ले चलो

जिनके तन का ख़ून पीकर ये शहर रौशन हुआ
मुझको उन मेह्नतकशों की बस्तियों तक ले चलो

मुद्दतें गुज़री हैं मुझको, एक पल ना सो सका
नींद आ जाएगी माँ की थपकियों तक ले चलो

चाँद को रोटी समझकर जो पकड़ना चाहता है
मुझ को उस बच्चे की नाजुक मुट्ठियों तक ले चलो

शे'र सुनकर उन ग़रीबों को मिलेगा क्या भला
हाथ उनके थामकर तुम रोटियों तक ले चलो

प्यार का इकरार कर चेह्रा छुपाना
है बड़ा मासूम तेरा दिल लगाना

भीड़ तन्हाई की जब बाँहें पसारे
बाँटता हूँ तब मैं यादों का ख़जाना

धो गए आँसू हमारे काजलों को
यार का चलता रहा दिल का दुखाना

हर तरफ़ विश्वास की लाशें गिरी हैं
एक भी ज़िन्दा अगर है तो बताना

जो 'सुमन' सीताहरण करते रहे हैं
अब उन्हीं का मंदिरों में है ठिकाना

ख़्वाहिशें सहला रहा हूँ ख़्वाब में
दर्द भी नहला रहा हूँ ख़्वाब में

फ़ासलों के बाद आना है जिसे
आज मैं वह ला रहा हूँ ख़्वाब में

चुभ न जाए शोर का काँटा कहीं
खुद को मैं टहला रहा हूँ ख़्वाब में

चाहतों में चाँद छूने की सदा
यार मैं पहला रहा हूँ ख़्वाब में

पास दरिया के न जाऊँ तब तलक
प्यास को बहला रहा हूँ ख़्वाब में

हादसों की इक कहानी दे गया
ज्यों जुबां पर गर्म पानी दे गया

हिचकियों का क़ाफ़िला थमता नहीं
कौन यादों को जवानी दे गया

तुम यहाँ चुपचाप बैठे क्यों रहे
वो गुनाहों की निशानी दे गया

झूठ का घूँघट उठाकर वक़्त अब
सचकहों की ज़िन्दगानी दे गया

धूप की तलवार सहता खुद रहा
चाँदनी हमको सुहानी दे गया

नैतिकता का मान कहाँ है
अब वो हिन्दुस्तान कहाँ है

चेह्रे पर अख़बारों के भी
सब कुछ है मुस्कान कहाँ है

अँधियारे के साथ मिला है
सूरज सा अरमान कहाँ है

छुपकर तेरे अन्दर बैठा
कहते हो शैतान कहाँ है

पैसे की दुनियादारी में
इस दिल को सम्मान कहाँ है

अजय सिंह राजावत 'प्रीतम'

जन्मतिथि : 10-7-1989
शिक्षा : बी.ए.
प्रकाशन : काव्य संकलन 'शब्द-शब्द मोती'। पत्र-पत्रिकाओं में रचनाएं प्रकाशित।
सम्मान : प्रतिभा प्रकाशन रामपुरा द्वारा सम्मानित।
सम्प्रति : विद्याध्ययन।
सम्पर्क : पुलिस थाने के पीछे, रामपुरा (जालौन) उ.प्र.

तुम अचानक दिल में आए तो मुहब्बत हो गई
तुम से मिलकर ज़िन्दगी ये ख़ूबसूरत हो गई

कोई भी दिखता नहीं दुनिया में अब हँसता हुआ
ज़िन्दगी से अब खुशी शायद नदारत हो गई

क्या कहूँ मैं दोस्त अपने इस दिले-नादान से
जिसको जीते जी ही मर जाने की आदत हो गई

लोग अब करने लगे हैं आज दौलत से प्यार
मतलबी दुनिया में उल्फ़त भी तिजारत हो गई

दर्दे-दिल, दर्दे-जिगर में लुत्फ़ जब आने लगे
तो समझ लेना मुहब्बत अब इबादत हो गई

शाइरी 'प्रीतम' की सब सुनने लगे हैं शौक से
जब से उस पर आपकी नज़रे इनायत हो गई

दिल में रहते हो और ख़यालों में
तुम सा कोई नहीं हज़ारों में

इसमें साज़िश है बाग़बानों की
फूल डाले गए शरारों में

खुद में हम ला जवाब थे लेकिन
फिर भी उलझे रहे सवालों में

दिल में जिसके भरे हुए हों ग़म
लुत्फ़ क्या पाए वो नज़ारों में

दोस्ती किससे हम करें 'प्रीतम'
दुश्मनी दिख रही है यारों में

वो मंज़र हसीं लौट आएँगे यारो
जो हम अम्न के गीत गाएँगे यारो

हरिक घर में उतरेगी जब चाँदनी तो
ख़ुशी से सभी मुस्कराएँगे यारो

न आतंक होगा, न फ़िरक़ापरस्ती
परिन्दे वहाँ घर बनाएँगे यारो

अँधेरा मिटाने को हम ज़िन्दगी भर
लहू देके दीपक जलाएँगे यारो

हम अपने वतन के सिपाही हैं 'प्रीतम'
सर अपना वतन पर चढ़ाएँगे यारो

ठोकरें हर राह का पत्थर मुझे देता रहा
और मेरा ज़ख़्म खाकर हौसला बढ़ता रहा

तुम चले आओ, चले आओ से हिम्मत बाँध दी
कौन था आगे जो मुझसे इस तरह कहता रहा

शाम होते रुक गए सब कारवाँ अपनी जगह
और मैं तनहाइयों में दीप सा जलता रहा

जिसकी चाहत में रहा मेरा सदा जीना मुहाल
आख़िरी दम तक उसी को याद मैं करता रहा

मैं समझ पाया न 'प्रीतम' आज तक उस जुर्म को
क्यों घटी नज़दीकियाँ और फ़ासला बढ़ता रहा

दोस्ती उसने यूँ निभाई है
शम्अ जलती हुई बुझाई है

कौन कहता कि मैं अकेला हूँ
साथ मेरे मेरी तन्हाई है

ज़िन्दगी मौत की अमानत है
ये भी अपनी नहीं पराई है

चाँदनी रात और ख़याले-यार
दिल में इक रोशनी सी छाई है

प्रीत कर बेवफ़ा ऐ 'प्रीतम'
प्रीत तुमने अजब निभाई है

अरुण सिंह बारहठ
'मख़्मूर'

शिक्षा : बी.एस.सी, एल.एल.बी., डी.सी.एल.एल.
प्रकाशन : ग़ज़ल-संग्रह 'तस्बीह दे दाने' अनेक पत्र-पत्रिकाओं में रचनाएं प्रकाशित।
सम्मान/पुरस्कार: अनेक संस्थाओं द्वारा सम्मानित।
सम्प्रति : महाप्रबन्धक, देना बैंक, मुंबई
सम्पर्क : देना कार्पोरेट सेन्टर, सी-10, जी ब्लॉक, बान्द्रा-कुर्ला काम्प्लेक्स, बान्द्रा (पूर्व) मुंबई-400051
मो. - 9820613137

कोई मंज़िल है , न मक़सद है, जिये जाते हैं
सूखे पत्ते हैं हवाओं में उड़े जाते हैं

अपनी तस्बीह का एक दाना बनादे मुझको
उंगलियों ही से तेरे दिल में चले जाते हैं

जनमें पत्थर से ख़ुदा बनने की तौफ़ीक़ कहां
जो बड़ी शान से ज़ेवर में जड़े जाते हैं

इन ग़रीबों के मुक़द्दर में तो बचपन भी नहीं
कोख़ ही से ये बुढापे में ढले जाते हैं

मेरे अन्दर ही मिले मुझको हज़ारों दुश्मन
बेबसी देखिए आपस में लड़े जाते हैं

दर्दो-ग़म से तेरी रहमत ने दिला दी है निजात
तेरे एहसान से 'मख़्मूर' दबे जाते हैं

कोई जी से गुज़र गया होगा
वक़्त दीवाना कर गया होगा

घर से निकला वो ढूंढने तुझको
कब पलटकर वो घर गया होगा

थक के दिल जुस्तजू-ए-मंज़िल में
नक़्शे-पा सा, ठहर गया होगा

जो डराता रहा ज़माने को
एक दिन ख़ुद से डर गया होगा

खोया-खोया है आजकल 'मख़्मूर'
कोई दिल में उतर गया होगा

अब कहां अगले ज़मान वाले
करके एहसान भुलाने वाले

कैसे दोज़ख़ में पड़े हैं देखो
राह जन्नत की बताने वाले

अपनी धरती से जुदा मत होना
चाँद पर पांव बढ़ाने वाले

रोशनी करने कहां अब जाएं
अपना घर-बार जलाने वाले

जब से 'मख़्मूर' हुआ दीवाना
कैसा रोते हैं सताने वाले

मन पंछी के सपने कितने
संवरे कितने, बिखरे कितने

दिल का मकां है ख़ाली-ख़ाली
आए तो लाखों, ठहरे कितने

डूबे बहुत पर थाह न पाई
प्यार के झरने गहरे कितने

तुम भी छोड़ चलो ग़म कैसा
छोड़ चुके हैं अपने कितने

राज़ ये बस 'मख़्मूर' ने जाना
कितने बहके संभले कितने

दिल यूं ही बेज़बां नहीं होता
ग़म, ज़ुबां से बयां नहीं होता

आग जलती है रात दिन दिल में
लेकिन इसका धुआं नहीं होता

चाँद सूरज सियाह लगते हैं
ग़म का साया कहां नहीं होता

तेरी यादों से जब लिपटता हूं
कोई भी दरमियां नहीं होता

जिनको रास आई मयकशी 'मख़्मूर'
उनसे कारे-जहां नहीं होता

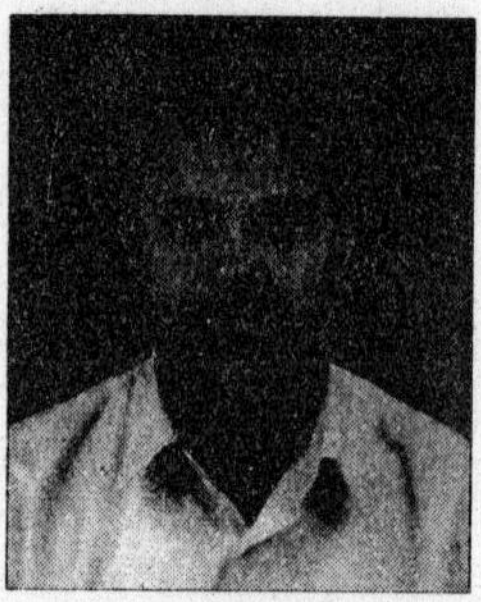

अनुपम सिंह 'सागर'

प्रकाशन : अनेक पत्रिकाओं/संकलनों में रचनाएं प्रकाशित।

सम्मान/पुरस्कार: अनेक संस्थाओं द्वारा सम्मानित।

सम्पर्क : ए 2/7, शिशु मंदिर के सामने, सिंगरौली, जिला-सीधी (म.प्र.)
मो. - 9425390619

क़तरा-क़तरा भले जिया हमने
ज़िंदगी को ग़ज़ल किया हमने

कभी खुशियाँ भी पाई पल दो पल
कभी आँखों का जल पिया हमने

थक गयी वो जुल्म ढा-ढाकर
मुफ़लिसी को भी यूँ जिया हमने

जो ज़रूरी था उतना ही मांगा
बेसबब कुछ नहीं लिया हमने

हम समझते थे बेवफ़ा है वो
फिर भी दिल उसको दे दिया हमने

हमको बस इतना ग़म रहा 'सागर'
माँ की ख़ातिर न कुछ किया हमने

रोशनी हो न हो रहगुज़र के लिए
हौसला है ज़रूरी सफ़र के लिए

शम्अ की उम्र जितनी भी हो क्या ग़रज़
हम तो लड़ते रहेंगे सहर के लिए

दाने-दाने की क़ीमत बताएगा वो
क़त्ल जिसने किया अपने घर के लिए

अपनी कोशिश ज़माना बदलने की है
बात कहते नहीं है ख़बर के लिए

हम कभी वक़्त से डरने वाले नहीं
साथ माँ की दुआएं है सर के लिए

ज़िंदगी कुछ तो अपना पता दे हमें
है इरादा तेरा क्या बता दे हमें

आज़मा लाख दिल को ये मंज़ूर है
राह जीवन की लेकिन सुझा दे हमें

सर बचाऊं तो दस्तार जाए मेरी
है अजब कशमकश मश्वरा दे हमें

दुश्मनों से हमें कोई ख़तरा नहीं
संगदिल दोस्तों से बचा दे हमें

तू तो दरिया था बहना थी फ़ितरत तेरी
तुझको 'सागर' बनाया दुआ दे हमें

ज़िस्म से जान का फ़ासला हो गया
ये लगा हमको जब वो जुदा हो गया

ऐसे हालात आए कि झुकना पड़ा
ये ग़लत है कि मैं बेवफ़ा हो गया

वो तो अब भी इबादत में मसरूफ़ है
फ़र्क ये है खुदा दूसरा हो गया

मुद्दतें हो गईं ख़्वाब देखे हुए
जागने का तो अब सिलसिला हो गया

आम इंसान 'सागर' लगा था हमें
जब जुदा हो गया तो ख़ुदा हो गया

तू नहीं कोई मेरा साया है
हर घड़ी तुझको साथ पाया है

जब भी आहट हुई है सपने में
तेरा चेहरा नज़र में आया है

कोई दस्तक हुई है जो दर पर
तुम न हो ये ख़याल आया है

तुझको हंसता हुआ जो देख लिया
आज दर्पन भी मुस्कुराया है

याद आई उसे मेरी 'सागर'
आज उसने मुझे बुलाया है

सम्पर्क :456/2, शास्त्री नगर, इन्दौर (म.प्र.)

कृष्णा नंद चौबे

ज़िंदगी के फ़लसफ़े में अब न उलझाना मुझे
खुद समझ लेना तो इसके बाद समझाना मुझे

मेरी दिन भर की उदासी को समझ लेता है वो
शाम होते ही बुला लेता है मयख़ाना मुझे

आईना भी अब मुझे कुछ अजनबी लगने लगा
अपने ही चेहरे से कहता हूँ कि पहचाना मुझे

आज फिर कुछ बस्तियाँ जलती नज़र आईं मुझे
आज फिर लिखना पड़ेगा एक अफ़साना मुझे

बदहवासी देखिये साक़ी ने यूँ बांटी शराब
मेरा पैमाना उसे, और उसका पैमाना मुझे

इन दिनों तो मुझको तिनके का सहारा भी नहीं
दोस्तो सैलाब की ज़द में न ले जाना मुझे

आज उसकी याद फिर चुपके से दिल में आ गई
आज फिर आबाद सा लगता है वीराना मुझे

क्या था कसूर क्या थी ख़ता सोचते रहे
किस बात की मिली थी सज़ा सोचते रहे

इक बार मुड़के देख तो लेता मेरी तरफ़
इतना भी उससे क्यों न हुआ सोचते रहे

अब देखता है मुझको तो कुछ बोलता नहीं
पहले कभी वो ऐसा न था सोचते रहे

साए की तरह दोस्त क्यों मुझसे जुदा हुए
क्यों दुश्मनों ने साथ दिया सोचते रहे

क्या हो गया है उसके बनाए हुओं को अब
यह सोचता तो होगा खुदा, सोचते रहे

पूछिये मत क्यों नहीं आराम आया रात भर
उनके आने का ख़याले-ख़ाम आया रात भर

और लोगों की कहानी सुनके मैं करता भी क्या
मेरा अफ़साना ही मेरे काम आया रात भर

याद करने को ज़माने भर के ग़म भी कम न थे
भूलने को बस तुम्हारा नाम आया रात भर

देखना है अब कहाँ रह पाएगी तौबा मेरी
मेरे ख़्यालों मे उमरख़ैय्याम आया रात भर

वक़्त कम है काम काफ़ी दोस्तो कुछ तो करो
उम्र के ख़ेमे से यह पैग़ाम आया रात भर

हमारे चेहरे पे ग़म भी नहीं, खुशी भी नहीं
अंधेरा भी तो नहीं पूरी रौशनी भी नहीं

अजीब रुख़ से वो बातों को मोड़ देता है
जैसे हर बात ग़लत भी नहीं, सही भी नहीं

तुम्हारे पास हक़ीक़त में इक समन्दर है
हमारे ख़्वाबों में छोटी सी इक नदी भी नहीं

कोई बताए खुशी किसके साथ रहती है
हमें तो एक ज़माने से वो दिखी भी नहीं

अजीब बात है दीपावली के अवसर पर
करोड़ों बच्चों के हाथों में फुलझड़ी भी नहीं

क्या ये मुमकिन नहीं बहार आए
और आये तो बार-बार आऐ

आप पर ऐतबार कर तो लूँ
पहले खुद पर तो ऐतबार आए

जिसने मुझको दिये थे ग़म ही ग़म
अपनी खुशियाँ उसी पे वार आए

चार दिन की ये ज़िंदगी का लिबास
कुछ न पहना है, कुछ उतार आए

ख़्वाब को ख़्वाब की तरह देखो
फूल आएं या उसमें ख़ार आए

सम्पर्क : 63, Hamilton Avenue surbition
surrey KT6 7PW England

सोहन 'राही'

मेरे दिन रात को आंखों के उजाले से लिखो
मेरी मिट्टी को मेरे दिल के हवाले से लिखो

लिखने वालो जो लिखो मुनसफ़-ए-दौरां का चलन
इसको बेबाकी-ए-इन्कार के भाले से लिखो

गर नहीं तुम में अगर हौसला-ए-दर बदरी
हासिल-ए-उम्र को फिर जहर के प्याले से लिखो

एक ही नूर बसे जिस्म के जंगल-जंगल
इस की तफ़सीर को मस्जिद न शिवाले से लिखो

मेरी आंखों में उतारो कोई झिलमिल दर्पण
मेरा चेहरा भी किसी नूर के हाले से लिखो

रंग-ए-जां में बिखर कर बोलता है
पुराना ज़ख़्म डर कर बोलता है

वही तो मुअतबर है अश्क अपना
जो पलकों पर ठहर कर बोलता है

पुरानी राह ने काटा है जिसको
नए रस्तों से डर कर बोलता है

वो सुर संगीत और रागों का रसिया
ख़मोशी में उतर कर बोलता है

हम उस छाओं में आ ठहरे हैं 'राही'
जहां सूरज उतर कर बोलता है

भीड़ में चेहरा कोई मेरा भी था
मुंतज़िर लम्हा कोई मेरा भी था

ज़िंदगी से ज़िंदगी के दरमियां
ढूंढता रस्ता कोई मेरा भी था

रात और दिन की मधुर झंकार में
गूंजता नग़मा कोई मेरा भी था

उस बदन के रंग-ओ-बू में तैरता
चाह का गुंचा कोई मेरा भी था

उस दमकते चांद से 'राही' कभी
प्यार का रिश्ता कोई मेरा भी था

कोई मंज़र सुहाना चाहती है
नज़र धोखा भी खाना चाहती है

कोई फूलों भरा मौसम बुलाओ
कली आंसू बहाना चाहती है

बहारों ने सितम हम पे हैं ढाए
ख़िजां भी मुँह छुपाना चााहती है

ये पल दो पल में कब होती है रौशन
मुहब्बत इक ज़माना चाहती है

ये क्या कहिये झड़ी अश्कों की 'राही'
लगी दिल की बुझाना चाहती है

इस तरह बेखुदी ने घेरा है
फिर मुझे इंतज़ार मेरा है

रात और दिन की लय पे रक़्स करूं
वक़्त है या कोई सपेरा है

जब परिंदा बदन का उड़ जाए
फिर कहीं शाम न सवेरा है

वक़्त-ए-रुख़सत जो अश्क भी छीने
यह ज़माना अज़ब लुटेरा है

दम-ए-आख़िर है ख़ाली हाथ चलो
कुछ न तेरा यहाँ न मेरा है

दिव्या माथुर

शिक्षा : एम.ए., पत्रकारिता में डिप्लोमा।

प्रकाशन : अंतःसलिल, रेत का लिखा, ख़याल तेरा और 11 सितम्बर, सपनों की राख तले, चंदन पानी एवं आक्रोश। अनेक पत्र-पत्रिकाओं में रचनाएं प्रकाशित।

सम्मान/पुरस्कार: अनेक राष्ट्रीय एवं अंतर्राष्ट्रीय संस्थाओं द्वारा सम्मानित।

सम्प्रति : नेहरू केंद्र लंदन में वरिष्ठ कार्यक्रम अधिकारी।

सम्पर्क : 83-A Deawn Road, London
NW 2 5NN, U.K.

खुदा जब बुलाएगा, सोचूंगी तब ही
मैं जल्दी में उठने की कायल नहीं हूँ

मैं तैयार हूँ दफ़्न को अपने यूं तो
ज़िंदा हूँ लेकिन थमा पल नहीं हूँ

ज़रा सांस लेने को मैं रुक गई थी
जल्दी चलूंगी कि घायल नहीं हूँ

ठिठकने को तालाब कहते हो क्यूं तुम
मैं बोतल में क़ैदी गंगाजल नहीं हूँ

कभी मांग कर मुझसे देखा तो होता
न प्यासे को जल दे, वो बादल नहीं हूँ

मुहब्बत है तुझसे, हूँ माशूका तेरी
तेरी मुश्किलों का मगर हल नहीं हूँ

कल की कहानी किसी को कहूँ क्या
कि कल मैं नहीं थी, तेरा कल नहीं हूँ

कहने में मुझको शर्म नहीं
दिल पहले जैसा गर्म नहीं

पतझड़ का मौसम है ये
अब फूल चमन के नर्म नहीं

सब इसी जन्म की बातें हैं
ये पिछले मेरे कर्म नहीं

जिस्म था जो तुमने चाहा
कभी जाना मेरा मर्म नहीं

लो, तुमसे आंख मिलाती हूँ
अब आती मुझको शर्म नहीं

सावन की रुत आई जी
छेड़े है पुरवाई जी

लौट आई चुपचाप हवा
कोई ख़बर कब लाई जी

ज़र्द हुआ पत्ता-पत्ता
आंख मेरी पथराई जी

याद आए वो यूं जैसे
दुखती पांव बिवाई जी

जहां थे बिछडे वहीं मिलेंगे
आंगन क़ब्र खुदाई जी

प्यार करते हैं और डरते हैं
हाय, हम बेवफ़ा पे मरते हैं

वो, कि इक ज़ख़्म रोज़ देता है
हम, कि इक आह तक न भरते हैं

गर वो मांगेगा जान देंगे, हम
अपने वादे पे कब मुकरते हैं

कैसे कह दें कि वो पराया है
उसके ख़्वाबों में हम संवरते हैं

अब तो आदत ही बन गई अपनी
ज़ख़्म को आंसुओं से भरते हैं

न सुने तो कोई क्या कीजे
दस्तक देने में हर्ज़ है क्या

हम खुशी-खुशी भुगतेंगे इसे
जो मिट जाए वो मर्ज़ है क्या

दिल मांगा, जाँ हमने दी
ये छोटा-मोटा क़र्ज़ है क्या

हमको तो कोई गिला नहीं
तुम ही जानो कि फ़र्ज़ है क्या

चुप क्यों हो कुछ तो बतलाओ
दरख़्वास्त हमारी दर्ज़ है क्या

सम्पर्क : मु. चुर्खीबाल, जालौन (उ.प्र.)

हरिनारायण श्रीवास्तव 'विकल'

दी तुझे इंसाँ की जिसने ख़ास नेमत ज़िन्दगी
शुक्रिया कर तू उसी की कर इबादत ज़िन्दगी

काम करना रोज़ मर्रह के मुक़र्रर वक़्त पर
भूलकर इसमें न करना कोई ग़फ़लत ज़िन्दगी

यूँ सलीक़े से गुज़र जाये लगे ज़िल्लत नहीं
सीखना तालीम से इतनी लियाक़त ज़िन्दगी

हर बुरी बादत से रहना दूर बद आमाल से
चाहती रखना अगर खुद का सलामत ज़िंदगी

नेक हैं मज़हब सभी उनके सखुन सब नेक हैं
मज़हबों के बीच मत करना अदावत ज़िंदगी

कर भला होगा भला ये है फ़क़ीरी फ़लसफ़ा
आज़मा कर देख लेना ये हक़ीक़त ज़िंदगी

राहे-हक़ से पायेगी इन्सानियत जन्नत सुकूँ
झूठ से हैवानियत दोज़ख़ तबालत ज़िन्दगी

मानकर इन मशविरों को जो चलेगी वह 'विकल'
पायेगी अल्लाह की पूरी इनायत ज़िन्दगी

दीवाना कर दिया है दीदार ने तेरे
मस्ताना कर दिया है दीदार ने तेरे

देखूँ जहाँ वहाँ पर है रोशनी तेरी
परवाना कर दिया है दीदार ने तेरे

अब रोज रिन्द आते हैं प्यास ले यहाँ
मयख़ाना कर दिया है दीदार ने तेरे

नज़रे-करम से देखा तो यूँ लगा सनम
नज़राना कर दिया है दीदार ने तेरे

कर नाप ही रूकेगा दूरी 'विकल' क़दम
पैमाना कर दिया है दीदार ने तेरे

वादे से मुकर जाना अच्छा नहीं लगा
अच्छा किया बहाना अच्छा नहीं लगा

वैसे मिले जहाँ भी खुशियाँ बिखेर दीं
मौक़े पे रूठ जाना अच्छा नहीं लगा

हर चीज़ मुहय्या है लेकिन सुकूँ नहीं
अच्छा है आशियाना अच्छा नहीं लगा

उसने दिया है सब कुछ, कुछ और माँग ले
औरों से गिड़गिड़ाना अच्छा नहीं लगा

तेरी तरफ़ बढ़ा था होकर 'विकल' क़दम
पीछे पड़ा हटाना अच्छा नहीं लगा

तेरी चाहत मिली, और क्या चाहिए
दिल को राहत मिली, और क्या चाहिए

ज़ीस्त इन्सासन की, जो है तेरी वही
ख़ास नेमत मिल, और क्या चाहिए

ऐब सब हर लिए, दूर दूःख कर दिये
ऐसी रहमत मिली, और क्या चाहिए

हैं सभी में वही, बन्दगी को सही
यह इबादत मिली, और क्या चाहिए

यह 'विकल' मस्त जिसमें रहे रात दिन
वह मसर्रत मिली, और क्या चाहिए

ज़िन्दगी बेहिसाब कर बैठे
चीज़ अच्छी खराब कर बैठे

क्या कहा जाये अब सवालों से
काम सब ला जबाव कर बैठे

आएंगे किस तरह जबाव सही
जब ग़लत हर हिसाब कर बैठे

हाले-बद कौन रोक पायेगा
बदचलन इन्क़लाब कर बैठे

राहे-हक़ पर चलें 'विकल' वो ही
ज़िन्दगी कामयाब कर बैठे

गौतम सचदेव

जन्म स्थान : वॉरबर्टन, जिला शेखूपुरा (पश्चिमी पंजाब का वह क़स्बा, जो अब पाकिस्तान में है)

शिक्षा : एम.ए. (हिन्दी), पी-एच.डी.

प्रकाशन : बूंद-बूंद आकाश (ग़ज़ल-गीत संग्रह) सहित कहानी, समीक्षा, व्यंग्य, कविता, बाल-गीत आदि विधाओं की अनेक पुस्तकें प्रकाशित। अनेक पत्र-पत्रिकाओं में रचनाएं प्रकाशित।

सम्मान : 'गीतों भरे खिलौने' पर राष्ट्रीय पुरस्कार सहित देश-विदेश की अनेक संस्थाओं द्वारा सम्मानित।

सम्प्रति : स्वतन्त्र लेखन।

सम्पर्क : 42, Headstone Lane, Harrow, Middle Sex, HA 2 6HG (U.K.)
फोन : 00-(44)-208 863 1450

मुहब्बत का अगर दिल में न कोई वलवला होता
वतन को बेझिझक हमने बहुत लूटा-छला होता

बनाते काश हम बँगले पहनते हार नोटों के
जमा करते करोड़ों नाम अपना भी चला होता

चलो नेता नहीं उस के बटन-कुर्ता बने होते
हमें भी देशसेवा का मिला इक चोचला होता

सितारे तोड़ लाएँगे यही वादे किया करते
बनाते स्वर्ग की सीढ़ी सदा अपना भला होता

लगाते हर जगह अपने, चलाते जात का सिक्का
न केवल हम, हमारा वंश भी फूला फला होता

वतन के वास्ते परदेस में ही दिल तड़पता है
पड़ा रहता अगर यह मुल्क में तो खोखला होता

घूँघट डाले शाम हुई
धूप कहीं नीलाम हुई

भाप छुई है चश्मे से
या ग़म का अंजाम हुई

सूरज धरती मिलें जहाँ
लम्बी जै-जै राम हुई

लौटी थकी हुई चिड़िया
गुमसुम अर्द्ध विराम हुई

जोगन होकर बौर लदी
डाली प्राणायाम हुई

जहाँ तेरा नक़्शे-क़दम देखते हैं
सितम देखते हैं करम देखते हैं

हमें है शिकायत कि कम देखते हैं
उन्हें है शिकायत कि हम देखते हैं

बनाने लगे लोग मन्दिर सुनहरे
परस्तिश में अब वो रक़म देखते हैं

नई सुब्ह होगी ये उम्मीद कम है
मगर हम उफ़ुक़ दम-ब-दम देखते हैं

बिछड़कर ख़ुशी गुम हुई थी जहाँ पे
उसे क्यों उसी जा पे हम देखते हैं

कुछ दर्द ख़ास होने दो
मिलकर उदास होने दो

होशो-हवास खोने दो
टूटा गिलास होने दो

फिर याद को कसकने दो
चुभती मिठास होने दो

है रात सर्द अँधियारी
लिपटा उजास होने दो

कुछ मौन शब्द पलकों के
अब उपन्यास होने दो

उमड़ा है बरस पाए न बादल मेरे मन में
गीला-सा सुलगता रहे जंगल मेरे मन में

नन्हीं-सी तमन्ना कभी झाँके जो नज़र से
ये ओंठ लगा जाते है साँकल मेरे मन में

किरणों में उमड़ता है मचलता है लहर में
आँखों से ढुलकता हुआ काजल मेरे मन में

जीवन का नगीना हुआ सपनों का सितारा
ख़ुश्बू-सा उड़ा दर्द का आँचल मेरे मन में

फ़ुर्सत नहीं चाहत का ये मौक़ा भी नहीं है
क्यों बोल रही याद की कोयल मेरे मन में

याकूब ख़ान 'आजाद'

जन्मतिथि : अज्ञात, मादरा (हनुमानगढ़) राजस्थान
शिक्षा : उर्दू अदीब
प्रकाशन : अपने अपने चेहरे, इन्द्रधनुषी हिन्दी ग़ज़लें, ग़ज़लपुर, तुलसी प्रभा, उमर ज्ञान (पंजाबी) में ग़ज़लें प्रकाशित।
सम्मान : भारतीय कला साहित्य परिषद भादरा द्वारा चौधरी रणधीर सिंह प्रतिभा पुरस्कार।
सम्पर्क : हाथीपुरा भादरा-335501, जिला हनुमानगढ़ (राजस्थान)

सनम बेदादगर है और मैं हूँ
ग़मे-शामो-सहर है और मैं हूँ

तमन्ना है न कोई आरजू है
फ़क़त टूटा जिगर है और मैं हूँ

शरीके-ग़म यहां कोई नहीं है
ज़माना बे-महर है और मैं हूँ

अंधेरी रात और पुरपेच राहें
फ़रेबे राहबर है और मैं हूँ

बनेगा ख़ाक क्या बिगड़ा मुक़द्दर
दुआ-ए बेअसर है और मैं हूँ

वही मैदान है फिर कर्बला का
वही ज़ालिम सिमर है और मैं हूँ

करे 'आज़ाद' क्या जीने की हसरत
तहे तलवार सर है और मैं हूँ

ज़िन्दगी अजाब बन कर रह गई
दर्द की किताब बनकर रह गई

काम न आई दुआ कोई मगर
आबरू बेआब बनकर रह गई

मिल गए अरमान सारे ख़ाक में
हर खुशी इक ख़्वाब बनकर रह गई

गर्दिशों की बेरहम आगोश में
रूह तलक बेताब बनकर रह गई

जीना तो 'आज़ाद' मुश्किल था मगर
मौत भी नायाब बनकर रह गई

हुस्न की तो नज़ाकत बुरी है
ये मचलती कयामत बुरी है

मुस्कुरा के निगाहें चुराना
इन हसीनों की फ़िरत बुरी है

आग दोनों तरफ़ हो बराबर
एक तरफ़ा की चाहत बुरी है

दिल लगाना न फित नागरों से
नाज़नीनों की सोहबत बुरी है

लोग कहते हैं 'आज़ाद' हमसे
बेवफ़ा की मुहब्बत बुरी है

बेखुदी में नज़र लड़ा बैठे
नींद रातों की हम गँवा बैठे

बात ही बात में पता न चला
कब न जाने वो दिल चुरा बैठे

दिल कहीं अब मगर नहीं लगता
किस मुसीबत में जाँ फँसा बैठे

कोई चारा नज़र नहीं आता
रोग भी क्या अजब लगा बैठे

भूल 'आज़ाद' हो गई हम से
बेवफ़ा को सनम बना बैठे

मौसम है सुहाना क्या कीजे
ये दिल है दीवाना क्या कीजे

ग़ैरों की तो कोई बात नहीं
दिलबर का सताना क्या कीजे

लोगों की तो आदत है यारो
बेपर की उड़ाना क्या कीजे

क़िस्मत की रज़ा थी छूट गया
किश्ती से किनारा क्या कीजे

'आज़ाद' गमों से अपना तो
रिश्ता है पुराना क्या कीजे

सम्पादकीय *(पूर्व प्रकाशित 'ग़ज़ल...दुष्यंत के बाद' भाग-1 का)*

...कई मुसाफ़िर आए हैं

ग़ज़ल का ज़िक्र होते ही मेरे ज़ह्न में एक अज़ीम शख़्सियत का नाम बड़ी श्रद्धा के साथ उभरता है—आली जनाब 'मुशीर' झिंझानवी साहब। बात क़रीब बीस-इक्कीस साल पुरानी है, जब ग़ज़ल की दुनिया में मैंने क़दम रखा ही था। भाई मोईन अख़्तर अंसारी के प्रयास और प्रेरणा से मैं यहाँ-वहाँ शे'री नशिस्तों में हिस्सा लिया करता था। 'मुशीर' साहब के सान्निध्य में भी अपना कलाम पढ़ने का मुझे कई बार सौभाग्य प्राप्त हुआ है। मेरे ही क्या, हर नए शायर के कलाम पर 'मुशीर' साहब जिस दरियादिली से दाद देकर हौसला अफ़्ज़ाई करते थे, ऐसे विशाल हृदय शख़्स को देखने के लिए आँखें तरसती हैं। एक बार एक नशिस्त के बाद बातों-बातों में एक साहब ने 'मुशीर' साहब से कहा, ''जनाबे आली! आप दीक्षित जी की जिस ग़ज़ल पर दाद दे रहे थे, उसके तो कई शे'र बहूर से ख़ारिज हैं।' मैं भी बात-चीत सुन रहा था। 'मुशीर' साहब ने उन साहब को जो जवाब दिया वह मेरी ग़ज़ल-यात्रा का आदर्श वाक्य बन गया। 'मुशीर' साहब ने पहले तो स्नेहिल मुस्कान से मुझे नवाज़ा, उसके बाद उन साहब की ओर मुख़ातिब होकर कहा, ''क़िबला! आज दीक्षित जी ग़ज़ल की दुनिया में आए हैं, कल बहूर में भी आ जाएँगे।''

इस घटना का ज़िक्र करना मैंने इसलिए भी मुनासिब समझा कि इस संकलन के सम्पादन के दौरान इन ग़ज़लों को पढ़ते हुए 'मुशीर' साहब का यह जुमला मुझे कई बार याद आया।

प्रत्येक शब्द का अपना एक अलग ब्रह्माण्ड होता है। अभी पिछले दिनों एक उर्दू पत्रिका में एक लेख छपा है, जिसमें 'फ़िराक़' गोरखपुरी की शायरी को साधारण दर्जे़ की शायरी सिद्ध करते हुए लेखक ने एक जगह एक वाक्य लिखा है, 'तुलसीदास ने राम और सीता की मुहब्बत का अपनी शायरी में वह बयान किया है कि 'फ़िराक़' उस मंज़िल पर पहुँचना तो दूर, सोच भी नहीं सकते।' मेरा मक़सद 'फ़िराक़' की शायरी के पक्ष या विपक्ष में अपनी राय ज़ाहिर करना नहीं बल्कि शब्द के सटीक प्रयोग करने के बारे में थोड़ा चर्चा करना है। इस वाक्यांश में राम और सीता के लिए 'मुहब्बत' शब्द कितना खटक रहा है। इसी प्रकार तुलसीदास की 'शायरी'। यानि 'रामचरित मानस' भी तुलसीदास की 'शायरी' हो गई। माना कि उर्दू में 'प्रेम' के लिए 'मुहब्बत' शब्द का प्रयोग किया जाता है, और 'कविता' के लिए 'शायरी'। लेकिन 'मुहब्बत' शब्द का प्रयोग लैला-मजनूं, शीरी-फ़रहाद इत्यादि के लिए तो जायज़ है, राम-सीता या राधा-कृष्ण

के लिए क़त्तई नहीं। इसी प्रकार 'शायरी' शब्द का प्रयोग 'मीर', 'ग़ालिब', 'फ़िराक़' आदि के कलाम के लिए तो उपयुक्त है, तुलसीदास, सूरदास, मीरा आदि के काव्य के लिए नहीं। काल और परिवेश के अनुसार प्रयोग किया गया शब्द ही अपना सार्थक प्रभाव छोड़ता है।

प्रत्येक भाषा का अपना एक विशिष्ट संस्कार भी होता है। एक फ़िल्मी डायरेक्टर ने अपनी अभिनेत्री बेटी की प्रशंसा में कहा था, **'Had she not been my daughter, I would have married her'.** क्या यह बात हिन्दी या उर्दू में कही जा सकती है? और संस्कृत में तो सोची भी नहीं जा सकती। भारतीय परिवेश में उक्त बेहूदा बात, निर्लज्जता पूर्वक सिर्फ़ अंग्रेज़ी में ही कही जा सकती है। पिता को अपनी लाड़ली बेटी की प्रशंसा यदि करनी ही पड़े, तो हिन्दी में यूँ की जाती है–

कुँवर मनोहर विजय बढ़ि कीरति अति कमनीय।
पावनहार विरंचिजन रचेहु न धनु दमनीय॥ (रामचरित मानस)

अपने भाषागत संस्कारों की सीमाओं के कारण ही हम अन्य भाषाओं के शब्दों और भावों को अपनी भाषा में ठीक वैसा ही व्यक्त कर पाने में असमर्थ होते हैं। इसी कारण भाषाएँ अन्य भाषाओं के शब्दों को ज्यों का त्यों अपने में समो लेती हैं। और यही दृष्टिकोण किसी भाषा के विकास में सहायक होता है। जैसे फ़ारसी शब्द 'ग़म' के लिए हिन्दी में शब्द नहीं है। और यह शब्द हिन्दी में अपने सटीक अर्थ में रच-बस गया है, तो इसके लिए हिन्दी में शब्द क्यों गढ़ा जाए? रेलगाड़ी को रेलगाड़ी न कहकर 'लौहपथगामिनी' कहने का आग्रह क्यों किया जाए? इसी प्रकार हिन्दी के अनेक शब्दों–धर्म, नयन, भक्त, संस्कार, आरती आदि के लिए उर्दू-फ़ारसी, अंग्रेज़ी ही क्या संसार की किसी भी भाषा में शब्द नहीं हैं। अंग्रेज़ी के 'कॉलगर्ल', सैक्स वर्कर', 'गुडआफ़्टर नून' आदि अनेक शब्दों के लिए हिन्दी-उर्दू में कोई शब्द नहीं है। अरबी-फ़ारसी के सैकड़ों शब्दों–'ईमान', 'वज़ू', क़ुर्बान आदि के लिए हिन्दी में शब्द नहीं हैं तो इन्हें ज्यों का त्यों प्रयोग क्यों न किया जाए? ...और यही कारण है कि हिन्दी ने अरबी-फ़ारसी-अंग्रेज़ी आदि भाषाओं के लगभग सात हज़ार शब्दों को ज्यों का त्यों अपना लिया है।

एक बार अटल जी से उनके एक उर्दू-भाषी मित्र ने विनोदी लहजे में कहा, "आपकी हिन्दी में तो 'ईमानदार' तक नहीं है।" हाज़िर जवाब अटल जी ने उसी लहजे में कहा, "हमारे यहाँ 'बेईमान' भी नहीं है।"

संसार की प्रत्येक भाषा ने अपने काल, परिवेश और संस्कारों के अनुरूप अपना विकास किया है। मनुष्य ने अपने जज़्बातो-अहसासात को अभिव्यक्त करने के लिए

जितने भी माध्यम ईज़ाद किए उनमें भाषा/बोली सबसे अधिक कारगर तो है लेकिन कम्प्लीट नहीं है। हम अपने सुख-दुःख, हर्ष-विषाद, करुणा, प्रेम, क्रोध, ममता आदि अनुभूतियों को भाषा के माध्यम से अभिव्यक्त तो कर सकते हैं लेकिन एक हद तक। जैसे कोई व्यक्ति अपने सिर के दर्द को बताना चाहता है। तो वह दर्द की तीव्रता बताने के लिए अपने कथन में 'असहनीय', 'बहुत', 'भयंकर' आदि विशेषण तो लगा सकता है लेकिन दर्द की वास्तविक अनुभूति जो उसे हो रही है, इन विशेषणों से परे है। फिर भी भाषा मनुष्य से मनुष्य तक विचारों, संवेदनाओं और भावनाओं को पहुँचाने का एक सशक्त माध्यम तो है ही।

अनेक विचार या भाव भाषातीत होते हैं। गुरुवर रवीन्द्रनाथ टैगोर ने अपने निधन से कुछ समय पूर्व कहा था कि "मुझे इतना सब कुछ लिखना ही इसलिए पड़ा कि मैं जो कहना चाहता था, बस वही नहीं कह पाया।" कहते हैं, सिद्धार्थ 'बुद्धत्व' को प्राप्त होने के पश्चात कभी बोले ही नहीं। अपने शिष्य आनन्द को मौन की भाषा में उपदेश दिया करते थे, जिनको आनन्द लोक-भाषा में अन्य लोगों को बताया करते थे।

बहरहाल... हम आमजन न तो 'बुद्ध' हैं और न ही 'आनन्द'। हमें तो अपनी बात भाषा के माध्यम से ही एक-दूसरे तक पहुँचानी होती है।

सबसे पहले तो मैं अपने उन हिन्दी ग़ज़लकार मित्रों से एक नम्र निवेदन करना चाहता हूँ जो बाक़ायदा 'हिन्दी-ग़ज़ल' का अभियान छेड़े हुए हैं, जिसके तहत हिन्दी-ग़ज़ल को उर्दू-ग़ज़ल से बहुत आगे बढ़ी हुई मानते हैं व प्रचारित करते हैं। दुष्यन्त कुमार चूँकि उर्दू अदब, विशेषकर ग़ज़ल-साहित्य से भली-भाँति परिचित थे, इसीलिए भरपूर तग़ज़्ज़ुल के साथ अपनी कालजयी ग़ज़लें कह पाए। अर्थात उर्दू-ग़ज़लों या उर्दू-ग़ज़लकारों के प्रति उदासीनता या उपेक्षा-भाव रखने पर हम अपना ही नुकसान करेंगे। मेरा स्पष्ट मानना है कि यदि किसी को ग़ज़ल कहनी है, चाहे किसी भी भाषा में, तो उसे उर्दू-ग़ज़ल को गम्भीरता से पढ़ना/सुनना, और ग़ज़ल के मिज़ाज को समझना चाहिए। शे'र में बह्र (छन्द-विधान) की जानकारी के साथ-साथ शतुरगुर्बा, ज़म आदि दोषों और अन्य अनेक बारीक़ियों का ज्ञान हासिल करते रहने में कभी भी संकोच नहीं करना चाहिए।

दूसरा निवेदन उन उर्दू-ग़ज़लकार अग्रजों से है जो हिन्दी-ग़ज़ल यानी आम बोल चाल की भाषा में कही जाने वाली ग़ज़लों को, या कहिए ग़ैर-उर्दूभाषी ग़ज़लकारों द्वारा कही जाने वाली ग़ज़लों को हेय या तुच्छ दृष्टि से देखते हैं। दुष्यन्त कुमार द्वारा 'शह्र' को 'शहर' के वज़न (वज़्न) में बाँध देने मात्र से उनकी तमाम शायरी को सिरे से नकार देना ठीक नहीं है। आख़िर उर्दू ने भी हिन्दी और अन्य भाषाओं के शब्दों को अपनी सुविधानुसार बदल ही लिया है। 'ब्राह्मण' को 'बिरहमन', 'चन्द्र' को 'चन्दर', 'समुद्र', को 'समुन्दर' ही नहीं 'समन्दर' भी, 'सौक्रेटीज़' को 'सुकरात', 'एरिस्टोटल' को 'अरस्तू',

'अलैक्ज़ैण्डर' को 'सिकन्दर' आदि सैकड़ों शब्दों का उर्दूकरण किया जा सकता है तो 'शह्र' को 'शहर' या 'वज़्न' को 'वज़न' भी बोलने/लिखने, यानि कुछ अरबी-फ़ारसी शब्दों के हिन्दीकरण पर भी आपत्ति नहीं होनी चाहिए।

इस ग़ज़ल-संकलन के प्रकाशन के उद्देश्यों में एक उद्देश्य यह भी है कि उर्दू अदब के सुधी पाठक/समीक्षक सरल भाषा में कही जा रही आज की इन गज़लों को उदारता पूर्वक देखें/परखें। शायद उनका यह मुग़ालता दूर हो जाए कि ग़ैर-उर्दूभाषी ग़ज़लकारों द्वारा अच्छी ग़ज़लें नहीं कही जा रहीं। वहीं, दूसरी ओर उन हिन्दी-ग़ज़लकारों का भी भ्रम दूर हो जिनकी निगाह में 'हिन्दी-ग़ज़ल' आज 'उर्दू-ग़ज़ल' को पीछे छोड़ चुकी है।

वैसे तो ग़ज़ल का मूल रस 'करुण' रस है। फिर भी ग़ज़ल के कथ्य को आमतौर पर तीन भागों में बाँटा जा सकता है। ग़मे-जानाँ, ग़मे-दौराँ और सूफ़ियाना (तसव्वुफ़)। यूँ तो हर दौर में तीनों ही प्रकार की शायरी में लाजवाब शायरी हुई है मगर काल, परिवेश और शायरों व सामईन के बौद्धिक स्तर एवं रुचि के अनुसार इन तीनों प्रकार की शायरी में संख्या के लिहाज़ से कमी या वृद्धि होती रही है। किसी भी शायर का कथ्य आमतौर पर इन्हीं तीनों सोपानों से होकर गुज़रता है। दुष्यंत ने भी इश्क़िया शे'र कहे, मगर बहुत कम–

फिर मेरा ज़िक्र आ गया होगा
वो बरफ़-सी पिघल रही होगी

हमने भी पहली बार चखी तो बुरी लगी
कड़वी तुम्हें लगेगी मगर एक जाम और

लेकिन दुष्यंत का असली तेवर उनके उन शे'रों में है जो उन्होंने आम आदमी की पीड़ा को अभिव्यक्त करते हुए तत्कालीन व्यवस्था के विरोध में कहे–

कहाँ तो तय था चराग़ाँ हरेक घर के लिए
कहाँ चिराग़ मयस्सर नहीं शहर के लिए

●

कैसी मशालें ले के चले तीरगी में आप
जो रोशनी थी वो भी सलामत नहीं रही

●

कल नुमाइश में मिला वो चीथड़े पहने हुए
मैंने पूछा नाम तो बोला कि हिन्दुस्तान है

●

हो गई है पीर पर्वत सी पिघलनी चाहिए
इस हिमालय से कोई गंगा निकलनी चाहिए

इस तेवर के अनेक कालजयी शे'रों के कारण ही दुष्यंत कुमार को हिन्दी ग़ज़ल का एक प्रकाश स्तम्भ माना जाता है। और ऐसा भी नहीं कि सिर्फ़ दुष्यंत ने ही इस तेवर में ग़ज़लें कहीं। उनसे पहले और उनके समकालीन अनेक ग़ज़लकारों ने भी बहुत प्रभावशाली तरीक़े से इसी तेवर में शे'र कहे हैं। फ़र्क़ बस इतना है कि उन ग़ज़लों में प्रयुक्त भारी भरकम अरबी-फ़ारसी शब्दों को एक ख़ास वर्ग ही समझ पाता था।

हिन्दी-ग़ज़ल दुष्यंत के बाद ही परवान चढ़ी। दुष्यंत ने कहा था—

थोड़ी आँच बनी रहने दो, थोड़ा धुआँ निकलने दो
कल देखोगी, कई मुसाफ़िर इसी बहाने आएँगे

सो, दुष्यंत की उसी आँच और धुएँ की तपिश का फल है कि आज देश में सिर्फ़ कवि या ग़ज़लकार ही नहीं, आमजन भी जिनमें गृहणियाँ, डॉक्टर्स, इंजीनियर्स, वकील, जज, छात्र-छात्राएँ, किसान-मजदूर...यानि हर वर्ग का व्यक्ति अपनी अकुलाहट और बेचैनी को ग़ज़ल के माध्यम से व्यक्त कर रहा है। कुछ को इसमें कामयाबी मिली है और कुछ कामयाबी की ओर बढ़ रहे हैं। यहाँ ग़ज़ल-समीक्षकों से एक निवेदन करना चाहता हूँ कि कोई शे'र अच्छा या बुरा नहीं होता। शे'र तो बस होता है या नहीं होता। बकौल रमेश 'तन्हा'—

दिल के मौसम से इबारत है ये दुनिया वर्ना
आइना क्या है, नज़र क्या है, नज़ारा क्या है

रिवायती और जदीद शायरी के मामले में भी ऐसा ही है। एक ओर जहाँ 'मासूम' ग़ाज़ियाबादी कहते हैं—

जदीदाने-ग़ज़ल हम आपका सदक़ा उतारेंगे
ज़रा रूहे-ग़ज़ल की हिचकियाँ ख़ामोश हो जाएँ

वहीं दूसरी ओर 'अदम' गोंडवी साहब 'फ़रमाते हैं—

ग़ज़ल को ले चलो अब गाँव के दिलकश नज़ारों में
मुसलसल फ़न का दम घुटता है इन अदबी इदारों में

हर पाठक/श्रोता अपने संस्कारगत स्वभाव और दिल के मौसम के हिसाब से ही किसी शे'र को पसन्द या नापसन्द करता है। हिन्दी ग़ज़ल की समीक्षा के क्षेत्र में एक विडम्बना यह रही है कि ग़ज़ल के मिज़ाज और छन्द विधान से वाक़िफ़ योग्य और तटस्थ समीक्षकों का प्रायः अभाव ही रहा है।

निःसन्देह 'ग़ज़ल' हिन्दी की प्रकृति नहीं रही, जैसा कि डॉ. रामदरश मिश्र जी

ने भी कहा है, लेकिन आज हिन्दी और उर्दू में मात्र लिपि के, और कोई ख़ास फ़र्क़ नहीं है। यही कारण है कि हिन्दी की प्रकृति में भी धीरे-धीरे ग़ज़ल विधा का समावेश हो रहा है।

ग़ज़ल का यह कारवाँ धीरे-धीरे ही सही, अपनी मंज़िल की ओर बढ़ रहा है। ग़ज़ल-यात्रा के इन तमाम मुसाफ़िरों की ओर से, नूरुल इस्लाम 'निश्तर' साहब के शब्दों में दुआ करता हूँ—

ऐ ख़ालिके-हुनर हमें इतना कमाल दे
दुनिया मिसाल दे तो हमारी मिसाल दे

—दीक्षित दनकौरी

'ग़ज़ल...दुष्यंत के बाद' पर उद्‌गार

"दीक्षित दनकौरी द्वारा सम्पादित संकलन 'ग़ज़ल...दुष्यंत के बाद' एक सराहनीय प्रयास तो है ही, इसमें सम्पादकीय लेख 'कई मुसाफ़िर आए हैं' बहुत अच्छा है।"

—उदय प्रताप सिंह

"हिन्दी ग़ज़ल पर इतना बड़ा और प्रमाणिक काम सम्भवतः पहली बार हुआ है।"

—डॉ. गोविन्द व्यास

"दुष्यन्त के बाद निश्चय ही हिन्दी कविता में ग़ज़लगोई के क्षेत्र में गति आई है। 'ग़ज़ल...दुष्यंत के बाद' ग़ज़ल की दुनिया में एक संग्रहणीय दस्तावेज़ है।"

—डॉ. शेरजंग गर्ग

"यह संकलन हिन्दी-ग़ज़ल की दुनिया में मील का पत्थर साबित होगा।"

—लक्ष्मीशंकर वाजपेयी

"ग़ज़लों की इस भीड़-भाड़ में निश्चय ही ऐसी ग़ज़लें भी हैं जो अपनी अन्तर्वस्तु की नवीनता, संवेदनशीलता एवं सहज रवानी के कारण गहरा प्रभाव छोड़ती हैं।"

—डॉ. रामदरश मिश्र

"हिन्दी ग़ज़ल के क्षेत्र में 'ग़ज़ल...दुष्यंत के बाद' का प्रकाशन एक अनूठा और प्रशंसनीय कार्य हुआ है।"

—डॉ. कुँअर 'बेचैन'

"हिन्दी ग़ज़ल का ज़िक्र होते ही दुष्यंत कुमार का नाम बेसाख़्ता याद आता है। आज हिन्दी ग़ज़ल दुष्यंत कुमार से कितना आगे पहुँच चुकी है या नहीं पहुँची है, इस पर निर्णय देना जल्दबाज़ी होगी।"
—डॉ. जानकी प्रसाद शर्मा

" 'ग़ज़ल...दुष्यंत के बाद' एक सराहनीय प्रयास है, दीक्षित दनकौरी ने एक साथ एक ही मंच पर इतने ग़ज़लकारों को लाकर अत्यन्त महत्वपूर्ण कार्य किया है। यह संकलन ग़ज़ल के क्षेत्र में मील का पत्थर सिद्ध होगा।"
—डॉ. विभा शुक्ला

"जिस परम्परा का आह्वान दुष्यन्त कुमार ने किया था उसे इस संकलन के रचनाकारों ने और नए आयाम दिए हैं। संकलन का हर पन्ना वर्तमान दौर की ग़ज़ल के नएपन, तेवर और तर्ज़ से परिचित कराता है।"
—अलका सिन्हा

"दीक्षित दनकौरी के सम्पादकीय कौशल और ग़ज़ल के प्रति समर्पण भाव की जितनी सराहना की जाए कम है।"
—हरे राम 'समीप'

" 'ग़ज़ल...दुष्यंत के बाद' की अच्छी चर्चा हो रही है। यह सुकून देनेवाली बात है। दीक्षित दनकौरी का श्रम सार्थक हुआ।"
—डॉ. ब्रह्मजीत गौतम

"दीक्षित दनकौरी ने 'ग़ज़ल...दुष्यंत के बाद' प्रकाशित करके हिन्दी साहित्य में जो तूफ़ान ला खड़ा कर दिया है, वह रोके नहीं रुक रहा है। जहाँ पुस्तक गई, वहाँ तो चर्चा है ही, जहाँ नहीं गई, वहाँ भी चर्चा है।"
—डॉ. अमरेन्द्र

"निःसन्देह ग़ज़लों पर इससे अच्छी किताब दूसरी हो ही नहीं सकती जो अनेकता में एकता को सही अर्थों में प्रतिबिम्बित करती है।"
—यादराम शर्मा

" 'ग़ज़ल...दुष्यंत के बाद'...एक महान यज्ञ, जिसका परिणाम सर्वदा सुखद होगा। दीक्षित दनकौरी सदैव इस महत् कार्य के लिए याद किए जाएँगे।"
—सियाराम प्रहरी

" 'ग़ज़ल विधा के प्रचार-प्रसार हेतु दीक्षित दनकौरी जी बधाई के पात्र हैं।"
—जवाहर इन्दु

" 'ग़ज़ल...दुष्यंत के बाद' का प्रकाशन, एक ऐतिहासिक कार्य...ग़ज़ल के संसार में सितारों की तरह जगमगाएगी यह पुस्तक।"
—कृष्णा कुमारी 'कमसिन'

“ ‘ग़ज़ल...दुष्यंत के बाद’ एक सफल प्रयास एवं अनोखी, सुखद घटना।”

—सार्थ

“दीक्षित दनकौरी का श्रम सार्थक हुआ, एक बहुत बड़ा काम हुआ।”

—रसूल अहमद सागर

“क़रीब-क़रीब सारे ग़ज़लकार एक साथ। ग्रन्थ प्रमाणिक एवं संग्रहणीय है।”

—चन्द्र सेन ‘विराट’

“भई वाह!...दीक्षित दनकौरी ने एक ऐतिहासिक कार्य किया है। ग़ज़ल का जब-जब इतिहास लिखा जाएगा, तब-तब इस संकलन का उल्लेख होगा। इसके उल्लेख के बिना कम से कम हिन्दी ग़ज़ल का इतिहास अधूरा रहेगा।”

—अंसार कम्बरी

“ ‘ग़ज़ल...दुष्यंत के बाद’ सचमुच बेजोड़ पुस्तक है।” *—दिनेश तपन*

“ ‘ग़ज़ल...दुष्यंत के बाद’ की विशालता देखकर ग़ज़ल विधा के प्रति दीक्षित दनकौरी की निष्ठा का अनुमान सहज ही लगाया जा सकता है।”

—राजेन जयपुरिया

“ ‘ग़ज़ल...दुष्यंत के बाद’ में दीक्षित दनकौरी का श्रम, सम्पादन और ग़ज़ल विधा के प्रति समर्पण भाव देखकर अभिभूत हूँ।” *—अश्वघोष*

“दीक्षित दनकौरी ग़ज़ल की दुनिया में लगातार साधना कर रहे हैं, जिसका परिणाम भी मुसलसल सामने आता जा रहा है।” *—राम मेश्राम*

“...सचमुच दीक्षित दनकौरी ने बहुत बड़ा काम किया है। हिन्दी-ग़ज़ल की चर्चा के क्रम में यह पुस्तक सदैव रेखांकित की जाएगी।” *—अनिरुद्ध सिन्हा*

“साहित्य-जगत में ‘ग़ज़ल...दुष्यंत के बाद’ का स्वागत होगा।”

—चन्द्रमौलेश्वर प्रसाद

“दीक्षित दनकौरी ने हिम्मत की, सबको एक मंच पर संगठित किया, इसके लिए ग़ज़ल के तमाम रचनाकार सदैव आभारी रहेंगे।” *—सत्यप्रकाश उप्पल*

"यह एक अविस्मरणीय घटना है, यह पुस्तक हिन्दी साहित्य के इतिहास में महत्वपूर्ण स्थान पाएगी।" *—सतीश श्रोतिय*

"दीक्षित दनकौरी का प्रयास फलित हुआ।" *—डॉ. प्रेम भारद्वाज*

"दीक्षित दनकौरी उदारतापूर्वक ग़ज़ल विधा एवं साहित्य के प्रचार-प्रसार में लगे हैं। 'ग़ज़ल...दुष्यंत के बाद' उसी कड़ी में महानतम उपलब्धि है।"

—अनिरुद्ध प्रसाद विमल

" 'ग़ज़ल...दुष्यंत के बाद' एक महाकाव्यात्मक प्रयास।"

—डॉ. करुणा शंकर उपाध्याय

"दीक्षित दनकौरी ने बहुत श्रम किया है। इतने विशाल ग्रन्थ में भी ग़ज़लें बड़े सलीक़े से छापी गई हैं।" *—आचार्य भगवत दुबे*

"दीक्षित दनकौरी ने एक अच्छा कार्य पूर्ण किया है।" *—जुगल किशोर जैथलिया*

"प्रयास अच्छा ही नहीं, क़ाबिले तारीफ़ भी है। दीक्षित दनकौरी ने इसे इस रूप में प्रकाशित करने हेतु काफ़ी श्रम ही नहीं साहस का परिचय भी दिया है।"

—जीवन मेहता

" 'ग़ज़ल दुष्यंत के बाद' की शुभ चर्चा है।" *—प्रदीप चौबे*

"दीक्षित दनकौरी ने इस संग्रह को तैयार करने में बहुत परिश्रम किया है। संग्रह किसी मायने में कम नहीं है। हिन्दी ग़ज़ल के इतिहास में 'ग़ज़ल...दुष्यन्त के बाद' एक अत्यन्त महत्वपूर्ण पुस्तक होगी।" *—हरिलाल मिलन*

"हिन्दी ग़ज़ल के क्षेत्र में यह पुस्तक एक मील का पत्थर साबित होगी। दीक्षित दनकौरी का यह कार्य बरसों-बरस तक याद किया जाता रहेगा।"

—अशोक शर्मा

"दुष्यंत कुमार के बाद ग़ज़ल जिस पड़ाव पर है, उसका आंकलन करते हुए दीक्षित दनकौरी का जो यह सम्पादन-कार्य है, यह निश्चय ही ग़ज़ल के ऐतिहासिक विकास को जानने का सशक्त माध्यम है।" *—मधुर शास्त्री*

"बड़े साहस के साथ दीक्षित दनकौरी ने 'बाक़ायदा हिन्दी ग़ज़ल का अभियान' छेड़े हुए महारथियों तथा उर्दू ग़ज़लकार अग्रजों को हक़ीक़त का आइना दिखाया है। मज़ा आ गया। आज बड़ी आवश्यकता है इस प्रकार के आलेखों की।"

—ओमप्रकाश चतुर्वेदी 'पराग'

"हिन्दी अदब की ऊँघती दुनिया में दीक्षित दनकौरी जैसे ज़िन्दादिल ग़ज़लकार का होना, दरियाओं की रवानी जैसा है।"

—ज्ञान प्रकाश 'विवेक'

"दीक्षित दनकौरी ने जिस जियालेपन का सुबूत दिया है वो क़ाबिले-सताइश है। निस सदी के मोअल्लिम, भोले-भाले, रियाकारी से कोसों दूर अपनी धुन में मगन रहते हैं और काम करने पर ज़्यादा यक़ीन करते हैं।"

—'रज़ा' अमरोहवी

"उर्दू साहित्य जगत में जब देहली का ज़िक्र आता है तो शायर लोग इसे 'ग़ालिब की दिल्ली' के नाम से याद करते हैं। हिन्दी जगत भी दिल्ली को 'दीक्षित दनकौरी' की दिल्ली के नाम से बजा तौर पर याद कर सकता है! आख़िर दीक्षित दनकौरी ने हिन्दी ग़ज़ल को इन्द्रधनुश के-से सात रंग प्रदान किए हैं और इसे आसमान की-सी ऊँचाइयाँ और जाहो-जलाल अता किया है। परमात्मा उन्हें नज़रे-बद से बचाए!"

—राजेन्द्रनाथ 'रहबर'

"नई कविता के नाम पर लिखी जा रही फूहड़ और पहेलीनुमा गद्य को हिन्दी की प्रतिनिधि कविता के रूप में स्थापित करने की कोशिशों को बड़े शालीन ढंग से दीक्षित दनकौरी ने थोड़े से समय में ही फीका कर दिया है। दीक्षित दनकौरी उन तमाम कवियों की आशा का केन्द्र बन गए हैं जो छन्दबद्ध कविता से जुड़े हैं।"

—अशोक रावत

"सोचती हूँ इतना बड़ा काम श्री दीक्षित दनकौरी ने कैसे कर लिया? ग़ज़ल के प्रति उनकी तड़प, निष्ठा और लगन कल्पनातीत हैं। कौन सी आग इस व्यक्ति के सीने में धधक रही है, जो स्वयं तो प्रभावी ग़ज़लें कहता ही है, देश के कोने-कोने के ग़ज़लकारों के कलाम को बिना किसी पूर्वाग्रह के दुनिया के सामने ससम्मान पेश कर रहा है।"

—डॉ. सुषमा अय्यर

"ग़ज़ल-कहन से, साहित्य-प्रेम एवं साहित्य-सेवा-भाव से दीक्षित दनकौरी आज उस मुक़ाम पर हैं कि वे प्रकाश स्तम्भ हैं, यह कहना अतिशयोक्ति नहीं।"

—क़मर 'बरतर'

"हिन्दी-ग़ज़ल की जितनी सेवा श्री दीक्षित दनकौरी ने की है, उतनी शायद ही किसी ने की होगी। (स्वर्गीय) प्रकाश पण्डित ने उर्दू के प्रसिद्ध शायरों की मशहूर शृंखला शुरू की थी। वास्तव में उर्दू ग़ज़ल को देवनागरी लिपि में प्रस्तुत करने का वृहद पैमाने पर किया गया पहला सार्थक प्रयास था वह। उससे ग़ज़ल भारतीय परिवेश में आम लागों के दिल में 'ग़ज़ल' बनकर उतर गई। अब दीक्षित दनकौरी की कोशिश मंज़रे-आम पर है।" —रमेश 'कंवल'

" 'ग़ज़ल...दुष्यंत के बाद' का सफलतापूर्वक सम्पादन कार्य सिद्ध करता है कि दीक्षित दनकौरी समर्थ ग़ज़लकार ही नहीं ग़ज़ल नवाज़ भी हैं।" —प्रो. ओम राज़

"दीक्षित दनकौरी ने हिन्दी-ग़ज़ल को आरम्भ से लेकर अब तक समग्रता के साथ पिरोने का जो प्रयास किया है, वह स्तुत्य है।" —डॉ. गोविन्द व्यास

"दीक्षित दनकौरी जी ने बिला शुब्हा हिन्दी-ग़ज़ल और हिन्दी ग़ज़लकारों की नुमायाँ ख़िदमात अंजाम दी हैं।" —नासिर अली 'नदीम'

"दीक्षित दनकौरी हिन्दी-ग़ज़ल का एक ऐसा नाम है जिसने अपनी ज़िन्दगी ही ग़ज़ल के नाम लिख दी है।" —इकराम राजस्थानी

इस भारी-भरकम कार्य में दीक्षित दनकौरी ने जिस सूझ-बूझ, लगन, निष्ठा तथा दूरदर्शिता का परिचय दिया है वह श्लाघनीय है। —विज्ञान व्रत

"दीक्षित जी ग़ज़लकार ही नहीं ग़ज़ल के लिए समर्पित व्यक्तित्व हैं। उन्होंने शानदार ग़ज़लों के सृजन के साथ-साथ विभिन्न ग़ज़ल संकलनों के सम्पादन द्वारा दूर-दराज़ के लोगों को ग़ज़ल की मुख्य धारा से जोड़ने का काम किया है।" *—डॉ. रेखा व्यास*

"श्री दीक्षित दनकौरी ने देश भर के रचनाकारों की रचनाओं को संकलन का रूप देकर एक ऐसा महान कार्य कर दिखाया जो असम्भव था। इसके लिए वह प्रशंसा के साथ की वन्दनीय भी हैं।" —राजकुमारी 'रश्मि'

"दीक्षित दनकौरी हिन्दी-ग़ज़ल संसार के एक सुपरिचित एवं नामचीन ग़ज़लगो हैं। इन्होंने हिन्दी-ग़ज़ल के प्रचार-प्रसार एवं अन्तरराष्ट्रीय स्तर पर उसे स्थापित करने के लिए भगीरथ प्रयास किए हैं।" —अनवर सुहेल

दनकौरी जी ने जो ग़ज़ल की ख़िदमत की वह काबिले-तारीफ़ है।

—छुट्टन ख़ाँ 'साहिल'

"दरहक़ीक़त दीक्षित दनकौरी जदीद और कदीम, नामवर और गुमनाम, साथ ही हर रंग और हर फ़िक्र के ग़ज़लकारों को सार्थक मंच देकर ग़ज़ल की माँग को सितारों से सजा रहे हैं। जिसे ग़ज़ल का इतिहास कभी नज़रअन्दाज़ नहीं कर पाएगा।"

—अनवारे इस्लाम

"कुछ काम मुँह से बोलते हैं। कुछ लोगों के सर चढ़कर बोलते हैं लेकिन कुछ काम ऐसे भी होते हैं जिन्हें समय झोली में समेटकर रख लेता है और फिर पवित्र भस्म की तरह, आने वाली पीढ़ियों के सर पर बिखेर देता है। दीक्षित दनकौरी का ग़ज़ल के उपर किया गया काम भी ऐसा ही है। इसे भी सहेजकर रख लिया जाएगा और इस तरह इनका काम और नाम ग़ज़ल और ख़ासकर हिन्दी-ग़ज़ल के इतिहास में अमर हो जाएगा।"

—राजेश 'राजे'

"हिन्दी-ग़ज़ल को उसकी अपनी पहचान देने वालों में दीक्षित दनकौरी जी अग्रगण्य हैं। 'ग़ज़ल...दुष्यन्त के बाद' का सम्पादन करके उन्होंने आज के प्रदर्शनप्रिय व प्रचारवादी युग में ग़ज़ल को एक अस्मिता प्रदान कर दी है। उनका यह कार्य ऐतिहासिक महत्त्व का है।"

—रामसनेही लाल शर्मा 'यायावर'

"दीक्षित दनकौरी ने 'ग़ज़ल...दुष्यन्त के बाद' का सफल संपादन/प्रकाशन कर अपने आपको सफ़-ए-अव्वल में ला खड़ा किया है।"

—ज़हूर अहमद 'ज़हूर'

"एक श्रेष्ठ ग़ज़लकार होने के साथ दीक्षित जी ने 'ग़ज़ल...दुष्यंत के बाद' प्रकाशित कराके ग़ज़ल को हिन्दी में नई प्रतिष्ठा दी है। इन संकलनों की उपेक्षा करके हिन्दी-ग़ज़ल पर बात नहीं की जा सकती।"

—डॉ. सुधेश

"दीक्षित दनकौरी ने देश के कई कवियों एवं शायरों की ग़ज़लें एवं पुस्तकें प्रकाशित कर उन्हें प्रकाश में लाने का जो सद्कर्म किया है वह न सिर्फ़ प्रशंसनीय है बल्कि इसके लिए आने वाली नस्लें आपकी कर्ज़दार रहेंगी और साहित्य जगत उनको सदैव याद रखेगा।"

—इक़बाल बशर

"मैं महसूस करता हूँ कि जनाब दीक्षित दनकौरी की अदब के लिए बेमिसाल कुरबानी है। ऐसे लोग दुनिया में कम ही आया करते हैं।"

—सलीम अन्सारी 'असर'

"ढेरों ग़ज़लकारों को एक सूत्र में पिरोकर दीक्षित दनकौरी ने अपने प्रतिभाशाली साहित्य-सृजन के प्रति समर्पित होने का पूर्ण परिचय दिया है। जब भी ग़ज़ल का इतिहास लिखा जाएगा उसमें दीक्षित दनकौरी जी का नाम ससम्मान दर्ज़ होगा।"

—रामेश्वर प्रसाद गुप्त 'इन्दु'

"ग़ज़ल की दुनिया में, दीक्षित दनकौरी का योगदान असामान्य है, अन्यतम है। इस विधा में : लेखन-सम्पादन, दोनों में ही उन्होंने इतिहास रचा है। और इसी नाते, इतिहास-निर्माता की संज्ञा से उन्हें अभिषिक्त किया जाए तो कोई अतिशयोक्ति नहीं होगी।"

—शैवाल सत्यार्थी

" 'ग़ज़ल...दुष्यन्त के बाद' के माध्यम से कितनी गुमनाम प्रतिभाएँ पाठकों के समक्ष आईं। पूरे देश के शायरों को एक कड़ी में प्रस्तुत करने का दुष्कर कार्य दीक्षित जी जैसा जुझारू व्यक्ति ही कर सकता है।"

—प्रतिभा शुक्ल

"दीक्षित दनकौरी ने ग़ज़ल के क्षेत्र में वास्तव में श्लाघनीय कार्य किया है।"

—डॉ. मिर्ज़ा हसन नासिर

"शायराना मिज़ाज पाने के साथ-साथ दीक्षित दनकौरी की फ़ितरत में सब को साथ लेकर चलने का जज़्बा भी शामिल है, वो बहरसूरत तारीफ़ों और दुआओं का हक़दार है।"

—'जमील' हापुड़ी

"आज के रचना समय में ग़ज़ल विधा के दृष्टिगत दीक्षित दनकौरी का नाम गौरव की अनुभूति कराता है। 'ग़ज़ल...दुष्यन्त के बाद' के रूप में उनका अवदान उनके नाम को समकालीन साहित्य के इतिहास में निश्चित ही दर्ज़ कराएगा।"

—दिवाकर वमा

"जिस मेहनत, लगन और साहस के साथ साहित्य के क्षेत्र में दीक्षित दनकौरी ने कार्य किए हैं वह हिन्दी-ग़ज़ल के इतिहास में मील का पत्थर साबित होंगे।"

—रऊफ़ परवेज

"दीक्षित दनकौरी द्वारा हिन्दी ग़ज़ल के सन्दर्भ में किया जाने वाला कार्य हिन्दी-उर्दू की दूरियों को मिटाता ही है, आत्मीयता भी जागृत करता है। दुष्यंत ने जिसकी नींव रखी, उस भवन को हर प्रकार से दीक्षित दनकौरी जी ने संवारा है। श्री दीक्षित दनकौरी का यह कार्य स्तुत्य तो है ही ऐतिहासिक भी है।" —रमेशचन्द्र शर्मा, 'चन्द्र'

" 'ग़ज़ल...दुष्यंत के बाद' ग़ज़ल की तारीख़ में एक मील के पत्थर की तरह है, जिससे समकालीन युवा पीढ़ी ही नहीं, आने वाली पीढ़ियाँ भी रोशनी पाती रहेंगी और ग़ज़ल की यात्रा को मुक़ाम-दर-मुक़ाम आगे बढ़ाती रहेंगी। और यह सब इसलिए मुमकिन और आसान होगा, क्योंकि दीक्षित दनकौरी जैसे एक शख़्स ने इसका बीड़ा उठाया और इसे (ग़ज़ल को) ओढ़ा, बिछाया (दुष्यंत की तरह) महफ़िलें जमाईं, अश्आर के तोहफ़े लिए-दिए और सबसे बढ़कर हिन्दी को उर्दू और उर्दू को हिन्दी से लबरेज़ बनाया।"

—कुमार नयन

" 'ग़ज़ल...दुष्यंत के बाद' का सम्पादन करके दीक्षित दनकौरी ने एक इतिहास रच दिया है।"

—अशोक अंजुम

"दीक्षित दनकौरी आज एक संस्था के रूप में सम्पूर्ण राष्ट्र ही नहीं भारतेतर देशों में भी वरिष्ठ शायर के रूप में जाने जाते हैं। नए रचनाधर्मियों का आप दिशा संधान कर रहे हैं।"

—आचार्य भगवत दुबे

"ग़ज़ल को हिन्दी साहित्य के केन्द्र में लाने के लिए दीक्षित दनकौरी ने बहुत ही बड़ा योगदान दिया है। इस अत्यंत कठिन कार्य को इन्होंने अपनी लगन और श्रम से फलीभूत किया है।"

-बलबीर राठी

"दुष्यंत कुमार के बाद जिन लोगों ने ग़ज़ल की दुनिया में अपना ख़ास मक़ाम बनाया उनमें दीक्षित दनकौरी जी अगली पंक्ति के शायर हैं।" —हस्तीमल 'हस्ती'

"हिन्दी-ग़ज़ल श्री दुष्यन्त कुमार के पहले भी रही होगी पर श्री दुष्यन्त कुमार ने उसे हिन्दी में मान्यता दिलाकर प्रतिष्ठापित किया तो श्री दीक्षित दनकौरी ने अपने काम से उसी परम्परा में हिन्दी-ग़ज़ल की प्रतिष्ठा को नई ऊँचाइयाँ दी हैं।"

—रमेश माहेश्वरी

"अपने ग़ज़ल संकलन 'डूबते वक़्त...' और 'ग़ज़ल दुष्यंत के बाद' के संपादन कार्य के ज़रिए दीक्षित दनकौरी ने अदबी हल्क़ों में उल्लेखनीय पहचान बनाई है।"

—देवमणि पाण्डेय

"दीक्षित दनकौरी सक्षम ग़ज़लकार होने के साथ-साथ उच्चकोटि के सम्पादक भी हैं। आपने 'ग़ज़ल...दुष्यन्त के बाद' का सम्पादन करके एक अतुलनीय कार्य किया है।"

—सार्थ

"दीक्षित दनकौरी एक ऐसा नाम जिसने हिन्दी-ग़ज़ल के क्षेत्र में दुष्यंत के बाद, सर्वाधिक कीर्तिमान स्थापित किए हैं। लेखन, प्रकाशन और सम्पादन तीनों में ही उन्होंने जो चटख और बड़ी रेखाएँ दी हैं, उन्हें छोटी कर पाना मुमकिन नहीं है।"

—डॉ. राधेश्याम शुक्ल

"दीक्षित दनकौरी ने ग़ज़ल की दुनिया में सचमुच एक समां बाँध दिया है। एक रोशनी फैलाई है, जिस रोशनी से पूरा ग़ज़ल क्षेत्र जगमगा रहा है।"

—अंजनी कुमार शमा

"दीक्षित दनकौरी ने अपनी काविशों से ग़ज़ल को हिन्दी दुनिया में एक मुक़ाम दिलवाया है। आपने अलग-अलग शोअरा के कलाम जमा करके उनको मजमूए की शक़्ल में शाया करके एक मिसाल क़ायम की है।" —रमेश कुमार 'साइल'

"अन्तरराष्ट्रीय स्तर पर ग़ज़ल-विधा और विशेषकर सामाजिक बदलाव के लिए प्रतिबद्ध ग़ज़ल-विधा के प्रकाशन, प्रचार-प्रसार और उसे एक जनान्दोलन बनाने की दिशा में किए गए योगदान के लिए दीक्षित दनकौरी की सराहना की जानी चाहिए।"

—भगवान स्वरूप चैतन्य

" 'ग़ज़ल...दुष्यंत के बाद' के प्रकाशनार्थ किए गए दीक्षित दनकौरी के प्रयासों को कोई भी ग़ज़ल प्रेमी अनदेखा नहीं कर सकता।"

—प्रो. रमेश सिद्धार्थ

"दीक्षित दनकौरी ने ग़जल विधा के लिए जो काम किया है, वह उल्लेखनीय है 'ग़जल. ..दुष्यंत के बाद' का प्रकाशन ही इतना महत्त्वपूर्ण है कि किसी सम्पादक को अमर कर दे। साहित्य के इतिहास में उनका नाम, ख़ासकर ग़ज़ल विधा की उन्नति के लिए सदैव दर्ज़ रहेगा।" —शंकर मोहन झा

"ईश्वर से प्रार्थना है कि 'ग़ज़ल...दुष्यंत के बाद' में जितनी ग़ज़लें है, दीक्षित दनकौरी कम-से-कम उतने साल इस धरती पर जिएँ और भावी पीढ़ियों द्वारा एक ऐसा संकलन प्रकाशित हो जिसका नाम हो—'ग़ज़ल...दीक्षित दनकौरी के बाद'। —दिनेश प्रभात

"ग़ज़लगो शाइरों में दीक्षित दनकौरी का एक अलग मक़ाम है। 'ग़ज़ल...दुष्यंत के बाद' का सम्पादन कार्य इनकी विशिष्ट उपलब्धि कही जाएगी।" —प्रेम किरण

"हिन्दी और उर्दू साहित्य में जो उन्होंने अमूल्य योगदान दिया है काबिले-तारीफ़ है।"

—माधुरी राऊलकर

"दीक्षि दनकौरी ने ग़ज़ल के क्षेत्र में जो सराहनीय कार्य किया है विशेषकर 'ग़ज़ल. ..दुष्यन्त के बाद' का संपादन, वह प्रसंशनीय है जो आपको साहित्य के क्षेत्र में हमेशा चर्चित रखेगा।" —रमेश कटारिया 'पारस'

" 'ग़ज़ल...दुष्यन्त के बाद' के माध्यम से हिन्दी-उर्दू के बीच जो पुल बनाने का काम दीक्षित दनकौरी कर रहे हैं उसके लिए आने वाला समय उनका ऋणी रहेगा। दूसरों के लिए खपना वो भी आज के दौर मे किसी बड़े इंसान के ही बस की बात है।"

—प्रवीण शुक्ल

"व्यक्तिगत रूप से मैं मानता हूँ कि दीक्षित दनकौरी ने हिन्दी साहित्य के साथ-साथ ग़ज़ल-विधा को नया आयाम दिया है।" —पी. के. आर्य

"हिन्दी-साहित्य समाज में ग़ज़ल लेखन की परम्परा के विकास में जिन अनेकानेक ग़ज़लकारों ने महत्वपूर्ण योगदान दिए हैं उनमें श्री दीक्षित दनकौरी जी आज सर्वाधिक चर्चा में हैं। उन्होंने 'ग़ज़ल...दुष्यन्त के बाद' श्रृंखला के माध्यम से न केवल ग़ज़लकारों को एक साथ जोड़ा बल्कि इससे ग़ज़ल हिन्दी कविता के और समीप आई है।"

—हरे राम 'समीप'

"ग़ज़ल की उर्वरा धरती पर नई कोंपलें रोपने में भाई दनकौरी का हस्तक्षेप अथवा पहल ग़ज़ल प्रेमियों को शीतल महक का एहसास करा रही है।" —राजेन्द्र मिलन

" 'ग़ज़ल...दुष्यंत के बाद' के लिए हिन्दी-ग़ज़ल क्षेत्र हमेशा दीक्षित दनकौरी जी का ऋणी रहेगा। यह आदमी ग़ज़ल का दीवाना है, अपनी हर साँस मानो ग़ज़ल के नाम कर दी हो।" —साहिल

'ग़ज़ल...दुष्यंत के बाद' के माध्यम से देश के हर कोने से ग़ज़लकारों को ढूँढना व उनको संकलन के माध्यम से एक मंच पर लाना कोई साधारण कार्य नहीं था। लेकिन जीवट प्रवृत्ति के दीक्षित दनकौरी ने इस विकट व विस्तृत कार्य को अपनी लगनशीलता एवं सम्पादकीय प्रबुद्धता के बल पर सहज भाव से कर दिखाया।"

—प्रकाश 'सूना'

"ग़ज़ल के क्षेत्र में दीक्षित दनकौरी का नाम, काम एवं कलाम अपनी अलग पहचान रखता है।"
—उदय भानु 'हंस'

"जिस निष्ठा एवं समर्पण से दीक्षित दनकौरी ग़ज़ल के प्रचार-प्रसार में लगे हैं वह नव ग़ज़लकारों को प्रोत्साहित करने वाला है और जिस श्रद्धा से आप पुरानी पीढ़ी के भुला दिए गए श्रेष्ठ ग़ज़लकारों, उनकी प्रतिभा को उनके कलाम को नई पीढ़ी के सामने लाकर इतिहास रचने, साहित्य सहेजने, सँवारने का कार्य कर रहे हैं वह श्लाघनीय है।"
—डॉ. श्याम सखा 'श्याम'

"मुझ जैसे अनेक अनामचीन लोगों को एक मंच पर इकट्ठा कर लोगों की निगाह में लाने वाले ऊर्जा के प्रतीक दीक्षित दनकौरी ने जो साहित्य सेवा की है, उसे आने वाली पीढ़ियाँ याद रखेगी, अनुकरण करेगी और इस परम्परा को आगे बढ़ाने के लिए उनसे प्रेरणा लेंगी।"
—शंकर सक्सेना

"लोक मंगल की भावना से सराबोर सृजन सत्य, शिव, सौन्दर्य से अभिसिक्त होकर प्रवाहित हो रहा है जिसका मूर्तिकरण है 'ग़ज़ल...दुष्यंत के बाद'।"
कृष्णा कुमारी 'कमसिन'

"दीक्षित दनकौरी ने एक बहुत बड़ा अदबी कारनामा अंजाम दिया है।"
—अब्दुल मजीद 'महशर'

"दीक्षित दनकौरी हिन्दी-ग़ज़ल विधा के ऐसे लोकप्रिय चर्चित हस्ताक्षर हैं जिन्होंने 'ग़ज़ल...दुष्यंत के बाद' जैसे महत्वपूर्ण संकलन सम्पादित कर देश-भर के ग़ज़लकारों को एक मंच पर प्रस्तुत करने का उल्लेखनीय कार्य किया है। ग़ज़ल विधा के लिए उनका यह अवदान अविस्मरणीय और ऐतिहासिक है।"
—अनिरुद्ध प्रसाद विमल

"दीक्षित दनकौरी ने अपने सम्पादन में दूर-दराज़ के तमाम शाइरों/कवियों की ग़ज़लों को 'ग़ज़ल...दुष्यंत के बाद', में प्रस्तुत करके हिन्दी के साथ-साथ ग़ज़ल के क्षेत्र में ऐतिहासिक कार्य कर दिखाया है। 'ग़ज़ल...दुष्यन्त के बाद' साहित्यिक उपलब्धि ही नहीं बल्कि शोधकर्ताओं के लिए उपयोगी संकलन कहा जाएगा।"
—कुँवर 'कुसुमेश'

“ ‘ग़ज़ल...दुष्यंत के बाद’ के सम्पादन से ग़ज़लकारों और प्रकाशकों के मध्य एक ऐसा सम्मानित नाम उभरकर आया जिसने ग़ज़ल के प्रति इस व्यक्तित्व की लगन, कर्मठता एवं सफलता को सिद्ध कर दिया। दीक्षित दनकौरी ने ‘ग़ज़ल’ में शोध करने वाले विद्यार्थियों हेतु एक बहुत ही महत्वपूर्ण और सराहनीय सहायता प्रदान कर दी है।” —म.ना. नरहरि

“मुल्क के ग़ज़लकारों का ‘ग़ज़ल...दुष्यंत के बाद’ के माध्यम से दुनिया से परिचित कराना न केवल क़ाबिल-ए-तारीफ़ है बल्कि अनुकरणीय भी है।”

—डॉ. नसीम आलम नारवी

“जो दागबेल हिन्दी-ग़ज़ल में श्री दुष्यंत कुमार ने काटी थी उस दागबेल पर दीक्षित दनकौरी ने बड़ा विशाल चौड़ा रास्ता बना दिया है जिस पर क़ाफ़िले के क़ाफ़िले आज गामज़न हैं। ग़ज़ल विधा पर जब कभी भी बात चलेगी तो इसके विकास-प्रसार के योगदान में दीक्षित दनकौरी का नाम अग्रणी होगा।”

—महावीर सिंह ‘दुखी’

“ ‘ग़ज़ल...दुष्यंत के बाद’ का सम्पादन/प्रकाशन दीक्षित दनकौरी का ऐसा काम है जो अपने आप में एक दस्तावेज़ की हैसियत रखता है।” —शकील शिफ़ाई

सक्रिय, लगनशील, ऊर्जावान और हिन्दी-उर्दू साहित्य की गहरी समझ रखने वाले व्यक्तित्व का नाम है—दीक्षित दनकौरी। इन्होंने ‘ग़ज़ल...दुष्यंत के बाद’ का प्रकाशन कर ग़ज़ल प्रेमियों को एक नायाब तोहफ़ा भेंट किया है और श्री अयोध्या प्रसाद गोयलीय के कार्य को आगे बढ़ाया है। —डॉ. अनिल कुमार जैन ‘अनिल’

“ ‘ग़ज़ल...दुष्यंत के बाद’ एक धरोहर के रूप में सहेजी जाने वाली कृति है।”

— श्रवण ‘राही’

“ ‘ग़ज़ल...दुष्यंत के बाद’... हिन्दी ग़ज़ल के क्षेत्र में इतने वृहद् संकलन अब तक प्रकाशित नहीं हुए हैं।” —डॉ. रोहिताश्व अस्थाना

“ग़ज़ल की दुनिया में दीक्षित दनकौरी ने ‘ग़ज़ल...दुष्यंत के बाद’ के माध्यम से देशभर के ग़ज़लकारों को एक जगह जुटाने की जो अलख जगाई है वह सचमुच सराहनीय कार्य है।” —ममता किरण

“ग़ज़ल के प्रचार-प्रसार के लिए जिस निष्ठा, लगन और धैर्य के साथ दीक्षित दनकौरी

ने कड़ा परिश्रम किया है, कल्पनातीत है। 'ग़ज़ल...दुष्यंत के बाद' के माध्यम से ग़ज़ल के कैसे-कैसे नगीनों को दीक्षित जी हिन्दी-पाठकों के समक्ष प्रस्तुत कर रहे हैं।''

—डॉ. सुशील गुरु

'' 'ग़ज़ल...दुष्यन्त के बाद' एक ऐसा पुख़्ता काम है जो साहित्य की दुनिया में एक मील के पत्थर का स्थान रखता है।''

—गोपाल शर्मा 'फिरोज़पुरी'

''दीक्षित दनकौरी ने 'ग़ज़ल...दुष्यंत के बाद' के माध्यम से जो मील के पत्थर कायम किए हैं वे ग़ज़ल की राह चलने वाली पीढ़ियों को रोशनी देते रहेंगे।''

—रामचरण राग

'' 'ग़ज़ल...दुष्यंत के बाद' का शानदार सम्पादन कर ग़ज़ल की दुनिया व ग़ज़ल के आशिकों के मन में सदा-सदा के लिए चिरस्थायी स्थान बनाया है।एक साथ इतने शायर यानी ग़ज़ल का महासागर हिलोरें लेने लगा। 'ग़ज़ल...दुष्यंत के बाद' ग़ज़ल पर शोध करने वाले छात्रों के लिए विशेष प्रमाणिक सामग्री है।''

—(श्रीमती) कान्ति अय्यर

''ग़ज़ल साहित्य को जन-जन तक पहुँचाने के कार्य को जिस प्रकार दीक्षित दनकौरी ने अपने कन्धों पर ले रखा है, इससे ग़ज़ल-प्रिय पाठकों को तो लाभ हो ही रहा है, साथ ही नए ग़ज़लकारों को भी ख्याति मिल रही है।''

—डॉ. हरिवंश अनेजा

''दीक्षित दनकौरी की सम्पादन प्रतिभा भी अनोखी है। ख़ास तौर पर इनके सम्पादन में निकले 'ग़ज़ल...दुष्यंत के बाद' ग़ज़ल साहित्य की धरोहर हैं।''

—राज गोपाल सिंह

''दीक्षित दनकौरी ने दुष्यंत की पताका को अपने हाथों में लेकर देशभर के ग़ज़लकारों को एक मंच पर, एक सूत्र में पिरोने का महती कार्य किया है।''

—राजकुमार चन्दन

''सृजन के साथ-साथ अच्छे और वास्तविक शायरों को विस्तार से सबके सामने लाने का जो काम दीक्षित दनकौरी कर रहे हैं वह खूब सराहा जा रहा है।''

—ओम प्रकाश यती

"दुष्यंत के बाद जिन गिने-चुने कवियों/शाइरों ने समाज-ऋण को गहरे से महसूस किया है और स्वयं को सामाजिक सरोकारों से जोड़ा है उनमें दीक्षित दनकौरी एक पूर्णरूपेण उभरा हुआ नाम है जिन्होंने 'ग़ज़ल...दुष्यंत के बाद' के माध्यम से ग़ज़लकारों का एक विश्व स्तरीय मंच तैयार कर दिया है।"

—महेन्द्र 'हुमा'

" 'ग़ज़ल ...दुष्यंत के बाद' की अभिनव योजना, वर्तमान ग़ज़लकरों के प्रति दीक्षित दनकौरी की सहृदयता और जागरुकता का जीवंत प्रमाण है।"

—डॉ. महेन्द्र अग्रवाल

"हिन्दी में ग़ज़ल विधा को समृद्ध करने का जो दुष्कर कार्य दीक्षित दनकौरी ने किया है उसके लिए वे सर्वथा जाने जाएँगे।"

—हृदयेश मयंक

"दीक्षित दनकौरी ने"ग़ज़ल...दुष्यंत के बाद" सम्पादित करके सिद्ध कर दिया कि वे उस जौहरी की मानिन्द हैं, जो न केवल हीरों को तराशता है बल्कि उन्हें हर जानिब से तलाशता भी है।

—डॉ. राजेन जयपुरिया

"वर्तमान ग़ज़ल परिक्षेत्र में ताजा हवा के झोकों के लिए गवाक्ष खोलने का काम 'ग़ज़ल ...दुष्यंत के बाद' के माध्यम से दीक्षित दनकौरी की महती भूमिका स्मरणीय रहेगी।"

—सलीम अख़्तर

"'ग़ज़ल...दुष्यंत के बाद' दीक्षित दनकौरी की कड़ी मेहनत का नतीजा है।"

—राजेश आनन्द 'असीर'

"हिन्दी ग़ज़ल ने एक सहमे हुए माहौल से बिखरे हुए माहौल तक का सफ़र पूरी रिवायत के साथ तय किया है। दीक्षित दनकौरी द्वारा सम्पादित 'ग़ज़ल...दुष्यंत के बाद' में प्रकाशित देश-भर के सैकड़ों ग़ज़लकारों की हज़ारों ग़ज़लें इस बात का पुख़्ता सबूत है।"

—पारसनाथ बुलचन्दानी 'बुल्ली'

"साहित्यिक मठाधीशों और नामवर आलोचकों की घोर उपेक्षाओं और दुश्वारियों के बावजूद दीक्षित दनकौरी जिस हौसले और ख़ुद्दारी के साथ ग़ज़ल के कारवाँ को आगे बढ़ा रहे हैं, निश्चित ही भावी पीढ़ियाँ उनसे प्रेरणा लेंगी और अग्रज पीढ़ी उनको दुआओं से नवाज़ेंगी।"

—अनिल 'मीत'

"दीक्षित दनकौरी उर्दू और हिन्दी के बीच एक पुल बनाने में मगन है। इन्होंने उस मिशन को आगे बढ़ाने की ठान ली है जो दुष्यंत ने शुरू किया था।"

—मोईन शादाब

" 'ग़ज़ल...दुष्यंत के बाद' को अपार सफलता मिली है वह दीक्षित दनकौरी के श्रम का ही फल है।"

—नरेन्द्र कुमार सिंह

"ज़िन्दगी के आस-पास जितनी खटास और मिठास है उसे दीक्षित जी एक उजास में बदलने का बीड़ा उठाए हुए हैं...और आज पचास के हो रहे हैं। खुद तो अच्छा कहते ही हैं, अच्छा कहने वालों के लिए एक मदरसा भी बन गए हैं दीक्षित दनकौरी। देश भर के सारे ग़ज़लगो इनके काव्यांगन में नशिस्त लगाते हैं।"

—अशोक 'चक्रधर'

❑❑❑